Nicholas Evans urodził się w 1950 roku w Anglii. Po ukończeniu studiów prawniczych w Oksfordzie pracował jako dziennikarz telewizyjny, po czym został scenarzystą i producentem filmowym.

Zaklinacz koni to powieść, która stała się sławna jeszcze przed publikacją – wspaniała love story, epicka i tragiczna historia miłosna, napisana przez mężczyznę, który chciał zrozumieć, co czuje kobieta. Jej niezwykłość tkwi jednak w postaci głównego bohatera, tytułowego „zaklinacza".

Tom Booker, kowboj z Montany, ma szczególny dar – jest kimś w rodzaju końskiego psychoterapeuty. Wywiera kojący wpływ na zwierzęta, a później okazuje się, że potrafi również wywierać wpływ na ludzi. Osoby, które się z nim zetknęły, ulegają wewnętrznej przemianie, i nic w ich życiu nie jest już takie, jak było...

Nicholas Evans

ZAKLINACZ KONI

Tłumaczył Paweł Witkowski

ZYSK I S-KA
WYDAWNICTWO

Tytuł oryginału
THE HORSE WHISPERER

Opracowanie graficzne serii i projekt okładki
Lucyna Talejko-Kwiatkowska

Fotografia na okładce
Piotr Chojnacki

Redaktor serii
Tadeusz Zysk

Redaktor
Maria Bosacka

Wydanie I

ISBN 83-7150-128-5

Zysk i S-ka
Wydawnictwo s.c.
ul. Wielka 10, 61-774 Poznań
fax 526-326
Dział handlowy tel./fax 532-751
Redakcja tel. 532-767

Printed in Germany by Elsnerdruck – Berlin

DLA JENNIFER

Proszę następujące osoby o przyjęcie podziękowań:

Huwa Albana Daviesa, Michelle Hamer, Tima Galera, Josephine Haworth, Patricka de Freitasa, Boba Peelbesa z rodziną, Toma Dorrance'a, Raya Hunta, Bucka Brannamana, Leslie Desmond, Lonnie i Darlene Schwend, Beth Ferris i Boba Reama oraz dwóch kierowców ciężarówek, Ricka i Chrisa, którzy zabrali mnie na przejażdżkę mrówkojadem.

Wyrazy szczególnej wdzięczności niech przyjmie czworo dobrych przyjaciół: Fred i Mary Davis, Caradoc King oraz James Long; a także Robbie Richardson, która pierwsza opowiedziała mi o zaklinaczach.

Nie goń zewnętrznej matni
Nie toń w wewnętrznej pustce
Bądź spokojny w jedności rzeczy
A dwoistość zniknie sama

O ufności w sercu
Seng Can (zm. 606)

CZĘŚĆ I

1

Śmierć była na początku i śmierć będzie także na końcu. Czy to właśnie jakiś bystry cień tego przemknął w snach dziewczynki i obudził ją w ten nieprawdopodobny poranek, tego nigdy się nie dowie. Kiedy otworzyła oczy, wiedziała tylko tyle, że świat w jakiś sposób się zmienił.

Czerwono błyszcząca tarcza budzika pokazywała, iż zostało jeszcze pół godziny do momentu, w którym miał ją obudzić, leżała więc zupełnie nieruchomo, nie unosząc głowy, usiłując uzmysłowić sobie tę zmianę. Panował mrok, ale nie aż taki, jak powinien. Po drugiej stronie pokoju, pośród bałaganu na półkach, wyraźnie dostrzegała nikłe migotanie swoich trofeów jeździeckich, nad nimi zaś majaczące twarze gwiazd rocka – kiedyś wydawało się jej, że powinny ją one obchodzić. Nasłuchiwała. Cisza wypełniająca dom również była inna, oczekująca, niczym przerwa pomiędzy zaczerpnięciem powietrza a wypowiedzeniem słów. Wkrótce rozbrzmi stłumiony łoskot pieca, budzącego się w piwnicy do życia, a stare deski podłogowe rozpoczną swoje rytualne, skrzypiące narzekanie. Wysunęła się z pościeli i podeszła do okna.

Spadł śnieg. Pierwszy raz tej zimy. Sądząc po poprzecznych deskach płotu nad stawem, musiało go być na prawie stopę. Przy braku wiatru leżał doskonały i nieruchomy, usypany w nieproporcjonalnie komicznych ilościach na gałęziach bardzo małych wiśni, które jej ojciec posadził w zeszłym roku. W klinie głębokiego błękitu nad lasem świeciła pojedyncza gwiazda. Spuściwszy wzrok, dziewczynka zobaczyła koronkę szronu, jaka uformowała się w dolnej części okna, i przytknęła do niej palec, wytapiając małą dziurkę. Zadrżała. Nie z zimna, lecz z nagłej fali podniecenia, iż ten przemieniony świat przez chwilę należał tylko do niej. Odwróciła się i szybko poszła się ubrać.

Grace Maclean przyjechała poprzedniego wieczoru z Nowego Jorku ze swoim ojcem – tylko ich dwoje. Ta podróż zawsze sprawiała jej radość – dwie i pół godziny na Taconic State Parkway, zapakowani razem w długiego mercedesa, słuchający kaset i gawędzący swobodnie o szkole i jakiejś nowej sprawie, nad którą on pracował. Lubiła słuchać go, gdy prowadził; lubiła mieć go tylko dla siebie, patrzeć, jak powoli rozluźnia się w swoim weekendowym, choć schludnym ubraniu. Jej matka, jak zwykle, musiała zostać na jakąś kolację czy imprezę i miała przyjechać pociągiem do Hudson dziś rano, co zresztą i tak wolała. Piątkowe wieczorne pełzanie na drogach zawsze irytowało ją i niecierpliwiło, co wynagradzała sobie, przejmując dowodzenie i mówiąc Robertowi – ojcu Grace – żeby zwolnił, przyspieszył albo, dla uniknięcia opóźnień, pojechał jakąś okrężną drogą. Nigdy nie zawracał sobie głowy dyskusją, tylko robił tak, jak mówiła, chociaż czasem wzdychał lub rzucał relegowanej na tylne siedzenie Grace krzywe spojrzenie w lusterku. Związek jej rodziców od dawna stanowił dla niej tajemnicę, był skomplikowanym światem, w którym dominacja i ustępliwość nigdy nie były całkiem tym, na co wyglądały. Zamiast dać się w to wciągnąć, Grace wycofywała się po prostu, wybierając sanktuarium swojego walkmana.

W pociągu matka, skupiona i przez nic nie rozpraszana, całą drogę pracowała. Towarzysząc jej ostatnio, Grace obserwowała ją i dziwiła się, że nawet nie spojrzy przez okno, chyba że szklanym, niewidzącym wzrokiem, kiedy jakiś ważny pisarz albo któryś z jej gorliwych asystentów zadzwonił na telefon komórkowy.

Na podeście przed pokojem Grace wciąż paliło się światło. Przeszła na palcach w skarpetkach obok na wpół otwartych drzwi sypialni rodziców i zatrzymała się. Słyszała tykanie ściennego zegara w holu na dole, a teraz także uspokajające, ciche chrapanie ojca. Zeszła po schodach do holu, którego lazurowe ściany i sufit rozświetlało odbicie śniegu przez nie zasłonięte okna. W kuchni jednym długim haustem wypiła szklankę mleka i zjadła czekoladowego herbatnika, pisząc ojcu wiadomość na kartce przy telefonie: „Poszłam na konia. Wracam koło 10. Pa, G.”

Wzięła następne ciastko i zjadła je po drodze do korytarzyka przy tylnych drzwiach, gdzie zostawiali płaszcze i zabłocone buty. Włożyła wełnianą kurtkę i z ciastkiem w ustach podskakiwała chwilę, wkładając buty do konnej jazdy. Zapięła kurtkę pod szyją, nałożyła rękawiczki i zdjęła z półki czapkę, zastanawiając się przez chwilę, czy powinna zadzwonić do Judith, aby sprawdzić, czy ciągle chce jechać, skoro spadł śnieg. Nie było to jednak potrzebne. Judith będzie równie podekscytowana jak ona. Otwierając drzwi, by wyjść na mroźne powietrze, Grace usłyszała piec budzący się w piwnicy.

*

Wayne P. Tanner spojrzał ponuro znad krawędzi swojej filiżanki kawy na rzędy pokrytych cienką skorupą śniegu ciężarówek, zaparkowanych przed restauracją. Nienawidził śniegu, bardziej jednak nienawidził być łapanym, a w ciągu zaledwie paru godzin zdarzyło się to dwukrotnie.

Ci nowojorscy policjanci stanowi, zadowoleni z siebie jankescy łajdacy, cały czas świetnie się bawili. Widział, jak podczepiają się do niego i przez kilka mil wiszą mu na ogonie, cholernie dobrze wiedząc, że ich zobaczył, i bawiąc się tym. Potem podjechali z migającymi światłami, które wzywały do zatrzymania. Człowieczek, jeszcze dzieciak, podszedł buńczucznie w swoim kapeluszu, jak jakiś cholerny gliniarz z filmu. Poprosił o dzienny raport kursu. Wayne znalazł go, podał mu i patrzył, jak chłopak czyta.

– Atlanta, co? – zapytał, przerzucając strony.

– Tak, proszę pana – odparł Wayne. – I jest tam diabelnie cieplej, mogę panu powiedzieć. – Ten ton, pełen szacunku, ale braterski, zwykle działał wobec gliniarzy, implikując jakieś pokrewieństwo tych, którzy pracują na drodze. Dzieciak jednak nie podniósł wzroku.

– Aha. Wie pan, że ten wykrywacz radaru, który pan tam ma, jest nielegalny?

Wayne zerknął na małe czarne pudełko, przymocowane do tablicy rozdzielczej i przez chwilę zastanawiał się, czy zgrywać niewiniątko. W Nowym Jorku antyradary były nielegalne jedynie dla ciężarówek powyżej osiemnastu tysięcy funtów. On mógł zmieścić trzy albo cztery razy tyle. Uznał, że powoływanie się na niewiedzę może tylko uczynić małego łajdaka jeszcze bardziej złośliwym. Uśmiechnął się z udawaną winą, co się jednak na nic nie zdało, dzieciak bowiem wciąż na niego nie patrzył.

– Prawda? – powtórzył.

– No... taa... Chyba.

Chłopak zamknął dziennik i podał mu go z powrotem na górę, wreszcie spoglądając mu w oczy.

– Okay – rzucił. – A teraz zobaczymy ten drugi.

– Słucham?

– Drugi dziennik. Prawdziwy. Przecież ten tutaj jest dla wróżek.

Coś przewróciło się Wayne'owi w żołądku.

Od piętnastu lat, jak tysiące innych kierowców ciężarówek, prowadził dwa dzienniki – jeden podający prawdę o czasie jazdy, przebytych milach, odpoczynkach i tak dalej, drugi zaś, sfabrykowany specjalnie na sytuacje takie jak ta, pokazujący, że trzymał się wszystkich ograniczeń prawnych. I przez cały ten czas, choć zatrzymywano go Bóg jeden wie ile dziesiątków razy, od wybrzeża do wybrzeża, żaden gliniarz nigdy tego nie zrobił. Cholera, prawie każdy tirowiec trzymał fałszywy dziennik – nazywali je komiksami. Jeśli byłeś sam, bez partnera na zmianę, jak, u diabła, miałeś się niby zmieścić w przepisach? Jak, u diabła, miałeś zarobić na życie? Jezu. Wszystkie firmy o tym wiedziały, po prostu przymykały oko.

Spróbował przeciągnąć to trochę, udając dotkniętego, okazując nawet lekkie oburzenie, wiedział jednak, że to na nic. Partner dzieciaka, duży facet z byczym karkiem i głupkowatym uśmiechem, wysiadł z samochodu, nie chcąc stracić zabawy. Kazali Wayne'owi wysiąść z szoferki, by ją przeszukać. Widząc, że mają zamiar przyczepić się, postanowił się przyznać. Wygrzebał książkę ze schowka pod łóżkiem i podał im. Pokazywała ona, że przejechał ponad 800 mil w dwadzieścia cztery godziny tylko z jednym przystankiem, a i to jedynie na połowę czasu z wymaganych przez prawo ośmiu godzin.

Czekał go więc teraz mandat w wysokości tysiąca, może tysiąca trzystu dolarów, a nawet więcej, jeżeli dołożą mu za przeklęty antyradar. Może nawet stracić zawodowe prawo jazdy. Policjanci wręczyli mu plik papierów i odeskortowali na ten właśnie parking, ostrzegając go, aby lepiej nie myślał o wyruszeniu w dalszą drogę przed ranem.

Poczekał, aż odjadą, potem poszedł na stację benzynową i kupił czerstwego sandwicza i kontenerek piwa. Noc spędził na rozkładanej koi w tyle kabiny. Było tam przestronnie i dosyć wygodnie, a po paru piwach poczuł się trochę lepiej, ale i tak zamartwiał się przez większą część nocy. Obudziwszy się ujrzał śnieg i stwierdził, że znowu został przyłapany.

W przyjemny poranek dwa dni wcześniej, w Georgii, Wayne'owi nie przyszło do głowy sprawdzić, czy zabrał łańcuchy śniegowe. A kiedy rano zajrzał do skrzyni, tych cholerstw tam nie było. Nie mógł w to uwierzyć. Jakiś palant musiał je pożyczyć albo ukraść. Wayne wiedział, że droga międzystanowa będzie okay, na pewno już dawno wysłali tam pługi i piaskarki. Dwie ogromne turbiny, które wiózł, miały zostać dostarczone do celulozowni w małej miejscowości Chatham, i aby tam dotrzeć, będzie musiał zjechać z głównej szosy. Drogi będą kręte i wąskie, i prawdopodobnie jeszcze nie uprzątnięte. Wayne znowu przeklął w duchu, dokończył kawę i zapłacił pięciodolarowy rachunek. Za drzwiami przystanął, by zapalić papierosa, i dla ochrony przed zimnem mocno naciągnął na głowę baseballową czapkę Bravesów. Słyszał monotonny warkot ciężarówek wyjeżdżających już na międzystanową. Buty skrzypiały mu na śniegu, gdy szedł przez parking w stronę swego wozu.

Stało tam czterdzieści czy pięćdziesiąt ciężarówek, jedna obok drugiej, wszystkie osiemnastokołowe, tak jak jego, głównie peterbilty, freightlinery i kenworthy. Wayne miał czarnego i chromowanego kenwortha conventional – nazywali je mrówkojadami, z powodu długiego opadającego nosa. I chociaż lepiej wyglądał przyłączony do standardowej naczepy-chłodni z wysokimi bokami niż teraz, z dwiema turbinami zamocowanymi na płaskiej naczepie, w śnieżnym półświetle świtu Wayne uznawał, że jest to wciąż najpiękniejsza ciężarówka na parkingu. Stał przez chwilę i podziwiając ją, kończył papierosa. W przeciwieństwie do młodszych kierowców, którzy w dzisiejszych czasach mieli wszystko gdzieś, on zawsze utrzymywał szoferkę w nieskazitelnym porządku. Przed pójściem na śniadanie zmiótł z niej nawet cały śnieg. Nagle przypomniał sobie jednak, że w przeciwieństwie do niego tamci prawdopodobnie nie zapomnieli swoich cholernych łańcuchów. Wayne Tanner wgniótł papierosa w śnieg i podciągnął się do kabiny.

*

Dwie pary odcisków stóp zbiegły się u wylotu długiego podjazdu, który prowadził w górę do stajni. Z doskonałym wyczuciem czasu obie dziewczynki dotarły tam w odstępie zaledwie paru chwil i razem ruszyły na wzgórze. Ich śmiech niósł się w dolinę. Chociaż słońce miało się dopiero pokazać, biały palikowy płot ograniczający ich ścieżkę po obu stronach wyglądał na zaniedbany, podobnie jak przeszkody na polu. Ślady dziewczynek zakręcały przed szczytem wzgórza i znikały w grupie niskich budynków, stłoczonych – jakby dla ochrony – wokół obszernej, czerwonej stodoły, gdzie trzymano konie.

Gdy Grace i Judith skręcały na podwórze przed stajnią, jakiś kot uskoczył przed nimi, psując gładką powierzchnię śniegu. Zatrzymały się i stały tam przez chwilę, spoglądając w stronę domu. Nie dochodziły zeń żadne oznaki życia. Pani Dyer, właścicielka tego wszystkiego, która uczyła je obie jeździć, zazwyczaj była już o tej porze na nogach i krzątała się dookoła.

– Myślisz, że powinnyśmy jej powiedzieć, że wyjeżdżamy? – szepnęła Grace.

Obie dziewczynki dorastały razem, widując się tutaj na wsi w weekendy od tak dawna, jak tylko sięgały pamięcią. Obie mieszkały w zachodniej części miasta, obie chodziły do szkoły w części wschodniej i obie miały ojców prawników. Żadnej jednak nie przyszło do głowy, by się spotykać w ciągu tygodnia. Ich przyjaźń związana była z tym miejscem, z końmi. Skończywszy właśnie czternaście lat, Judith była o niecały rok starsza od Grace, a w podejmowaniu decyzji tak stanowcza, że skłonna była ryzykować gniew pani Dyer, co Grace z radością akceptowała. Judith prychnęła i wykrzywiła twarz.

– Ee tam – powiedziała. – Skrzyczałaby nas tylko, że ją budzimy. Chodź.

Powietrze w stajni było ciepłe i ciężkie od słodkiego zapachu siania i łajna. Gdy dziewczynki weszły z siodłami i zamknęły drzwi, tuzin koni patrzył na nie z boksów, z nastawionymi uszami, wyczuwając jakąś zmianę w świecie na zewnątrz, tak samo jak przedtem Grace. Koń Judith, kasztanowaty wałach o ładnych oczach zwany Guliwerem, zarżał cicho z radości, wystawiając pysk do pogłaskania, kiedy podeszła do boksu.

– Cześć, kochanie – odezwała się. – Jak się masz dzisiaj, co? Koń cofnął się łagodnie od bramki, żeby Judith mogła wejść z ekwipunkiem.

Grace szła dalej. Jej koń stał w ostatnim boksie, na samym końcu. Po drodze cicho odzywała się do innych, pozdrawiając je po imieniu. Widziała, że Pielgrzym – nieruchomy, z podniesionym łbem – przez cały czas ją obserwuje. Był to czteroletni wałach rasy Morgan, tak ciemnogniady, że czasami wyglądał zupełnie czarno. Rodzice Grace kupili jej go zeszłego lata na urodziny, aczkolwiek z ociąganiem. Martwili się, że jest dla niej za duży i za młody, w ogóle ma w sobie za dużo z konia. Dla Grace była to miłość od pierwszego wejrzenia.

Polecieli obejrzeć Pielgrzyma do Kentucky i kiedy zabrano ich na łąkę, podszedł prosto do płotu, by się jej przyjrzeć. Nie pozwolił się Grace dotknąć, tylko obwąchał jej rękę, ocierając się o nią lekko bokiem pyska. Następnie pogardliwie podrzucił łeb, niczym jakiś hardy książę, i odbiegł, machając długim ogonem, z sierścią błyszczącą w słońcu jak wypolerowany heban.

Kobieta, która go sprzedawała, dała Grace się przejechać. Dopiero kiedy rodzice spojrzeli na siebie, dziewczynka wiedziała, że pozwolą jej go mieć. Matka nie jeździła konno od dziecka, ale można było liczyć, że pozna się na wysokiej klasie. Pielgrzym zaś zdecydowanie miał klasę. Nie było także wątpliwości, że jest narowisty i zupełnie inny od koni, których dosiadała dotychczas. Kiedy jednak Grace siedziała na nim i mogła czuć całe to tętniące w nim życie, wiedziała, że w swoim sercu jest on łagodny, a nie złośliwy, i że będzie im razem dobrze. Będą stanowić zespół.

Chciała zmienić mu imię na coś brzmiącego bardziej dumnie, jak Kocziz albo Khan, lecz jej matka – zawsze apodyktyczny liberał – stwierdziła, że oczywiście zależy to od Grace, ale jej zdaniem zmienianie koniowi imienia przynosi pecha. Pozostał więc Pielgrzymem.

– Witaj, wspaniały – odezwała się po dojściu do boksu. –

Jedziemy? – Wyciągnęła rękę, a koń pozwolił jej dotknąć aksamitu swojego pyska, choć tylko na chwilę, bo zaraz uniósł i cofnął łeb. – Ale z ciebie flirciarz. Chodź, oprzyrządzimy cię.

Grace weszła do boksu i zdjęła z Pielgrzyma koc. Gdy zarzuciła na niego siodło, jak zwykle odsunął się trochę, więc stanowczo kazała mu się nie ruszać. Zapinając lekko popręg i zakładając uzdę, powiedziała mu o niespodziance, jaka czekała na niego na dworze. Następnie, wyjąwszy z kieszeni specjalny hak, starannie usunęła brud z każdego kopyta. Usłyszała, że Judith wyprowadza już Guliwera z boksu, szybko zacisnęła więc popręg i teraz oni też byli gotowi.

Wyszły z końmi na dziedziniec, gdzie pozwoliły im postać przez parę chwil i oszacować śnieg. Judith w tym czasie zamknęła wrota stajni. Guliwer pochylił głowę i powąchał, konkludując szybko, że to to samo, co widywał już setki razy. Pielgrzym jednak był zdumiony. Pogrzebał nogą i zaskoczyło go, że śnieg jest sypki. Spróbował go powąchać, tak jak starszy koń. Zrobił to jednak zbyt mocno i zaraz kichnął głośno, wzbudzając tym gromki śmiech dziewcząt.

– Może jeszcze nigdy tego nie widział – odezwała się Judith.

– Na pewno widział. Nie mają śniegu w Kentucky?

– Nie wiem. Chyba mają. – Spojrzała na dom pani Dyer. – Hej, jedziemy, bo obudzimy smoka.

Wyprowadziły konie z podwórza na łąkę, tam wsiadły i pojechały pod górę powolnym zygzakiem w stronę lasu. Ślady koni tworzyły doskonałą przekątną na nieskalanym polu. Gdy dziewczynki dotarły do linii drzew, słońce wreszcie wyszło ponad pasmo wzgórz i wypełniło dolinę za nimi pochylonymi cieniami.

*

Jedną z rzeczy, których matka Grace nie cierpiała w związku z weekendami, była sterta gazet, które musiała przeczytać. Zbierało się to przez cały tydzień, jak jakaś złośliwa masa wulkaniczna. Każdego dnia niebacznie tworzyła coraz wyższy stos z tygodników i tych działów „New York Timesa", których nie śmiała wyrzucić. Do soboty stawał się on zbyt złowrogi, by go ignorować, a wziąwszy pod uwagę dodatkowe kilka ton niedzielnego „New York Timesa", nadciągające groźnie, wiedziała, że jeśli nie zacznie od razu działać, zostanie zmieciona i pogrzebana. Wszystkie te słowa wypuszczone w świat. Cały ten wysiłek. Tylko po to, by wywołać poczucie winy. Annie cisnęła na podłogę kolejną porcję i ze znużeniem wzięła do ręki „New York Post".

Mieszkanie Macleanów znajdowało się na siódmym piętrze eleganckiego starego budynku w Central Park West. Annie siedziała z podkurczonymi nogami na żółtej sofie pod oknem. Miała na sobie czarne legginsy i jasnoszarą bluzę. Słońce, świecące za nią, rozpalało jej obcięte na pazia kasztanowate włosy, związane w krótką i grubą kitę, i rzucało jej cień na podobną sofę pod przeciwległą ścianą.

Pokój był długi, pomalowany na kolor bladożółty. Jeden koniec zajmowały książki; znajdowały się tam także dzieła sztuki afrykańskiej oraz fortepian, którego narożnik pochwyciło wędrujące słońce. Gdyby Annie się odwróciła, ujrzałaby mewy stąpające dumnie po lodzie na zbiorniku wodnym. Nawet tak wcześnie rano w sobotę, pomimo śniegu, ludzie biegali, przecierając szlak, którym ona również będzie się ciężko posuwać, kiedy tylko skończy przeglądać gazety. Pociągnęła łyk herbaty z kubka i miała właśnie wyrzucić „Post", gdy dostrzegła drobny artykuł, ukryty w kolumnie, którą zwykle opuszczała.

– Nie do wiary – odezwała się głośno. – Ty szczurku.

Odstawiła kubek i poszła szybko wziąć z holu telefon. Wróciła, wystukując numer, i stanęła twarzą do okna, tupiąc w oczekiwaniu na połączenie. Powyżej zbiornika starszy mężczyzna na nartach, z absurdalnie dużym radiem w słuchawkach, ciężkimi krokami posuwał się w stronę drzew. Jakaś kobieta beształa uwiązane na smyczy stado maleńkich piesków – ubranych w pasujące do siebie sweterki zrobione na drutach i z tak krótkimi nogami, że musiały podskakiwać i ślizgać się, by posuwać się do przodu.

– Anthony? Widziałeś „Post"? – Annie najwyraźniej obudziła swego młodszego asystenta, lecz nie przyszło jej do głowy przepraszać go. – Napisali o mnie i o Fiske. To małe gówno twierdzi, że ja go wylałam i że sfałszowałam nowe wyniki sprzedaży.

Anthony mruknął coś współczującego, ale Annie nie chodziło o współczucie.

– Masz weekendowy numer Dona Farlowa?

Poszedł po niego. Kobieta od psów w parku dała za wygraną i wlokła teraz swoje zwierzaki w stronę ulicy. Anthony wrócił z numerem i Annie zanotowała go pospiesznie.

– Dobra – powiedziała. – Wracaj do łóżka. – Rozłączyła się i natychmiast wystukała numer Farlowa.

Don Farlow był szturmowym prawnikiem firmy wydawniczej. W ciągu sześciu miesięcy, odkąd Annie Graves (zawodowo zawsze używała nazwiska panieńskiego) została redaktorem naczelnym, aby uratować tonące czasopismo tej grupy, stał się sprzymierzeńcem i prawie przyjacielem. Razem zabrali się za usuwanie starej gwardii. Popłynęła krew – napłynęła nowa, a odpłynęła stara – prasa zaś rozkoszowała się każdą jej kroplą. Wśród tych, którym Annie i Farlow pokazali drzwi, było wielu dziennikarzy z dobrymi koneksjami, którzy natychmiast rozpoczęli zemstę w kolumnach plotkarskich.

Annie potrafiła zrozumieć ich gorycz. Niektórzy byli tam tyle lat, iż wydawało im się, że posiadają to miejsce na własność. W ogóle zostać wyplenionym było wystarczająco poniżające. Zostać wyplenionym przez czterdziestotrzyletnią karierowiczkę, a do tego Angielkę, było nie do zniesienia. Czystka jednak już się prawie zakończyła, Annie zaś i Farlow wprawili się ostatnio w konstruowaniu umów odprawowych, które kupowały milczenie odchodzących. Myślała, że właśnie to zrobili z Fenimore Fiske, nieznośnym starzejącym się krytykiem filmowym, który teraz mieszał ją z błotem w „New York Post". Szczur. Czekając, aż Farlow odbierze telefon, Annie znalazła jednak pociechę w fakcie, że Fiske popełnił duży błąd, nazywając jej wyniki zwiększonej sprzedaży mydleniem oczu. Nie były fałszywe i potrafiła tego dowieść.

Farlow nie tylko już wstał, ale i widział artykuł w „Post". Uzgodnili, że spotkają się w jej biurze za dwie godziny. Zaskarżą starego łajdaka o każdy grosz, jaki dali mu w odprawie.

Annie zadzwoniła do męża w Chatham i usłyszała własny głos na automatycznej sekretarce. Zostawiła Robertowi wiadomość, że czas wstawać, że przyjedzie późniejszym pociągiem i żeby nie jechał do supermarketu, zanim ona nie dotrze. Następnie zjechała windą i wyszła na śnieg, by dołączyć do uprawiających jogging. Tyle że, oczywiście, Annie Graves nie uprawiała joggingu. Ona biegała. I chociaż to rozróżnienie nie wynikało ani z jej prędkości, ani z techniki, dla Annie było równie jasne i oczywiste, jak zimne poranne powietrze, w które się teraz zanurzyła.

*

Droga międzystanowa, tak jak Wayne Tanner się spodziewał, okazała się doskonała. Jak to w sobotę, nie było zbyt dużego ruchu, uznał więc, że najlepiej zrobi, trzymając się trasy osiemdziesiątej siódmej, aż dotrze do dziewięćdziesiątej, tam przejedzie rzekę Hudson i od północy pojedzie na Chatham. Przestudiowawszy mapę, stwierdził, że chociaż to nie jest najbardziej bezpośrednia trasa, mniejszą jej część odbędzie na drogach dalszej kolejności, które być może nie zostały oczyszczone. Ponieważ nie miał łańcuchów, pozostawała mu jedynie nadzieja, że droga dojazdowa do celulozowni, o której mu mówili, nie okaże się jakimś polnym traktem lub czymś podobnym.

Zanim zauważył znaki zapowiadające drogę nr 90 i skręcił na wschód, zaczynał już czuć się lepiej. Okolica wyglądała jak na kartce bożonarodzeniowej, a z Garthem Brooksem w odtwarzaczu i słońcem odbijającym się od potężnego nosa kenwortha sprawy nie wyglądały już tak kiepsko jak zeszłego wieczoru. Do diabła, gdyby doszło do najgorszego i straciłby prawo jazdy, zawsze mógł wrócić do swego wyuczonego zawodu mechanika. Chociaż na pewno nie miałby z tego tyle pieniędzy. To skandal, jak mało płacą człowiekowi, który latami się uczył i musiał kupić sobie narzędzia wartości dziesięciu tysięcy dolarów. Ostatnio męczyło go jednak tak długie przebywanie w trasie. Może byłoby miło spędzać więcej czasu w domu, z żoną i dzieciakami. Cóż, może. A w każdym razie na rybach.

Z nagłym podskokiem Wayne dostrzegł zbliżający się zjazd na Chatham i zabrał się do roboty, depcząc na hamulce i schodząc po dziewięciu biegach ciężarówki, wywołując ryk skargi w czterystudwudziestokonnym silniku cummins. Opuszczając drogę międzystanową, włączył napęd na cztery koła, blokując przednią oś kabiny. Stąd, jak obliczał, zostało mu może tylko z pięć czy sześć mil do celulozowni.

*

Tego ranka wysoko w lesie panował spokój, jak gdyby samo życie zostało zawieszone w próżni. Nie odzywał się żaden ptak ani inne zwierzę i jedynym dźwiękiem był cichy, głuchy odgłos śniegu spadającego co jakiś czas z przeciążonych gałęzi. W tej oczekującej pustce, pośród klonów i brzóz, unosił się w oddali śmiech dziewcząt.

Powoli wspinały się krętą ścieżką prowadzącą na grzbiet górski, pozwalając koniom wybrać tempo. Judith jechała pierwsza, odwrócona, opierając się ręką na tylnym łęku siodła Guliwera, ze śmiechem obserwując Pielgrzyma.

– Powinnaś go dać do cyrku – stwierdziła. – Ma błaznowanie we krwi.

Grace zbyt mocno się śmiała, by odpowiedzieć. Pielgrzym szedł ze spuszczonym łbem, pchając śnieg nosem niczym łopatą. Następnie z parsknięciem podrzucał trochę w powietrze i wpadał w lekki kłus, udając strach przed rozsypującym się białym pyłem.

– Hej, ty, przestań już, wystarczy! – zawołała Grace, ściągając cugle, by uzyskać nad nim kontrolę. Pielgrzym wrócił do stępa, Judith zaś, wciąż roześmiana, potrząsnęła głową i odwróciła się twarzą do szlaku. Guliwer szedł całkowicie obojętny na odbywającą się za nim błazenadę, miarowo poruszając łbem w rytmie kroków. Wzdłuż szlaku, mniej więcej co dwadzieścia jardów, wisiały przypięte do drzew jaskrawopomarańczowe plakaty, grożące sądem każdemu przyłapanemu na polowaniu, zastawianiu sideł albo wkraczaniu na teren prywatny.

Na grani grzbietu górskiego, który oddzielał dwie doliny, leżała mała, okrągła polana, gdzie normalnie – jeżeli zbliżyły się cicho – dziewczyny mogły zobaczyć sarnę lub dzikiego indyka. Dzisiaj jednak, kiedy wyjechały spomiędzy drzew na słońce, ujrzały jedynie zakrwawione, oderwane skrzydło ptaka. Leżało niemal dokładnie na środku polanki niczym oznaczenie jakiegoś dzikiego kompasu. Dziewczęta zatrzymały się tam, żeby mu się przyjrzeć.

– Co to jest, bażant czy co? – odezwała się Grace.

– Chyba. W każdym razie były bażant. Część byłego bażanta.

Grace zmarszczyła brwi.

– Jak to się tu dostało?

– Nie wiem. Może to sprawka lisa.

– Niemożliwe, gdzie tropy?

Nie było żadnych. Ani też śladów walki. Wyglądało, jak gdyby skrzydło samo tam przyleciało. Judith wzruszyła ramionami.

– Może ktoś go zastrzelił?

– Co, a pozostała część odleciała na jednym skrzydle?

Przez chwilę obie dumały. Potem Judith z mądrą miną pokręciła głową.

– Jastrząb. Upuścił je przelatujący jastrząb.

Judith przemyślała kwestię.

– Jastrząb. Aha. Kupuję to.

Trąciły konie do dalszej jazdy.

– Albo przelatujący samolot.

Grace roześmiała się.

– Otóż to – stwierdziła. – Wygląda jak ten kurczak, którego podawali podczas lotu do Londynu w zeszłym roku. Tylko lepiej.

Zazwyczaj, gdy dojeżdżały tutaj, do grzbietu, puszczały konie galopem przez polanę, po czym inną trasą zataczały pętlę z powrotem do stajni. Śnieg jednak, słońce i czyste poranne powietrze sprawiły, że obie dziewczynki miały dziś ochotę na więcej. Postanowiły zrobić coś, co zrobiły dotąd tylko raz, parę lat wcześniej, kiedy Grace miała jeszcze Cygana, swojego jasnego krępego kucyka. Przejadą do następnej doliny, przetną las i wrócą wokół wzgórza dłuższą drogą, obok Kinderhook Creek. Oznaczało to przekroczenie jednej czy dwóch dróg, ale Pielgrzym jakby się już uspokoił, a zresztą o tak wczesnej porze, w śnieżny sobotni poranek, nikogo tam pewnie nie spotkają.

Po opuszczeniu polany i ponownym zanurzeniu się w cień lasu, Grace i Judith zamilkły. Po tej stronie grzbietu rosły orzechy i topole, nie wyznaczając wyraźnego szlaku, toteż często musiały schylać głowy, by przejechać pod gałęziami. Zarówno dziewczęta, jak i konie przyprószył drobny śnieg. Powoli przedzierały się w dół, wzdłuż strumienia. Wisiały nad nim skorupy lodu, rozprzestrzeniając się strzępiaście od brzegów i prawie całkowicie zasłaniając ciemną wodę pędzącą pod spodem. Stok robił się coraz bardziej stromy i konie poruszały się teraz z rozwagą patrząc, gdzie stawiają kopyta. Raz Guliwer pośliznął się na ukrytym kamieniu i pochylił, lecz zaraz wyprostował się bez paniki. Słońce padające ukośnie przez gałęzie tworzyło zwariowane wzory na śniegu i ogrzewało tumany pary falujące z końskich nozdrzy. Żadna z dziewcząt nie zważała jednak na to, zbyt mocno koncentrowały się bowiem na zejściu i ich głowy wypełniało jedynie zgranie się ze zwierzętami, na których jechały.

Z ulgą dostrzegły jednak przez drzewa migotanie Kinderhook Creek. Zejście było trudniejsze, niż się spodziewały i dopiero teraz poczuły się na siłach spojrzeć na siebie i uśmiechnąć się.

– Nieźle, co? – odezwała się Judith, łagodnie zatrzymując Guliwera.

Grace roześmiała się.

– Pestka. – Pochyliła się i poklepała szyję Pielgrzyma. – Czy ci faceci nie poradzili sobie dobrze?

– Poradzili sobie świetnie.

– Nie pamiętałam, że to jest takie strome.

– Bo nie jest. Chyba pojechałyśmy wzdłuż innego strumienia. Myślę że jesteśmy o jakąś milę dalej na południe niż powinnyśmy.

Strzepały śnieg z ubrań i czapek i wyjrzały zza drzew. Poniżej lasu opadała łagodnie do rzeki łąka dziewiczej bieli. Wzdłuż bliższego brzegu ledwo dostrzegały słupki starej drogi, prowadzącej do celulozowni. Przestano z niej korzystać, odkąd zbudowany został szerszy, bardziej bezpośredni dojazd z szosy, która biegła pół mili dalej, po drugiej stronie rzeki. Dziewczynki musiały pojechać na północ wzdłuż starej drogi, by dotrzeć do trasy, którą planowały wrócić do domu.

*

Dokładnie tak, jak się obawiał, droga do Chatham nie została oczyszczona. Wayne Tanner wkrótce jednak uświadomił sobie, że niepotrzebnie się martwił. Inni jechali już tamtędy przed nim, więc osiemnaście mocnych opon kenwortha wgryzało się w ich ślady i pewnie trzymało nawierzchni. Ostatecznie okazało się, że nie potrzebował tych cholernych łańcuchów. Minął posuwający się w przeciwnym kierunku pług i chociaż niewielki miał z tego pożytek, odczuł taką ulgę, że pomachał gościowi i przyjacielsko zatrąbił.

Zapalił papierosa i spojrzał na zegarek. Dojeżdżał wcześniej, niż zapowiedział. Po tym, jak złapały go gliny, zadzwonił do Atlanty, by załatwili z ludźmi z celulozowni, że dostarczy turbiny rano. Nikt nie lubił pracować w sobotę, przypuszczał więc, iż nie przywitają go zbyt radośnie. Niemniej jednak to był ich problem. Wrzucił do odtwarzacza kolejną kasetę Gartha Brooksa i zaczął rozglądać się za wjazdem do zakładu.

*

Stara droga do celulozowni była łatwizną po przejechaniu lasu, toteż dziewczęta i ich konie zrelaksowały się, posuwając się nią w słońcu obok siebie. Na lewo od nich dwie sroki ganiały się w drzewach rosnących wzdłuż rzeki i poprzez ich ochrypły świergot i szum wody na kamieniach Grace dosłyszała dźwięk, który uznała za odgłos pługu odśnieżającego drogę.

– Jesteśmy. – Judith wysunęła głowę do przodu.

Było to miejsce, którego szukały – gdzie kiedyś tory kolejowe przecinały najpierw drogę do celulozowni, a potem rzekę. Minęło wiele lat, odkąd przestano ich używać i chociaż most był nienaruszony, usunięto górną część wiaduktu nad drogą. Wszystko, co pozostało, to jego wysokie boki – pozbawiony dachu tunel, przez który przebiegała teraz droga, zanim znikała za zakrętem. Zaraz przed tym stroma ścieżka prowadziła w górę na nasyp do poziomu torów i to właśnie tamtędy dziewczęta musiały pojechać, żeby dostać się na most.

Judith ruszyła pierwsza, kierując Guliwera na ścieżkę. Zrobił kilka kroków, po czym stanął.

– No dalej, stary, wszystko w porządku.

Koń łagodnie pogrzebał nogą w śniegu, jak gdyby testując go. Judith ponagliła go piętami.

– Dalej, leniu, na górę.

Guliwer ustąpił i ponownie zaczął się wspinać. Grace czekała na dole obserwując. Mgliście zdawała sobie sprawę, że odgłos pługa na szosie wydaje się głośniejszy. Pielgrzym zastrzygł uszami. Wyciągnąwszy rękę, poklepała go po spoconej szyi.

– Jak tam? – zawołała do Judith.

– Okay. Ale jedź ostrożnie.

Stało się to dokładnie wtedy, gdy Guliwer był już prawie na

szczycie nasypu. Grace ruszyła przed chwilą za nim, starając się jak najdokładniej jechać po jego śladach, nie popędzając Pielgrzyma. Znajdowała się w połowie drogi na górę, kiedy usłyszała zgrzyt podkowy Guliwera na lodzie i przestraszony krzyk Judith.

Gdyby jechały tędy niedawno, wiedziałyby, iż po skarpie, na którą się wspinały, od ostatniego lata płynęła woda z przeciekającego drenu. Pokrywa śnieżna skrywała obecnie taflę czystego lodu.

Guliwer zachwiał się, usiłując znaleźć punkt oparcia tylną nogą, wzbijając w powietrze chmurę śniegu i kawałki lodu. Kiedy jednak żadnej nodze nie udało się utrzymać, jego zad przesunął się w dół i w bok, tak że teraz koń znajdował się cały na lodzie. Jedna z jego przednich nóg wykręciła się i upadł na kolano, wciąż się zsuwając. Judith krzyknęła, gdyż rzuciło ją w przód i zgubiła strzemię. Zdołała jednak uchwycić szyję konia i nie spaść.

– Zejdź z drogi! – zaczęła wrzeszczeć. – Grace!

Grace była jak sparaliżowana. W głowie rozbrzmiewał jej łoskot tętniącej krwi, która zdawała się zamarzać i odgradzać ją od tego, co obserwowała nad sobą. Po drugim okrzyku Judith odzyskała świadomość i spróbowała zawrócić Pielgrzyma ze skarpy. Przestraszony koń szarpnął łbem, walcząc z nią. Zrobił kilka drobnych kroków w bok, wykręcając szyję w stronę szczytu, aż sam się pośliznął i zarżał z przerażeniem. Znajdowali się teraz bezpośrednio na trasie zjazdu Guliwera. Grace wrzasnęła i szarpnęła cugle.

– Pielgrzym, no dalej! Ruszaj się!

W dziwnym bezruchu chwili, zanim Guliwer ich uderzył, uświadomiła sobie, że ryk w jej głowie powodowało coś więcej niż tylko kotłująca się krew; że to nie pług jedzie po szosie. Hałas był zbyt głośny. To musiało być coś bliżej. Myśl ta uleciała jej pod wpływem impetu zadu Guliwera. Wpadł na nich niczym buldożer, uderzając Pielgrzyma w bark i okręcając go dookoła. Grace poczuła, że wynosi ją z siodła i rzuca w górę skarpy. I gdyby jej ręka nie oparła się na drugim koniu, spadłaby wtedy, tak jak Judith. Utrzymała się jednak w siodle, owijając pięść jedwabistą grzywą Pielgrzyma, który ześlizgiwał się pod nią z nasypu.

Guliwer i Judith minęli ją teraz i widziała, jak przyjaciółka przelatuje ciśnięta ponad zadem zwierzęcia niczym zbyteczna lalka, po czym szarpie się i wykręca bezskutecznie z powrotem, gdy jej stopa zahacza o strzemię. Ciało Judith odbiło się i odskoczyło w bok, gdy jej głowa z całej siły uderzyła tyłem o lód, a stopa znów przekręciła się w strzemieniu blokując się, tak że teraz dziewczynka była ciągnięta. W jednej wrzącej, oszalałej plątaninie dwa konie i ich właścicielki pędziły w dół, w stronę drogi.

Wayne Tanner dostrzegł to wszystko, gdy tylko wyjechał zza zakrętu. Zakładając, że przyjedzie z południa, pracownicy celulozowni nie pomyśleli o tym, by wspomnieć o starej drodze dojazdowej, leżącej bardziej na północ. Tak więc Wayne zobaczył zjazd, skręcił tam i z ulgą stwierdził, że koła ciężarówki zdają się trzymać nienaruszonego śniegu równie dobrze jak na szosie. Minąwszy zakręt, ujrzał, może ze sto jardów przed sobą, betonowe ściany wiaduktu, poniżej zaś, jakby nimi obramowane, jakieś zwierzę, konia wlokącego coś. Wayne'owi przewróciło się w żołądku.

– Co u licha?

Nacisnął na hamulce, nie za mocno jednak, wiedział bowiem, że gdyby zrobił to zbyt gwałtownie, koła się zablokują. Zaczął więc regulować zawór przy kierownicy, usiłując uzyskać tarcie hamulców w tyle naczepy. Nawet tego nie poczuł. Musiał zahamować silnikiem. Trzasnął dłonią o drążek i dwukrotnie zredukował biegi, wzbudzając ryk sześciu cylindrów cumminsa. Cholera, jechał za szybko. Teraz były tam dwa konie, jeden z jeźdźcem. Co oni, do diabła, robią? Dlaczego nie złażą z tej przeklętej drogi? Serce biło mu mocno i czuł, jak się poci, gdy pracował hamulcami naczepy i dźwignią zmiany biegów, znajdując rytm w mantrze biegnącej mu przez głowę: „Uderz hamulec, złap bieg, uderz hamulec, złap bieg". Wiadukt jednak wyłaniał się zbyt szybko. Na miłość boską, nie słyszą, jak nadjeżdża? Nie mogą go zauważyć?

Mogły. Nawet Judith, wleczona w agonii po śniegu, widziała go przelotnie. Przy upadku złamała kość udową, a podczas ześlizgiwania się na drogę oba konie nadepnęły na nią, miażdżąc jej żebra i rozłupując przedramię. W tamtym, pierwszym potknięciu Guliwer złamał kolano i zerwał ścięgna – ból i strach, które wypełniały jego łeb, pokazały się w białkach oczu, gdy wirował i stawał dęba, usiłując uwolnić się od tego, co wisiało u jego boku.

Grace dostrzegła ciężarówkę, gdy tylko znaleźli się na drodze. Jedno spojrzenie wystarczyło. Jakoś udało jej się nie spaść i teraz musiała odciągnąć ich wszystkich w bok. Gdyby zdołała uchwycić wodze Guliwera, mogłaby odprowadzić go w bezpieczne miejsce, ciągnąc Judith za nim. Pielgrzym jednak był równie przerażony jak starszy koń i oba miotały się szaleńczo w koło, podsycając wzajemnie swój strach.

Grace z całej siły szarpnęła Pielgrzyma i na moment zdobyła jego uwagę. Wycofała go w stronę drugiego konia, wychylając się ryzykownie z siodła, i sięgnęła do uzdy Guliwera. Odsunął się, ale ona postąpiła za nim niczym cień, wyciągając ramię, aż pomyślała, że wyskoczy jej ze stawu. Prawie zaciskała już palce na pasku, gdy ciężarówka zatrąbiła.

Wayne zobaczył, że oba konie podskoczyły na ten dźwięk i po raz pierwszy uświadomił sobie, co zwisa z boku zwierzęcia pozbawionego jeźdźca.

– Jasna cholera!

Powiedział to na głos i w tej samej chwili zorientował się, że zabrakło mu biegów. Był na pierwszym, a wiadukt i konie zbliżały się tak szybko, iż wiedział, że pozostały mu jedynie hamulce ciągnika. Wymamrotał krótką modlitwę i nadepnął na pedał mocniej, niż wiedział, że powinien. Przez sekundę wydawało się, że to zadziała. Słyszał, jak koła z tyłu szoferki wgryzają się w ziemię.

– No! Kochana dziecina!

Potem koła się zablokowały i Wayne poczuł, że czterdzieści ton stali bierze we władanie swoje przeznaczenie.

W majestatycznym, coraz szybszym ślizgu kenworth sunął w stronę gardzieli wiaduktu, całkowicie ignorując wysiłki Wayne'a za kierownicą. Teraz był on już tylko widzem i patrzył, jak prawy bok kabiny pod nim styka się z betonową ścianą, początkowo jedynie w roziskrzonym pocałunku. Potem, gdy od tyłu doszedł ciężar własny naczepy, rozległ się rozdzierający huk, od którego zawirowało powietrze.

Przed sobą Wayne dostrzegł teraz czarnego konia, który odwrócił się do niego przodem. Jeźdźcem okazała się dziewczynka – jej oczy pod ciemnym daszkiem czapki były rozszerzone ze strachu.

– Nie, nie, nie – wymamrotał.

Koń jednak cofnął się nieufnie przed nim – dziewczynę rzuciło w tył i spadła na drogę. Na moment przednie nogi konia opadły na ziemię, gdyż przed wpadnięciem ciężarówki na niego uniósł głowę i znowu się wycofał. Tyle że tym razem skoczył prosto na samochód. Z całą siłą tylnych nóg zwierzę rzuciło się na przód szoferki, przeskakując pionowe okratowanie wlotu chłodnicy niczym przeszkodę. Metalowe podkowy na przednich nogach spadły na pokrywę silnika, ślizgając się po niej w deszczu iskier. Rozległ się głośny trzask, gdy kopyto uderzyło w przednią szybę i Wayne stracił cały widok w powodzi szkła. Gdzie dziewczyna? Boże, musi być tam na drodze, przed nim.

Wayne wbił pięść i przedramię w szybę, a kiedy się roztrzaskała, zobaczył, że koń wciąż znajduje się na masce. Jego prawa noga zaklinowała się w podpórki bocznego lusterka w kształcie litery V i zwierzę, obsypane kawałkami szkła, ryczało z pyskiem pokrytym pianą i krwią. Dalej Wayne dostrzegł na skraju drogi drugiego konia, usiłującego odkuśtykać na bok, z jeźdźcem wciąż wiszącym za nogę w strzemieniu.

A ciężarówka wciąż jechała. Naczepa mijała już ścianę wiaduktu i ponieważ nic nie powstrzymywało teraz jej znoszenia na bok, zaczęła powoli, bezlitośnie składać się jak scyzoryk, bez wysiłku kosząc płot i wzbijając falę śniegu niczym statek transatlantycki.

Gdy siła rozpędu naczepy przekroczyła pęd kabiny i spowolniła ją, koń na masce podjął ostatni wielki wysiłek. Podpórki bocznego lusterka pękły i uwolnione zwierzę sturlało się, znikając Wayne'owi z oczu. Na chwilę zaległa cisza – niczym w oku cyklonu – w której Wayne obserwował, jak naczepa kończy zgarnianie płotu i skraju pola i wolno zaczyna zataczać łuk w jego stronę. Zablokowany, w spokojnie zamykającym się kącie scyzoryka, stał drugi koń, niepewny teraz drogi ucieczki. Wayne'owi wydawało się, że widzi, jak wisząca dziewczyna unosi głowę z ziemi, by spojrzeć na niego, nieświadoma łamiącej się z tyłu fali. Potem zniknęła. Naczepa przeleciała po niej, zaganiając konia w stronę szoferki, niczym motyla w książce, i miażdżąc go tam w ostatecznym ogłuszającym trzasku metalu.

– Halo? Grace?

Robert Maclean przystanął w przejściu przy tylnych drzwiach, trzymając dwie duże torby zakupów spożywczych. Nie było odpowiedzi, więc przeszedł do kuchni i rzucił siatki na stół.

Zawsze lubił kupować jedzenie na weekand przed przyjazdem Annie. W przeciwnym razie musieliby razem jechać do supermarketu i skończyłoby się na spędzeniu tam godziny, podczas której Annie roztrząsałaby subtelne różnice pomiędzy poszczególnymi gatunkami towarów. Nigdy nie przestało go zdumiewać, jak ktoś, kto w każdej chwili swego zawodowego życia podejmuje błyskawiczne decyzje, stawiające na szali tysiące, a nawet miliony dolarów, potrafi w weekendy spędzić dziesięć minut zastanawiając się, który rodzaj sosu pesto kupić. Kosztowało to także dużo więcej, niż gdyby sam robił zakupy, ponieważ Annie zazwyczaj nie udawało się podjąć żadnej ostatecznej decyzji co do tego, który rodzaj jest najlepszy, i na koniec kupowali wszystkie trzy.

Minusem tych samodzielnych wypraw była nieunikniona krytyka, która czekała go za kupienie nieodpowiednich produktów. Metodą prawniczą, którą stosował we wszystkich dziedzinach swego życia, Robert rozważył obie strony tego zagadnienia i zakupy bez żony wyłoniły się jako zdecydowanie zwycięskie.

Notatka Grace leżała przy telefonie, tam, gdzie ją zostawiła. Robert zerknął na zegarek. Dopiero minęła dziesiąta i potrafił zrozumieć, że w taki poranek dziewczęta chcą spędzić więcej czasu na świeżym powietrzu. Włączył klawisz odtwarzacza w automatycznej sekretarce, zdjął futrzaną kurtkę i zaczął wypakowywać żywność. Były dwie wiadomości. Pierwsza, od Annie, wywołała na jego twarzy uśmiech. Musiała zadzwonić zaraz po jego wyjściu do supermarketu. Czas wstawać, istotnie. Drugą nagrała pani Dyer ze stajni. Prosiła jedynie o telefon. Coś w jej głosie spowodowało jednak, że Robertowi zrobiło się zimno.

*

Śmigłowiec zawisł na chwilę nad rzeką, jakby obejmując całą scenę, po czym przechylił nos i wzniósł się nad lasem, napełniając dolinę głębokim, odbijającym się echem, głuchym łoskotem swoich łopatek. Zataczając ponownie koło, pilot spojrzał w dół. Były tam karetki, wozy policyjne i pojazdy oddziałów ratowniczych z migoczącymi czerwonymi światłami, tworzące razem na polu wachlarz, obok masywnej ciężarówki, złożonej jak scyzoryk. Zaznaczyli miejsce, gdzie helikopter ma wylądować, a jakiś gliniarz dawał jeszcze niepotrzebnie znaki ręką.

Lot z Albany zajął im zaledwie dziesięć minut, a sanitariusze przez całą drogę pracowali, rutynowo sprawdzając sprzęt. Teraz byli już gotowi i w milczeniu spoglądali pilotowi przez ramię, gdy kołował i podchodził do lądowania. Słońce błysnęło krótko w rzece, w chwili kiedy śmigłowiec przesunął się za własnym cieniem nad policyjną blokadą drogi i czerwonym samochodem z napędem na cztery koła, który również zbliżał się w stronę katastrofy.

Przez okno policyjnego wozu Wayne Tanner patrzył, jak śmigłowiec unosi się nad lądowiskiem, po czym łagodnie opada, wzbijając zadymkę wokół gliniarza, który go nakierowywał.

Wayne siedział na przednim fotelu, z kocem na ramionach, trzymając filiżankę czegoś gorącego, czego jeszcze nie spróbował. Nie rozumiał więcej z wrzawy na zewnątrz niż z ochrypłej, urywanej paplaniny policyjnego radia obok. Bolało go ramię, na dłoni zaś miał małe rozcięcie, które kobieta z karetki uparła się grubo zabandażować. To nie było potrzebne. Wyglądało to tak, jak gdyby nie chciała, by – pośród takiej jatki – czuł się wyobcowany.

Wayne widział Koopmana, młodego zastępcę szeryfa, w którego samochodzie siedział, rozmawiającego przy ciężarówce z ludźmi z oddziału ratowniczego. Nie opodal, oparty o maskę zardzewiałego, bladoniebieskiego pick-upa, stał niski myśliwy, który wszczął alarm. Był w lesie, usłyszał łomot i poszedł prosto do celulozowni, skąd zadzwoniono do biura szeryfa. Kiedy Koopman przyjechał, Wayne siedział w śniegu na polu. Zastępca był prawie dzieciakiem i najwyraźniej nigdy nie miał okazji oglądać tak fatalnej katastrofy, lecz dobrze poradził sobie z sytuacją i wyglądał nawet na rozczarowanego, gdy Wayne powiedział mu, iż nadał już sygnał na dziewiątym kanale swojego CB. Był to kanał monitorowany przez policję stanową, która kilka minut później zaczęła się zjeżdżać. Teraz roiło się tutaj od nich i Koopman sprawiał wrażenie trochę zirytowanego, że to już nie jego przedstawienie.

Na śniegu pod ciężarówką Wayne dostrzegł odbicie blasku acetylenowo-tlenowych lamp lutowniczych, których faceci z oddziału ratowniczego używali do cięcia poskręcanego wraku naczepy i turbin. Odwrócił wzrok, walcząc ze wspomnieniemi tych długich minut po tym, jak zamykanie scyzoryka się zakończyło.

Nie usłyszał tego od razu. Garth Brooks, nie zważając na nic, śpiewał dalej w odtwarzaczu, Wayne zaś był tak oszołomiony faktem, iż sam przeżył, że nie był pewien, czy to on, czy jego duch wysiada z szoferki. Na drzewach skrzeczały sroki i początkowo myślał, iż ten drugi odgłos również pochodzi od nich. Był on jednak zbyt rozpaczliwy, zbyt natarczywy – rodzaj przedłużonego pisku – i Wayne zdał sobie sprawę, że to koń zdychający w potrzasku. Zatkawszy uszy dłońmi, uciekł na pole.

Powiedzieli mu już, że jedna z dziewczynek żyje, i widział sanitariuszy przy pracy wokół noszy, przygotowujących ją do przewiezienia śmigłowcem. Jeden z nich przyciskał jakąś maskę do jej twarzy, a inny, w uniesionych wysoko rękach, trzymał dwa plastikowe woreczki z płynem podłączone rurkami do ramion rannej. Ciało drugiej dziewczynki wywieziono już wcześniej śmigłowcem.

Podjechał czerwony samochód terenowy i Wayne zobaczył, jak wysiada z niego wysoki brodaty mężczyzna, wyjmując z tyłu czarną torbę. Zarzuciwszy ją sobie na ramię, podszedł do Koopmana, który odwrócił się, by się z nim przywitać. Porozmawiali kilka minut, po czym Koopman zaprowadził go w niewidoczne miejsce za ciężarówkę, gdzie pracowano lampami lutowniczymi. Kiedy pojawili się ponownie, brodaty facet miał ponurą minę. Poszli porozmawiać z niskim mężczyzną, który posłuchał, pokiwał głową i z kabiny swego pick-upa wyjął coś, co wyglądało na pokrowiec od strzelby. Teraz wszyscy trzej zbliżali się do Wayne'a. Koopman otworzył drzwi samochodu.

– Dobrze się pan czuje?

– Tak, w porządku.

Koopman skinął głową w stronę brodacza.

– Pan Logan jest weterynarzem. Musimy znaleźć tamtego drugiego konia.

– Teraz, przy otwartych drzwiach, Wayne słyszał ryk lamp lutowniczych. Zrobiło mu się od tego niedobrze.

– Wie pan może, w którą stronę uciekł?

– Nie, proszę pana. Raczej nie mógł zajść daleko.

– Okay. – Koopman położył rękę na ramieniu Wayne'a. – Niedługo pana stąd zabierzemy, dobrze?

Wayne pokiwał głową. Koopman zamknął drzwi. Stali rozmawiając przy samochodzie, ale Wayne nie słyszał, co mówią. Za nimi podnosił się śmigłowiec, zabierając dziewczynę. Czyjś kapelusz pofrunął w zadymce. Wayne jednak nic z tego nie widział. Wszystko, co widział, to pokryty krwawą pianą pysk konia i jego oczy wpatrujące się w Wayne'a ponad postrzępioną krawędzią przedniej szyby, jak miały wpatrywać się w jego snach jeszcze przez długi czas.

*

– Mamy go, nie?

Annie stała przy swoim biurku, zaglądając przez ramię Donowi Farlowowi, który siedział i czytał kontrakt. Nie odpowiedział, a tylko uniósł brwi, kończąc stronę.

– Mamy – powtórzyła Annie. – Wiem, że mamy.

Farlow położył sobie kontrakt na kolanach.

– Tak, chyba mamy.

– Ha! – Annie podniosła pięść i przeszła biuro, by nalać sobie kolejną filiżankę kawy.

Przebywali tam od pół godziny. Annie taksówką dotarła do Czterdziestej Trzeciej i Szóstej, utknęła w korku i ostatnie dwie przecznice przeszła pieszo. Nowojorscy taksówkarze radzili sobie ze śniegiem w najlepiej znany im sposób, trąbiąc i wrzeszcząc jeden na drugiego. Farlow był już w jej biurze i nastawił kawę. Lubiła sposób, w jaki się rozgaszczał.

– Oczywiście zaprzeczy, że kiedykolwiek z nimi gadał – zauważył Don.

– To bezpośredni cytat, Don. I zobacz, ile tu szczegółów. Nie może się wyprzeć, że to powiedział.

Annie wróciła z kawą i usiadła za swoim biurkiem, obszernym, asymetrycznym meblem z wiązu i orzecha, który pewien przyjaciel z Anglii zrobił dla niej przed czterema laty, kiedy to – ku zdumieniu wszystkich – zrezygnowała z pisania, by zostać dyrektorką. Przyszło za nią z tamtej redakcji do tej, o wiele bardziej okazałej, gdzie wzbudziło natychmiastową nienawiść w dekoratorze wnętrz, wynajętym za duże pieniądze do zmiany stylu gabinetu usuniętego redaktora naczelnego według gustu Annie. Zemścił się sprytnie upierając się, że skoro biurko tak bardzo razi, wszystko inne też powinno razić. Wynikła z tego kakofonia kształtów i kolorów, którą dekorator – bez zauważalnego śladu ironii – nazwał eklektycznym dekonstrukcjonizmem.

Tak naprawdę, dobrze wyglądały jedynie abstrakcyjne, plamiaste malunki, wykonane przez Grace w wieku trzech lat, które Annie (ku początkowej dumie, a następnie zakłopotaniu córki) oprawiła. Wisiały na ścianach wśród wszystkich nagród i fotografii Annie, uśmiechającej się i stojącą ramię w ramię z przedstawicielami śmietanki towarzyskiej. Bardziej dyskretnie umiejscowione, na biurku, tam gdzie tylko ona mogła je widzieć, stały zdjęcia bliskich jej osób – Grace, Roberta oraz jej ojca.

Ponad nimi Annie przyglądała się teraz Donowi Farlowowi. Zabawne było oglądać go bez garnituru. Stara dżinsowa kurtka i sportowe buty zaskoczyły ją. Postrzegała go dotąd jako typa od Brooks Brothers – luźne spodnie, mokasyny i żółty kaszmir.

Uśmiechnął się.

– No i? Chcesz go podać do sądu?

Annie wybuchnęła śmiechem.

– Oczywiście, że chcę go podać do sądu. Podpisał umowę, że nie będzie gadał z prasą, po czym zniesławił mnie twierdząc, że sfałszowałam liczby.

– To zniesławienie zostanie powtórzone sto razy, jeśli go zaskarżymy. Rozdmuchane do dużo większej historii.

Annie zmarszczyła brwi.

– Don, nie litujesz się nade mną, co? Fenimore Fiske to przykra, pokręcona, pozbawiona talentu, złośliwa, stara, nędzna kreatura.

Farlow z szerokim uśmiechem uniósł dłonie.

– Nie wstrzymuj się, Annie, powiedz mi, co naprawdę myślisz.

– Będąc tutaj, robił, co mógł, żeby namieszać, a teraz, gdy odszedł, próbuje robić to samo. Chcę przypalić jego pomarszczony tyłek.

– Czy to jakieś angielskie wyrażenie?

– Nie, my byśmy powiedzieli – przyłożyć ciepło do jego starzejącego się fundamentu.

– Cóż, to ty jesteś szefem. Zasadniczo.

– Lepiej w to uwierz.

Jeden z telefonów na biurku Annie zaterkotał, więc podniosła słuchawkę. To był Robert. Opanowanym głosem powiedział jej, że Grace miała wypadek. Przewieziono ją śmigłowcem na oddział intensywnej terapii do szpitala w Albany. Annie powinna w związku z tym pojechać pociągiem aż do Albany. Tam się z nią spotka.

2

Annie i Robert poznali się, kiedy ona miała zaledwie osiemnaście lat. Było lato 1968 roku – zamiast iść prosto ze szkoły na uniwersytet oksfordzki, gdzie proponowano jej miejsce – Annie postanowiła zrobić sobie rok wolnego. Zapisała się do organizacji pod nazwą Ochotnicza Służba Zagraniczna i przeszła dwutygodniowy, błyskawiczny kurs nauczania angielskiego, unikania malarii oraz odrzucania zalotów kochliwych tubylców (uczono, jak powiedzieć „nie" głośno i nie na żarty).

Tak przygotowana poleciała do Senegalu w zachodniej Afryce i po krótkim pobycie w stolicy kraju, Dakarze, wyruszyła w pięćsetmilową podróż na południe, autobusem bez szyb – nabitym ludźmi, kurczakami i kozami – do małego miasteczka, które miało być jej domem przez następne dwanaście miesięcy. Drugiego dnia o zmroku dotarli do brzegów wielkiej rzeki.

Nocne powietrze było gorące, wilgotne i wypełnione brzękiem owadów. Annie widziała światła miasteczka migające po drugiej stronie. Prom jednak był do rana nieczynny, toteż kierowca i inni pasażerowie, teraz jej przyjaciele, zainteresowali się, gdzie spędzi noc. Nie było żadnego hotelu, a chociaż oni sami bez kłopotu znaleźliby miejsce, gdzie by mogli złożyć głowę, najwyraźniej czuli, że młoda Angielka potrzebuje czegoś zdrowszego.

Powiedzieli jej, że w pobliżu mieszka *tubab*, który na pewno ją ugości. Nie mając zielonego pojęcia, kto to może być *tubab*, Annie została poprowadzona w dużej grupie ludzi niosących jej bagaże krętymi ścieżkami przez dżunglę do małej glinianej chaty, ustawionej wśród drzew papai i baobabów. *Tubabem*, który otworzył drzwi – później dowiedziała się, że słowo to oznacza białego człowieka – okazał się Robert.

Jako wolontariusz Korpusu Pokoju przebywał tam od roku, ucząc angielskiego i budując studnie. Był dwudziestoczteroletnim absolwentem Harvardu i najinteligentniejszą osobą, jaką Annie kiedykolwiek spotkała. Tego wieczoru ugotował jej wspaniały posiłek, złożony z pikantnej ryby i ryżu, do którego było zimne miejscowe piwo z butelek. W blasku świec rozmawiali do trzeciej rano. Robert pochodził z Connecticut i zamierzał zostać prawnikiem. To sprawa dziedziczna, zauważył przepraszającym tonem, a oczy błyszczały mu za okularami w złotej oprawie. Wszyscy w rodzinie byli prawnikami, odkąd tylko sięgano pamięcią. Była to klątwa Macleanów.

Toteż przepytał Annie z jej życia jak prawnik, zmuszając ją do opisania i zanalizowania wszystkiego w sposób, dzięki któremu odświeżyła je w pamięci. Opowiedziała mu, że jej ojciec był dyplomatą i jak przez pierwsze dziesięć lat życia Annie przenosili się z kraju do kraju, kiedy tylko otrzymywał nową posadę. Ona i młodszy brat urodzili się w Egipcie, następnie mieszkali na Malajach, później na Jamajce. A potem jej ojciec umarł, zupełnie nagle, na ciężki atak serca. Annie dopiero niedawno znalazła taki sposób opowiadania o tym, że rozmowa się nie urywała, a ludzie nie zaczynali oglądać sobie butów. Matka ponownie osiadła w Anglii i szybko powtórnie wyszła za mąż, Annie zaś i jej brata wysłała do szkół z internatami. Chociaż Annie prześlizgnęła się po tej części historii, dostrzegła, że Robert wyczuł pod tym głębię zadawnionego bólu.

Następnego ranka Robert przewiózł ją w swoim jeepie promem przez rzekę i bezpiecznie dostarczył do katolickiego klasztoru, gdzie miała mieszkać przez najbliższy rok, pod tylko czasami wyrażającym dezaprobatę okiem matki przełożonej, miłej i krótkowzrocznej francuskojęzycznej Kanadyjki.

W ciągu kolejnych trzech miesięcy Annie spotykała się z Robertem co środę, kiedy przyjeżdżał do miasteczka na zakupy. Płynnie posługiwał się *jola* – miejscowym językiem – i dawał jej cotygodniowe lekcje. Zostali przyjaciółmi, ale nie kochankami. Zamiast tego Annie straciła dziewictwo z pięknym Senegalczykiem o imieniu Xavier, na którego kochliwe awanse nie zapomniała powiedzieć „tak", głośno i nie na żarty.

Później Roberta przeniesiono do Dakaru i w wieczór przed jego odjazdem Annie przepłynęła na drugą stronę rzeki na pożegnalną kolację. Ameryka wybierała nowego prezydenta i oboje z rosnącym przygnębieniem słuchali w trzeszczącym radiu, jak Nixon przejmuje stan za stanem. Robert czuł się tak, jakby mu umarł ktoś bliski. Annie wzruszyła się, gdy głosem zdławionym z emocji wyjaśniał jej, co to oznacza dla jego kraju i wojny, którą wielu jego przyjaciół toczy w Azji. Objęła go ramieniem, przytuliła i po raz pierwszy poczuła się już nie dziewczyną, lecz kobietą.

Dopiero gdy wyjechał i poznała innych wolontariuszy Korpusu Pokoju, zdała sobie sprawę z jego niezwykłości. Większość pozostałych to były ćpuny albo nudziarze, albo jedno i drugie. Był jeden gość ze szklistymi, zaczerwienionymi oczami i opasce na czole, który obwieszczał wszem i wobec, że od roku jest na haju.

Zobaczyła Roberta jeszcze raz, kiedy w lipcu następnego roku wróciła do Dakaru, by polecieć do domu. Tutaj ludzie mówili innym dialektem – *wolof* – i Robert już go opanował. Mieszkał blisko lotniska, tak blisko, że trzeba było przerywać rozmowę, gdy przelatywał samolot. Aby uczynić z tego jakąś cnotę, zdobył ogromny rozkład, podający szczegółowo każdy przylot i odlot z Dakaru i po dwóch nocach studiowania nauczył się go na pamięć. Kiedy przelatywał samolot, recytował nazwę linii lotniczych, ich pochodzenie, trasę i cel podróży. Annie śmiała się z tego, a jemu było trochę przykro. Poleciała do domu tej nocy, gdy człowiek stanął na Księżycu.

Nie widzieli się przez siedem lat. Annie triumfalnie przeszła przez Oksford, rozkręcając radykalne, obelżywe pismo i oburzając przyjaciół wspaniałym dyplomem z wyróżnieniem z anglistyki, na pozór bez najmniejszego wysiłku. Została tym, kim najmniej chciała – dziennikarką, pracującą w wieczornej gazecie na dalekim północnym wschodzie Anglii. Matka tylko raz przyjechała do niej w odwiedziny i tak przygnębił ją krajobraz oraz zakopcona rudera, w której mieszkała jej córka, że całą drogę powrotną do Londynu przepłakała. Miała trochę racji. Annie wytrzymała rok, po czym spakowała walizki, poleciała do Nowego Jorku i zaskoczyła nawet samą siebie, zdobywając podstępem robotę w „Rolling Stone".

Wyspecjalizowała się w aktualnych, brutalnych wizerunkach sław, przyzwyczajonych raczej do pochlebstw. Krytykanci – a było takich wielu – twierdzili, że wkrótce zabraknie jej ofiar. Nie sprawdziło się to jednak. Ofiary wciąż napływały. Stało się swego rodzaju symbolem masochistycznego statusu zostać „przerobionym" albo „pochowanym" (ten żart zaczął się jeszcze w Oksfordzie) przez Annie Graves.

Pewnego dnia Robert zadzwonił do niej do biura. Przez chwilę to imię nic jej nie mówiło.

– *Tubab*, który zaoferował ci łóżko pewnej nocy w dżungli – podpowiedział.

Umówili się na drinka. Wyglądał dużo korzystniej, niż Annie pamiętała. Powiedział, że wyszukiwał jej artykuły i znał chyba wszystko, co napisała, lepiej niż ona sama. Został zastępcą prokuratora okręgowego i pracował – o ile pozwalały mu obowiązki zawodowe – na rzecz kampanii Cartera. Był idealistą tryskającym entuzjazmem i – co najważniejsze – potrafił ją rozśmieszyć. Miał także krótsze włosy i był bardziej zadbany niż jakikolwiek mężczyzna, z którym chodziła przez ostatnie pięć lat.

Podczas gdy garderobę Annie stanowiły czarne skóry i agrafki, on posiadał tylko przypinane kołnierzyki i sztruks. Kiedy wychodzili razem, wyglądało to jak „L.L. Bean spotyka Sex Pistols". A niekonwencjonalność bycia taką parą miała dla nich obojga niewypowiedziany dreszczyk emocji.

W łóżku – strefie ich związku tak długo odwlekanej, której Annie, jeśli miała być wobec siebie szczera, potajemnie się obawiała – Robert okazał się zaskakująco wolny od zahamowań, jakich się spodziewała. W istocie wykazywał dużo dalej idącą inwencję niż większość sflaczałych po narkotykach luzaków, z którymi poszła do łóżka od przyjazdu do Nowego Jorku. Kiedy kilka tygodni później wspomniała mu o tym, Robert przemyślał krótko sprawę, tak jak to robił – pamiętała – przed wydeklamowaniem szczegółów dakarskiego rozkładu lotów, po czym odparł z doskonałą powagą, iż zawsze uważał, że seks, podobnie jak prawo, najlepiej praktykować z całą należną pilnością.

Pobrali się następnej wiosny, a Grace, ich jedyne dziecko, urodziła się trzy lata później.

*

Annie wzięła ze sobą do pociągu robotę, nie z przyzwyczajenia, lecz w nadziei, że może to zajmie jej myśli czym innym niż Grace. Miała przed sobą odbitkę dzieła, któremu wróżyła wielki sukces, wykonanego dużym kosztem, na zamówienie, przez wspaniałego, siwowłosego i upierdliwego powieściopisarza. Jedną z jej grubych ryb, jak powiedziałaby Grace. Annie trzykrotnie przeczytała pierwszy akapit, lecz nie zrozumiała ani słowa.

Potem Robert zadzwonił na jej telefon komórkowy. Był w szpitalu. Nic się nie zmieniło. Grace w dalszym ciągu nie odzyskała przytomności.

– Chcesz powiedzieć, że jest w śpiączce – zauważyła Annie tonem wzywającym go do szczerej rozmowy.

– Oni tak tego nie nazywają, ale owszem, chyba to właśnie to.

– Co jeszcze? – Nastąpiła pauza. – No, Robert, na miłość boską.

– Jej noga też jest w nie najlepszym stanie. Zdaje się, że przejechała po niej ciężarówka.

Annie gwałtownie wciągnęła powietrze.

– Oglądają ją teraz – ciągnął Robert. – Posłuchaj, Annie, lepiej tam wrócę. Spotkamy się na dworcu.

– Nie. Zostań z nią. Wezmę taksówkę.

– Okay. Zadzwonię znowu, jeśli będą jakieś nowiny. – Przerwał na chwilę. – Wszystko będzie z nią w porządku.

– Tak, wiem.

Nacisnęła guzik telefonu i odłożyła go. Na zewnątrz oświetlone słońcem pola doskonałej bieli zmieniały swoją geometrię, gdy pociąg mijał je szybko. Annie pogrzebała w torebce w poszukiwaniu okularów przeciwsłonecznych i założywszy je, znowu oparła głowę o siedzenie.

Poczucie winy pojawiło się natychmiast po pierwszym telefonie Roberta. Powinna była tam być. To pierwsza rzecz, jaką powiedziała Donowi Farlowowi po odłożeniu słuchawki. Zachował się bardzo miło, podszedł i objął ją ramieniem, mówiąc same właściwe rzeczy.

– To by nic nie zmieniło, Annie. Nic nie mogłabyś zrobić.

– Owszem, mogłabym. Mogłabym powstrzymać ją od wyjazdu. O czym Robert myślał, pozwalając jej na jazdę konną w taki dzień?

– Przecież dzień jest piękny. Nie zatrzymałabyś jej.

Farlow miał, oczywiście, rację, poczucie winy jednak pozostało, nie chodziło bowiem – jak wiedziała – o to, czy powinna czy nie pojechać z nimi zeszłego wieczoru. Był to jedynie wierzchołek długiej blizny winy, która wiła się wstecz przez trzynaście lat życia jej córki.

Po urodzeniu Grace Annie wzięła sześć tygodni wolnego i rozkoszowała się każdą chwilą. Prawda, o wiele mniej rozkoszne chwile przypadły Elzie, jamajskiej niani, która po dziś dzień pozostawała spoiwem ich domowego życia.

Tak jak wiele ambitnych kobiet jej pokolenia, Annie zdecydowana była udowodnić, że macierzyństwo i kariera mogą iść w parze. Jednak podczas gdy inne matki z mediów wykorzystywały swoją pracę do promowania tej idei, Annie nigdy się tym nie popisywała, odrzucając tak często propozycje artykułów ze zdjęciami jej i Grace, że kobiece czasopisma szybko przestały prosić. Nie tak dawno temu zastała Grace przeglądającą taki właśnie artykuł o pewnej spikerce telewizyjnej, dumnie prezentującej się ze swoim nowo narodzonym dzieckiem.

– Dlaczego my nigdy tego nie robiłyśmy? – spytała Grace, nie podnosząc wzroku. Annie odparła, trochę zbyt opryskliwie, iż jej zdaniem to niemoralne. A Grace z zadumą pokiwała głową, wciąż nie patrząc na matkę. – Aha – mruknęła rzeczowo, przerzucając strony czasopisma. – Ludzie chyba myślą, że jesteś młodsza, jeśli udajesz, że nie masz dzieci.

Ten komentarz oraz fakt, że został wypowiedziany bez śladu złośliwości, tak wstrząsnął Annie, iż przez wiele tygodni nie myślała prawie o niczym innym poza swoimi stosunkami z Grace, czy raczej – jak to teraz widziała – ich brakiem.

Nie zawsze tak było. Właściwie aż do czasu, kiedy objęła po raz pierwszy pracę redaktora, cztery lata temu, Annie czuła się dumna, że jest z Grace bliżej niż jakakolwiek matka z córką, z tych, które przychodziły jej na myśl. Jako sławna dziennikarka, sławniejsza niż wielu z tych, o których pisała, aż do wtedy była panią swojego czasu. Jeśli miała na to ochotę, mogła pracować w domu albo wziąć wolne, kiedy tylko chciała. Podróżując często zabierała Grace ze sobą. Kiedyś spędziły większą część tygodnia – tylko we dwie – w fantastycznym hotelu w Paryżu, czekając, aż jakaś primadonna projektanctwa mody udzieli im obiecanej audiencji. Codziennie wędrowały całe mile, robiąc zakupy i zwiedzając, wieczory zaś spędzały, obżerając się przed telewizorem pysznym hotelowym menu, przytulone w pozłacanym łożu cesarskich rozmiarów, niczym para niegrzecznych sióstr.

Życie dyrektorskie było zupełnie inne. A w wysiłku i euforii przekształcania nudnego, mało czytanego czasopisma w najbardziej rozchwytywane w mieście, Annie początkowo nie przyjmowała do wiadomości ceny, jaką płaciła za to jej rodzina. Ona i Grace miały teraz, jak to z dumą nazywała, „czas wysokiej jakości". Z obecnej perspektywy, główną jego jakością wydawało się Annie wzajemne gnębienie.

Spędzały razem jedną godzinę rano, kiedy zmuszała córkę do gry na pianinie, oraz dwie godziny wieczorem, kiedy zmuszała ją do odrabiania lekcji.

Słowa, które powinny być rozumiane jako matczyne porady, coraz częściej z góry skazane były na odczytanie ich jako krytykę.

W weekendy sprawy wyglądały lepiej, a jeżdżenie na koniu pozwalało utrzymać w nienaruszonym stanie ten kruchy most, jaki pomiędzy nimi pozostał. Sama Annie już nie jeździła, lecz – w przeciwieństwie do Roberta – z czasów własnego dzieciństwa wyniosła zrozumienie tego szczególnego, plemiennego świata konnej jazdy i skoków przez przeszkody. Wożenie Grace i jej konia na zawody sprawiało jej przyjemność. Jednak nawet w najlepszych momentach ich porozumienie nigdy nie dorównywało swobodnej ufności, jaką Grace dzieliła z Robertem.

Na niezliczone mnóstwo drobnych sposobów dziewczynka najpierw zwracała się właśnie ku ojcu. Annie zaś pogodziła się już ze świadomością, że historia nieubłaganie się powtarza. Ona sama także była dzieckiem swego ojca, jako że matka nie chciała albo nie potrafiła dostrzec nic poza kręgiem złotego światła otaczającym brata Annie. Teraz zaś Annie, nie mając takiej wymówki, czuła się napędzana bezlitosnymi genami do powtórzenia tego wzoru z Grace.

Pociąg zwolnił na długim zakręcie i zatrzymał się w Hudson, a ona siedziała nieruchomo i wpatrywała się w odnowioną werandę peronu, z filarami z lanego żelaza. Jakiś mężczyzna stał dokładnie w tym miejscu, gdzie zwykle czekał Robert. Zrobił krok i wyciągnął ramiona do kobiety z dwójką małych dzieci, która właśnie wysiadła z pociągu. Annie patrzyła, jak przytula każde z nich, po czym prowadzi w stronę parkingu. Chłopiec upierał się, by ponieść najcięższą torbę, i mężczyzna ze śmiechem mu pozwolił. Annie odwróciła wzrok i była zadowolona, kiedy pociąg znów ruszył. Za dwadzieścia pięć minut dojedzie do Albany.

*

Znaleźli ślady Pielgrzyma w dalszej części drogi. Wzdłuż odcisków kopyt na śniegu widniały czerwone plamy krwi. Pierwszy zauważył je myśliwy i poszedł za nimi, prowadząc Logana i Koopmana między drzewami w stronę rzeki.

Harry Logan znał konia, którego szukali, chociaż nie tak dobrze jak tego, którego martwe, poszarpane ciało wyciągano za pomocą palników z wraku zgniecionej ciężarówki. Guliwer był jednym z wielu koni, których doglądał u pani Dyer, Macleanowie korzystali jednak z usług innego weterynarza. Logan kilka razy w stajni zwrócił uwagę na tego wymuskanego nowego Morgana. Sądząc po ilości krwi, zwierzę musiało być teraz ciężko ranne. Wciąż czuł się wstrząśnięty tym, co zobaczył, i żałował, że nie dotarł tu wcześniej, aby wybawić Guliwera z niedoli. Wtedy jednak musiałby może oglądać, jak zabierają ciało Judith, a to byłoby trudne. Był z niej taki miły dzieciak. Dostatecznie kiepsko było widzieć tę Maclean, którą przecież ledwie znał.

Szum rzeki stawał się coraz głośniejszy i wkrótce dostrzegli ją w dole pomiędzy drzewami. Myśliwy stał i czekał na nich. Logan potknął się o wystającą gałąź i omal nie upadł, a myśliwy popatrzył na niego z ledwo skrywaną pogardą. Mały gówniany macho, pomyślał Logan. Od razu poczuł do niego niechęć, tak jak do wszystkich myśliwych. Żałował, że nie kazał mu zostawić tej cholernej strzelby w samochodzie.

Woda płynęła szybko, załamując się na kamieniach i kotłując wokół srebnej brzozy, która przewróciła się na brzegu. Trzej mężczyźni stali, spoglądając w dół, gdzie nad wodą ślady znikały.

– Chyba próbował przepłynąć czy coś takiego – odezwał się Koopman, usiłując być pomocnym.

Myśliwy pokręcił głową. Przeciwległy brzeg był stromy i nie biegły wzdłuż niego żadne ślady.

Poszli w milczeniu wzdłuż brzegu. Nagle myśliwy stanął i wyciągnął rękę, by zatrzymać pozostałych.

– Tam – odezwał się cicho, wskazując głową do przodu.

Znajdowali się w odległości około dwudziestu jardów od starego mostu kolejowego. Logan wytężył wzrok, osłaniając oczy przed słońcem. Nic nie widział. Nagle pod mostem coś się poruszyło i wreszcie go zobaczył. Koń stał przy przeciwległym brzegu, w cieniu, patrząc prosto na nich. Pysk miał mokry, a z piersi kapała mu stale do wody ciemna ciecz. Wydawało się, że coś mu utkwiło z przodu, zaraz pod podstawą szyi, ale z tej odległości Logan nie potrafił tego dostrzec. Koń co chwila szarpał łbem w dół i na bok, wypluwając różową pianę, która szybko odpływała z prądem rozpuszczając się. Myśliwy zdjął z ramienia futerał ze strzelbą i zaczął go odpinać.

– Przykro mi, kolego, teraz nie sezon – rzekł Logan, na tyle niedbale, na ile mógł, przepychając się obok.

Myśliwy nawet nie podniósł wzroku, tylko wyciągnął strzelbę – lśniącą niemiecką trzysta ósemkę z celownikiem teleskopowym grubości butelki. Koopman przyglądał się temu z podziwem. Sięgnąwszy do kieszeni po kilka naboi, myśliwy zaczął spokojnie ładować broń.

– Wykrwawi się na śmierć – zauważył.

– Tak? – rzucił Logan. – Też pan jesteś weterynarzem, co?

Facet wydał z siebie pogardliwe prychnięcie. Wsunął pocisk do komory i stanął w wyczekującej pozie, z doprowadzającą do szału miną człowieka, który wie, że dowiedzie swojej racji. Logan miał ochotę go udusić. Odwrócił się w stronę mostu i zrobił ostrożny krok w przód. Koń natychmiast się cofnął – teraz znalazł się w słońcu po drugiej stronie mostu i Logan mógł dostrzec, że zwierzę nie miało nic przyczepionego do piersi. To płat różowej skóry zwisał luźno z okropnego rozcięcia w kształcie litery L, długiego na jakieś dwie stopy. Krew rytmicznie wypływała z odkrytego ciała i spływała po klatce piersiowej do wody. Logan zauważył teraz, że wilgoć na pysku konia to również krew. Nawet z tej odległości widział, iż kość nosowa została zmiażdżona.

Poczuł ssanie w żołądku. Koń był przepiękny i weterynarzowi wcale nie podobał się pomysł uśpienia go. Nawet gdyby udało mu się podejść wystarczająco blisko, by zatamować krwawienie, rana wyglądała na tak poważną, iż wszystko wskazywało na to, że zwierzę zdechnie. Logan zrobił kolejny krok w jego stronę i Pielgrzym znowu się cofnął obracając się, by sprawdzić drogę ucieczki w górę rzeki. Za plecami weterynarza rozległ się ostry dźwięk – to myśliwy odbezpieczył broń. Logan odwrócił się do niego.

– Zamkniesz się pan, do cholery?

Myśliwy nie odpowiedział, tylko posłał Koopmanowi znaczące spojrzenie. Tworzyło się tutaj porozumienie, które Logan chętnie by złamał. Postawił swoją torbę i przykucnął, by wyciągnąć z niej parę rzeczy.

– Chcę spróbować się do niego dostać – odezwał się do Koopmana. – Mógłbyś zatoczyć koło i podejść od drugiej strony mostu, żeby go zablokować?

– Tak, proszę pana.

– Może weź sobie jakąś gałąź albo coś i machaj tym na niego, gdyby zamierzał iść w twoją stronę. Ewentualnie będziesz musiał zamoczyć nogi.

– Tak, proszę pana.

Wspinał się już z powrotem między drzewa. Logan zawołał za nim.

– Krzyknij, jak będziesz gotowy. I nie podchodź za blisko!

Napełnił strzykawkę środkiem uspokajającym i włożył do kieszeni kurtki parę innych rzeczy, które uznał za przydatne. Czuł na sobie wzrok myśliwego, ale zignorował go i wstał. Pielgrzym trzymał łeb nisko, lecz obserwował każdy ich ruch. Czekali, a wokoło głośno szumiała woda. Potem Koopman zawołał i gdy koń się odwrócił, by spojrzeć, Logan ostrożnie wszedł do rzeki, starając się jak najlepiej ukryć strzykawkę w dłoni.

Próbował stąpać po obmytych ze śniegu kamieniach, wystających tu i ówdzie z wody. Pielgrzym odwrócił się i zauważył go. Zaczynał się teraz niepokoić nie wiedząc, w którą stronę biec. Grzebał nogą w wodzie i parskał krwawą pianą. Loganowi zabrakło kamieni i musiał przyjąć do wiadomości, że przyszedł czas się zamoczyć. Opuścił jedną stopę i poczuł lodowatą falę, przelewającą się przez wierzch buta. Woda była tak zimna, że gwałtownie wciągnął powietrze.

Koopman ukazał się na zakręcie rzeki za mostem. Także był już po kolana w wodzie, a w ręku trzymał dużą gałąź brzozy. Koń patrzył to na jednego, to na drugiego. Logan dostrzegał strach w oczach zwierzęcia, a także coś jeszcze, co trochę go przerażało. Odezwał się jednak do niego cichym, łagodzącym tonem.

– Dobrze, stary. Już dobrze.

Znajdował się teraz w odległości dwudziestu stóp od konia i usiłował wykombinować, jak się do tego zabrać. Jeśli uda mu się uchwycić uzdę, może mieć szansę na zrobienie zastrzyku w szyję. Na wypadek, gdyby coś poszło nie tak, umieścił w strzykawce więcej środka uspokajającego, niż to było konieczne. Gdyby mógł wbić się w żyłę, musiałby wstrzyknąć mniej niż w muskuł. W obu przypadkach trzeba uważać, żeby nie dać za dużo. Koniowi w tak złym stanie nie można pozwolić na utratę przytomności. Będzie musiał wstrzyknąć mu akurat tyle, by go uspokoić, a wtedy wyprowadzą go z wody w jakieś bezpieczne miejsce.

Z tak bliska Logan wyraźnie widział ranę na piersi. Nigdy nie oglądał czegoś tak poważnego i wiedział, że nie mają dużo czasu. Na podstawie wypływającej krwi stwierdził, że zwierzę mogło już jej stracić nawet galon.

– Dobrze już, mój mały. Nikt nie chce cię skrzywdzić.

Pielgrzym parsknął i odwrócił się od niego, robiąc parę kroków w stronę Koopmana – potknął się przy tym, posyłając w górę fontannę, która rozbłysła w słońcu tęczą.

– Potrząśnij gałęzią! – wrzasnął Logan.

Koopman zrobił to i Pielgrzym się zatrzymał. Logan wykorzystał zamieszanie, by podskoczyć bliżej, lecz wpadł przy tym w dziurę i zmoczył się aż po krocze. Słodki Jezu, ale ta woda zimna. Końskie oczy w białych obwódkach dostrzegły go i zwierzę znów ruszyło w stronę Koopmana.

– Jeszcze raz!

Potrząśnięcie gałęzią zatrzymało konia, na co Logan rzucił się do przodu i chwycił wodze. Poczuł, jak zwierzę zbiera się w sobie i wykręca mu. Spróbował podejść z boku, trzymając się jak najdalej od tylnych nóg, które zbliżały się w jego stronę. Szybkim ruchem wzniósł rękę i zdołał wbić igłę w szyję konia. Na ukłucie Pielgrzym eksplodował. Stanął dęba, rżąc z przerażeniem, a Logan miał ułamek sekundy na pchnięcie tłoka. Zwierzę przesunęło go jednak przy tym w bok, pchając się na niego, tak że Logan stracił równowagę i kontrolę. Niechcący wstrzyknął całą zawartość strzykawki w szyję Pielgrzyma.

Koń widział już teraz, który z mężczyzn jest bardziej niebezpieczny, i odskoczył ku Koopmanowi. Logan wciąż miał wodze owinięte wokół dłoni, więc ścięło go z nóg i poleciał głową w wodę. Ciągnięty, niczym narciarz wodny w tarapatach, czuł, jak lodowata woda wdziera mu się pod ubranie. Widział jedynie fale. Wodze wbiły mu się w rękę, a ramieniem uderzył o kamień. Krzyknął z bólu. Potem uwolnił się od wodzy i mógł wreszcie unieść głowę i zaczerpnąć powietrza. Ujrzał teraz Koopmana uskakującego z drogi oraz konia przebiegającego obok niego z pluskiem i wdrapującego się na brzeg. Z szyi wciąż zwisała mu strzykawka. Logan wstał i patrzył, jak Pielgrzym znika między drzewami.

– Cholera – mruknął.

– Nic panu nie jest? – zapytał Koopman.

Logan pokręcił tylko głową i zaczął wyżymać wodę z kurtki. Coś na moście przyciągnęło jego wzrok – podniósłszy oczy, ujrzał tam myśliwego, opierającego się o barierkę. Przyglądał się wszystkiemu, uśmiechając się od ucha do ucha.

– Czemu nie pójdziesz pan do diabła? – rzucił Logan.

*

Zobaczyła Roberta, gdy tylko przeszła przez wahadłowe drzwi. Na końcu korytarza była poczekalnia, z bladoszarymi sofami i niskim stołem z kwiatami. Stał tam, wyglądając przez wysokie okno, a słońce wlewało się obok niego do środka. Odwrócił się na odgłos jej kroków i musiał potrzeć oczy, by dostrzec coś w półmroku korytarza. Annie wzruszyło to, jak delikatnie wyglądał w momencie, zanim ją zauważył – z połową twarzy oświetloną słońcem i skórą tak bladą, że prawie przezroczystą. Potem dostrzegł ją i podszedł z posępnym, nikłym uśmiechem. Objął ją i stali tak przez chwilę w milczeniu.

– Gdzie ona jest? – zapytała w końcu Annie.

Trzymając ją za ramiona, odsunął trochę od siebie, by móc na nią patrzeć.

– Zabrali ją na dół. Operują teraz. – Zobaczył, że marszczy brwi, i szybko ciągnął dalej, zanim zdążyła się odezwać. – Mówią, że będzie dobrze. Ciągle jest nieprzytomna, ale zrobili wszystkie te badania i prześwietlenia i nie wygląda na żadne uszkodzenie mózgu.

Urwał i przełknął ślinę, a Annie czekała, obserwując jego twarz. Ponieważ tak usilnie starał się mówić pewnie, domyśliła się, że oczywiście jest coś jeszcze.

– Mów dalej.

Ale on nie mógł. Zaczął płakać. Zwiesił tylko głowę i stał z drżącymi ramionami. Wciąż obejmował Annie, która teraz delikatnie wyswobodziła się i objęła jego.

– Mów dalej. Powiedz mi.

Wziął głęboki oddech i odchylił głowę do tyłu, patrząc na sufit. Dopiero po chwili był w stanie znowu spojrzeć na nią. Zaczął mówić, ale bez powodzenia, aż wreszcie zdołał to wykrztusić.

– Amputują jej nogę.

Annie odczuwała później zarówno zdziwienie, jak i wstyd z powodu swojej reakcji tamtego popołudnia. Nigdy nie uważała siebie za szczególnie dzielną w chwilach kryzysów, poza pracą, gdzie się nimi wręcz rozkoszowała. Normalnie nie miała też kłopotów z okazywaniem emocji. Być może po prostu chodziło o to, że Robert, załamując się, podjął tę decyzję za nią. On płakał, a więc ona nie. Ktoś musiał się trzymać, bo inaczej ta fala porwałaby ich oboje.

Annie nie wątpiła jednak, że równie dobrze mogło być odwrotnie. W obecnej sytuacji wiadomość o tym, co w tym budynku robią jej córce, właśnie w tym momencie, weszła w nią jak ostrze lodu. Poza szybko stłumionym impulsem do krzyku, wszystko, co przyszło jej do głowy, to ciąg pytań, tak obiektywnych i praktycznych, że wydawały się wręcz niedelikatne.

– Jak dużo?

Zmarszczył brwi, zagubiony.

– Co?

– Nogi. Jak dużo nogi amputują?

– Od nad... – Przerwał, by się opanować. Ten szczegół zdawał się taki wstrząsający. – Nad kolanem.

– Która noga?

– Prawa.

– Jak wysoko nad kolanem?

– Jezu Chryste, Annie! Co to za różnica, do diabła?

Oderwał się od niej, ocierając mokrą twarz wierzchem dłoni.

– Cóż, to duża różnica, moim zdaniem. – Zdumiewała nawet samą siebie. Miał rację, oczywiście, że to żadna różnica. Kontynuowanie było jałowe czy wręcz upiorne, lecz teraz nie zamierzała się zatrzymać. – Czy to zaraz nad kolanem, czy traci też górną część nogi?

– Zaraz nad kolanem. Nie znam dokładnych pomiarów, ale może po prostu zejdź tam, to na pewno pozwolą ci popatrzeć.

Odwrócił się do okna, a Annie stała i patrzyła, jak wyciąga chusteczkę i załatwia sprawę łez i śluzu, zły na siebie za to, że płakał. Na korytarzu za nią rozległy się kroki.

– Pani Maclean?

Annie obróciła się. Młoda pielęgniarka, cała w bieli, rzuciła spojrzenie na Roberta i zdecydowała, że lepiej rozmawiać z Annie.

– Jest do pani telefon.

Pielęgniarka poprowadziła ją, idąc szybkimi, drobnymi, bezgłośnymi krokami po błyszczącej, kafelkowej podłodze, jakby się ślizgała. Pokazała Annie telefon obok izby przyjęć i przełączyła rozmowę z dyżurki.

Dzwoniła Joan Dyer ze stajni. Przeprosiła za telefon i nerwowo zapytała o Grace. Annie odpowiedziała, że wciąż znajduje się w śpiączce. Nie wspominała o nodze. Pani Dyer nie przeciągała rozmowy. Powodem, dla którego telefonowała, był Pielgrzym. Znaleźli go i Harry Logan dzwonił pytając, co mają zrobić.

– Co pani ma na myśli? – spytała Annie.

– Koń jest w bardzo kiepskim stanie. Złamane kie rany na ciele, stracił też dużo krwi. Nawet jeżeli w ich mocy, by go uratować, i przeżyje, nigdy nie będ sam.

– Gdzie jest Liz? Nie możemy jej tam ściągnąć?

Liz Hammond była weterynarzem opiekującym się Pielgrzymem, a także przyjacielem rodziny. To ona zeszłego lata pojechała dla nich do Kentucky obejrzeć Pielgrzyma, zanim go kupili. Oczarował ją równie mocno.

– Wyjechała na jakąś konferencję – odparła pani Dyer. – Wraca dopiero na przyszły weekend.

– Logan chce go uśpić?

– Tak. Przykro mi, Annie. Pielgrzym jest teraz pod wpływem środków uspokajających i Harry mówi, że może nawet nie oprzytomnieć. Chcieliby dostać od ciebie pozwolenie na uśpienie go.

– To znaczy zastrzelenie? – Usłyszała samą siebie znów drążącą nieważne szczegóły, tak jak przed chwilą z Robertem. Co to za różnica, do cholery, jak mają zamiar zabić konia?

– Chyba chodzi o zastrzyk.

– A co, jeśli powiem nie?

Po drugiej stronie nastąpiła krótka przerwa.

– No cóż, przypuszczam, że będą musieli spróbować przewieźć go w jakieś miejsce, gdzie mogliby go operować. Może do Cornell. – Znów urwała. – Abstrahując od wszystkiego innego, Annie, kosztowałoby to cię dużo więcej, niż wynosi jego ubezpieczenie.

Właśnie wzmianka o pieniądzach ostatecznie przekonała Annie, musiała bowiem sobie dopiero uzmysłowić, iż może istnieć jakieś powiązanie pomiędzy życiem tego konia a życiem jej córki.

– Nie obchodzi mnie, ile to będzie kosztować, do diabła – warknęła, czując prawie wzdrygnięcie się starszej kobiety. – Powiedz Loganowi, że jeśli zabije tego konia, pozwę go.

Odłożyła słuchawkę.

*

– No chodź. Jest okay, dalej.

Koopman schodził tyłem w dół zbocza, machając obiema rękami na ciężarówkę, która powoli cofała się za nim między drzewa, dzwoniąc łańcuchami zwisającymi z kołowrotu. Pracownicy celulozowni stali przy niej, chcąc wyładować swoje nowe turbiny, a Koopman zawiadywał nimi oraz wozem. Zaraz z tyłu podążał duży ford pick-up z odkrytą przyczepą. Koopman spojrzał przez ramię na miejsce, gdzie Logan z niewielką grupką pomocników klęczeli wokół konia.

Pielgrzym leżał na boku w ogromnej kałuży krwi, która rozlewała się na śniegu pod nogi ludzi usiłujących go ratować. Dotarł właśnie do tego miejsca, gdy zadziałał zastrzyk. Jego przednie nogi ugięły się i padł na kolana. Przez kilka chwil próbował to przezwyciężyć, ale zanim Logan dobiegł, stracił przytomność.

Weterynarz polecił Koopmanowi zadzwonić ze swego telefonu komórkowego do Joan Dyer, zadowolony, że myśliwy nie słyszy, jak prosi ją o zdobycie pozwolenia właścicielki na uśpienie konia. Następnie, posławszy Koopmana po pomoc, przyklęknął obok konia i zabrał się za tamowanie krwotoku. Sięgnął głęboko w parującą ranę na piersi, grzebiąc po omacku ręką poprzez warstwy porwanej tkanki, aż zanurzył ją po łokieć w posoce. Macał na ślepo w poszukiwaniu źródła krwawienia i znalazł je – przebitą tętnicę, dzięki Bogu, małą. Czuł, jak pompuje mu ona na rękę ciepłą krew. Przypomniały mu się małe klamerki, które wsadził do kieszeni i teraz, wolną ręką, szybko wyszukał jedną. Założył ją i pulsowanie natychmiast ustało. Krew wciąż jednak płynęła z setki przerwanych żył, oswobodził się więc ze swojej przemoczonej kurtki, opróżnił jej kieszenie i wycisnął ile się dało wody i krwi. Potem zwinął ją i najdelikatniej jak potrafił, wepchnął w ranę. Zaklął głośno. Czego naprawdę potrzebował, to płynu. Worek Plasmalyte, który przywiózł, został w jego torbie nad rzeką. Powstał z trudem i na wpół biegnąc, na wpół zataczając się, ruszył po niego.

Zanim wrócił, sanitariusze z grupy ratunkowej już byli i przykrywali Pielgrzyma kocami. Jeden z nich podał Loganowi telefon.

– Pani Dyer do pana – powiedział.

– Nie mogę z nią teraz rozmawiać, na miłość boską – rzucił Logan.

Uklęknął i przywiązał pięciolitrowy worek Plasmalyte do szyi Pielgrzyma, po czym dał mu zastrzyk steroidów dla złagodzenia wstrząsu. Oddech konia był płytki i nieregularny, a jego kończyny szybko traciły temperaturę. Logan krzyknął o więcej koców do owinięcia końskich nóg po ich zabandażowaniu, żeby zmniejszyć upływ krwi.

Ktoś z grupy ratunkowej przyniósł z karetki jakieś zielone prześcieradło, więc Logan ostrożnie wyjął z rany zwierzęcia swoją przesiąkniętą krwią kurtkę i wpakował tam prześcieradło. Odchyliwszy się na piętach, ciężko dysząc, zaczął napełniać strzykawkę penicyliną. Koszulę miał ciemnoczerwoną i mokrą, a z łokci kapała mu krew, gdy uniósł strzykawkę, żeby usunąć bąbelki powietrza.

– To jakieś pieprzone wariactwo – mruknął.

Wstrzyknął penicylinę w szyję Pielgrzyma. Koń był jak martwy. Sama rana piersiowa wystarczyłaby, żeby usprawiedliwić uśpienie go, a to nie była nawet połowa. Kość nosowa została okropnie zmiażdżona, najwyraźniej były jakieś pęknięte żebra, brzydkie głębokie rozcięcie nad lewą kością goleniową i Bóg jeden wie ile innych, mniejszych ran i stłuczeń. Ze sposobu, w jaki koń wbiegł na zbocze, widać było także, że utykał z powodu czegoś w górnej części przedniej prawej nogi. Logan powinien po prostu skrócić agonię biednego zwierzęcia. Teraz jednak, gdy zaszedł tak daleko, niech go licho, jeśli da temu rwącemu się do pociągnięcia za spust małemu zasrańcowi satysfakcję ze świadomości, że miał rację. Jeśli koń zdechnie sam, to niech tak będzie.

Koopman sprowadził już ciężarówkę celulozowni oraz przyczepę na dół – Logan zauważył, że udało im się gdzieś znaleźć płócienny pas. Facet z grupy ratunkowej wciąż miał na linii panią Dyer i Logan dopiero teraz wziął od niego telefon.

– Okay, jestem na pani usługi – rzekł i wskazał im, gdzie podłożyć pas. Wysłuchawszy taktownego przekazania przez biedną kobietę tego, co powiedziała Annie, uśmiechnął się tylko i pokręcił głową. – Super – stwierdził. – Miło być docenionym.

Oddał telefon i pomógł przeciągnąć dwa płócienne pasy pod brzuchem Pielgrzyma, przez breję czerwonego, na wpół stopionego śniegu. Wszyscy wstali i Logan pomyślał, że wyglądają zabawnie wszyscy z takimi samymi czerwonymi kolanami. Ktoś podał mu suchą marynarkę i po raz pierwszy, odkąd znalazł się w rzece, uświadomił sobie, jak mu zimno.

Koopman razem z kierowcą podczepili końcówki pasów do łańcuchów wyciągu, a potem cofnęli się z innymi, gdy Pielgrzym został powoli uniesiony w powietrze i przerzucony, niczym padlina, na przyczepę. Logan wspiął się tam z dwoma sanitariuszami i razem przesunęli kończyny zwierzęcia, aż w końcu leżał tak, jak przedtem, na boku. Koopman podawał weterynarzowi jego rzeczy, podczas gdy inni przykrywali konia kocami.

Logan zaaplikował kolejny zastrzyk steroidów i wyjął nowy worek Plasmalyte. Nagle poczuł się bardzo zmęczony. Szanse, że koń będzie żył, zanim dotrą do jego kliniki, oceniał na niewielkie.

– Zadzwonimy, żeby wiedzieli, kiedy się pana spodziewać – odezwał się Koopman.

– Dzięki.

– Wszystko jest załatwione?

– Chyba tak.

Koopman klepnął tył pick-upa dołączonego do przyczepy i krzyknął na kierowcę, by odjeżdżał. Ruszyli powoli po zboczu.

– Powodzenia – zawołał za nimi Koopman, Logan jednak zdawał się go nie słyszeć. Młody zastępca wyglądał na lekko rozczarowanego. Było już po wszystkim i wszyscy rozjeżdżali się do domu. Odwrócił się na odgłos zasuwania zamka za plecami. Myśliwy wkładał swoją strzelbę z powrotem do pokrowca.

– Dzięki za pomoc – rzekł Koopman.

Myśliwy skinął głową, zarzucił sobie futerał na ramię i odszedł.

*

Robert obudził się gwałtownie i przez moment myślał, że jest w swoim biurze. Ekran jego komputera zwariował – drgające zielone linie ścigały się poprzez pasma poszarpanych szczytów. Och, nie – pomyślał – wirus. Szalejący po jego plikach na temat sprawy Dunfort Securities. Potem ujrzał łóżko z przykryciem starannie ułożonym na tym, co pozostało z nogi jego córki, i przypomniał sobie, gdzie się znajduje.

Spojrzał na zegarek. Dochodziła piąta rano. Pokój tonął w ciemnościach poza miejscem, gdzie lampa kątowa rzucała zza łóżka kokon delikatnego światła na głowę i nagie ramiona Grace. Oczy miała zamknięte, a twarz pogodną, tak jakby zupełnie nie przeszkadzały jej wijące się zwoje plastikowych rurek, które wdarły się w jej ciało. Od respiratora szła rurka do ust, a druga nosem do żołądka – przez tę ją karmiono. Więcej rurek zwisało z butelek i woreczków zawieszonych nad łóżkiem – spotykały się one w szaleńczej plątaninie przy szyi, jak gdyby walcząc o pierwszeństwo dostania się do zaworu zrobionego w żyle szyjnej. Zawór był zamaskowany taśmą koloru cielistego, tak jak elektrody na skroniach i klatce piersiowej oraz dziurka, którą wycięli nad jedną z jej młodych piersi, by wprowadzić światłowodową rurkę do serca.

Gdyby nie usztywniona czapka jeździecka, orzekli lekarze, dziewczynka mogłaby zginąć. Kiedy jej głowa uderzyła o ziemię, czapka pękła, ale czaszka nie. Drugie prześwietlenie wykazało jednak jakieś rozległe krwawienie w mózgu, wywiercili więc maleńką dziurkę w czaszce i wprowadzili coś, co monitorowało teraz wewnętrzne ciśnienie. Respirator, powiedzieli, pomoże zatrzymać puchnięcie w mózgu. Właśnie jego rytmiczmy szum – niczym fale mechanicznego morza załamujące się na kamieniach – uśpił Roberta. Przedtem trzymał ją za rękę, która leżała teraz tam, gdzie nieświadomie ją porzucił. Ujął ją znowu w obie dłonie, czując fałszywie uspokajające ciepło. Pochyliwszy się do przodu, delikatnie docisnął kawałek taśmy, która odkleiła się od jednego z cewników w ramieniu. Podniósł wzrok na baterię maszyn, których dokładne działanie wyjaśniono mu dopiero po jego usilnych naleganiach. Teraz, bez potrzeby ruszania się z miejsca, przeprowadził systematyczną kontrolę: przyjrzał się kolejno każdemu ekranowi, zaworowi i poziomowi płynu, by upewnić się, że nic się nie stało, podczas gdy spał. Wiedział, że wszystko jest skomputeryzowane i gdyby działo się cokolwiek niepożądanego, przy centralnym pulpicie za rogiem odezwą się alarmy, musiał jednak sam się przekonać. Usatysfakcjonowany, wciąż trzymając Grace za rękę, usiadł znów wygodnie. Annie spała w małym pokoiku, który udostępniono im na tym samym korytarzu. Chciała, by obudził ją o północy, żeby mogła przejąć czuwanie, ale ponieważ sam się zdrzemnął, uznał, że pozwoli jej spać dalej.

Utkwił wzrok w twarzy Grace i pomyślał, że wśród tej całej bezdusznej techniki wygląda na dziecko o połowę młodsze. Zawsze była taka zdrowa. Oprócz tego, że zszywano jej kiedyś kolano, gdy spadła z roweru, od urodzenia nie była ani razu w szpitalu. Chociaż wtedy, przy porodzie, sprawy miały się na tyle dramatycznie, że wystarczyło tego na dobrych kilka lat.

Było to pilne cesarskie cięcie. Po dwunastu godzinach akcji porodowej dali Annie środek przyspieszający rozwiązanie, a ponieważ nie wyglądało na to, by przez najbliższy czas cokolwiek miało się wydarzyć, Robert poszedł do bufetu kupić sobie kawę i sandwicza. Kiedy po pół godzinie wrócił do jej pokoju, rozpętało się tam już piekło. Przypominało to pokład okrętu wojennego – ludzie w zielonych kitlach biegali dookoła, wwozili i wywozili sprzęt, wykrzykiwali polecenia. Ktoś mu powiedział, że w czasie jego nieobecności wewnętrzne monitorowanie wykazało, że dziecko znajduje się w niebezpieczeństwie. Niczym jakiś bohater wojennego filmu z lat czterdziestych położnik wpadł do pokoju i oznajmił swoim żołnierzom, że „wchodzi".

Robert zawsze wyobrażał sobie, że cesarka to spokojna sprawa. Żadnego dyszenia, parcia i krzyków, tylko proste nacięcie wzdłuż nakreślonej linii i wydobycie dziecka bez większego wysiłku. Toteż w ogóle nie był przygotowany na zawody zapaśnicze, które teraz nastąpiły. Operacja była już w toku, gdy wpuścili go i postawili z rozszerzonymi oczami w kącie. Annie znajdowała się pod ogólną narkozą. Obserwował, jak ci mężczyźni, zupełnie obcy, sięgają do jej wnętrza, po łokcie we krwi, wyciągając tę breję i strzepując w narożniku. Następnie rozszerzają otwór metalowymi klamrami mrucząc i sapiąc, aż jeden z nich, bohater wojenny, ujmuje to w ręce, a pozostali nagle nieruchomieją i patrzą, jak wydobywa maleństwo, umazane na biało mazią płodową, z ziejącego brzucha Annie.

Mężczyzna uważał się także za dowcipnisia i obojętnym tonem rzucił do Roberta przez ramię: „Życzę więcej szczęścia następnym razem. To dziewczynka". Robert mógłby go zabić. Kiedy jednak, po szybkim wytarciu jej do czysta i sprawdzeniu, czy ma odpowiednią ilość palców u rąk i nóg, podali mu ją zawiniętą w biały kocyk, zapomniał o swojej złości i wziął dziecko w ramiona. Potem położył je na poduszce Annie, tak by pierwszą rzeczą, jaką żona zobaczy po obudzeniu, była Grace.

Więcej szczęścia następnym razem. Nigdy nie było następnego razu. Oboje chcieli drugiego dziecka, lecz Annie czterokrotnie poroniła, ostatni raz niebezpiecznie, w dosyć już zaawansowanej ciąży. Powiedziano im wtedy, że nierozsądnie byłoby próbować dalej. Nie trzeba im jednak było tego mówić, ponieważ przy każdej następnej stracie ból narastał w postępie geometrycznym i na koniec żadne z nich nie czuło się na siłach znów stawić temu czoło. Po ostatnim wypadku, cztery lata temu, Annie stwierdziła, że chce zostać wysterylizowana. Robert wiedział, że to dlatego, iż chce siebie ukarać, i błagał ją, by tego nie robiła. W końcu niechętnie ustąpiła i zamiast tego dała sobie założyć spiralę, ponuro żartując, że przy odrobinie szczęścia może to dać taki sam skutek.

Dokładnie właśnie w tym samym czasie Annie otrzymała i – ku zdumieniu Roberta – przyjęła pierwszą propozycję objęcia stanowiska redaktora naczelnego. Później, obserwując, jak w tej nowej roli daje upust swojej złości i rozczarowaniu, zdał sobie sprawę, że przyjęła to albo dla odwrócenia uwagi, albo znów żeby się ukarać. Być może z obu tych powodów. Nie zdziwiło go jednak wcale, gdy odniosła tak wspaniały sukces, iż niemal każde głośniejsze pismo w kraju próbowało ją pozyskać.

Ich wspólne niepowodzenie w kwestii następnego dziecka zrodziło żal, którego nigdy później już nie roztrząsali. Wsączył się on jednak po cichu w każdą szczelinę ich wzajemnego stosunku.

Był tam, niewypowiedziany, tego popołudnia, kiedy Annie przyjechała do szpitala, a Robert tak głupio załamał się i rozpłakał. Wiedział, że Annie czuje, iż on wini ją za niemożność dania mu drugiego dziecka. Może tak szorstko zareagowała na jego łzy, ponieważ w jakiś sposób dostrzegała w nich ślad tamtego obwiniania. Może miała rację. Gdyż to wątłe dziecko, które leżało tutaj okaleczone chirurgicznym nożem, było wszystkim, co mieli. Jak nierozważnie, jak małostkowo z jej strony, że urodziła tylko jedno. Czy naprawdę tak myślał? Na pewno nie. Jakże więc mógł tak swobodnie sformułować to w duchu?

Robert zawsze czuł, że kocha żonę bardziej, niż ona kiedykolwiek będzie kochać jego. Że go kocha, nie wątpił. Ich małżeństwo, w porównaniu z wieloma, które obserwował, było udane. Zarówno umysłowo, jak i fizycznie wciąż wydawali się zdolni do dawania sobie przyjemności. Chyba nie było dnia przez te wszystkie lata, by Robert nie uważał się za szczęściarza, iż ciągle ma ją przy sobie. Nigdy nie przestał się dziwić, że ktoś tak tętniący życiem chce być z mężczyzną takim jak on.

Nie to, że Robert siebie nie doceniał. Obiektywnie rzecz biorąc (a obiektywizm uważał, obiektywnie, za jedną ze swoich mocnych stron), był jednym z najzdolniejszych prawników, jakich znał. Był także dobrym ojcem, dobrym przyjacielem dla tych niewielu bliskich przyjaciół, jakich miał, i – pomimo tych wszystkich dowcipów o prawnikach, które słyszy się dzisiaj – był autentycznie moralnym człowiekiem. Wiedział jednak, że chociaż nigdy nie uznałby się za nudziarza, brakuje mu iskry Annie. Nie, nie jej iskry. Jej iskierki. Tego, co zawsze go w niej ekscytowało, od tego pierwszego wieczoru w Afryce, gdy otworzywszy drzwi, ujrzał ją stojącą z bagażami.

Był od niej o sześć lat starszy, ale często miał uczucie, że o wiele więcej. I przy tych wszystkich wspaniałych, posiadających władzę ludziach, z którymi się spotykała, Robert uważał za co najmniej mały cud to, że zadowala się nim. Co więcej, był pewien – a przynajmniej na tyle pewien, na ile myślący człowiek może być w takich sprawach – że nigdy go nie zdradziła.

Od wiosny jednak, kiedy Annie dostała nową pracę, sytuacja stała się napięta. Upuszczanie krwi w biurze uczyniło ją nerwową i bardziej niż zwykle nastawioną krytycznie. Również Grace, a nawet Elza zauważyły tę zmianę i pilnowały się, gdy Annie znajdowała się w pobliżu. Elza chyba czuła ulgę, kiedy Robert pierwszy wracał z biura do domu. Szybko przekazywała wtedy wiadomości, pokazywała mu, co ugotowała na obiad, i pospiesznie znikała przed przybyciem Annie.

Robert poczuł teraz czyjąś dłoń na ramieniu i podniósłszy wzrok, ujrzał stojącą obok żonę, jak gdyby wezwaną jego myślami. Pod oczami miała ciemne obwódki. Wziął jej rękę i przycisnął do swego policzka.

– Spałaś? – zapytał.

– Jak niemowlę. Miałeś mnie obudzić.

– Sam też zasnąłem.

Uśmiechnęła się i spojrzała na Grace.

– Bez zmian.

Pokręcił głową. Rozmawiali cicho, jakby z obawy, by nie obudzić dziewczynki. Przez chwilę oboje ją obserwowali – dłoń Annie wciąż spoczywała na jego ramieniu, a miarowy szum respiratora mierzył ciszę między nimi wszystkimi. Nagle Annie wzdrygnęła się i zabrała rękę. Mocno otuliła się wełnianą marynarką, składając ręce na piersiach.

– Myślałam, żeby pojechać do domu i przywieźć jej trochę rzeczy – odezwała się. – Wiesz, żeby tu były, jak się obudzi.

– Ja pojadę. Nie chcesz chyba teraz prowadzić.

– Nie, właśnie chcę. Naprawdę. Możesz mi dać swoje kluczyki?

Znalazł i dał jej.

– Zapakuję też torbę dla nas. Co ci przywieźć?

– Tylko ubrania. Może maszynkę do golenia.

Pochyliła się i pocałowała go w czoło.

– Bądź ostrożna – powiedział.

– Będę. To nie potrwa długo.

Patrzył, jak odchodzi. Zatrzymała się w drzwiach, obejrzała na niego i widział, że chce mu coś powiedzieć.

– Co? – spytał.

Ale ona tylko się uśmiechnęła i pokręciła głową. Potem odwróciła się i wyszła.

*

Drogi o tej porze były już czyste i – poza jedną czy dwoma samotnymi piaskarkami – całkiem opustoszałe. Annie pojechała na południe drogą osiemdziesiątą siódmą, a potem na wschód dziewięćdziesiątą, korzystając z tego samego zjazdu co ciężarówka poprzedniego ranka.

Nie było odwilży i reflektory samochodu oświetlały niskie wały brudnego śniegu wzdłuż szosy. Robert założył opony zimowe, które hałasowały lekko na gruboziarnistej nawierzchni. W radiu leciała audycja z telefonami od słuchaczy; jakaś kobieta mówiła o tym, że martwi się o swego nastoletniego syna. Niedawno kupiła samochód, nissana, i chłopak jakby się w nim zakochał. Godzinami w nim siedział, głaskał go, a dzisiaj weszła do garażu i przyłapała syna na uprawianiu seksu z rurą wydechową.

– Jakaś taka obsesyjka, co? – odezwał się gospodarz programu imieniem Melvin.

Wszystkie tego typu audycje miały w dzisiejszych czasach takich bezlitosnych mądrali w roli prowadzących i Annie nigdy nie mogła zrozumieć, po co ludzie ciągle dzwonią, skoro wiedzą bardzo dobrze, że zostaną upokorzeni. Może o to właśnie chodziło. Niepomna tego kobieta brnęła dalej.

– Tak, chyba to jest to – powiedziała. – Ale nie wiem, co z tym zrobić.

– Nic nie rób! – zawołał Melvin. – Dzieciak szybko się zmęczy. Następny telefon...

Annie skręciła z szosy na gorszą drogę, która wiła się po wzgórzu do ich domu. Nawierzchnię tworzył tu błyszczący, zbity śnieg, toteż jechała ostrożnie w tunelu drzew, aż dotarła do podjazdu, oczyszczonego z pewnością rano przez Roberta. Reflektory samochodu omiotły zrobiony z białych desek front domu, którego górna część ginęła wśród strzelistych buków. W środku nie paliły się światła i ściany oraz sufit halu błysnęły na niebiesko pod wpływem reflektorów. Zewnętrzne oświetlenie włączyło się automatycznie, gdy Annie przejechała na tył domu i czekała, aż podniosą się drzwi do garażu.

Kuchnia znajdowała się w takim stanie, w jakim ją Robert zostawił. Drzwi szafki były otwarte, na stole zaś leżały dwie nie rozpakowane torby z zakupami. Lody w jednej z nich stopiły się i wyciekły, skapując ze stołu do małego różowego jeziorka na podłodze. Na automatycznej sekretarce mrugało czerwone światełko, informujące o nowych wiadomościach. Annie jednak nie miała ochoty ich słuchać. Zauważyła notatkę zostawioną Robertowi przez Grace i utkwiła w niej wzrok, nie chcąc jej dotykać. Potem odwróciła się gwałtownie i zabrała się za sprzątanie lodów i chowanie żywności, która się jeszcze nie popsuła.

Na górze, pakując torbę dla siebie i Roberta, czuła się niczym robot, jak gdyby każda jej czynność została zaprogramowana. Przypuszczała, że to odrętwienie związane jest jakoś z szokiem lub może to rodzaj samoobrony przez nieprzyjmowanie do wiadomości.

Z pewnością było prawdą, że kiedy po raz pierwszy zobaczyła Grace po operacji, widok okazał się tak obcy, tak niezwykły, iż nie potrafiła go objąć umysłem. Prawie zazdrościła Robertowi jego tak normalnego bólu. Widziała, jak jego oczy błądziły po ciele Grace, wysysając cierpienie z każdego wtargnięcia uczynionego przez lekarzy. Jednak Annie tylko się wpatrywała. Ta nowa wersja jej córki stanowiła fakt, który nie miał żadnego sensu.

Ubranie i włosy Annie śmierdziały szpitalem, toteż rozebrała się i wzięła prysznic. Pozwoliła wodzie spływać po ciele przez chwilę, po czym podkręciła ją, aż zrobiła się prawie za gorąca. Na koniec przestawiła główkę prysznica na najbardziej dokuczliwe położenie, tak że woda kłuła ją jak gorące igły. Zamknąwszy oczy, podniosła twarz ku temu strumieniowi i krzyknęła z bólu. Wytrzymała jednak, szczęśliwa, że boli. Tak, potrafiła to odczuwać. Przynajmniej potrafiła to odczuwać.

Kiedy wyszła spod prysznica, łazienka była pełna pary. Przejechała pobieżnie lustro ręcznikiem, a następnie wytarła się przed nim, patrząc na rozmazany, płynny wizerunek stworzenia, które wydawało się obce. Zawsze lubiła swoje ciało, chociaż było ono pełniejsze i z większymi piersiami niż u sylfid, dumnie stąpających po poświęconych modzie stronicach jej czasopisma. Ale zamazane lustro oddawało zniekształconą, różową abstrakcję jej osoby, niczym na obrazie Francisa Bacona, i Annie tak to przeszkadzało, że zgasiła światło i szybko wróciła do sypialni.

Pokój Grace wyglądał dokładnie tak, jak musiała go zostawić poprzedniego ranka. Długa koszulka, którą nosiła jako koszulę nocną, leżała na nie pościelonym łóżku. Annie schyliła się, by podnieść z podłogi dżinsy. Były to te z wystrzępionymi dziurami na kolanach, załatanymi od środka kawałkami starej, kwiecistej sukienki Annie. Przypomniała sobie, jak ofiarowała się, że to zrobi, i jak ją zabolało, gdy Grace oświadczyła nonszalancko, że woli poprosić o to Elzę. Annie zastosowała swoją zwykłą sztuczkę i delikatnym skrzywieniem brwi wywołała w córce poczucie winy.

– Mamo, przepraszam – powiedziała Grace, obejmując ją ramionami. – Ale wiesz przecież, że nie umiesz szyć.

– Umiem – rzekła Annie, obracając w żart to, co – jak obie wiedziały – nim nie było.

– No, może umiesz. Ale nie tak fajno jak Elza.

– Nie tak fajnie jak Elza, chciałaś powiedzieć. – Annie zawsze zwracała uwagę na to, jak Grace mówi, przyjmując przy takich okazjach swój najdumniejszy angielski akcent. Zawsze skłaniało to Grace do odgrywania niewiniątka.

– Hej, mamo, wszystko jedno. No, wiesz, serio.

Annie złożyła i schowała dżinsy. Potem posłała łóżko i omiotła wzrokiem pokój zastanawiając się, co wziąć do szpitala. W hamaku, zawieszonym nad łóżkiem, leżały dziesiątki przytulanek, całe zoo, od misiów i bizonów po sowy i rekiny. Pochodziły z każdego zakątka globu, zwożone przez rodzinę i przyjaciół. Zebrane tutaj, po kolei spały z Grace. Każdego wieczoru ze skrupulatną sprawiedliwością dziewczynka wybierała dwie lub trzy, zależnie od wielkości, i opierała je na swojej poduszce. Zeszłej nocy, zauważyła Annie, był to skunks i jakieś ponure, smokowate stworzenie, które Robert przywiózł kiedyś z Hongkongu. Annie odłożyła je do hamaka i pogrzebała w nim, w poszukiwaniu najstarszego przyjaciela Grace, pingwina imieniem Godfrey, przysłanego do szpitala przez kolegów Roberta z biura w dniu jej narodzin. Jedno oko miał teraz z guzika i był sflaczały oraz wyblakły w wyniku zbyt wielu podróży do pralni. Annie wydobyła go i wepchnęła do torby.

Podeszła do biurka pod oknem i zapakowała walkmana Grace razem z pudełkiem kaset, które zawsze zabierała w podróż. Lekarz powiedział, że powinni puszczać jej muzykę. Na biurku stały dwa zdjęcia w ramkach. Jedno przedstawiało ich troje na łodzi. Grace siedziała w środku, obejmując ich ramionami, i wszyscy się śmiali. Zostało ono zrobione przed pięcioma laty na Cape Cod – podczas wakacji, które były jednymi z najszczęśliwszych. Annie włożyła je do torby i podniosła drugie. Był tam Pielgrzym, na polu za stajnią, wkrótce po tym, jak go w zeszłym roku kupili. Nie miał na sobie siodła ani uzdy, ani nawet kantara, a słońce odbijało się w jego sierści. Stał prawie tyłem, ale przekręcił głowę i patrzył prosto w aparat. Annie nigdy przedtem tak naprawdę nie przyglądała się tej fotografii, teraz jednak, gdy to zrobiła, uznała nieruchome spojrzenie konia za niepokojące.

Nie miała pojęcia, czy Pielgrzym jeszcze żyje. Znała jedynie treść wiadomości, jaką pani Dyer zostawiła wczoraj wieczorem w szpitalu, mianowicie, iż został zabrany do weterynarza do Chatham i miał być przetransportowany do Cornell. Teraz, spoglądając na niego na tym zdjęciu, Annie poczuła wyrzuty. Nie za nieznajomość jego losu, lecz za coś innego, coś głębszego, czego jeszcze nie rozumiała. Wsunęła fotografię do torby, zgasiła światło i zeszła na dół.

Blade światło wpadało już przez wszystkie okna holu. Annie postawiła torbę i nie zapalając światła, weszła do kuchni. Przed wysłuchaniem wiadomości z automatycznej sekretarki postanowiła zrobić sobie kawę. Czekając, aż w starym miedzianym czajniku zagotuje się woda, podeszła do okna.

Na zewnątrz, zaledwie kilka jardów od niej, stała grupka saren o białych ogonach. Wpatrywały się w nią zupełnie nieruchome. Czy szukały jedzenia? Nigdy nie widziała ich tak blisko domu, nawet w najbardziej srogą zimę. Co to miało oznaczać? Policzyła je. Było ich dwanaście, nie, trzynaście. Po jednej na każdy rok życia jej córki. Nie bądź śmieszna, powiedziała sobie.

Rozległ się niski, natarczywy gwizd, woda zaczęła się gotować. Sarny też to usłyszały i, odwróciwszy się wszystkie naraz, uciekły obok stawu w las, machając szaleńczo ogonami. Boże Wszechmogący, pomyślała Annie, umarła.

3

Harry Logan zaparkował samochód pod tablicą z napisem: LECZNICA DLA ZWIERZĄT DUŻYCH ROZMIARÓW i uznał za dziwne, że uniwersytet nie mógł wykombinować nazwy, która bardziej precyzyjnie stwierdzałaby, czy to zwierzęta są dużych rozmiarów czy lecznica. Wysiadł i z trudem ruszył przez bruzdy szarego szlamu – to było wszystko, co pozostało z weekendowego śniegu. Od wypadku minęły trzy dni i przechodząc zygzakiem obok stojących samochodów i przyczep, pomyślał, jakie to dziwne, że koń ciągle żyje.

Zszycie rany piersiowej zajęło mu prawie cztery godziny. Było w niej pełno kawałków szkła i odprysków czarnego lakieru z ciężarówki, musiał więc je powybierać i przemyć ranę do czysta. Następnie przyciął poszarpane krawędzie ciała nożyczkami, spiął klamrą tętnicę i wszył kilka sączków. Wreszcie, podczas gdy jego asystenci nadzorowali narkozę, dopływ powietrza oraz od początku potrzebną transfuzję krwi, Logan wziął się za igłę z nitką.

Musiał zrobić to w trzech warstwach: najpierw muskuł, potem włóknista tkanka, a na koniec skóra, około siedemdziesięciu szwów w każdej warstwie, z czego dwie wewnętrzne wykonane rozpuszczalną nicią. I to wszystko dla konia, który, jak przypuszczał, nigdy się nie obudzi. To cholerstwo jednak się obudziło. Niewiarygodne. Co więcej, koń miał w sobie tyle woli walki, co nad rzeką. Gdy Pielgrzym z trudem podniósł się na nogi w sali dla zdrowiejących zwierząt, Logan modlił się, by nie rozerwał szwów. Nie potrafił stawić czoła perspektywie zaczynania wszystkiego od początku.

Przez następne dwadzieścia cztery godziny trzymali konia na środkach uspokajających, a po tym czasie uznali, że wydobrzał na tyle, by wytrzymać czterogodzinną podróż tutaj, do Cornell.

Logan dobrze znał uniwersytet i jego szpital weterynaryjny, mimo że zmieniło się sporo, odkąd studiował tutaj w późnych latach sześćdziesiątych. Wiązał z tamtym okresem wiele dobrych wspomnień, w większości dotyczących kobiet. Słodki Jezu, to były czasy. Zwłaszcza w letnie wieczory, kiedy można było położyć się pod drzewami i spoglądać w dół na jezioro Cayuga. Było to chyba najładniejsze miasteczko uniwersyteckie, jakie znał. Ale nie dzisiaj. Zaczynało padać, panował ziąb i nie było nawet widać cholernego jeziora. Na dodatek czuł się podle. Całe rano kichał – bez wątpienia rezultat odmrożenia sobie jaj w Kinderhook Creek. Pospieszył do ciepła oszklonej izby przyjęć i zapytał młodą kobietę za kontuarem o Dorothy Chen, lekarkę, która opiekowała się Pielgrzymem.

Po drugiej stronie ulicy budowano dużą nową klinikę i Logan, czekając, poczuł się lepiej, gdy popatrzył na ściągnięte zimnem twarze robotników. Odczuł nawet lekkie podniecenie na myśl o ponownym spotkaniu z Dorothy. Jej uśmiech stanowił powód, dla którego nie miał nic przeciwko codziennemu dojeżdżaniu kilkuset mil, by zobaczyć Pielgrzyma. Ona była niczym dziewicza księżniczka z jednego z tych filmów o chińskiej sztuce, które lubiła jego żona. Do tego figura jak diabli. I wystarczająco młoda, by mógł być pewny, że nie ma szans. Dostrzegł jej odbicie w drzwiach i odwrócił się.

– Cześć, Dorothy! Jak się masz?

– Zimno. I niezbyt z ciebie zadowolona. – Pogroziła mu palcem i zmarszczyła brwi, udając srogość.

Logan podniósł ręce.

– Dorothy, przejechałem milion mil dla jednego twojego uśmiechu. Co ja takiego zrobiłem?

– Przysyłasz mi takiego potwora i ja mam się do ciebie uśmiechać? – Zrobiła to jednak. – Chodź. Mamy zdjęcia.

Poprowadziła go labiryntem korytarzy, a Logan słuchał, co mówi, i starał się nie patrzeć, jak jej biodra delikatnie poruszają się pod białym fartuchem.

Zdjęć rentgenowskich wystarczyłoby do zorganizowania małej wystawy. Dorothy przypięła je do podświetlacza i stanęli obok siebie, uważnie je oglądając. Tak jak Logan przypuszczał, były pęknięte żebra – pięć – i złamana kość nosowa. Żebra same się zagoją, a kość nosową Dorothy już zoperowała. Musiła podważyć ją na zewnątrz, wywiercić dziury i zamontować z powrotem na swoim miejscu. Poszło dobrze, chociaż pozostały im jeszcze do usunięcia tampony, poupychane w zalepionych zakrzepłą krwią kanałach zatok Pielgrzyma.

– Będę wiedział, do kogo się zgłosić, gdybym potrzebował operacji nosa – odezwał się Logan.

Dorothy roześmiała się.

– Poczekaj, aż to zobaczysz. Będzie miał profil zawodowego boksera.

Logan niepokoił się przedtem, że mogło nastąpić jakieś złamanie w górnej części prawej przedniej nogi albo w ramieniu, lecz nie było żadnego. Cały ten obszar był tylko potwornie potłuczony od siły uderzenia, poważnych szkód doznała także sieć nerwów nogi.

– Jak klatka piersiowa? – spytał Logan.

– Dobrze. Odwaliłeś tam kawał dobrej roboty. Ile szwów?

– Och, jakieś dwieście. – Poczuł, że czerwieni się jak uczniak. – Pójdziemy go zobaczyć?

Pielgrzyma trzymano w boksie dla zdrowiejących zwierząt. Usłyszeli go dużo wcześniej, niż tam dotarli. Głos miał ochrypnięty od hałasu, jaki robił, odkąd ostatnia seria środków uspokajających przestała działać. Ściany boksu były grubo wyściełane, lecz i tak wydawały się drżeć pod ciągłymi uderzeniami jego kopyt. W sąsiedniej przegrodzie stali jacyś studenci, a kucyk, którego oglądali, był wyraźnie zdenerwowany łoskotem Pielgrzyma.

– Przyszliście zobaczyć Minotaura? – zapytał jeden z nich.

– No – odparł Logan. – Mam nadzieję, że już go nakarmiliście.

Dorothy przesunęła rygiel, by otworzyć górną część bramki. Gdy tylko to zrobiła, hałas wewnątrz ustał. Uchyliła bramkę jedynie na tyle, by mogli zajrzeć. Pielgrzym stał w głębi, w rogu, ze spuszoną głową i postawionymi uszami, patrząc na nich, jak na coś z komediowego horroru. Prawie każda część jego ciała wydawała się zawinięta okrwawionym bandażem. Parsknął na nich, po czym uniósł pysk i obnażył zęby.

– Ciebie również miło widzieć – rzekł Logan.

– Widziałeś kiedyś tak przerażonego konia? – zapytała Dorothy. Pokręcił głową. – Ja też nie.

Stali tak przez chwilę, patrząc na niego. Co też, u licha, mają z nim począć, zastanawiał się Logan. Ta Maclean zadzwoniła do niego wczoraj po raz pierwszy i była naprawdę miła. Prawdopodobnie trochę zawstydzona, jak sądził, wiadomością, którą przesłała przedtem przez panią Dyer. Logan nie zachował się niemiło, było mu wręcz żal kobiety, po tym, co przydarzyło się jej córce. Kiedy jednak zobaczy konia, prawdopodobnie zechce pozwać go do sądu za to, że pozwolił biedaczysku żyć.

– Trzeba dać mu nowy zastrzyk uspokajający – odezwała się Dorothy. – Kłopot w tym, że nie ma zbyt wielu chętnych do zrobienia go. To dosyć ryzykowne.

– Tak. Chociaż nie można ciągle go tym faszerować. Dostał już tyle, że starczyłoby do zatopienia okrętu wojennego. Zobaczymy, czy uda mi się obejrzeć jego pierś.

Dorothy złowieszczo wzruszyła ramionami.

– Spisałeś testament, mam nadzieję?

Zaczęła otwierać dolną część bramki. Pielgrzym przesunął się zaniepokojony, parskając i grzebiąc nogą. A gdy tylko Logan wszedł do boksu, koń skoczył i zakręcił zadem. Logan przypadł do bocznej ścianki i próbował ustawić się tak, aby móc dotrzeć do łopatki zwierzęcia. Pielgrzym jednak ani myślał na to pozwolić. Rzucał się do przodu i w bok, waląc dookoła siebie tylnymi nogami. Logan odskoczył, potknął się, a potem szybko i niegodnie się wycofał. Dorothy od razu zamknęła za nim bramkę. Studenci wyszczerzyli zęby w uśmiechu. Logan gwizdnął cicho i otrzepał fartuch.

– Ocalisz gościowi życie i co z tego masz?

*

Padało przez osiem dni bez chwili przerwy. Nie żadna przejmująco wilgotna, grudniowa mżawka, ale porządny deszcz. Na północ nadciągnął hultajski potomek jakiegoś karaibskiego huraganu o wdzięcznej nazwie; spodobało mu się tam, więc został. Rzeki na Środkowym Zachodzie wystąpiły z brzegów, a telewizyjne wiadomości zapełniły się zdjęciami ludzi przycupniętych na dachach oraz opasłych cielsk bydła wirujących niczym porzucone materace dmuchane na polach zamienionych w baseny. Pewna rodzina w Missouri utopiła się w samochodzie, czekając w kolejce do McDonalda, a prezydent poleciał na miejsce i uznał ten obszar za rejon klęski żywiołowej, czego niektórzy na dachach już się sami domyślili.

Nieświadoma tego wszystkiego Grace Maclean leżała w zaciszu swojej śpiączki. Jej sponiewierane komórki przegrupowywały się po cichu. Po tygodniu usunęli jej z gardła rurkę do oddychania i zamiast niej wpuścili inną przez małą dziurkę wyciętą zgrabnie w szyi. Rurką prowadzącą przez nos do żołądka karmili ją brązowym mlecznym płynem z plastikowych woreczków. Trzy razy dziennie zaś przychodził fizykoterapeuta, który ćwiczył jej kończyny niczym lalkarz, żeby uchronić mięśnie i ścięgna przed zanikiem.

Po pierwszym tygodniu Annie i Robert zaczęli wymieniać się przy łóżku – jedno czuwało, podczas gdy drugie wracało do miasta albo próbowało pracować w domu, w Chatham. Matka

Annie zaproponowała, że przyleci z Londynu, łatwo jednak dała się od tego odwieść. Zamiast niej przyjechała Elza i matkowała im, gotując posiłki, zręcznie radząc sobie z telefonem i biegając w różnych sprawach do i ze szpitala. Doglądała Grace przy jedynej okazji, kiedy Annie i Robert byli jednocześnie nieobecni – rano, w dzień pogrzebu Judith. Na przemokniętej darni miejscowego cmentarza stali razem z innymi pod baldachimem czarnych parasoli, po czym całą drogę powrotną do szpitala przejechali w milczeniu.

Partnerzy Roberta z firmy adwokackiej byli jak zawsze mili, zdejmując ile się dało z jego barków. Szef Annie, Crawford Gates, prezes firmy, zadzwonił, gdy tylko się dowiedział.

– Moja droga, droga Annie – powiedział głosem, w którym było więcej szczerości, niż oboje wiedzieli, że posiada. – Nie wolno ci nawet myśleć o powrocie tutaj, dopóki dziewczynce nie polepszy się o sto procent, słyszysz?

– Crawford...

– Nie, Annie, mówię poważnie. Tylko Grace się teraz liczy. Nie ma na tym świecie nic równie ważnego. Jeśli wyskoczy coś, z czym nie będziemy umieli sobie poradzić, wiemy, gdzie cię szukać.

Wcale nie uspokoiło to Annie, sprawiło jedynie, że musiała zwalczyć nagły, paranoiczny impuls, by wsiąść w najbliższy pociąg do miasta. Lubiła starego lisa – to przecież on zwabił ją i dał tę pracę – ale nie ufała mu ani na jotę. Gates był nałogowym intrygantem i nie potrafił się powstrzymać.

Annie stała przy automacie z kawą w korytarzu przed oddziałem intensywnej opieki i obserwowała deszcz, gwałtownie przelewający się przez parking. Jakiś staruszek zmagał się z krnąbrym parasolem, a dwie zakonnice zmiatało, niczym żaglówki, w stronę ich samochodu. Chmury wyglądały na wystarczająco niskie i złośliwe, by uderzyć je w okryte kornetami głowy.

Automat zabulgotał po raz ostatni, Annie wyciągnęła filiżankę i upiła łyk. Kawa smakowała równie ohydnie jak pozostałe sto filiżanek, które wypiła już z tego automatu. Ale przynajmniej była gorąca, mokra i zawierała kofeinę. Annie powoli wróciła na oddział, żegnając się z jedną z młodszych pielęgniarek, schodzącą z dyżuru.

– Dobrze dzisiaj wygląda – powiedziała pielęgniarka, gdy się mijały.

– Tak pani sądzi? – Annie popatrzyła na nią. Wszystkie pielęgniarki znały ją już wystarczająco dobrze, by nie mówić takich rzeczy bez namysłu.

– Owszem. – Przystanęła przy drzwiach i przez chwilę wyglądało, jakby chciała powiedzieć coś jeszcze. Rozmyśliła się jednak i pchnęła drzwi. – Ćwiczcie tylko dalej te mięśnie! – rzuciła.

Annie zasalutowała.

– Tak jest, proszę pani.

Dobrze wygląda. Co znaczy wyglądać dobrze, zastanawiała się Annie, wracając do łóżka Grace, skoro jest się w jedenastym dniu śpiączki, a kończyny są sflaczałe jak martwe ryby? Inna pielęgniarka zmieniała opatrunek na nodze dziewczynki. Annie stanęła i patrzyła. Pielęgniarka podniosła wzrok i uśmiechnęła się, po czym zabrała się z powrotem do pracy. Była to jedyna czynność, do jakiej Annie nie potrafiła się zmusić. W szpitalu zachęcano rodziców i krewnych do włączania się w terapię. Razem z Robertem stali się prawdziwymi ekspertami w fizykoterapii i wszystkich innych rzeczach, które trzeba było robić, takich jak mycie ust i oczu Grace czy zmienianie wiszącego obok łóżka worka na mocz. Ale sama myśl o kikucie wywoływała u Annie rodzaj paraliżującej paniki. Ledwo mogła na to patrzeć, a co dopiero dotykać.

– Ładnie się goi – odezwała się pielęgniarka.

Annie skinęła głową i zmusiła się do dalszego patrzenia. Dwa dni temu wyjęli szwy i długa, pozakrzywiana blizna miała mocno różowy kolor. Pielęgniarka zauważyła wyraz oczu Annie.

– Chyba skończyła jej się taśma – powiedziała, kiwając głową w stronę walkmana Grace, leżącego na poduszce.

Annie z wdzięcznością przyjęła ucieczkę od blizny, ofiarowaną jej przez pielęgniarkę. Wyjęła kasetę, jakieś suity Chopina, i znalazła w szafce operę Mozarta *Wesele Figara*. Wsunęła ją do walkmana i poprawiła słuchawki na głowie Grace. Wiedziała, że Grace raczej nie wybrałaby czegoś takiego. Zawsze twierdziła, że nie cierpi opery. Ale niech Annie licho porwie, jeśli zamierzała puszczać przesiąknięte skrajnym pesymizmem taśmy, których Grace słuchała w samochodzie. Kto wie, jaką krzywdę Nirvana albo Alice in Chains mogą wyrządzić w mózgu, który tak ucierpiał? Czy ona w ogóle coś tam słyszy? A jeśli tak, czy obudzi się zakochana w operze? Raczej po prostu nienawidząc matki za jeszcze jeden akt tyranii, uznała Annie.

Otarła strużkę śliny w kąciku ust Grace i poprawiła kosmyk włosów. Nie cofając swojej ręki, zapatrzyła się w córkę. Po chwili uświadomiła sobie, że pielęgniarka skończyła opatrywanie i przygląda się jej. Uśmiechnęły się do siebie. W oczach pielęgniarki było jednak coś niebezpiecznie bliskiego współczuciu, więc Annie szybko przełamała nastrój chwili.

– Czas na ćwiczenia! – oznajmiła.

Podwinęła rękawy i przysunęła krzesło bliżej łóżka. Pielęgniarka pozbierała swoje rzeczy i wkrótce Annie znów została sama. Zawsze zaczynała od lewej ręki Grace. Teraz też wzięła ją w obie dłonie i zaczęła ćwiczyć palce jeden po drugim, a następnie wszystkie razem. Do przodu i do tyłu, otwierając i zamykając każdy staw, czując, jak kłykcie trzeszczą pod jej naciskiem. Teraz kciuk – obracanie go, wygniatanie mięśnia i masowanie palcami. Ze słuchawek Grace dochodził ją delikatny dźwięk Mozarta – odnalazła w tej muzyce rytm i ćwiczyła zgodnie z nim, manipulując teraz przegubem.

Ta nowa zażyłość z córką była dziwnie zmysłowa. Od niemowlęctwa Grace Annie nigdy nie czuła, że tak dobrze zna to ciało. Było to swego rodzaju objawienie, niczym powrót do ukochanej dawno temu ziemi. Odkryła skazy, pieprzyki i blizny, o których istnieniu nie miała pojęcia. Wierzch przedramienia Grace stanowił firmament maleńkich piegów i pokryty był tak miękkim meszkiem, że Annie miała ochotę potrzeć o niego policzek. Odwróciła rękę i przyjrzała się przezroczystej skórze na przegubie Grace oraz delcie żył biegnących pod spodem.

Przesunęła się do łokcia, pięćdziesiąt razy otwierając i zamykając staw, a następnie masując mięśnie. Była to ciężka praca i na koniec każdej sesji Annie bolały całe ręce. Wkrótce trzeba było przejść na drugą stronę. Delikatnie położyła rękę Grace na łóżku i miała właśnie wstać, kiedy coś zauważyła.

Było to tak małe i tak szybkie, że Annie uznała, iż musiała to sobie wyobrażać. Kiedy jednak odłożyła rękę Grace, wydawało jej się, że widziała, jak jeden z palców drgnął. Annie siedziała czekając, czy to się powtórzy. Nie powtórzyło się. Podniosła więc rękę jeszcze raz i ścisnęła ją.

– Grace? – odezwała się cicho. – Grace?

Nic. Twarz Grace pozostała bez wyrazu. Jedynym ruchem było opadanie i unoszenie się, wraz z respiratorem, jej klatki piersiowej. Może to, co dostrzegła Annie, stanowiło tylko ułożenie się ręki pod własnym ciężarem. Annie podniosła wzrok na baterię maszyn, które monitorowały jej córkę. Ciągle jeszcze nie nauczyła się odczytywać tych ekranów tak dobrze jak Robert. Może bardziej niż on ufała wbudowanym systemom alarmowym. Wiedziała jednak doskonale, co powinny wskazywać te najważniejsze – te, które nadzorowały bicie serca Grace, a także jej mózg i ciśnienie krwi. Ekran pierwszego z nich miał elektroniczne pomarańczowe serduszko – motyw, który Annie uznała za osobliwy, niemal sentymentalny. Od wielu dni rytm pozostawał na stałym poziomie siedemdziesięciu. Teraz jednak, zauważyła Annie, był wyższy. Osiemdziesiąt pięć, przechodzące w osiemdziesiąt cztery. Zmarszczyła brwi i rozejrzała się dookoła. Na widoku nie było żadnej pielęgniarki. Nie miała zamiaru panikować, to pewnie nic takiego. Spojrzała z powrotem na Grace.

– Grace?

Tym razem ścisnęła dłoń córki i podniósłszy wzrok, zobaczyła, że monitor zwariował. Osiemdziesiąt, sto, sto dziesięć...

– Grace?

Annie wstała, trzymając mocno dłoń Grace w swoich i wpatrując się w jej twarz. Odwróciła się, by kogoś zawołać, nie musiała jednak, gdyż dwie osoby już były przy niej – pielęgniarka i młody stażysta. Zmianę zauważono na ekranach w dyżurce.

– Zobaczyłam, że się poruszyła – odezwała się Annie. – Jej ręka ...

– Niech pani ściska ją dalej – powiedział stażysta. Z kieszeni na piersi wyjął małą latarkę i otworzył jedno oko Grace. Poświecił w nie i wypatrywał jakiejś reakcji. Pielęgniarka sprawdzała aparaturę kontrolną. Uderzenia serca ustabilizowały się na poziomie stu dwudziestu. Stażysta zdjął Grace słuchawki.

– Proszę do niej mówić.

Annie przełknęła ślinę. Przez chwilę zabrakło jej słów. Stażysta podniósł na nią wzrok.

– Niech pani po prostu mówi. Nieważne co.

– Grace? To ja. Kochanie, już czas się obudzić. Proszę, obudź się teraz.

– Proszę popatrzeć – rzekł stażysta. Wciąż trzymał oko Grace otwarte. Annie zajrzała. Dostrzegła mrugnięcie. Ten widok sprawił, że gwałtownie wciągnęła powietrze.

– Ciśnienie krwi podskoczyło do stu pięćdziesięciu – odezwała się pielęgniarka.

– Co to oznacza?

– Że reaguje – wyjaśnił stażysta. – Mogę?

Chwycił dłoń Grace, drugą ręką wciąż podtrzymując jej oko.

– Grace – odezwał się. – Ścisnę teraz twoją rękę i chcę, żebyś spróbowała odwzajemnić uścisk, jeśli możesz. Spróbuj tak mocno, jak potrafisz, dobrze?

Ścisnął, cały czas patrząc w oko.

– Tak – powiedział. Podał dłoń dziewczynki Annie. – Teraz zrób to samo swojej mamie.

Annie wzięła głęboki oddech, ścisnęła... i poczuła to. Było to jak pierwsze, słabe, próbne poruszenie ryby na żyłce. Głęboko w tej mrocznej, nieruchomej wodzie coś drgnęło i miało wypłynąć na powierzchnię.

*

Grace znajdowała się w tunelu. Przypominał metro, tyle że był ciemniejszy i zalany wodą, a ona nim płynęła. Chociaż woda nie była zimna. Właściwie to wcale nie było jak woda. Było za ciepłe i za gęste. W oddali Grace dostrzegała krąg światła i jakoś wiedziała, że ma wybór – skierować się w jego stronę albo skręcić i płynąć w innym kierunku, gdzie także błyszczało światło, tylko bardziej przyćmione i mniej zachęcające. Nie bała się. Była to tylko kwestia wyboru. W którąkolwiek stronę poszłaby, byłoby dobrze.

Nagle usłyszała głosy. Dochodziły stamtąd, gdzie światło było przyćmione. Nie widziała, kto to, ale wiedziała, że jeden z głosów należy do jej matki. Był także jakiś głos męski, lecz nie jej ojca. Kogoś innego, kogo nie znała. Spróbowała przesunąć się w ich stronę wzdłuż tunelu, woda jednak okazała się zbyt gęsta. Jak klej. Płynęła w kleju, który nie chciał jej przepuścić. Klej mnie nie puści, klej... Usiłowała zawołać o pomoc, ale nie mogła znaleźć głosu.

Jakby nie wiedzieli, że ona tu jest. Dlaczego jej nie widzą? Ich głosy dochodziły z tak daleka. Nagle zmartwiła się, że mogą sobie pójść i zostawić ją całkiem samą. Teraz jednak, tak, mężczyzna wołał ją po imieniu. Zauważyli ją. I chociaż ona ciągle ich nie widziała, wiedziała, że wyciągają do niej ręce, i gdyby tylko potrafiła zdobyć się na jeszcze jeden, ostatni, wielki wysiłek, może klej by puścił i mogliby ją wyciągnąć.

4

Robert zapłacił w wiejskim sklepie, a kiedy wyszedł, chłopcy mieli już związaną sznurem choinkę i ładowali ją na tył forda lariata, którego kupił zeszłego lata do przewiezienia Pielgrzyma z Kentucky. Pewnego wczesnego niedzielnego poranka zaskoczył i Grace, i Annie, zajeżdżając nim pod dom, z dopasowaną srebrną przyczepą. Wyszły na ganek – Grace przejęta, Annie zaś całkiem wściekła. Robert jednak tylko wzruszył ramionami, uśmiechnął się i stwierdził, że przecież nie można wstawiać nowego konia do starego pudła.

Podziękował obu chłopcom i życzył im Wesołych Świąt, po czym wyjechał z błotnistego, wyboistego parkingu na drogę. Nigdy jeszcze nie kupował choinki tak późno. Zazwyczaj jechał po nią razem z Grace w weekend przed świętami, chociaż zawsze czekali do Wigilii, by ją wnieść do środka i ubrać. Przynajmniej Grace będzie, żeby udekorować drzewko. Wigilia jest jutro i Grace wraca do domu.

Lekarze nie byli zbytnio zachwyceni tym pomysłem. Chociaż dopiero dwa tygodnie temu wyszła ze śpiączki, on i Annie przekonywali ich zawzięcie, że dobrze jej to zrobi, i w końcu uczucie zwyciężyło. Grace może pójść do domu, ale tylko na dwa dni. Mieli ją odebrać jutro w południe.

Zatrzymał się przy piekarni w Chatham, żeby kupić chleb i bułki. Śniadanie z tej piekarni stało się dla nich weekendowym rytuałem. Młoda kobieta zza lady opiekowała się czasem małą Grace.

– Jak pana śliczna dziewczynka? – zapytała.

– Jutro wraca do domu.

– Naprawdę? To świetnie!

Robert zauważył, że inni też się przysłuchują. Wszyscy chyba wiedzieli o wypadku i ludzie, z którymi nigdy przedtem nie rozmawiał, wypytywali o Grace. Zauważył jednak, że nikt nie wspomina o nodze.

– Cóż, niech pan nie zapomni pozdrowić ją ode mnie.

– Na pewno, dziękuję. Wesołych Świąt.

Widział, że patrzą przez okno, jak wsiada z powrotem do lariata. Minął zakład żywienia zwierząt, zwolnił na przejeździe kolejowym, po czym przez Chatham Village pojechał dalej w stronę domu. Wystawy sklepowe wzdłuż głównej ulicy pełne były bożonarodzeniowych dekoracji, a wąskimi chodnikami – nad którymi wisiały kolorowe lampki – przelewali się kupujący. Robert przejeżdżając machał znajomym. Żłóbek na centralnym placu wyglądał ślicznie – niewątpliwie stanowiło to pogwałcenie Pierwszej Poprawki – niemniej jednak było śliczne. Hej, przecież to Gwiazdka. Tylko pogoda zdawała się o tym nie wiedzieć.

Odkąd przestał padać deszcz – w dniu, w którym Grace bezgłośnie wymówiła swoje pierwsze słowa – zrobiło się absurdalnie ciepło. Meteorolodzy z mediów dopiero co skończyli się rozwodzić nad powodziami wynikłymi w następstwie huraganów, teraz zaś mieli najbardziej lukratywne Boże Narodzenie od lat. Świat stał się oficjalnie cieplarnią, a przynajmniej obrócił do góry nogami.

Kiedy Robert wrócił do domu, Annie była w małym pokoju, skąd dzwoniła do biura. Jak zwykle czepiała się kogoś, pewnie jednego z redaktorów prowadzących, domyślił się. Sądząc po tym, co usłyszał, sprzątając kuchnię, biedaczysko zgodził się puścić artykuł przedstawiający sylwetkę jakiegoś aktora, którym Annie pogardzała.

– Gwiazdor? – odezwała się z niedowierzaniem. – Gwiazdor? To całkowite przeciwieństwo gwiazdora filmowego. Ten facet to przeklęta czarna dziura!

Normalnie Robert uśmiechnąłby się na to, lecz agresja w jej głosie rozproszyła świąteczny nastrój, w jakim przyjechał do domu. Wiedział, że usiłowanie prowadzenia szykownego miejskiego czasopisma z położonej w głębi stanu farmy jest dla niej frustrujące. Ale chodziło o coś więcej. Od czasu wypadku Annie była ciągle ogarnięta gniewem tak intensywnym, że niemal przerażającym.

– Co?! Zgodziłeś się zapłacić mu aż tyle? – zawyła. – Chyba zwariowałeś! Zrobi to na golasa czy co?!

Robert nastawił kawę i nakrył stół do śniadania. Te bułeczki Annie lubiła najbardziej.

– Przykro mi, John, ja na to nie idę. Będziesz musiał zadzwonić i odwołać... Nie obchodzi mnie to... Tak, możesz mi to przefaksować. Okay.

Słyszał, jak odkłada słuchawkę. Bez pożegnania, ale Annie zdarzało się ono rzadko. W jej krokach, gdy szła korytarzem, słychać było bardziej rezygnację niż gniew. Podniósł wzrok i uśmiechnął się do niej.

– Głodna?

– Nie. Zjadłam musli.

Starał się nie okazać rozczarowania. Zauważyła bułki na stole.

– Przepraszam,

– Żaden problem. Tym więcej dla mnie. Chcesz kawy?

Annie skinęła głową i usiadłszy przy stole, przejrzała bez specjalnego zainteresowania gazetę, którą kupił. Minęła dłuższa chwila, zanim którekolwiek z nich się odezwało.

– Masz choinkę? – zapytała.

– Jasne. Nie taką dobrą, jak w zeszłym roku, ale też ładną.

Znów zapadło milczenie. Robert nalał im obojgu kawy i usiadł. Bułki były smaczne. Panowała taka cisza, że słyszał swoje przeżuwanie. Annie westchnęła.

– No cóż, chyba powinniśmy załatwić to dziś wieczorem – odezwała się i wypiła łyk kawy.

– Co?

– Choinkę. Ubrać ją.

Robert zmarszczył brwi.

– Bez Grace? Dlaczego? Byłaby bardzo niezadowolona, gdybyśmy zrobili to bez niej.

Annie z hałasem odstawiła kawę.
– Nie bądź głupi. Jak ona ma, u diabła, ubierać choinkę na jednej nodze?
Wstała głośno odsunąwszy krzesło i podeszła do drzwi. Robert, wstrząśnięty, wpatrywał się w nią przez moment.
– Myślę, że dałaby radę – stwierdził stanowczo.
– Ależ skąd. Co będzie robić, skakać dookoła? Chryste Panie, ledwo udaje jej się stanąć o tych kulach.
Robert skrzywił się.
– Annie, przestań...
– Nie, ty przestań – rzuciła idąc, lecz odwróciła się jeszcze do niego. – Chcesz, żeby wszystko było tak samo, ale nie może być tak samo. Po prostu spróbuj to sobie uzmysłowić, dobrze?
Stała przez chwilę, obwiedziona niebieską framugą drzwi. Następnie oznajmiła, że ma robotę, i wyszła. Robert zaś, z tępym bólem głęboko w piersi, wiedział, że ona ma rację. Nigdy już nie będzie tak samo.

*

Grace stwierdziła, że sprytnie to zorganizowali. Ponieważ patrząc na to wstecz, nie potrafiła właściwie sprecyzować momentu, w którym dowiedziała się o nodze. Przypuszczała, że mają to opracowane w najdrobniejszych szczegółach i dokładnie wiedzą, jaką ilością narkotyków cię nafaszerować, żebyś nie ześwirował. Była świadoma, że coś się zdarzyło tam, w dole, jeszcze zanim odzyskała zdolność poruszania się czy mówienia. Miała to dziwne uczucie. Zauważyła także, iż pielęgniarki jakby bardziej zajmują się tamtym rejonem. I po prostu wydawało się, iż to wśliznęło się w jej świadomość tak, jak wiele innych faktów, gdy wyciągnęli ją z tego tunelu kleju.
– Idziesz do domu?
Podniosła wzrok. W drzwiach stała kobieta, która codziennie przychodziła spytać, co chce jeść. Była obszerna i przyjacielska, a jej dudniący śmiech miał zdolność przenikania przez ściany. Grace uśmiechnęła się i skinęła głową.
– Niektórzy to mają dobrze – stwierdziła kobieta. – Ale to znaczy, że nie będziesz miała okazji spałaszować mojego świątecznego obiadu, pamiętaj.
– Może mi pani zostawić. Pojutrze wracam. – Jej głos

brzmiał chrapliwie. Wciąż miała plaster na dziurce, którą zrobili jej w szyi dla rurki respiratora.

– Tak właśnie zrobię, kochanie.

Poszła, a Grace zerknęła na zegarek. Rodzice mieli przyjść dopiero za dwadzieścia minut, ale ona już siedziała na łóżku, ubrana i gotowa do drogi. Przeniesiono ją do tego pokoju tydzień po wyjściu ze śpiączki, uwalniając wreszcie od respiratora, mogła więc już mówić, a nie tylko układać usta w wyrazy. Pokój był nieduży, ze wspaniałym widokiem na parking, pomalowany tym przygnębiającym odcieniem bladej zieleni, którą robią chyba specjalnie dla szpitala. Ale przynajmniej stał tam telewizor, a każdy wolny skrawek powierzchni pokrywały kwiaty, kartki pocztowe i prezenty, toteż było dosyć przyjemnie.

Spojrzała na nogę, gdzie pielęgniarka schludnie podpięła dolną połowę nogawki jej szarych legginsów. Słyszała kiedyś, że po odcięciu ręki albo nogi ciągle się ją czuje. Okazało się to całkowicie zgodne z prawdą. W nocy swędziało tak mocno, że wariowała. Teraz też swędziało. Dziwne w tym było to, że gdy tam patrzyła, zabawne pół nogi, które jej zostawili, jakby wcale do niej nie należało. Było kogoś innego.

Jej kule stały oparte o ścianę, obok stolika nocnego, a zza nich wystawała fotografia Pielgrzyma. Była to jedna z pierwszych rzeczy, jakie zobaczyła po wyjściu ze śpiączki. Ojciec zauważył, że patrzy na zdjęcie, i powiedział jej, że koń ma się dobrze, co poprawiło jej samopoczucie.

Judith nie żyła. Guliwer też nie. To również jej powiedzieli. I było tak samo jak z nogą – ta wiadomość po prostu nie do końca zapadła w jej świadomość. Nie chodziło o to, że im nie wierzyła – w końcu czemu niby mieliby kłamać? Płakała, gdy ojciec jej to wyjawił, ale – być może także z powodu narkotyków – nie czuła tego jak prawdziwego płaczu. Wyglądało to raczej na obserwowanie siebie płaczącej. I od tego momentu, kiedykolwiek o tym myślała, sama się dziwiła, jak jej się w ogóle udawało o tym zapominać. Fakt śmierci Judith wydawał się jakby nierzeczywisty, okryty warstwą ochronną, tak aby nie mogła badać go zbyt dokładnie.

W zeszłym tygodniu złożył jej wizytę jakiś policjant – zadawał pytania na temat tego, co się stało, i robił notatki. Biedak, wyglądał na okropnie zdenerowanego, Robert zaś i Annie krążyli niespokojnie w pobliżu, na wypadek gdyby wytrąciło ją to z równowagi. Niepotrzebnie się martwili. Powiedziała mu, że pamięta tylko do momentu, gdy ześlizgnęli się z nasypu. Nie była to prawda. Wiedziała, że gdyby zechciała, mogłaby sobie przypomnieć o wiele, wiele więcej. Ale nie chciała.

Robert wytłumaczył jej już, że później będzie musiała złożyć jakieś inne oświadczenie, zeznanie czy coś takiego dla ubezpieczalni, lecz dopiero kiedy poczuje się lepiej. Cokolwiek to miało oznaczać.

Grace wciąż wpatrywała się w zdjęcie Pielgrzyma. Zdecydowała już, co zrobi. Wiedziała, iż będą próbowali namówić ją, by znów na nim jeździła. Ale ona nie będzie, nigdy. Powie rodzicom, żeby oddali go ludziom w Kentucky. Nie potrafiła znieść myśli o sprzedaniu go gdzieś w okolicy, gdzie któregoś dnia mogłaby spotkać go, dosiadanego przez inną osobę. Pojedzie zobaczyć go jeszcze raz, by się pożegnać, ale to wszystko.

*

Pielgrzym także przyjechał do domu na Gwiazdkę, tydzień przed Grace, i nikt w Cornell nie zmartwił się, widząc jego zad. Wielu studentom zostawił dowody swego uznania. Jedna z dziewcząt miała rękę w gipsie, a kilkoro innych skaleczenia i siniaki. Dorothy Chen, która opracowała swego rodzaju matadorską technikę, by dawać mu codzienne zastrzyki, została nagrodzona doskonałym kompletem śladów po zębach na ramieniu.

– Widzę je tylko w łazienkowym lustrze – powiedziała Harry'emu Loganowi. – Przeszły przez każdy odcień purpury, jaki możesz sobie wyobrazić.

Logan mógł sobie wyobrazić. Dorothy Chen, oglądająca swoje nagie ramię w łazienkowym lustrze. O rany.

Joan Dyer i Liz Hammond przyjechały z nim zabrać konia. Pomimo prowadzenia konkurencyjnej praktyki, zawsze dobrze układało mu się z Liz. Była dużą, serdeczną kobietą mniej więcej w jego wieku i Logan cieszył się, że dołączyła do niego, gdyż samą Joan Dyer uważał za trochę trudną.

Joan, pięćdziesięciokilkuletnia – jak przypuszczał – miała tę srogą, ogorzałą twarz, która zawsze wywołuje w człowieku uczucie, że jest sądzony. To ona prowadziła samochód, najwyraźniej zadowalając się słuchaniem, podczas gdy Logan i Liz gadali o interesach. Kiedy dotarli do Cornell, fachowo podjechała tyłem prosto pod boks Pielgrzyma. Dorothy wstrzyknęła mu środki uspokajające, ale i tak załadowanie go zajęło im godzinę.

Przez te ostatnie tygodnie Liz była pomocna i wielkoduszna. Po powrocie z konferencji, na prośbę Macleanów, przyjechała do Cornell. Było oczywiste, że chcą, by przejęła jego pracę – poświęcenie, do którego Logan byłby aż nadto skłonny. Liz jednak doniosła, iż wykonał wspaniałą robotę i powinien ją kontynuować. W wyniku kompromisu ona miała sporządzać rodzaj nadzorujących sprawozdań. Logan nie czuł się zagrożony. Chętnie porównywał obserwacje i zapiski dotyczące tak trudnego przypadku.

Joan Dyer, która nie widziała Pielgrzyma od wypadku, doznała szoku. Blizny na pysku i klatce piersiowej wyglądały wystaczająco kiepsko. Dzika, obłąkana wrogość, była jednak czymś, czego jeszcze nigdy nie widziała u konia. Całą drogę powrotną, przez cztery długie godziny, słyszeli, jak łomocze on kopytami o ścianki boksu. Czuli, jak cała przyczepa się trzęsie. Joan wyglądała na zmartwioną.

– Gdzie ja go umieszczę?

– Co pani ma na myśli? – spytała Liz.

– No, nie mogę go przecież w takim stanie wstawić z powrotem do stajni. To by nie było bezpieczne.

Po powrocie trzymali go jakiś czas w przyczepie, podczas gdy Joan i jej dwaj synowie uprzątnęli jeden z rzędów małych boksów za stajnią, nie używanych od lat. Chłopcy, Eric i Tim, mieli po kilkanaście lat i pomagali matce prowadzić gospodarstwo. Obaj – jak zauważył Logan, obserwując ich przy pracy – odziedziczyli po niej jej długą twarz i oszczędność w słowach. Kiedy przegroda była gotowa, Eric – starszy i bardziej ponury z tej dwójki – podjechał do niej tyłem przyczepy. Koń jednak nie chciał wyjść.

W końcu Joan posłała chłopaków z kijami od przodu przyczepy i Logan patrzył, jak grzmocą konia, który cofa się przed nimi, równie przerażony jak oni sami. Nie wydawało się to w porządku, a Logan martwił się również, by nie otworzyła się rana w piersi, lecz nie miał lepszego pomysłu. Wreszcie zwierzę tyłem weszło do boksu, a oni zatrzasnęli za nim bramkę.

Jadąc tego wieczoru do domu, do żony i dzieci, Harry Logan czuł przygnębienie. Przypomniał sobie myśliwego, tego małego faceta w futrzanej czapce, z wiaduktu szczerzącego zęby w uśmiechu. Ten szczurek miał rację, pomyślał. Trzeba było konia uśpić.

*

Boże Narodzenie u Macleanów zaczęło się źle, a później zrobiło się jeszcze gorzej. Ze szpitala pojechali do domu samochodem Roberta – Grace na tylnym siedzeniu, pół leżąc, oparta na poduszkach. Nie mieli za sobą nawet połowy drogi, gdy zapytała o choinkę.

– Możemy ją ubrać zaraz po przyjeździe?

Annie patrzyła prosto przed siebie i zostawiła Robertowi wyjaśnienie, że już to zrobili, chociaż nie – w jaki sposób: późnym wieczorem poprzedniego dnia, w pozbawionym radości milczeniu, w atmosferze wręcz iskrzącej.

– Kochanie, pomyślałem, że nie będziesz się czuła na siłach to robić – powiedział.

Annie wiedziała, że powinna się czuć wzruszona lub wdzięczna za to bezinteresowne wzięcie winy na swoje barki, i niepokoiło ją, że tak nie jest. Czekała, niemal z irytacją, aż Robert załagodzi sprawę nieuniknionym żartem.

– Ale, hej, młoda damo – ciągnął – będziesz miała dosyć roboty, jak dojedziemy. Trzeba narąbać drewna, posprzątać wszystko, przygotować jedzenie...

Grace lojalnie się roześmiała, a Annie zignorowała – w ciszy, która nastała po tym – rzucone z ukosa spojrzenie Roberta.

Po przyjeździe do domu udało im się zebrać trochę wesołości. Grace stwierdziła, że choinka w holu wygląda bardzo ładnie. Spędziła jakiś czas sama w swoim pokoju, słuchając głośno Nirvany, by uspokoić ich, że wszystko z nią w porządku. Dobrze radziła sobie o kulach, nawet na schodach upadła tylko raz, gdy usiłowała znieść torbę drobnych prezentów dla rodziców, po które wysłała w szpitalu pielęgniarki.

– Nic mi nie jest – powiedziała, gdy Robert podbiegł do niej.

Mocno uderzyła się głową o ścianę i Annie, która wyszła z kuchni, widziała, że ją boli.

– Na pewno? – Robert próbował zaproponować pomoc, lecz Grace przyjęła jej tylko tyle, ile było absolutnie konieczne.

– Tak, tato, naprawdę czuję się świetnie.

Annie zauważyła, że gdy Grace podeszła do choinki, by położyć pod nią prezenty, oczy Roberta napełniły się łzami i ten widok tak ją rozłościł, że musiała się odwrócić i szybko wrócić do kuchni.

Zawsze dawali sobie gwiazdkowe skarpety. Annie i Robert robili wspólną dla Grace i po jednej dla siebie nawzajem. Rano Grace przynosiła swoją do ich pokoju, siadała na łóżku i po kolei rozpakowywali prezenty, żartując, jaki to bystry był święty Mikołaj albo jak zapomniał odkleić metkę. Teraz, tak jak z choinką, ten rytuał wydawał się Annie niemal nie do zniesienia.

Grace wcześnie poszła do łóżka i kiedy upewnili się, że zasnęła, Robert na palcach wszedł do jej pokoju ze skarpetą. Annie rozebrała się, wsłuchując się w odmierzający ciszę zegar w holu. Była w łazience, kiedy Robert wrócił. Usłyszała szelest i domyśliła się, że wsuwa skarpetę pod łóżko po jej stronie. Ona dopiero co zrobiła to samo. Co za farsa.

Wszedł, gdy myła zęby. Miał na sobie swoją angielską piżamę w paski i uśmiechnął się do niej w lustrze. Annie splunęła i wypłukała usta.

– Musisz skończyć z tym mazgajstwem – odezwała się, nie patrząc na niego.

– Co?

– Patrzyłam na ciebie, kiedy ona upadła. Musisz skończyć z tą litością dla niej. Współczucie wcale jej nie pomoże.

Stał i patrzył na nią, a gdy odwróciła się, by wrócić do sypialni, ich oczy się spotkały. Marszcząc czoło, kręcił głową.

– Jesteś niesamowita, Annie.

– Dzięki.

– Co się z tobą dzieje?

Nie odpowiedziała, tylko przeszła obok niego do sypialni. Położywszy się do łóżka, zgasiła swoją lampkę, on zaś wkrótce zrobił to samo. Leżeli plecami do siebie, a Annie wpatrywała się w ostro odcinającą się ćwiartkę kręgu żółtego światła, które padało z półpiętra na podłogę sypialni. To nie złość powstrzymywała ją od odpowiedzenia mu, po prostu nie miała pojęcia, jak brzmi ta odpowiedź. Jak mogła powiedzieć mu coś takiego? Może jego łzy rozwścieczyły ją, gdyż była o nie zazdrosna. Sama nie płakała ani razu od wypadku.

Odwróciwszy się, objęła go przepraszająco ramionami, przytulając się do jego pleców.

– Przepraszam – mruknęła i pocałowała go w szyję. Przez chwilę Robert się nie poruszył. Następnie powoli przewrócił się na plecy i objął ją, ona zaś położyła mu głowę na piersi. Poczuła jego głębokie westchnienie i dłuższy czas leżeli bez ruchu. Później przesunęła wolno ręką po jego brzuchu i delikatnie chwyciła czując, jak Robert się pobudza. Po chwili podniosła się i uklęknęła nad nim, ściągając koszulę nocną przez głowę i pozwalając jej opaść na podłogę. Wtedy on podniósł ręce, jak zawsze, i położył na jej piersiach, podczas gdy ona pracowała nad sobą. Stwardniał już, więc wprowadziła go w siebie i poczuła jak drży. Żadne z nich nie wydało z siebie ani jednego dźwięku. Spojrzała przez ciemność na tego dobrego człowieka, który znał ją tak długo, i dostrzegła w jego oczach okropny, nie przysłonięty pożądaniem, niepowetowany smutek.

*

W dzień Bożego Narodzenia zrobiło się zimno. Stalowoszare chmury pędziły nad lasem niczym film na szybkim przewijaniu, a wiatr zmienił się na północny, przynosząc arktyczne powietrze, spiralnie opadające w dolinę. Słyszeli, jak wyje w kominie, gdy siedzieli przy kominku, grając w scrabble.

Tego ranka, przy otwieraniu podarków wokół choinki, wszyscy mocno się starali. Nigdy w życiu, nawet gdy była mała, Grace nie dostała tyle prezentów. Prawie każdy, kogo znali, coś jej przysłał i Annie poniewczasie zdała sobie sprawę, że powinna część tego przechować. Grace wyraźnie wyczuła litość i wiele prezentów zostawiła nie rozpakowanych.

Annie i Robert nie wiedzieli, co jej kupić. W ostatnich latach zawsze było to coś związanego z konną jazdą. Teraz wszystko, co przychodziło im na myśl, odwrotnie, miało nie przypominać ani trochę jeżdżenia. W końcu Robert kupił jej akwarium z tropikalnymi rybkami. Wiedzieli, że takie chciała, Annie obawiała się jednak, że nawet to niesie ze sobą przesłanie: siedź i patrz – zdawało się mówić – to wszystko, co możesz teraz robić.

Robert zmontował całość w małym saloniku z tyłu domu i obwiązał świątecznym papierem. Zaprowadzili tam Grace i obserwowali, jak twarz jej się rozpromienia przy odwijaniu.

– O rety! – zawołała. – To po prostu genialne.

Wieczorem, gdy Annie skończyła sprzątanie po kolacji, zastała Grace i Roberta leżących po ciemku na sofie, przed akwarium, podświetlonym i bulgocącym. Oboje zasnęli przytuleni do siebie. Kołyszące się rośliny i ślizgające cienie rybek tworzyły upiorne wzory na ich twarzach.

Przy ś.iadaniu następnego ranka Grace wyglądała bardzo blado. Robert dotknął jej dłoni.

– Dobrze się czujesz, kochanie?

Skinęła głową. Annie wróciła do stołu z dzbankiem soku pomarańczowego i Robert zabrał rękę. Annie widziała, że Grace ma coś trudnego do powiedzenia.

– Myślałam o Pielgrzymie – odezwała się spokojnym głosem. Był to pierwszy raz, kiedy ktoś wspomniał o koniu. Annie i Robert siedzieli bez ruchu. Annie zawstydziła się, że żadne z nich dwojga nie pojechało go zobaczyć od czasu wypadku, albo przynajmniej odkąd wrócił do pani Dyer.

– Uhm? – mruknął Robert. – No i?

– I sądzę, że powinniśmy odesłać go do Kentucky.

Nastąpiła pauza.

– Grace – zaczął Robert. – Nie musimy już teraz podejmować decyzji. Być może...

Grace przerwała mu.

– Wiem, co masz zamiar powiedzieć; że ludzie po takich wypadkach, jak mój, jeżdżą znowu, ale ja nie... – Przerwała na chwilę, zbierając się w sobie. – Ja nie chcę. Proszę was.

Annie spojrzała na Roberta i wiedziała, że on czuje na sobie jej wzrok, podjudzający go do okazania choćby śladu łez.

– Nie wiem, czy wezmą go z powrotem – podjęła Grace. – Ale nie chcę, żeby miał go ktokolwiek w okolicy.

Robert powoli pokiwał głową pokazując, że zrozumiał, nawet jeśli się jeszcze nie zgodził. Grace uchwyciła się tego.

– Chcę się z nim pożegnać, tatusiu. Moglibyśmy pojechać do niego dziś rano? Zanim wrócę do szpitala.

*

Annie tylko raz rozmawiała przez telefon z Harrym Loganem. Była to niezręczna rozmowa i chociaż żadne nie wspomniało o jej groźbie pozwania go, wisiała ona ciężko nad każdym ich słowem. Logan zachowywał się ujmująco, Annie zaś – przynajmniej swoim tonem – zbliżyła się tak bardzo do przeprosin, jak tylko mogła. Od tamtej pory jednak wiadomości na temat Pielgrzyma docierały do niej wyłącznie za pośrednictwem Liz Hammond. Nie chcąc zbytnio potęgować ich zmartwień związanych z Grace, Liz przedstawiała Annie obraz zdrowienia konia, równie uspokajający, co fałszywy.

Rany dobrze się goją, poinformowała. Przeszczepy skóry na nodze przyjęły się. Kość nosowa wygląda lepiej niż kiedykolwiek śmieli mieć nadzieję. Nic z tego nie było kłamstwem. I nic z tego nie przygotowało Annie, Roberta i Grace na to, co mieli zobaczyć, gdy przejechali długi podjazd i zaparkowali przed domem Joan Dyer.

Pani Dyer wyszła ze stajni i ruszyła w ich stronę przez podwórze, wycierając ręce w starą pikowaną niebieską kurtkę, którą zawsze nosiła. Z uśmiechem odgarnęła włosy, które wiatr rozrzucał jej po twarzy. Ten uśmiech był tak osobliwy, że zdezorientował Annie. To prawdopodobnie tylko zakłopotanie na widok Grace, której Robert pomagał stanąć o kulach.

– Witaj, Grace – odezwała się pani Dyer. – Jak się masz, moja droga?

– Ma się po prostu wspaniale, prawda, kochanie? – rzekł Robert. Czemu nie da jej samej odpowiedzieć?, pomyślała Annie. Grace uśmiechnęła się dzielnie.

– Tak, wszystko świetnie.

– Dobrze ci minęły święta? Dużo dostałaś prezentów?

– Biliony – odparła Grace. – Fantastycznie się bawiliśmy, nie? – Popatrzyła na Annie.

– Fantastycznie – poparła ją Annie.

Przez chwilę jakby nikt nie wiedział, co powiedzieć, i wszyscy stali skrępowani na zimnym wietrze. Chmury przewalały się wściekle nad głowami i nagły błysk słońca rozpalił czerwone ściany stajni.

– Grace chce zobaczyć Pielgrzyma – odezwał się Robert. – Jest w stajni?

Twarz pani Dyer zadrżała.

– Nie, jest z tyłu.

Annie wyczuła, że coś jest nie tak, i zauważyła to samo u Grace.

– Świetnie – rzucił Robert. – Możemy pójść go zobaczyć?

Pani Dyer zawahała się, ale tylko na moment.

– Oczywiście.

Odwróciła się i ruszyła przodem. Wyszli za nią z podwórza i dotarli do rzędu starych boksów na tyłach stajni.

– Uważajcie, straszne błocko tutaj.

Obejrzała się przez ramię na Grace o kulach, po czym rzuciła szybkie spojrzenie Annie. Wyglądało to jak ostrzeżenie.

– Doskonale sobie z tym radzi, nie uważasz, Joan? – odezwał się Robert. – Nie mogę nadążyć.

– Tak, widzę. – Pani Dyer uśmiechnęła się krótko.

– Czemu nie jest w stajni? – zapytała Grace.

Pani Dyer nie odpowiedziała. Była już przy boksach i zatrzymawszy się przy jedynej zamkniętej bramce, odwróciła się twarzą do nich. Przełknęła ciężko ślinę i spojrzała na Annie.

– Nie wiem, ile Harry i Liz wam mówili.

Annie wzruszyła ramionami.

– Cóż, wiemy, że ma szczęście, iż przeżył – rzekł Robert.

Zapadła cisza. Wszyscy czekali, aż pani Dyer będzie mówić dalej. Wydawało się, że szuka właściwych słów.

– Grace – powiedziała. – Pielgrzym nie jest taki jak kiedyś. To, co się stało, bardzo nim wstrząsnęło. – Grace nagle wydała się ogromnie zmartwiona i pani Dyer popatrzyła na Annie i Roberta, szukając pomocy u nich. – Mówiąc szczerze, nie jestem pewna, czy to dobry pomysł, żeby ona go oglądała.

– Dlaczego? Co...? – zaczął Robert, lecz Grace mu przerwała.

– Chcę go zobaczyć. Niech pani otworzy bramkę.

Właścicielka stajni spojrzała wyczekująco na Annie. Annie wydawało się, że zaszli już za daleko, by zawracać. Skinęła głową. Pani Dyer niechętnie odciągnęła skobel górnej połowy bramki. Wewnątrz boksu rozległa się natychmiastowa eksplozja łomotu, która przeraziła ich wszystkich. Potem nastała cisza. Pani Dyer powoli otworzyła bramkę i Grace zajrzała do środka. Annie i Robert stali za nią.

Chwilę trwało, zanim oczy dziewczynki przywykły do ciemności. Wtedy go zobaczyła. Kiedy się odezwała, jej głos był tak cichy i łamliwy, że pozostali ledwo go usłyszeli.

– Pielgrzym? Pielgrzym?

Potem krzyknęła i odwróciła się, a Robert musiał szybko wyciągnąć ręce, by powstrzymać ją od upadku.

– Nie! Tatusiu, nie!

Objął ją i poprowadził z powrotem na podwórze. Odgłos jej płaczu osłabł i zanikł na wietrze.

– Annie – odezwała się pani Dyer. – Przykro mi. Nie powinnam jej pozwolić.

Annie spojrzała na nią z twarzą bez wyrazu, po czym przysunęła się bliżej do bramki boksu. Zapach moczu uderzył ją nagłą, gryzącą falą, a na ziemi dostrzegła sterty łajna. Pielgrzym obserwował ją z cienia w odległym narożniku. Nogi miał zwichnięte, a szyję wyciągniętą tak nisko, że łeb znajdował się niewiele więcej niż stopę nad ziemią. Unosił pokryte groteskowymi bliznami nozdrza w jej stronę, jak gdyby prowokując ją do ruchu, i sapał krótkimi, nerwowymi parsknięciami. Annie poczuła dreszcze na karku, a koń jakby także to wyczuł, gdyż teraz położył uszy i łypnął na nią z groteskowo tragiczną groźbą.

Annie spojrzała w jego oczy z przekrwionymi szaleństwem białkami i po raz pierwszy w życiu zrozumiała, że można uwierzyć w diabła.

5

Spotkanie ciągnęło się już od prawie godziny i Annie czuła się znudzona. Ludzie poprzysiadali wszędzie dookoła jej biurka, pogrążeni w szaleńczej, niesamowicie fachowej dyskusji na temat tego, który konkretnie odcień różu wyglądałby najlepiej na najbliższej okładce. Konkurujące ze sobą projekty leżały przed nimi. Annie pomyślała, że wszystkie wyglądają ohydnie.

– Po prostu nie uważam naszych czytelników za amatorów żarówiastych kolorów – mówił ktoś.

Dyrektor artystyczny, który najwyraźniej tak sądził, przyjmował postawę coraz bardziej obronną.

– To nie jest żarówiaste – rzekł. – To elektryczna cukierkowatość.

– Cóż, za amatorów elektrycznej cukierkowatości też ich nie uważam. To wygląda za bardzo na lata osiemdziesiąte.

– Osiemdziesiąte? To absurd!

W normalnych okolicznościach Annie ucięłaby tę dyskusję na długo przed tym, zanim doszłoby do takich stwierdzeń. Powiedziałaby im po prostu, co sądzi, i byłoby po wszystkim. Problem polegał na tym, że prawie w ogóle nie mogła się skoncentrować, a co gorsza przejąć.

Cały ranek było tak samo. Najpierw odbyło się śniadanie w celu pojednania z hollywoodzkim agentem, którego klient „czarna dziura" dostał szału, gdyż odrzucono artykuł przedstawiający jego sylwetkę. Potem przez dwie godziny miała w biurze ludzi z produkcji, roztaczających przed nią zgubne wizje, związane z rosnącymi kosztami papieru. Jeden z nich spryskany był tak oszałamiająco okropną wodą kolońską, że Annie musiała później pootwierać wszystkie okna. Ciągle jeszcze to czuła.

W ostatnich tygodniach zaczęła bardziej niż kiedykolwiek opierać się na swojej przyjaciółce i zastępczyni, Lucy Friedman, guru mody w redakcji.

Okładka, nad którą teraz dyskutowali, związana była z zamówionym przez Lucy artykułem o naciągaczach barowych i przedstawiała zdjęcie roześmianej, wiecznej gwiazdy rocka, której zmarszczki zostały już – zgodnie z kontraktem – komputerowo usunięte.

Wyczuwając bezbłędnie, iż Annie znajduje się myślami gdzie indziej, Lucy skutecznie prowadziła zebranie. Była dobrze zbudowaną, wojowniczą kobietą o złośliwym poczuciu humoru i głosie jak zardzewiały tłumik samochodowy. Lubiła odwracać wszystko do góry nogami i czyniła to także teraz, zmieniając zdanie i oświadczając, że tło wcale nie powinno być różowe, tylko fluoryzująco zielonkawe.

Kłótnia trwała, a Annie znów odpłynęła w nicość. W tłumie, po drugiej stronie ulicy, jakiś mężczyzna w eleganckim garniturze i okularach stał przy oknie, wykonując coś w rodzaju ćwiczeń tai-chi. Annie obserwowała, jak precyzyjnie i dramatycznie porusza ramionami, a przy tym głowę trzyma nieruchomo, i zastanawiała się, co mu to daje.

Coś przyciągnęło jej wzrok i przez szklaną przegrodę przy drzwiach zauważyła, że Anthony, jej asystent, porusza ustami i pokazuje na zegarek. Dochodziło południe, a ona miała spotkać się z Robertem i Grace w klinice ortopedycznej.

– Co sądzisz, Annie? – spytała Lucy.

– Przepraszam, Lucy, o co chodziło?

– Zielonkawy. Z różowymi napisami.

– Brzmi świetnie. – Dyrektor artystyczny mruknął coś, co Annie postanowiła zignorować. Usiadła prosto, kładąc dłonie na biurku. – Słuchajcie, możemy zamknąć tę sprawę? Muszę gdzieś skoczyć.

Czekał na nią samochód. Podała kierowcy adres i usiadła z tyłu, skulona wewnątrz płaszcza. Przejechali na East Side i zaczęli oddalać się od centrum. Ulice i przechodnie wyglądali szaro i ponuro. Była to pora przygnębienia, kiedy nowy rok trwał już na tyle długo, by wszyscy zobaczyli, że jest tak samo kiepski jak poprzedni. Czekając na jakichś światłach, Annie obserwowała dwóch skulonych w bramie włóczęgów – jeden podniośle deklamował w niebo, a drugi spał. Zrobiło jej się zimno w ręce, więc wcisnęła je jeszcze głębiej w kieszenie płaszcza.

Minęli kawiarnię Lestera na Osiemdziesiątej Czwartej, gdzie Robert zwykł zabierać czasem Grace na śniadanie przed szkołą. Nie rozmawiali jeszcze o szkole, ale wkrótce będzie musiała do niej wrócić i stawić czoło natrętnym spojrzeniom innych dziewcząt. Nie przyjdzie to łatwo, lecz im dłużej odwloką tę sprawę, tym będzie gorzej. Jeśli nowa noga będzie dobrze pasować – ta, którą mieli przymierzyć dzisiaj w klinice – Grace niedługo zacznie chodzić. Kiedy już się z nią oswoi, powinna wrócić do szkoły.

Annie dotarła na miejsce dwadzieścia minut spóźniona. Robert z Grace już siedzieli u Wendy Auerbach, protetyczki. Annie odmówiła propozycji rejestratorki, by oddać płaszcz, i poszła wąskim, białym korytarzem do gabinetu. Słyszała ich głosy.

Drzwi były otwarte i żadne z nich nie zauważyło, jak wchodziła. Grace siedziała w majtkach na leżance. Spoglądała na swoje nogi, Annie jednak nie mogła ich dostrzec, protetyczka bowiem klęczała przy nich, poprawiając coś. Robert stał z boku i obserwował.

– Jak tam? – spytała protetyczka. – Tak lepiej? – Grace skinęła głową. – W porząsiu. Teraz zobacz, jak ci się z tym stoi.

Odsunęła się i Annie patrzyła, jak Grace marszczy czoło w koncentracji i powoli opuszcza się z leżanki, krzywiąc się, gdy fałszywa noga przyjęła ciężar jej ciała. Później podniosła wzrok i dostrzegła Annie.

– Cześć – rzuciła i zrobiła wszystko, co mogła, by się uśmiechnąć.

Robert i protetyczka odwrócili się.

– Cześć – odpowiedziała Annie. – Jak idzie?

Grace wzruszyła ramionami. Ależ blado wygląda, pomyślała Annie. Ależ słabowicie.

– Ten dzieciak jakby był do tego stworzony – odezwała się Wendy Auerbach. – Przepraszam, musieliśmy zacząć bez ciebie, mamuśko.

Annie podniosła rękę na znak, że nie ma nic przeciwko temu. Nieustępliwa wesołość kobiety irytowała ją. „W porząsiu" było już wystarczająco okropne. Nazwanie jej „mamuśką" przypominało grę w kości ze śmiercią. Annie miała trudności z oderwaniem wzroku od nogi i zdawała sobie sprawę, iż Grace bada jej reakcję. Proteza była w kolorze ciała i poza zawiasem i dziurą zaworu w kolanie pasowała w miarę do lewej nogi. Dla Annie jednak była ohydna, odrażająca. Nie wiedziała, co powiedzieć. Z pomocą przyszedł jej Robert.

– Nowe łożysko pasuje jak ulał.

Po pierwszej przymiarce zrobili kolejny gipsowy odlew kikuta Grace i wymodelowali tę nową, lepszą tuleję. Fascynacja Roberta technologią ułatwiła cały proces. Wziął Grace do pracowni i zadawał tyle pytań, że prawdopodobnie wiedział teraz dosyć, by samemu zostać protetykiem. Annie zdawała sobie sprawę, iż miało to na celu oderwanie od tego koszmaru nie tylko Grace, ale i jego samego. Zdało to jednak egzamin, za co Annie była mu wdzięczna.

Ktoś przyniósł balkonik. Robert z Annie przyglądali się, a Wendy Auerbach pokazała Grace, jak z niego korzystać. Będzie to potrzebne tylko przez dzień czy dwa, powiedziała, dopóki dziewczynka nie wyczuje tej nogi. Potem wystarczy laska, a wkrótce Grace stwierdzi, że obejdzie się nawet bez tego. Grace ponownie usiadła, a protetyczka wygłosiła całą listę wskazówek dotyczących pielęgnacji i higieny. Mówiła głównie do Grace, lecz próbowała wciągnąć także rodziców. Szybko ograniczyło się to do Roberta, ponieważ to on zadawał pytania, a zresztą lekarka jakby wyczuwała niechęć Annie.

– W porząsiu – oznajmiła w końcu, klaszcząc w dłonie. – To chyba tyle.

Odprowadziła ich do drzwi. Grace nie odpięła nogi, ale szła o kulach. Robert niósł balkonik i torbę rzeczy do pielęgnacji nogi, które Wendy im dała. Podziękował jej i wszyscy czekali, aż otworzy drzwi i da Grace ostatnią radę.

– Pamiętaj. Mało czego nie możesz teraz robić z rzeczy, które robiłaś przedtem. Więc, młoda damo, gdy tylko się da, wskakuj na tego swojego konia.

Grace spuściła oczy. Robert położył jej dłoń na ramieniu. Annie wypchnęła ich przed sobą za drzwi.

– Ona nie chce – rzuciła w progu przez zęby. – I koń też nie. W porząsiu?

*

Pielgrzym marniał. Złamane kości oraz blizny na ciele i nogach wygoiły się, lecz uszkodzenie nerwów w łopatce spowodowało, że okulał. Mogło mu pomóc tylko zamknięcie w ciasnej przestrzeni w połączeniu z fizykoterapią. Z taką gwałtownością jednak reagował na zbliżanie się kogokolwiek, że to drugie okazało się niemożliwe bez ryzyka poważnej kontuzji. Jego dolą stało się więc samo zamknięcie w ciasnej przestrzeni. W ciemnym smrodzie swojego boksu, za stajnią, w której zaznał szczęśliwych dni, Pielgrzym nikł w oczach.

Harry Logan nie posiadał ani odwagi ani wprawy Dorothy Chen w robieniu zastrzyków. Toteż synowie pani Dyer obmyślili nową technikę, żeby mu pomóc. W dolnej części bramki wycięli mały, zasuwany otwór, przez który podawali Pielgrzymowi jedzenie i wodę. Kiedy nadchodziła pora zastrzyku, głodzili go. Logan szykował się ze strzykawką, oni zaś stawiali przed otworem wiadra paszy i wody. Często chichotali, schowawszy się z boku, czekając, aż głód i pragnienie konia okażą się silniejsze niż strach. Kiedy ostrożnie wychylał się, by powąchać wiadra, chłopcy błyskawicznie opuszczali klapkę, przytrzymując jego łeb wystarczająco długo, by Logan mógł zrobić mu zastrzyk w szyję. Logan nie cierpiał tego, a zwłaszcza sposobu, w jaki chłopcy się śmiali.

Na początku lutego zatelefonował do Liz Hammond i umówili się na spotkanie przy stajni. Rzucili okiem na Pielgrzyma przez drzwi boksu, po czym usiedli w samochodzie Liz. Przez chwilę siedzieli w milczeniu obserwując, jak Tim i Eric polewają podwórze wodą z węża i wygłupiają się.

– Mam już dosyć, Liz – odezwał się Logan. – Zajmij się tym.

– Rozmawiałeś z Annie?

– Dzwoniłem do niej dziesięć razy. Mówiłem jej miesiąc temu, że konia trzeba uśpić. Nie chce tego słuchać. Ale mówię ci, ja już sobie z tym nie daję rady. Te dwa pieprzone bachory doprowadzają mnie do szału. Jestem weterynarzem, Lizzie. Mam powstrzymywać cierpienia zwierząt, a nie sprawiać, by cierpiały. Mam dość.

Przez jakiś czas żadne z nich nie odzywało się; po prostu siedzieli tak, ponurym wzrokiem taksując chłopaków. Eric usiłował zapalić papierosa, lecz Tim ciągle w niego celował z węża.

– Pytała mnie, czy są końscy psychiatrzy – rzekła Liz.

Logan zaśmiał się.

– Temu koniowi nie potrzeba psychiatry, jemu potrzeba lobotomii. – Zastanowił się. – W Pittsfield jest ten kręgarz od koni, ale on się nie zajmuje takimi przypadkami. Nie przychodzi mi na myśl nikt, kto by to robił. A tobie?

Liz pokręciła głową.

Nie było nikogo. Logan westchnął. Doszedł do wniosku, że cała ta sprawa od samego początku była jednym cholernym żałosnym gównem. I nic nie wskazywało na to, by miało się poprawić.

CZĘŚĆ II

6

To właśnie w Ameryce konie zaczęły wędrować. Milion lat przed narodzinami człowieka pasły się na rozległych równinach porośniętych twardą trawą i przechodziły na inne kontynenty po skalnych mostach, rozerwanych następnie przez cofający się lód. Najpierw znały człowieka tak, jak zwierzyna zna myśliwego, na długo bowiem przed tym, zanim człowiek ujrzał w nich środek pomocny w zabijaniu innych dzikich zwierząt, zabijał je dla ich mięsa.

Malunki na ścianach jaskiń pokazują, w jaki sposób lwy i niedźwiedzie odwracały się, by walczyć, i w tym momencie ludzie przebijali je dzidami. Koń jednak był stworzony do wędrówki, nie zaś do walki, i stosując prostą, śmiercionośną logikę, myśliwy wykorzystał wędrówkę do zniszczenia go. Całe stada zapędzano na wierzchołki urwisk, aby znalazły śmierć w przepaści. Świadectwem były pozostałości ich połamanych kości. I chociaż później człowiek przyszedł, udając przyjaźń, przymierze z nim na zawsze miało pozostać bardzo kruche, strach bowiem, jaki wbił w serca tych zwierząt, tkwił zbyt głęboko, by można go było usunąć.

Od tych neolitycznych czasów, gdy koń po raz pierwszy został okiełzany, byli już tacy ludzie, którzy to rozumieli.

Potrafili zajrzeć w duszę zwierzęcia i załagodzić rany, które tam znaleźli. Często uważano ich za odprawiających czary i być może tak było. Niektórzy sprawowali swoją magię za pomocą wybielonych kości ropuch, wyciągniętych z oświetlonych księżycem strumieni. Inni, jak opowiadano, umieli samym spojrzeniem zakorzenić kopyta zwierząt w ziemi, którą orali. Byli to Cyganie i showmani, szamani i szarlatani. Ci zaś, którzy naprawdę posiadali ten dar, mieli zwyczaj mądrze go strzec, mówiono bowiem, iż ten, kto potrafi wyprowadzić diabła, potrafi go także wprowadzić. Właściciel konia, którego uspokoiłeś, mógł uścisnąć ci dłoń, a następnie tańczyć wokół płomieni, gdy palili cię na wiejskim placu.

Z powodu sekretnych zaklęć, szeptanych cicho w sterczące niespokojnie uszy, ludzi tych zwano zaklinaczami.

Byli to głównie mężczyźni, co zdziwiło Annie, czytającą w świetle lampy w jaskiniowej czytelni biblioteki publicznej. Wydawało jej się, że to kobiety powinny raczej więcej wiedzieć o takich rzeczach. Siedziała przez wiele godzin przy jednym z długich, błyszczących, mahoniowych stołów, obłożona książkami, które znalazła. Została tam aż do zamknięcia biblioteki.

Przeczytała o Irlandczyku nazwiskiem Sullivan, który żył dwieście lat temu. Poskramianie przez niego rozjuszonych koni zostało poświadczone przez wielu ludzi. Prowadził zwierzęta do zaciemnionej stodoły i nikt dokładnie nie wiedział, co się działo po zamknięciu drzwi. Twierdził, że używa jedynie słów indiańskiego zaklęcia, kupionego za cenę posiłku od zgłodniałego podróżnego. Nikt nigdy się nie dowiedział, czy to prawda, jego tajemnica bowiem umarła razem z nim. Świadkowie wiedzieli jedynie, że gdy Sullivan ponownie wyprowadzał konie, po wściekłości nie było śladu. Niektórzy mówili, że wyglądały na zahipnotyzowane strachem.

Był także człowiek z Groveport w Ohio, John Salomon Rarey, który pierwszego konia poskromił w wieku dwunastu lat. Pogłoska o jego darze rozprzestrzeniła się i w roku 1858 wezwano go do zamku Windsor w Anglii, by uspokoił konia królowej Wiktorii. Królowa i jej otoczenie patrzyli zdumieni, jak Rarey, trzymając dłonie na zwierzęciu, na ich oczach sprawił, że położyło się na ziemię. Następnie sam wyciągnął się obok i oparł głowę na kopytach konia. Królowa zachichotała z uciechy i dała Rareyowi sto dolarów. Był skromnym, spokojnym człowiekiem, teraz jednak stał się sławny i prasa domagała się czegoś więcej. Padła propozycja, by znaleźć najdzikszego konia w całej Anglii.

Koń taki został znaleziony.

Był to ogier imieniem Krążownik, kiedyś najszybszy koń wyścigowy w kraju. Teraz jednak, według relacji, którą czytała Annie, stał się „diabłem wcielonym” i nosił ośmiofuntowy żelazny kaganiec, co miało uniemożliwić mu zabicie zbyt wielu chłopców stajennych. Właściciele trzymali go przy życiu tylko dlatego, że chcieli użyć go do rozpłodu, a żeby stał się do tego celu wystarczająco bezpieczny, postanowili go oślepić. Wbrew wszelkim radom Rarey zapuścił się do stajni, gdzie nikt inny nie ośmielał się wejść i zamknął wrota. Wynurzył się trzy godziny później, prowadząc Krążownika bez kagańca, łagodnego jak baranek. Zrobiło to takie wrażenie na właścicielach, że dali mu konia. Rarey zabrał go ze sobą z powrotem do Ohio, gdzie Krążownik zdechł 6 lipca 1875 roku, przeżywszy swojego nowego pana o całe dziewięć lat.

Annie wyszła z biblioteki pomiędzy masywnymi lwami strzegącymi schodów. Ruch uliczny dudnił obok, a wiatr dął lodowato w wąwozie budynków. Miała jeszcze trzy – cztery godziny pracy w biurze, ale nie wzięła taksówki. Chciała się przejść. Zimne powietrze mogło poukładać historie wirujące jej w głowie. Jakkolwiek je nazywano, niezależnie gdzie i kiedy żyły, wszystkie konie, o których czytała, miały tylko jedną postać: Pielgrzyma. To w uszy Pielgrzyma szeptał Irlandczyk i oczy Pielgrzyma świeciły za żelaznym kagańcem.

Z Annie działo się coś, czego nie potrafiła jeszcze zdefiniować. Coś wręcz fizjologicznego. Przez miniony miesiąc obserwowała swoją córkę chodzącą po mieszkaniu, najpierw za pomocą balkoniku, potem z laską. Pomagała Grace, tak jak wszyscy, w brutalnym, nudnym, codziennym mozole fizykoterapii, godzina po godzinie, aż kończyny bolały ich tak samo jak ją. Pod względem fizycznym odnosili ciągłe pasmo maleńkich sukcesów. Annie dostrzegała jednak, że – prawie w równym stopniu – coś w dziewczynce umierało.

Grace usiłowała ukryć to przed nimi – swoimi rodzicami, Elzą, przyjaciółkami, nawet armią doradców i terapeutów, dobrze opłacanych, by widzieć takie rzeczy – pod maską swego rodzaju zawziętej wesołości. Annie potrafiła jednak przejrzeć tę maskę; widziała, jak zmieniał się wyraz twarzy Grace, kiedy myślała, że nikt na nią nie patrzy i dostrzegała ciszę biorącą jej córkę w objęcia niczym cierpliwy potwór.

Dlaczego właściwie życie dzikiego konia, zamkniętego w plugawym wiejskim boksie, wydawało się tak istotnie związane z pogarszającym się stanem jej córki, Annie nie miała pojęcia. Nie było w tym żadnej logiki. Szanowała decyzję Grace, że nie będzie już jeździć konno, wręcz nie podobał jej się pomysł, by Grace choć spróbowała. A gdy Harry Logan i Liz powtarzali jej w kółko, że byłoby lepiej unicestwić Pielgrzyma oraz że jego przedłużana egzystencja stanowi udrękę dla wszystkich zainteresowanych, wiedziała, iż mówią sensownie. Dlaczego więc wciąż się nie zgadzała? Dlaczego – w sytuacji, kiedy obroty czasopisma stanęły w miejscu – zrobiła sobie całe wolne popołudnie, by przeczytać o dziwakach, którzy szeptali koniom do ucha? Ponieważ jest głupia, powiedziała sobie.

Wszyscy już wychodzili, kiedy wróciła. Usiadła za swoim biurkiem, Anthony zaś dał jej listę wiadomości i przypomniał o roboczym śniadaniu, którego usiłowała uniknąć. Później powiedział dobranoc i zostawił ją samą. Annie wykonała kilka telefonów, które według Anthony'ego nie mogły czekać, a następnie zadzwoniła do domu.

Robert oznajmił jej, że Grace wykonuje swoje ćwiczenia. Czuje się doskonale, stwierdził. Właśnie to zawsze mówił. Annie powiedziała, że wróci późno i żeby jedli bez niej.

– Masz zmęczony głos – rzekł. – Ciężki dzień?

– Nie. Spędziłam go, czytając o zaklinaczach.

– O kim?

– Później ci powiem.

Zaczęła przeglądać stertę papierów zostawionych jej przez Anthony'ego, lecz jej myśli ciągle odpływały w wyszukane fantazje na temat tego, co czytała w bibliotece. Może John Rarey miał gdzieś prawnuka, który odziedziczył jego dar i mógłby użyć go wobec Pielgrzyma? Może mogła zamieścić ogłoszenie w „Timsie", by go odszukać? POSZUKIWANY ZAKLINACZ.

Nie miała pojęcia, ile czasu upłynęło, zanim zasnęła, lecz obudziwszy się gwałtownie, ujrzała w drzwiach strażnika. Przeprowadzał rutynową kontrolę biura i przeprosił, że przeszkadza. Annie spytała go, która godzina, i zdumiała się słysząc, że po jedenastej.

Zadzwoniła po samochód, opadła smętnie na tylne siedzenie i została tak całą drogę, jadąc przez Central Park West. Zielony baldachim nad drzwiami bloku wyglądał bezbarwnie w sodowym świetle latarni ulicznych.

Robert i Grace byli już w łóżkach. Stanąwszy w drzwiach

pokoju córki, Annie pozwoliła oczom przywyknąć do ciemności. Grace poruszyła się we śnie i mruknęła coś. I nagle Annie przyszła do głowy myśl, że być może ta odczuwana przez nią potrzeba utrzymania Pielgrzyma przy życiu, znalezienia kogoś, kto uspokoiłby jego rozkołatane serce, wcale nie miała związku z Grace. Być może miała związek z nią samą.

Delikatnie naciągnęła kołdrę na ramię córki i wróciła korytarzem do kuchni. Robert zostawił jej na stole żółtą karteczkę z wiadomością. Dzwoniła Liz Hammond. Zdobyła nazwisko kogoś, kto mógłby pomóc.

7

Tom Booker obudził się o szóstej i przy goleniu wysłuchał lokalnych wiadomości w telewizji. Jakiś facet z Oakland zatrzymał samochód na środku mostu Golden Gate, zastrzelił żonę i dwójkę dzieciaków, po czym skoczył z mostu. Ruch w obie strony wstrzymano. Na wschodnich przedmieściach kobieta uprawiająca jogging na wzgórzach za domem została zabita przez górskiego lwa.

Lampka nad lustrem nadawała jego opalonej twarzy zielony połysk na tle pianki do golenia. Łazienka była obskurna i ciasna; Tom musiał się pochylić, by wejść pod wmontowany nad wanną prysznic. Zawsze wyglądało na to, że takie motele budowano dla jakiejś miniaturowej rasy, której nigdy nie spotkałeś, ludzi z malutkimi, zwinnymi palcami, którzy właściwie woleli mydła wielkości karty kredytowej.

Ubrawszy się usiadł na łóżku, by wciągnąć wysokie buty, spoglądając przy tym na mały parking, zatłoczony pick-upami i terenowymi wozami ludzi, którzy przyjechali do kliniki. Sądząc po wczorajszym wieczorze, będzie dwudziestu chętnych w klasie źrebaków i mniej więcej tyle samo w klasie jazdy konnej. Zbyt wielu, lecz nigdy nie lubił sprawiać ludziom zawodu. Bardziej ze względu na ich konie niż na nich samych. Włożył zieloną wełnianą marynarkę, chwycił kapelusz i wyszedł na wąski, betonowy korytarz prowadzący do recepcji.

Młody chiński kierownik wystawiał właśnie przy ekspresie do kawy tackę podejrzanie wyglądających pączków. Na widok Toma rozpromienił się.

– Dzień dobry, panie Booker! Jak się pan miewa?

– Dobrze, dzięki – odparł Tom. Położył swój klucz na ladzie. – A pan?

– Doskonale. Pączek od firmy?

– Nie, dziękuję.

– Wszystko gotowe do kliniki?

– O, chyba jakoś przebrniemy. Na razie.

– Do widzenia, panie Booker.

Powietrze świtu było wilgotne i przejmująco zimne, gdy szedł w stronę swojego pick-upa, ale chmury wisiały wysoko i Tom wiedział, że jeszcze przed południem się ociepli. W domu, w Montanie, ranczo wciąż pokrywał śnieg głęboki na dwie stopy, lecz kiedy zeszłego wieczoru wjechali tutaj, do hrabstwa Marin, czuło się już wiosnę. Kalifornia, pomyślał. Niewątpliwie wszystko tu mieli dograne, nawet pogodę. Nie mógł się doczekać powrotu do domu.

Wyjechał czerwonym chevroletem na szosę i zrobił pętlę nad drogą nr 101. Ośrodek jeździecki mieścił się w łagodnie opadającej, zalesionej dolinie, kilka mil za miastem. Przed zameldowaniem się w motelu przyciągnął tu wczoraj przyczepę i wypuścił Rimrocka na łąkę. Zauważył teraz, iż ktoś już powtykał wzdłuż drogi strzałki z napisem: KOŃSKA KLINIKA BOOKERA i żałował, że ten ktoś to zrobił. Gdyby trudniej było trafić, może paru z tych bardziej tępych by się nie pojawiło.

Minął bramę i zaparkował na trawie, niedaleko dużej areny, gdzie piasek spryskano już wodą i porządnie wyrównano. W pobliżu nie było nikogo. Rimrock zauważył go z odległego końca łąki i zanim Tom dotarł do ogrodzenia, już tam czekał. Był to gniady ośmiolatek z białą gwiazdką na pysku i czterema gustownymi białymi skarpetkami, które nadawały mu elegancki wygląd kogoś ubranego do partii tenisa. Tom sam go wyhodował. Pogłaskał konia po szyi i pozwolił mu powąchać swoją twarz.

– Kroi ci się dzisiaj sporo roboty, stary – odezwał się Tom. Normalnie lubił mieć w klinice dwa konie, by mogły dzielić się ciężarem pracy, jednak jego klacz, Bronty, miała się niedługo ożrebić, musiał ją więc zostawić w Montanie. To był kolejny powód, dla którego chciał wracać do domu.

Odwrócił się, oparł o płot i razem z Rimrockiem w milczeniu bacznie przyglądali się pustej przestrzeni, która przez następne pięć dni miała tętnić nerwowymi końmi i ich jeszcze bardziej nerwowymi właścicielami. Gdy on i Rimrock już nad nimi popracują, większość pojedzie do domu trochę mniej nerwowa i to sprawiało, że warto było się tym zajmować. To była już czwarta klinika w przeciągu tylu tygodni i oglądanie powtarzających się na okrągło tych samych idiotycznych problemów stawało się męczące.

Po raz pierwszy od dwudziestu lat zamierzał sobie zrobić wolne na wiosnę i lato. Żadnych klinik, żadnego podróżowania. Tylko siedzenie twardo na ranczu, żeby wyćwiczyć parę własnych źrebaków, trochę pomóc bratu. I tyle. Może się starzeje. Ma czterdzieści pięć lat, do licha, prawie czterdzieści sześć. Kiedy zaczynał organizować kliniki, potrafił prowadzić jedną tygodniowo przez cały okrągły rok i cieszyć się każdą minutą. Gdyby tylko ludzie mogli być tacy bystrzy jak konie.

Rona Williams, właścicielka ośrodka, która co roku była gospodarzem tej kliniki, zauważyła go i szła od strony stajni. Była drobną, żylastą kobietą o oczach fanatyka i chociaż dobiegała czterdziestki, włosy splatała w dwa długie warkocze. Z tą dziewczęcością kolidował męski sposób chodzenia, chód kogoś przyzwyczajonego do posłuchu. Tom lubił ją. Ciężko pracowała na sukces kliniki. Na powitanie przytknął dłoń do kapelusza, a ona uśmiechnęła się i spojrzała w niebo.

– Będzie dobry – odezwała się.

– Przypuszczam. – Tom skinął głową w stronę drogi. – Widzę, że wystawiłaś tam sobie ładne nowe znaki. Na wypadek, gdyby któryś z tych czterdziestu szalonych koni się zgubił.

– Trzydziestu dziewięciu.

– O? Ktoś odpadł?

– Nie. Trzydzieści dziewięć koni, jeden osioł. – Uśmiechnęła się szeroko. – Jego właściciel to jakiś aktor czy coś. Przyjeżdża z Los Angeles.

Westchnął i posłał jej spojrzenie.

– Bezlitosna z ciebie kobieta, Rona. Jeszcze każesz mi się mocować z niedźwiedziami grizzly, zanim będziesz miała dosyć.

– Jest to jakiś pomysł.

Podeszli razem do areny i omówili rozkład zajęć. Rozpocznie poranek od źrebaków, pracując z nimi pojedynczo. Jest ich dwadzieścia, więc zajmie to prawie cały dzień. Jutro odbędą się ćwiczenia jeździeckie, a później nauka obchodzenia się z bydłem dla chętnych, jeśli czas pozwoli.

Tom kupił kilka nowych głośników i chciał je wypróbować, więc Rona pomogła mu wyjąć je z chevroleta i ustawić w pobliżu odkrytej trybuny, gdzie mieli siedzieć widzowie. Po włączeniu głośniki zapiszczały od pogłosu, po czym rozpoczęły złowrogie, oczekujące buczenie, gdy Tom przeszedł po dziewiczym piasku areny i przemówił do mikrofonu połączonego ze słuchawkami.

– Cześć, ludziska. – Jego głos zagrzmiał wśród drzew stojących bez ruchu w bezwietrznej dolinie. – Oto show Rony Williams, a ja jestem Tom Booker, poskramiacz osłów dla gwiazd.

Po sprawdzeniu wszystkiego pojechali do miasta, do baru, gdzie zawsze jedli śniadanie. Smoky i T.J., dwaj chłopacy, których Tom przywiózł z Montany do pomocy przy tych czterech klinikach, już się pożywiali. Rona zamówiła musli, a Tom jajecznicę, tosty pszenne i duży sok pomarańczowy.

– Słyszeliście o tej kobiecie zabitej przez górskiego lwa w czasie joggingu? – odezwał się Smoky.

– Lew też uprawiał jogging? – spytał Tom, szeroko otwierając niewinne niebieskie oczy. Wszyscy się roześmieli.

– Czemu nie? – włączyła się Rona. – Hej, ludzie. Przecież to Kalifornia.

– Zgadza się – włączył się T.J. – Mówią, że był cały w lycrze i nosił takie małe słuchawki.

– Chodzi ci o tego gościa z Sony? – podsunął Tom.

Smoky nie przejmował się czekając, aż skończą. Dokuczanie mu stało się poranną rozrywką. Tom go lubił. Nie był zdobywcą Nagrody Nobla, ale gdy chodziło o konie, miał w sobie coś. Pewnego dnia, jeżeli nad tym popracuje, będzie dobry. Tom wyciągnął rękę i zmierzwił mu włosy.

– Jesteś w porządku, Smoky – rzucił.

*

Para myszołowów krążyła leniwie na błękitnym tle popołudniowego nieba. Unosiły się na ciepłych prądach z doliny, napełniając przestrzeń pomiędzy wierzchołkami drzew i szczytem wzgórza niesamowitym, przerywanym miauczeniem. Pięćset stóp niżej, w chmurze pyłu, rozgrywał się ostatni z dwudziestu dramatów tego dnia. Słońce, a może również znaki wzdłuż drogi, przywiodły tłum, jakiego Tom tutaj jeszcze nie widział. Trybuna pękała w szwach, a ludzie wciąż nadjeżdżali, płacąc przy wejściu po dziesięć dolarów od łebka jednemu z pomocników Rony. Kobiety prowadzące stragan z napojami miały świetny interes, w powietrzu zaś pachniało rożnem.

Na środku areny stała mała zagroda o przekątnej długości około trzydziestu stóp i tutaj właśnie pracowali Tom i Rimrock. Pot zaczynał żłobić rowki na pokrytej pyłem twarzy Toma – otarł ją rękawem swojej wyblakłej, niebieskiej koszuli, zapinanej na zatrzaski. Pod starymi, skórzanymi ochraniaczami, które nosił na dżinsach, było mu gorąco w nogi. Przećwiczył już jedenaście źrebaków, a ten był dwunasty – piękny, czarny koń czystej krwi.

Tom zawsze zaczynał od zamienienia kilku słów z właścicielem, w celu poznania „historii" konia, jak lubił to nazywać. Czy już na nim jeżdżono? Czy istniały jakieś szczególne problemy? Zawsze istniały, ale częściej to koń ci o nich mówił, a nie właściciel.

Ten mały rasowy źrebak stanowił właśnie taki przypadek. Jego właścicielka twierdziła, że ma on tendencję do brykania i niechętnie przyspiesza. Jest leniwy, nawet kapryśny, powiedziała. Teraz jednak, gdy Tom i Rimrock zmusili go do krążenia wokół nich po korralu, koń mówił im zupełnie coś innego. Tom zawsze na bieżąco komentował do mikrofonu, żeby tłum nadążał za jego poczynaniami. Starał się, by właścicielka nie wyszła na głupią. W każdym razie nie na zbyt głupią.

– Układa nam się tu inna opowieść – odezwał się. – Zawsze dosyć ciekawie jest wysłuchać końskiej wersji. Otóż, gdyby był kapryśny albo leniwy, jak pani mówi, widzielibyśmy drgający ogon i może położone uszy. Ale to nie jest kapryśny koń, to koń przestraszony. Widzi pani, jak jest spięty?

Kobieta obserwowała arenę spoza ogrodzenia, opierając się o sztachetki. Skinęła głową. Tom okręcał Rimrocka po małym kole, zgrabnymi kroczkami, tak by zawsze stać przodem do krążącego źrebaka.

– I jak ciągle odwraca się do mnie zadem? Cóż, chyba dlatego niechętnie przyspiesza, że kiedy to robi, wpada w tarapaty.

– Nie jest dobry w przejściach – powiedziała kobieta. – Wie pan? Gdy na przykład chcę, by przeszedł z kłusa w lekki galop.

Słysząc takie gadanie, Tom musiał ugryźć się w język.

– Aha – rzucił. – Ja tu tego nie widzę. Może pani myśleć, że prosi go o galop, ale pani ciało mówi co innego. Obstawia to pani zbyt wieloma warunkami. Mówi pani: „Jedź, ale hej, nie jedź!" Albo może: „Jedź, ale nie za szybko!" On to wyczuwa po tym, jak pani czuje. Pani ciało nie potrafi kłamać. Kopała go pani czasami, żeby przyspieszył?

– Nie pójdzie do przodu, zanim tego nie zrobię.

– A wtedy rusza, a pani czuje, że biegnie za szybko, więc szarpie go pani do tyłu?

– No, tak. Czasami.

– Czasami. Uhm. A wtedy bryka.

Przytaknęła.

Przez chwilę milczał. Przesłanie dotarło do kobiety i zaczęła przybierać defensywną postawę. Miała o sobie, najwyraźniej, wysokie mniemanie. Zrobiona była na Barbarę Stanwyck, z całym stosowanym strojem. Za sam kapelusz musiała dać trzysta dolarów. Bóg wie, ile kosztował koń. Tom starał się skupić na sobie uwagę zwierzęcia. Miał sześćdziesiąt stóp zwiniętego lassa i rzucił nim, tak że pętla uderzyła o bok konia, który zaraz ruszył wolnym galopem. Tom zwinął sznur i rzucił ponownie. Potem znowu i jeszcze raz, zmuszając zwierzę do przejścia od kłusa do galopu, pozwalając mu zwolnić, a potem znowu przyspieszyć.

– Chcę, żeby nauczył się, na ile może przyspieszać naprawdę delikatnie – wyjaśnił. – Już zaczyna to łapać. Nie jest już taki spięty jak na początku. Widzi pani, jak prostuje mu się zad? I jak ogon przestał być podwinięty? Stwierdza, że bieganie jest okay.

Ponownie rzucił lassem i tym razem przejście do galopu odbyło się gładko.

– Widzi pani to? Jest zmiana. Już lepiej. Całkiem niedługo, jak pani nad tym popracuje, będzie pani w stanie łatwo robić te przejścia, na luźnych wodzach.

A świnie będą fruwać, pomyślał. Zabierze to biedne zwierzę do domu, będzie na nim jeździć, tak jak zawsze to robiła, i cała ta praca pójdzie na marne. Ta myśl, jak zwykle, dodała mu werwy. Jeśli naprawdę porządnie ustawi konia, może uda mu się uodpornić biedaka na głupotę i strach kobiety. Źrebak przyspieszał teraz ładnie, lecz Tom ćwiczył dopiero tylko na jednej stronie, odwrócił więc go do biegu w przeciwnym kierunku i powtórzył wszystko od początku.

Zajęło to prawie godzinę. Zanim skończył, koń mocno się spocił. Ale kiedy Tom pozwolił mu zwolnić i stanąć nieruchomo, wyglądał na trochę rozczarowanego.

– Mógłby się tak bawić cały dzień – stwierdził Tom. – Hej, proszę pana, mogę dostać z powrotem moją piłkę? – Tłum zaśmiał się. – Będzie w porządku, tak długo, jak nie zacznie go pani szarpać.

Spojrzał na kobietę. Pokiwała głową i próbowała się uśmiechnąć, lecz Tom zauważył jej zakłopotanie i nagle zrobiło mu się jej żal. Podprowadził Rimrocka do miejsca, gdzie stała, i wyłączył mikrofon, by tylko ona mogła słyszeć jego słowa.

– Tu chodzi tylko o instynkt samozachowawczy – powiedział łagodnie. – Widzi pani, te zwierzęta mają takie wielkie serca, niczego nie pragną bardziej, niż zrobić to, czego się od nich chce. Ale kiedy informacje są sprzeczne, mogą jedynie próbować się bronić.

Uśmiechnął się do niej, po czym rzekł:

– Może go pani teraz osiodła i zobaczy sama?

Kobieta była bliska płaczu. Przeszła nad drążkiem i ruszyła w stronę młodego konia. Obserwował ją przez całą drogę. Pozwolił jej podejść blisko i pogłaskać się po szyi. Tom patrzył.

– On nie będzie się oglądał wstecz, jeśli i pani nie będzie – powiedział. – To najbardziej przebaczające istoty, jakie Bóg kiedykolwiek stworzył.

Wyprowadziła konia, a Tom powoli wrócił Rimrockiem na środek korralu, pozwalając ciszy trwać przez chwilę. Zdjął kapelusz i ocierając pot z czoła, zmrużył oczy w słońcu. Dwa myszołowy wciąż tam wisiały. Tom pomyślał, że ich skrzeczenie brzmi bardzo żałobnie. Nałożył kapelusz i włączył mikrofon.

– Dobra, ludzie. Kto następny?

Był to ten facet z osłem.

8

Minęło ponad sto lat, odkąd Joseph i Alice Bookerowie, prapradziadkowie Toma, przebyli długą drogę na zachód do Montany, skuszeni, tak jak tysiące innych, obietnicą ziemi. Podróż kosztowała ich życie dwojga dzieci – jedno zmarło na szkarlatynę, drugie utonęło – dotarli jednak aż do rzeki Clark's Fork i tam wbili paliki na stu sześćdziesięciu akrach urodzajnej ziemi.

Zanim urodził się Tom, ranczo, na którym zaczynali, urosło do dwudziestu tysięcy akrów. To, że tak prosperowało – a także przetrwało bezlitosny ciąg susz, powodzi i przestępstw – stanowiło głównie zasługę dziadka Toma, Johna. Było więc przynajmniej logiczne, iż to on właśnie je zniszczył.

John Booker, człowiek bardzo silny fizycznie, a jeszcze bardziej łagodny, miał dwóch synów. Ponad domem, który już dawno zastąpił pokrytą słomą chatę osadników, wznosiło się skaliste urwisko, gdzie chłopcy bawili się w chowanego i szukali grotów strzał. Z jego krawędzi widać było rzekę, zakręcającą niczym zamkowa fosa, w oddali zaś śnieżne szczyty gór Pryor i Beartooth. Czasami chłopcy siedzieli obok siebie w milczeniu, spoglądając na ziemię ojca. To, co widział młodszy z nich, stanowiło cały jego świat. Daniel, ojciec Toma, kochał ranczo całym sercem i jeśli kiedykolwiek jego myśli zaplątały się poza granice tej ziemi, to tylko by wzmocnić uczucie, że wszystko, czego pragnie, leży na jej obszarze. Odległe góry były dla niego jak dające komfort ściany, ochraniające wszystko, co mu drogie, przed zewnętrznymi zawirowaniami. Dla Neda natomiast, starszego o trzy lata, były ścianami więzienia. Nie mógł się doczekać ucieczki, a kiedy skończył szesnaście lat, tak właśnie zrobił. Ruszył w poszukiwaniu szczęścia do Kalifornii, lecz zamiast tego stracił tam sporo partnerów w interesach.

Daniel został i razem z ojcem prowadził ranczo. Ożenił się z Ellen Hooper, dziewczyną z Bridger, i mieli troje dzieci – Toma, Rosie oraz Franka. Duża część ziemi, którą John dodał do tych pierwszych, nadrzecznych akrów, stanowiła gorsze pastwisko – dzikie, porośnięte szałwią pagórki z czerwonym piżmakiem, pocięte czarną skałą wulkaniczną. Bydła pilnowano konno, toteż Tom potrafił jeździć prawie zanim nauczył się chodzić. Jego matka lubiła opowiadać, jak – gdy miał dwa lata – znaleźli go śpiącego w stajni, skulonego na słomie pomiędzy masywnymi kopytami ogiera perszerona. Wyglądało, jakby koń go strzegł, mówiła.

Zawsze na wiosnę zakładali uździenice jednorocznym źrebakom, a chłopiec siadywał na najwyższym szczeblu ogrodzenia i patrzył. Zarówno jego ojciec, jak i dziadek mieli łagodne podejście do koni i on sam dopiero później odkrył, że w ogóle istnieją inne sposoby obchodzenia się z tymi zwierzętami.

– To jak proszenie kobiety do tańca – zwykł mawiać staruszek. – Jeżeli nie masz pewności siebie i boisz się, że ci odmówi, i podchodzisz ukradkiem, patrząc na swoje buty, to jasne jak słońce, że ci odmówi. Wtedy, oczywiście, możesz spróbować złapać ją i zmusić do skakania po podłodze, ale w końcu żadnemu z was nie sprawi to zbytniej przyjemności.

Dziadek był świetnym tancerzem. Tom pamiętał go sunącego z babcią pod sznurami kolorowych lampek z okazji Czwartego Lipca. Ich stopy zdawały się unosić w powietrzu. Tak samo było, kiedy dosiadał konia.

– Tańczenie i jazda konna to to samo cholerstwo – mówił. – Chodzi o zaufanie i przyzwolenie. Jedno się trzyma drugiego. Mężczyzna prowadzi, ale nie ciągnie jej na siłę, proponuje współpracę, a ona czuje to i idzie z nim. Są w harmonii i poruszają się we wzajemnym rytmie, po prostu na wyczucie.

Te rzeczy Tom już wiedział, chociaż nie zdawał sobie sprawy, jak je poznał. Rozumiał język koni w ten sam sposób, w jaki rozumiał różnice pomiędzy kolorami i zapachami. W każdej chwili potrafił powiedzieć, co się dzieje w ich głowach, wiedział również, że to wzajemne. Zaczął trenować swojego pierwszego źrebaka (nigdy nie używał słowa „ujeżdżać") w wieku zaledwie siedmiu lat.

Dziadkowie zmarli, kiedy Tom miał dwanaście lat, tej samej zimy, jedno szybko za drugim. John w całości zostawił ranczo jego ojcu. Ned przyleciał z Los Angeles na odczytanie testamentu. Przedtem rzadko się pojawiał i Tom pamiętał go jedynie z fajnych dwukolorowych butów i wystraszonego spojrzenia. Zawsze nazywał Toma „pączkiem" i przywoził jakieś bezużyteczne prezenty, fatałaszki, na punkcie których szalały akurat miejskie dzieciaki. Tym razem wyjechał bez słowa. Zamiast tego odezwali się wkrótce jego prawnicy.

Proces ciągnął się przez trzy lata. Tom słyszał matkę płaczącą po nocy, kuchnia zaś zawsze wydawała się pełna prawników, agentów nieruchomości oraz sąsiadów, którzy poczuli pieniądze. Tom odwrócił się od tego wszystkiego i zatracił w koniach. Urywał się ze szkoły, żeby spędzać z nimi czas, jego rodzice zaś byli zbyt zaprzątnięci własnymi problemami, by to zauważyć albo się przejąć.

Jedyny moment w tamtym okresie, kiedy Tom pamiętał swojego ojca szczęśliwego, miał miejsce na wiosnę, gdy przez trzy dni pędzili bydło na wyżej położone, letnie pastwiska. Matka, Frank i Rosie też im towarzyszyli – w piątkę jechali konno cały dzień i spali pod gołym niebem.

– Gdyby tylko można było sprawić, żeby teraz trwało wiecznie – odezwał się jednej z tych nocy Frank, gdy leżeli na plecach, obserwując ogromny półksiężyc, wynurzający się zza ciemnej krawędzi góry. Frank miał jedenaście lat i nie był z natury filozofem. Wszyscy leżeli nieruchomo, rozmyślając nad tym przez chwilę. Gdzieś daleko zawył kojot.

– Chyba to właśnie jest wieczność – powiedział ojciec. – Po prostu jeden długi ciąg takich „teraz". I chyba też wszystko, co można zrobić, to spróbować żyć jednym teraz w danej chwili, nie zawracać sobie zbytnio głowy poprzednim teraz albo następnym teraz.

Wydawało się to Tomowi najlepszą receptą na życie, jaką miał okazję usłyszeć.

Trzy lata procesowania się całkowicie zniszczyły jego ojca. Ranczo sprzedano w końcu firmie naftowej, a pieniądze, które pozostały po wzięciu swojej działki przez prawników i poborcę podatkowego, podzielono na pół. Neda nigdy więcej nie widzieli na oczy ani nie słyszeli o nim. Daniel z Ellen wzięli Toma, Rosie i Franka i przenieśli się na zachód. Kupili siedem tysięcy akrów oraz rozwalający się dom u podnóża Gór Skalistych. Było to miejsce, gdzie wyżyny wpadały z hukiem na liczącą sobie sto milionów lat ścianę z wapienia, miejsce surowego, wznoszącego się piękna, które Tom miał nauczyć się później kochać. Nie był jednak na to przygotowany. Jego prawdziwy dom został sprzedany niemal spod niego; chciał także zacząć żyć na własną rękę. Gdy tylko pomógł rodzicom uruchomić nowe ranczo, zabrał się i wyjechał.

Pojechał do Wyoming, gdzie imał się dorywczo różnych prac. Widział tam rzeczy, w jakie nigdy by nie uwierzył. Kowbojów, którzy swoje konie tłukli batem i kłuli ostrogami do krwi. Na ranczu niedaleko Sheridan na własne oczy zobaczył to, co nazywają „złamaniem" konia. Patrzył, jak jakiś mężczyzna mocno przywiązuje jednorocznego źrebaka za szyję do płotu, pęta mu tylną nogę, a następnie bije kawałkiem cynowej rury aż do poddania się. Tom nigdy nie zapomniał strachu w oczach zwierzęcia ani idiotycznego triumfu w oczach mężczyzny, gdy – po wielu godzinach – źrebak, ratując życie, pozwolił sobie założyć siodło. Tom nazwał faceta głupcem, wdał się w bójkę i został z miejsca wylany.

Przeniósł się do Newady i pracował na kilku dużych tamtejszych ranczach. Gdziekolwiek się zatrudnił, starał się wyszukiwać najbardziej narowiste konie i zgłaszał się, by na nich jeździć. Wielu ludzi, z którymi pracował, zajmowało się tą robotą na długo przed jego urodzeniem i początkowo chichotali ukradkiem, widząc, jak dosiada jakiejś szalonej bestii, która najlepszego z nich zrzucała kilka razy. Wkrótce jednak przestali, kiedy ujrzeli, jak chłopak sobie radzi i jak koń się zmienia. Tom wkrótce stracił rachubę koni poważnie skrzywdzonych głupotą lub okrucieństwem istot ludzkich, lecz nigdy nie spotkał takiego, któremu nie potrafiłby pomóc.

Tak wyglądało jego życie przez pięć lat. Kiedy tylko mógł, jeździł do domu i zawsze starał się tam być, gdy ojciec najbardziej potrzebował pomocy. Dla Ellen te odwiedziny były jak seria zdjęć dokumentujących wchodzenie jej syna w wiek męski. Wyrósł na wysokiego i chudego młodzieńca, zdecydowanie najprzystojniejszego z trójki jej dzieci. Zapuścił trochę wypłowiałe na słońcu włosy, za co go strofowała, choć w skrytości ducha musiała przyznać, że jej się to podoba. Jego twarz nawet zimą pozostawała opalona, co jeszcze bardziej ożywiało jasny, blady błękit jego oczu.

Życie, jakie opisywał, wydawało się jego matce samotnicze. Byli jacyś przyjaciele, o których wspominał, ale nikogo bliskiego. Były dziewczyny, z którymi się umawiał, w stosunku do żadnej jednak nie miał poważnych zamiarów. Według tego, co sam opowiadał, większość czasu wolnego od pracy z końmi spędzał na czytaniu i uczeniu się na korespondencyjnym kursie, na który się zapisał. Ellen zauważyła, iż zrobił się spokojniejszy, odzywał się teraz tylko wtedy, gdy miał coś do powiedzenia. Jednak – inaczej niż u ojca – w jego spokoju nie było smutku. Raczej rodzaj skupionego opanowania.

W miarę upływu lat zaczęło być głośno o młodym Bookerze i gdziekolwiek akurat pracował, przychodziły prośby, aby zechciał rzucić okiem na takiego czy innego konia, z którym były problemy.

– Ile od nich za to bierzesz? – spytał go przy kolacji Frank pewnego kwietniowego wieczoru, gdy Tom przyjechał do domu pomóc w znakowaniu koni. Rosie była w college'u, Frank zaś – teraz dziewiętnastoletni – pracował na ranczu. Miał żyłkę do interesów i właściwie kierował wszystkim, gdyż ojciec coraz głębiej pogrążał się w przygnębieniu wywołanym procesami.

– Och, w ogóle od nich nie biorę – odparł Tom.

Frank odłożył widelec i popatrzył na brata.

– W ogóle? Nigdy?

– Nie. – Wziął kolejny kęs.

– A to czemu, u diabła? Ci ludzie przecież mają forsę, nie?

Tom zastanowił się przez chwilę. Rodzice też mu się przyglądali. Wyglądało na to, że sprawa w jakiś sposób interesuje ich wszystkich.

– No... widzicie, ja tego nie robię dla ludzi. Robię to dla koni.

Zapadło milczenie. Frank uśmiechnął się i pokręcił głową. Było jasne, że ojciec też uważa Toma za trochę szalonego. Ellen wstała i zaczęła niepewnie zbierać talerze.

– Cóż, myślę, że to miłe – odezwała się.

Dało to Tomowi do myślenia. Minęło jednak parę kolejnych lat, zanim pomysł organizowania klinik nabrał kształtów. Tymczasem zaskoczył ich wszystkich oznajmiając, że wybiera się na uniwersytet w Chicago.

Był to kierunek mieszany – humanistyczny z naukami społecznymi. Tom wytrzymał półtora roku. Tylko dlatego tak długo, że zakochał się w pięknej dziewczynie z New Jersey, grającej na wiolonczeli w studenckim kwartecie smyczkowym. Był na pięciu koncertach, zanim w ogóle się do siebie odezwali. Miała gęste, błyszczące, czarne włosy, które opuszczała na ramiona, i nosiła w uszach srebrne kółka, niczym piosenkarka folkowa. Tom obserwował jej ruchy podczas grania – muzyka zdawała się przepływać przez jej ciało. Była to najbardziej seksowna rzecz, jaką w życiu widział.

Podczas szóstego koncertu cały czas na niego patrzyła i na koniec zaczekał na nią na zewnątrz. Podeszła i bez słowa wzięła go pod ramię. Nazywała się Rachel Feinerman. Tego wieczoru w jej pokoju Tomowi wydawało się, że umarł i poszedł do nieba. Patrzył, jak zapala świeczki, a potem wpatruje się w niego, zdejmując sukienkę. Zdziwiło go, że zostawiła kolczyki, ale podobało mu się to, bo gdy się kochali, odbijały się w nich świeczki. Ani na chwilę nie zamknęła oczu. Wygięła się nad nim w łuk obserwując, jak Tom ze zdumieniem patrzy na swoje dłonie przesuwające się po jej ciele. Jej sutki były duże, koloru czekolady, a bujny trójkąt włosów na podbrzuszu błyszczał niczym skrzydło kruka.

Na Święto Dziękczynienia przywiózł ją do domu. Stwierdziła, że nigdy w życiu tak nie zmarzła. Dogadała się ze wszystkimi, nawet z końmi, i oznajmiła, że to najpiękniejsze miejsce, jakie kiedykolwiek oglądała. Tom mógł odgadnąć, co myśli jego matka z samego wyrazu jej twarzy. Że ta młoda kobieta, ze swoim nieodpowiednim obuwiem i religią, absolutnie nie nadaje się na żonę ranczera.

Niedługo potem, gdy Tom powiedział Rachel, iż ma dosyć mieszanej humanistyki i Chicago i wraca do Montany, wściekła się.

– Masz zamiar tam wrócić i być kowbojem? – spytała uszczypliwie.

Tom odparł, że owszem, w rzeczy samej właśnie to ma na myśli. Znajdowali się w jego pokoju i Rachel okręciła się dookoła, wskazując z irytacją na piętrzące się na półkach książki.

– A co z tym wszystkim? Nie obchodzi cię to wszystko?

Zastanowił się przez moment, po czym skinął głową.

– Jasne, że obchodzi – rzekł. – Częściowo właśnie dlatego chcę wyjechać. Kiedy pracowałem dorywczo, nie mogłem się po prostu doczekać, by wieczorem wrócić do tego, co czytałem. Książki posiadały jakiś magiczny urok. Ale ci nauczyciele tutaj, z całą ich gadaniną, cóż... Wydaje mi się, że jeśli zbyt dużo mówi się o tych sprawach, urok znika i szybko pozostaje tylko gadanina. Niektóre rzeczy w życiu po prostu... są.

Popatrzyła na niego przez chwilę z przechyloną do tyłu głową, po czym uderzyła go mocno w twarz.

– Ty głupi łajdaku – zawołała. – Nawet mi się nie oświadczysz?

Tak więc zrobił to. A w następnym tygodniu pojechali do Newady i wzięli ślub, oboje zdając sobie sprawę, że prawdopodobnie popełniają błąd. Jej rodzice byli wściekli. Jego tylko oszołomieni. Prawie rok Tom i Rachel mieszkali na ranczu z całą resztą, remontując chatę – rozlatującą się ruinę nad strumieniem. Była tam studnia ze starą pompą z lanego żelaza i Tom uruchomił ją ponownie, a także odbudował ogrodzenie i na mokrym betonie napisał swoje i Rachel inicjały. Wprowadzili się tam akurat na czas, by Rachel urodziła syna. Dali mu na imię Hal.

Tom pracował z ojcem i Frankiem na ranczu i patrzył, jak jego żona staje się coraz bardziej przygnębiona. Godzinami rozmawiała przez telefon ze swoją matką, a potem płakała całą noc i mówiła mu, jak się czuje samotna i jak jest głupia, że tak się czuje, bo przecież tak bardzo kocha jego i Hala, że nie powinna potrzebować niczego więcej. Pytała go wciąż, czy ją kocha, budząc go nawet czasem w środku nocy, by zadać to samo pytanie, on zaś przytulał ją i powtarzał, że tak.

Matka Toma stwierdziła, że takie rzeczy czasami zdarzają się kobiecie po porodzie i że może powinni wyjechać gdzieś na jakiś czas, zrobić sobie wakacje. Zostawili jej więc Hala i polecieli do San Francisco, i chociaż miasto spowijała zimna mgła, w ciągu tygodnia, który tam spędzili, Rachel zaczęła się ponownie uśmiechać. Chodzili na koncerty, do kina, do eleganckich restauracji i robili wszystko to, co robią turyści. A kiedy wrócili do domu, było jeszcze gorzej.

Przyszła zima, najzimniejsza, jaką ktokolwiek w okolicy pamiętał. Śnieg zsuwał się w doliny i tworzył pigmejów z topoli rosnących wzdłuż strumienia. Jednej nocy, w nagłym przypływie polarnego powietrza, stracili trzydzieści sztuk bydła, które tydzień później odłupali z lodu niczym upadłe statuy starożytnej wiary.

Futerał z wiolonczelą Rachel stał w kącie i zbierał kurz,

a kiedy Tom zapytał, dlaczego już nie grywa, odparła, że muzyka tutaj nie działa. Po prostu ginie wchłonięta przez powietrze. Po kilku dniach, sprzątając rano w kominku, Tom natknął się na poczerniałą metalową strunę. Przesiawszy resztę popiołu, znalazł zwęglony czubek instrumentu. Zajrzał do futerału – był tam jedynie smyczek.

Kiedy śnieg stopniał, Rachel powiedziała mu, że zabiera Hala i wraca do New Jersey, a Tom tylko skinął głową, pocałował ją i przytulił. Stwierdziła, iż pochodzi ze zbyt odmiennego świata, co oboje zawsze wiedzieli, chociaż nigdy tego nie przyznali. Z całą tą targaną wiatrami, bolesną przestrzenią dookoła nie potrafiła ani trochę bardziej żyć tutaj niż na księżycu. Nie było w tym goryczy, jedynie drążący smutek. I żadnych wątpliwości, że dziecko powinno jechać z Rachel. Tomowi wydawało się to jak najbardziej w porządku.

Był czwartek przed Wielkanocą, kiedy rano zapakował ich rzeczy na tył pick-upa, by zawieść Rachel i Hala na lotnisko. Górę okrywała chmura, a z równin nadciągała zimna mżawka. Tom trzymał syna, którego ledwo znał – i którego zawsze miał tylko ledwo znać – owiniętego w koc, i patrzył, jak Frank z rodzicami tworząc niezdarny szereg przed domem czekają, by się pożegnać. Rachel uścisnęła każdego z nich po kolei, jego matkę na końcu. Obie kobiety płakały.

– Przepraszam – rzekła Rachel.

Ellen przytrzymała ją i pogłaskała po głowie.

– Nie, kochanie. To ja przepraszam. My wszyscy.

*

Pierwsza klinika dla koni Toma Bookera odbyła się w Elko, w Newadzie, następnej wiosny. Był to, w powszechnym mniemaniu, wielki sukces.

9

Annie zatelefonowała z biura do Liz Hammond następnego ranka po otrzymaniu wiadomości.

– Słyszę, że znalazłaś mi zaklinacza – powiedziała.

– Kogo?

Annie roześmiała się.

– W porządku. Po prostu czytałam coś wczoraj. Tak kiedyś nazywali tych ludzi.

– Zaklinacze. Hm, podoba mi się to. Ten akurat wygląda raczej na kowboja. Mieszka gdzieś w Montanie.

Powiedziała Annie, jak się o nim dowiedziała. Był to długi łańcuch – przyjaciółka, która zna kogoś, kto przypomniał sobie, jak ktoś mówił coś o jakimś facecie, który miał kłopoty z koniem i zawiózł go do tego gościa w Newadzie... Liz wytrwale dobrnęła do końca.

– Liz, to musiało cię kosztować fortunę! Zapłacę za te telefony.

– Och, żaden problem. Okazuje się, że parę osób na Zachodzie zajmuje się takimi sprawami, ale mówiono mi, że on jest najlepszy. Tak czy siak, mam dla ciebie jego numer.

Annie zapisała i podziękowała.

– Nie ma sprawy. Ale jeśli się okaże Clintem Eastwoodem, to jest mój, okay?

Annie przytaknęła jej ponownie i odłożyła słuchawkę. Wpatrywała się w numer na żółtej karteczce przed sobą. Nie wiedziała czemu, ale nagle poczuła lęk. Skarciła się w duchu i podniósłszy słuchawkę, wykręciła numer.

*

Gdy u Rony odbywała się klinika, pierwszego wieczoru zawsze robili grilla. Przynosiło to trochę dodatkowych pieniędzy, a jedzenie było dobre, toteż Tom nie miał nic przeciwko zostaniu dłużej, chociaż bardzo chciał zrzucić już zakurzoną, przepoconą koszulę i wskoczyć do wanny.

Jedli przy długich stołach na tarasie przed niskim białym domem Rony, zbudowanym z cegły suszonej na słońcu. Tom znalazł się obok właścicielki źrebaka pełnej krwi. Wiedział, że to nie przypadek, gdyż cały wieczór trochę się do niego przystawiała. Nie miała już na głowie kapelusza i rozpuściła włosy. Przystojna kobieta może lekko po trzydziestce, uznał. I zdawała sobie z tego sprawę. Przewiercała go swymi dużymi czarnymi oczami, ale trochę przesadzała, zadając mu te wszystkie pytania i słuchając go, jakby był najbardziej niewiarygodnie interesującym facetem, jakiego kiedykolwiek spotkała. Zdążyła mu już powiedzieć, że ma na imię Dale, że handluje nieruchomościami, że ma dom nad oceanem, niedaleko Santa Barbara. Och tak, i że jest rozwiedziona.

– Po prostu nie umiem zapomnieć, jak czuło się go pod sobą, gdy było po wszystkim – mówiła znowu. – Wszystko jakby, nie wiem, uwolniło się albo coś.

Tom pokiwał głową i lekko wzruszył ramionami.

– Cóż, tak się stało – rzekł. – On chciał po prostu wiedzieć, że to jest okay, a ty musiałaś zejść mu trochę z drogi.

Przy sąsiednim stole rozległ się wybuch śmiechu i oboje się odwrócili. Facet od osła rozsiewał hollywoodzką plotkę o parze gwiazd filmowych, o których Tom nigdy nie słyszał, przyłapanej w samochodzie na robieniu czegoś, co nie bardzo potrafił sobie wyobrazić.

– Gdzie nauczyłeś się tego wszystkiego, Tom? – usłyszał pytanie Dale.

Obrócił się z powrotem do niej.

– Czego wszystkiego?

– No wiesz, o koniach. Miałeś jakiegoś guru albo nauczyciela czy coś?

Zmierzył Dale poważnym spojrzeniem, jakby miał zamiar łaskawie obdarować ją mądrością.

– Cóż, Dale, wiesz, sporo tego to właściwie mowa trawa.

Zmarszczyła brwi.

– Co masz na myśli?

– No, człowiek gada, a koń skubie sobie trawę.

Roześmiała się, zbyt entuzjastycznie, kładąc mu rękę na ramieniu. Do licha, pomyślał, to wcale nie był taki dobry dowcip.

– Nie. – Zrobiła kwaśną minę. – Powiedz mi na serio.

– Wielu z tych rzeczy tak naprawdę nie da się komuś przekazać. Można tylko stworzyć sytuację, w której ludzie są w stanie się nauczyć, jeżeli chcą. Najlepsi nauczyciele, jakich kiedykolwiek spotkałem, to same konie. Okazuje się, że sporo ludzi ma opinie, ale jeśli zależy ci na faktach, to lepiej idź do konia.

Rzuciła mu spojrzenie, które – jak uznał – miało mu przekazać w równych proporcjach: nabożne zdumienie wielką głębią Toma oraz coś raczej cielesnego. Czas się zbierać, pomyślał.

Wstał od stołu z kiepską wymówką, że musi doglądnąć Rimrocka, który dawno już był oporządzony. Kiedy życzył Dale dobrej nocy, wyglądała na lekko zirytowaną, że zmarnowała na niego tyle energii.

Wracając do motelu, stwierdził, że nieprzypadkowo Kalifornia zawsze była dobrym miejscem dla kultów mieszających seks i religię. Ludzie byli tu podatni. Może gdyby tamta sekta z Oregonu – ci, którzy nosili pomarańczowe spodnie i czcili faceta z dziewięćdziesięcioma rolls-royce'ami – ulokowała się tutaj, ciągle jeszcze byłaby silna.

W ciągu tych wszystkich lat Tom spotkał w klinikach dziesiątki kobiet takich jak Dale. Wszystkie czegoś poszukiwały. U wielu wydawało się to w jakiś dziwny sposób związane ze strachem. Kupowały sobie dzikie, drogie konie i śmiertelnie się ich bały. Szukały czegoś, co pomogłoby im pokonać ten strach, a może strach w ogóle. Mogły równie dobrze wybrać latanie na lotniach, górskie wspinaczki albo zapasy z rekinami ludojadami. Akurat tak się złożyło, iż wybrały jazdę konną.

Przychodziły do jego klinik, pragnąc oświecenia i dobrego samopoczucia. Tom nie wiedział, ile w tym było oświecenia, lecz dobre samopoczucie zdarzyło się parę razy, i to obopólne. Dziesięć lat temu wystarczyło spojrzenie takie jak to rzucone przed chwilą przez Dale, a pędziliby razem do motelu i zrzucali z siebie ubranie jeszcze przed zamknięciem drzwi.

Nie znaczy to, że obecnie zawsze przepuszczał takie okazje. Po prostu nie wydawało się to już warte tylu kłopotów. Ponieważ zazwyczaj bywały jakieś kłopoty. Ludzie rzadko wnosili do takich spotkań takie same oczekiwania. Minęło trochę, zanim nauczył się tego i zrozumiał, jakie są jego własne oczekiwania, a co dopiero każdej kobiety, którą mógł spotkać.

Przez pewien czas po odejściu Rachel winił siebie za to, co się stało. Wiedział, że nie tylko miejsce stanowiło problem. Żona, jak się zdawało, potrzebowała od niego czegoś, czego on nie potrafił dać. Kiedy mówił jej, że ją kocha, właśnie to miał na myśli. A gdy odeszła razem z Halem, oboje zostawili w nim pustkę, której – choć bardzo się starał – nigdy nie zdołał całkowicie zapełnić swoją pracą.

Zawsze lubił towarzystwo kobiet i stwierdził, że okazje do seksu trafiały mu się bez szukania. Kiedy zaś wystartowały kliniki i miesiąc po miesiącu podróżował po kraju, znajdował w tym pewną pociechę. W większości były to krótkie romanse, chociaż zdarzyło się parę kobiet – o równie liberalnym podejściu do tych spraw jak on – które po dziś dzień, gdy przejeżdżał, witały go w swych łóżkach niczym starego przyjaciela.

Jednak poczucie winy wobec Rachel pozostało w nim. Aż w końcu zdał sobie sprawę, że tym, czego od niego potrzebowała, była sama potrzeba. Żeby potrzebował jej tak jak ona jego. A Tom wiedział, iż to niemożliwe. Nigdy nie potrafiłby odczuwać takiej potrzeby, wobec Rachel czy kogokolwiek innego. Nawet bowiem bez wypowiadania tego głośno przed samym sobą i bez żadnego poczucia samozadowolenia, wiedział już, że posiada rodzaj wrodzonej równowagi, takiej, do której inni zdają się dążyć przez większość życia. Nie przyszło mu do głowy, że to coś specjalnego. Czuł się po prostu częścią jakiegoś wzoru, spójnością rzeczy ożywionych i nieożywionych, z którymi był połączony, zarówno duchem, jak i krwią.

Tom skręcił chevroletem na motelowy parking i znalazł wolne miejsce przed samym swoim pokojem.

Wanna była za krótka, by mógł długo się w niej moczyć. Trzeba było zdecydować, czy lepiej, żeby marzły ramiona czy kolana. Wyszedł i wytarł się przed telewizorem. Sprawa górskiego lwa wciąż zajmowała pierwsze miejsce w lokalnych wiadomościach. Zamierzali wytropić go i zabić. Mężczyźni ze strzelbami, w jaskrawożółtych kurtkach, przeczesywali zbocze wzgórza. Toma prawie to wzruszyło. Górski lew zobaczy te kurtki z odległości stu mil. Wszedł do łóżka, zgasił telewizor i zadzwonił do domu.

Telefon odebrał jego bratanek Joe, najstarszy z trójki chłopaków Franka.

– Cześć, Joe, jak leci?

– Dobrze. Gdzie jesteś?

– Och, w jakimś odludnym motelu, w łóżku o jard za krótkim. Chyba będę musiał zdjąć kapelusz i buty.

Joe roześmiał się. Miał dwanaście lat i był raczej cichy, podobnie jak Tom w tym wieku. Całkiem dobrze radził sobie też z końmi.

– Jak tam stara Brontozaur?

– W porządku. Robi się coraz grubsza. Tata myśli, że do połowy tygodnia się oźrebi.

– Pamiętaj, żebyś pokazał swojemu staruszkowi, co robić.
– No. Chcesz z nim rozmawiać?
– Jasne, jeśli jest w pobliżu.

Słyszał, jak Joe woła ojca. Telewizor w salonie był włączony, a żona Franka, Diane, jak zwykle wrzeszczała na jedno z bliźniąt. Wciąż wydawało mu się dziwne, że mieszkają w dużym domu. Tom w dalszym ciągu uważał go za dom rodziców, chociaż minęły już prawie trzy lata, odkąd jego ojciec zmarł, a matka przeniosła się do Rosie w Great Falls.

Po ślubie Frank i Diane zamieszkali w domku nad potokiem, tym, który zajmowali krótko Tom i Rachel, i dokonali paru przeróbek. Przy trzech rosnących chłopakach wkrótce jednak zrobiło się ciasno i po wyjeździe matki Tom namówił ich na przeprowadzkę do dużego domu. Tak dużo czasu spędzał na wyjazdach, organizując kliniki, a kiedy nawet był na miejscu, wydawał mu się on zbyt duży i zbyt pusty. Byłby zadowolony z prostej zamiany i zamieszkania samemu z powrotem w domku nad strumieniem, Diane jednak oznajmiła, że przeniosą się tylko, o ile on zostanie; jest dosyć miejsca dla nich wszyskich. Tak więc Tom zachował swój stary pokój i teraz wszyscy mieszkali razem. Goście, zarówno rodzina, jak i przyjaciele, korzystali czasem z małego domku, chociaż w zasadzie stał pusty.

Tom usłyszał kroki Franka podchodzącego do telefonu.

– Sie masz, braciszku, co tam u ciebie?
– W porządku. Rona chce pobić rekord świata ilością koni, a motel tutaj zbudowano chyba dla siedmiu krasnoludków, ale poza tym wszystko super.

Rozmawiali przez chwilę o tym, co się dzieje na ranczu. Znajdowali się w połowie okresu, gdy rodziło się najwięcej cieląt. Wstawali w środku nocy i jechali na pastwisko sprawdzić stado. Mieli mnóstwo ciężkiej pracy, ale nie stracili jeszcze żadnego cielaka i w głosie Franka słychać było wesołość. Poinformował Toma, że było wiele telefonów z pytaniami, czy nie rozważyłby ponownie swojej decyzji o rezygnacji zorganizowania klinik tego lata.

– Co im powiedziałeś?
– O, tylko tyle, że robisz się za stary i jesteś wyjałowiony.
– Dzięki.

– Dzwoniła też jakaś Angielka z Nowego Jorku. Nie chciała powiedzieć, o co chodzi, tylko że to pilne. Strasznie mnie męczyła, żebym jej podał twój numer tam, gdzie jesteś. Obiecałem, że poproszę cię, byś do niej zadzwonił.

Tom wziął karteczkę ze stolika nocnego i zapisał nazwisko Annie oraz cztery numery, które zostawiła, w tym jeden telefonu komórkowego.

– To wszystko? Tylko cztery? Nie ma numeru do willi w południowej Francji?

– Nie. To tyle.

Porozmawiali trochę o Bronty, po czym się pożegnali. Tom spojrzał na kartkę. Nie znał zbyt wielu osób w Nowym Jorku, tylko Rachel i Hala. Może to miało coś wspólnego z nimi, chociaż ta kobieta – kimkolwiek jest – na pewno by o tym wspomniała. Zerknął na zegarek. Było wpół do jedenastej, czyli wpół do drugiej w Nowym Jorku. Odłożył kartkę na stolik i zgasił światło. Zadzwoni rano.

*

Nie miał okazji. Było jeszcze ciemno, gdy telefon zadzwonił i obudził go. Przed podniesieniem słuchawki zapalił światło i zobaczył, że dopiero kwadrans po piątej.

– Czy to Tom Booker?

Po akcencie natychmiast odgadł, kto to musi być.

– Chyba tak – odparł. – Trochę za wcześnie, żeby mieć pewność.

– Wiem, przepraszam. Pomyślałam, że prawdopodobnie wstaje pan wcześnie i chciałam pana zastać. Nazywam się Annie Graves. Telefonowałam wczoraj do pańskiego brata, nie wiem, czy panu mówił.

– Jasne. Mówił mi. Miałem zamiar do pani zadzwonić. Powiedział, że nie podał pani tego numeru.

– Bo nie podał. Udało mi się zdobyć go od kogoś innego. Tak czy owak, dzwonię dlatego, że – o ile rozumiem – pomaga pan ludziom, którzy mają kłopoty z końmi.

– Nie, proszę pani, nie robię tego.

Po drugiej stronie zapadła cisza. Tom domyślił się, że zbił ją z pantałyku.

– Och – powiedziała. – Przepraszam, myślałam...
– Jest na odwrót. Pomagam koniom, które mają kłopoty z ludźmi.
Nie zaczęli zbyt dobrze i Tom pożałował swojego mądrowania się. Zapytał ją, w czym problem i słuchał długo w milczeniu, kiedy opowiadała mu, co przydarzyło się jej córce i koniowi. Wstrząsnęło to nim, jeszcze bardziej z powodu umiarkowanego, niemal beznamiętnego sposobu, w jaki to mówiła. Wyczuwał tam wprawdzie emocje, lecz głęboko pogrzebane i zdecydowanie pod kontrolą,
– To okropne – odezwał się, gdy Annie skończyła. – Naprawdę mi przykro.
Słyszał, jak bierze głęboki oddech.
– Tak, cóż. Przyjedzie pan go obejrzeć?
– Co, do Nowego Jorku?
– Tak.
– Proszę pani, obawiam się, że...
– Oczywiście zapłacę za podróż.
– Chciałem powiedzieć, że nie robię takich rzeczy. Nawet gdyby to było bliżej, nie zajmuję się tym. Organizuję kliniki. A na razie nawet tego nie robię. Ta tutaj jest ostatnią aż do jesieni.
– Więc miałby pan czas, żeby przyjechać, gdyby pan chciał?
To nie brzmiało jak pytanie. Była dosyć natarczywa. A może to po prostu kwestia akcentu.
– Kiedy kończy się pana klinika?
– W środę. Ale...
– Mógłby pan przyjechać w czwartek?
Nie chodziło o akcent. Uchwyciła się lekkiego wahania i znowu napierała. To tak, jak z koniem – wybierasz linię najmniejszego oporu i pracujesz w oparciu o nią.
– Przykro mi, proszę pani – oznajmił stanowczo. – I naprawdę mi przykro z powodu tego, co się stało. Ale na ranczo czeka na mnie robota i nie mogę pani pomóc.
– Niech pan tak nie mówi. Proszę, niech pan tak nie mówi. Zechciałby pan przynajmniej to przemyśleć. – Znów nie było to pytanie.
– Proszę pani...

– Lepiej już skończę. Przepraszam, że pana obudziłam.
I bez pożegnania, nie pozwalając mu dojść do słowa, odłożyła słuchawkę.

*

Kiedy następnego ranka Tom wszedł do holu, dyrektor motelu wręczył mu przesyłkę Federal Express. Zawierała fotografię dziewczynki na pięknym koniu rasy Morgan oraz otwarty bilet powrotny do Nowego Jorku.

10

Tom położył ramię na oparciu pokrytej plastikiem ławki i obserwował swojego syna, smażącego hamburgery za kontuarem baru. Chłopak sprawiał wrażenie, jakby robił to całe życie, w taki sposób przewracał mięso na grillu i podrzucał je nonszalancko, jednocześnie gadając i śmiejąc się z jedną z kelnerek. Była to, zapewnił Toma Hal, najpopularniejsza nowa restauracja w Greenwich Village.

Chłopak pracował tutaj za darmo trzy lub cztery razy w tygodniu, w zamian za bezpłatne lokum w mieszkaniu na poddaszu, należącym do przyjaciela Rachel. Poza pracą tutaj uczył się w szkole filmowej. Wcześniej opowiadał Tomowi o kręconym właśnie filmie krótkometrażowym.

– To o facecie, który zjada, kawałek po kawałku, motor swojej dziewczyny.

– Brzmi ostro.

– I takie jest. To rodzaj filmu drogi, ale osadzonego w jednym miejscu. – Tom był na jakieś dziewięćdziesiąt procent pewien, że to żart. Naprawdę miał taką nadzieję. Hal ciągnął dalej. – Po skończeniu z motorem robi to samo z dziewczyną.

Tom pokiwał głową, rozważając to.

– Chłopak spotyka dziewczynę, chłopak zjada dziewczynę.

Hal roześmiał się. Odziedziczył po matce gęste czarne włosy i ciemną karnację, chociaż oczy miał niebieskie. Tom bardzo go lubił. Nie widywali się zbyt często, ale pisywali do siebie, a kiedy się spotykali, czuli się razem zupełnie swobodnie. Hal wyrósł na miastowego dzieciaka, lecz od czasu do czasu przyjeżdżał do Montany i bardzo mu się tam podobało. Całkiem dobrze też jeździł konno.

Minęło parę lat, odkąd Tom widział się z matką chłopca, rozmawiali jednak przez telefon o Halu i o tym, jak mu leci, i to także nie sprawiało im nigdy trudności.

Rachel wyszła za handlarza dziełami sztuki imieniem Leo i mieli jeszcze troje dzieci, teraz nastoletnich. Hal skończył dwadzieścia lat i zdawało się, że wyrósł na szczęśliwego młodzieńca. To właśnie okazja zobaczenia go zaważyła na decyzji polecenia na Wschód i rzucenia okiem na konia Angielki. Tom wybierał się tam dziś po południu.

– Proszę. Jeden cheesburger z bekonem.

Hal postawił danie przed nim i z szerokim uśmiechem na twarzy usiadł naprzeciwko. Sam pił tylko kawę.

– Ty nie jesz? – spytał Tom.

– Zjem coś później. Spróbuj.

Tom ugryzł kęs i pokiwał głową z aprobatą.

– Dobre.

– Są tacy, co tylko kładą je na grillu. A trzeba nad nimi popracować, połączyć soki.

– Możesz tak się odrywać od roboty?

– O, jasne. Jak zrobi się ruch, pójdę pomóc.

Nie minęło jeszcze południe i w barze panował spokój. Tom normalnie nie lubił jeść dużo o tej porze, a w ogóle rzadko jadał teraz mięso, lecz Hal miał taką ochotę zrobić mu burgera, więc udał, że chce. Przy sąsiednim stoliku czterech mężczyzn w garniturach i z mnóstwem biżuterii na nadgarstkach rozmawiało głośno o ubitym interesie. Nie była to typowa klientela, jak dyskretnie poinformował go Hal. Tom jednak dobrze się bawił, obserwując ich. Energia Nowego Jorku zawsze robiła na nim wrażenie. Był jedynie zadowolony, że nie musi tu mieszkać.

– Jak tam mama? – spytał.

– Świetnie. Znowu gra. Leo zorganizował jej koncert w niedzielę, w jednej galerii, zaraz tu niedaleko.

– To dobrze.

– Miała zamiar przyjść dzisiaj zobaczyć się z tobą, ale wczoraj wieczorem była ta ogromna awantura i pianista sobie poszedł, więc teraz wielce panikują, żeby znaleźć kogoś innego. Kazała przekazać ci pozdrowienia.

– Nie zapomnij przekazać jej moich.

Rozmawiali o studiach Hala i jego planach na lato. Stwierdził, że chciałby na parę tygodni przyjechać do Montany i wydawało się Tomowi, że mówi to, bo tak myśli, a nie tylko dlatego, by mu sprawić przyjemność. Tom opowiedział mu, jak będzie pracował z jednoroczniakami i częścią starszych źrebaków, które hoduje. Od samego mówienia o tym zapragnął już jak najszybciej zacząć. Jego pierwsze od dłuższego czasu lato bez klinik, bez podróży, tylko pobyt tam, u stóp gór i obserwowanie, jak krajobraz znowu ożywa.

Restauracyjka zaczęła się napełniać, więc Hal musiał wracać do pracy. Nie pozwolił Tomowi zapłacić i wyszedł z nim na ulicę. Wkładając kapelusz, Tom zauważył spojrzenie syna. Miał nadzieję, że towarzystwo kowboja nie jest zbyt krępujące. Zawsze było trochę niezręcznie, gdy się żegnali, gdyż Tom zastanawiał się, czy nie powinien może uściskać chłopaka, ale jakby nabrali już zwyczaju tylko podawania sobie ręki, więc i dzisiaj, jak zwykle, ograniczyli się do tego.

– Powodzenia z koniem – rzekł Hal.

– Dziękuję. A tobie w filmie.

– Dzięki. Przyślę ci kasetę.

– Chętnie obejrzę. No to cześć, Hal.

– Cześć.

Tom postanowił przejść się trochę przed złapaniem taksówki. Było zimno i szaro, kłęby pary unosiły się z włazów na ulicy. Na rogu stał młody żebrak. Jego włosy wyglądały jak plątanina szczurzych ogonów, skórę zaś miał koloru pogniecionego pergaminu. Palce wystawały mu z wystrzępionych wełnianych rękawiczek. Był bez płaszcza, więc skakał z nogi na nogę dla zachowania ciepła. Tom dał mu pięciodolarowy banknot.

Spodziewali się go w stajni około czwartej, ale po dotarciu na Penn Station zobaczył, że jest jeden wcześniejszy pociąg i postanowił nim pojechać. Im więcej dziennego światła będzie do oglądania konia, pomyślał, tym lepiej. Poza tym w ten sposób może uda mu się najpierw samemu rzucić okiem na zwierzę. Zawsze łatwiej, gdy nie czujesz na karku oddechu właścicielki. Wtedy koniom zawsze udzielało się napięcie. Był pewien, że kobieta nie będzie miała nic przeciwko temu.

*

Annie zastanawiała się przedtem, czy powiedzieć Grace o Tomie Bookerze. O Pielgrzymie ledwo napomykali od dnia, gdy zobaczyła go w stajni. Raz Annie i Robert próbowali porozmawiać z nią o koniu uznając, że lepiej stawić czoło temu, co powinni z nim zrobić. Grace jednak bardzo się wzburzyła i gwałtownie przerwała matce.

– Nie chcę tego słuchać – oznajmiła. – Mówiłam wam, czego chcę. Chcę, żeby wrócił do Kentucky. Ale wy zawsze wiecie lepiej, więc sami zadecydujcie.

Robert położył jej uspokajająco dłoń na ramieniu i zaczął coś mówić, lecz ona gwałtownie strąciła jego rękę i wrzasnęła:

– Nie, tato!

Dali więc spokój.

W końcu postanowili jednak powiedzieć jej o człowieku z Montany. Grace stwierdziła jedynie, że nie chce być w Chatham, kiedy on przyjedzie. Zdecydowano więc, że Annie pojedzie sama. Dotarła tam pociągiem poprzedniego wieczoru i spędziła ranek na farmie telefonując i usiłując skoncentrować się na artykule, przesłanym jej modemem z biura na ekran komputerowy.

Okazało się to niemożliwe. Powolne tykanie zegara w holu, które normalnie poprawiało jej samopoczucie, dzisiaj było prawie nie do zniesienia. A z każdą wlokącą się godziną stawała się coraz bardziej nerwowa. Głowiła się nad przyczyną takiego stanu i nie znalazła żadnej zadowalającej odpowiedzi. Jedynym, co zdołała określić, było przeczucie – równie przenikliwe co irracjonalne – że w jakiś nieubłagany sposób ten obcy człowiek miał zaważyć dzisiaj nie tylko na losie Pielgrzyma, lecz także na losie ich wszystkich. Grace, Roberta i jej samej.

*

Na stacji w Hudson nie było taksówek, kiedy pociąg przyjechał. Zaczynało mżyć i Tom musiał czekać przez pięć minut pod ociekającym płóciennym daszkiem nad peronem, aż coś się pojawiło. Usiadł z tyłu ze swoją torbą i podał kierowcy adres do stajni.

Hudson wyglądało, jakby kiedyś było ślicznym miejscem, a teraz stało się nieprzyjemne. Okazałe dawniej budynki rozsypywały się. Wiele sklepów wzdłuż – jak przypuszczał Tom – głównej ulicy było zabitych deskami, a wydawało się, że pozostałe sprzedają głównie rupiecie. Ludzie chodzili po chodnikach, garbiąc się w deszczu.

Minęła właśnie trzecia, gdy taksówka skręciła na podjazd i ruszyła pod górę, w stronę stajni pani Dyer. Tom wyjrzał na konie, stojące w deszczu na błotnistych polach. Nastawiwszy uszy, obserwowały przejeżdżający samochód. Wjazd na podwórze stajenne blokowała przyczepa. Tom poprosił taksówkarza o poczekanie i wysiadł.

Przeciskając się pomiędzy przyczepą a ścianą, słyszał dochodzące z podwórza głosy i stukot kopyt.

– Wliź! Wliź tam, do cholery!

Synowie Joan Dyer próbowali wprowadzić dwa przestraszone źrebaki do otwartej od tyłu przyczepy. Tim stał na pochylni i usiłował wciągnąć pierwszego za uździenicę. Było to przeciąganie liny, które łatwo by przegrał, gdyby po drugiej stronie zwierzęcia nie stał Eric, popędzając konia biczem i unikając jego kopyt. W drugiej ręce trzymał postronek od drugiego źrebaka, teraz już równie przerażonego jak pierwszy. Wszystko to Tom ogarnął jednym spojrzeniem po przedostaniu się na podwórze.

– Hej, chłopaki, co tu się dzieje? – odezwał się.

Obaj odwrócili się i spojrzeli na niego, ale żaden nie odpowiedział. Następnie zignorowali go zupełnie i wrócili do swojego zajęcia.

– Nic z tego, do diabła – rzucił Tim. – Spróbuj najpierw tego drugiego.

Szarpnięciem odciągnął źrebaka od przyczepy, tak że Tom musiał szybko przycisnąć się na nowo do muru. W końcu Eric popatrzył na niego jeszcze raz.

– Mogę w czymś pomóc? – W jego głosie i w sposobie, w jaki zmierzył go wzrokiem, była taka pogarda, że Tom mógł się jedynie uśmiechnąć.

– Dziękuję. Szukam konia zwanego Pielgrzymem. Należy do niejakiej pani Annie Graves, zdaje się.

– Kim pan jest?
– Nazywam się Booker.
Eric kiwnął głową w stronę stodoły.
– Lepiej niech pan idzie do mamy.
Tom podziękował mu i ruszył w tamtą stronę. Słyszał, jak jeden z nich chichocze i rzuca coś na temat Wyatta Earpa, ale nie obejrzał się. Kiedy podchodził do stodoły, wyszła stamtąd pani Dyer. Przedstawił się, ściskając jej rękę, którą podała mu po otarciu o kurtkę. Spojrzała ponad jego ramieniem na synów przy przyczepie i pokręciła głową.
– Są na to lepsze sposoby – zauważył Tom.
– Wiem – przyznała ze znużeniem. Najwyraźniej jednak nie miała ochoty ciągnąć tego tematu. – Przyjechał pan za wcześnie. Annie jeszcze nie ma.
– Przepraszam. Złapałem wcześniejszy pociąg. Powinienem był zadzwonić. Nic by się nie stało, gdybym rzucił na niego okiem, zanim ona przyjedzie?
Zawahała się. Posłał jej konspiracyjny uśmiech, bardzo bliski mrugnięciu, oznaczający, że ona – znając się na koniach – zrozumie, co chciał powiedzieć.
– Wie pani, jak to czasem jest, no, jakby łatwiej przyjrzeć się tym sprawom, kiedy właściciela nie ma w pobliżu.
Połknęła przynętę i pokiwała głową.
– Jest tam z tyłu.
Tom obszedł za nią stodołę, kierując się do rzędu starych boksów. Zbliżywszy się do przegrody Pielgrzyma, odwróciła się twarzą do Toma. Nagle wydała się poruszona.
– Muszę panu powiedzieć, że to od początku była katastrofa. Nie wiem, ile ona panu powiedziała, ale zdaniem wszystkich – poza nią – tego konia trzeba było dawno temu wybawić z niedoli. Czemu weterynarze zgadzają się na to, nie mam pojęcia. Szczerze mówiąc, uważam, że trzymanie go przy życiu to okrucieństwo i głupota.
Żarliwość tego oświadczenia zaskoczyła Toma. Powoli pokiwał głową, po czym spojrzał na zaryglowaną bramkę. Dostrzegł już wyciekający spod niej żółtawobrązowy płyn i poczuł nieczystości ze środka.
– Jest tutaj?
– Tak. Niech pan uważa.

Tom odciągnął górną zasuwę i usłyszał natychmiast szuranie nogami. Smród przyprawiał o mdłości.

– Boże, nikt mu nie sprząta?

– Za bardzo się wszyscy boimy – odparła cicho pani Dyer.

Tom delikatnie otworzył górną połowę bramki i zajrzał do środka. Dostrzegł Pielgrzyma poprzez ciemność, odwzajemniającego jego spojrzenie z położonymi po sobie uszami i obnażonymi żółtymi zębami. Nagle koń skoczył do przodu i stanął dęba, atakując go kopytami. Tom zwinnie się cofnął – kopyta minęły go o cale i grzmotnęły o dolną część bramki. Tom zamknął górę i zatrzasnął rygiel.

– Gdyby zobaczył to jakiś inspektor, zamknąłby całe to przeklęte miejsce – powiedział.

Spokojna, opanowana wściekłość w jego głosie sprawiła, że pani Dyer spuściła wzrok.

– Wiem, próbowałam powiedzieć...

Przerwał jej.

– Powinna się pani wstydzić.

Odwrócił się i odszedł w stronę podwórza. Doszedł go odgłos silnika samochodu, pracującego na przyspieszonych obrotach, oraz przerażone rżenie konia, gdy zaczął trąbić klakson. Minąwszy róg stodoły, dostrzegł, że jeden ze źrebaków jest już uwiązany na przyczepie. Na jednej z tylnych nóg miał krew. Eric usiłował wciągnąć drugiego, smagając go batem w zad, podczas gdy jego brat zamykał mu odwrót w starym pick-upie, naciskając na klakson. Tom podszedł do samochodu, gwałtownym szarpnięciem otworzył drzwi i wyciągnął chłopaka za kark.

– Co ty, kurwa, myślisz, że kto jesteś? – zawołał chłopak, choć końcówka tego pytania wyszła falsetem, jako że Tom szarpnął nim w bok i rzucił na ziemię.

– Wyatt Earp – oznajmił Tom i poszedł prosto w stronę Erica, który zaczął się cofać.

– Słuchaj, kowboju... – zaczął.

Tom chwycił go za gardło, oswobodził źrebaka, po czym wyrwał bat chłopakowi, wykręcając mu rękę tak, że ten zaskamlał. Źrebak pobiegł przez podwórze ratując się. Tom miał bat w jednej ręce, drugą zaś wciąż zaciskał na gardle Erica, któremu przerażone oczy zaczęły wychodzić na wierzch, i trzymał go tak przed sobą.

– Gdybym uważał, że jesteś wart wysiłku – rzekł Tom – stłukłbym cię na kwaśne jabłko.

Odepchnął go i chłopak z głuchym odgłosem uderzył plecami o ścianę. Obejrzawszy się Tom ujrzał panią Dyer wychodzącą na podwórze. Odwrócił się i obszedł przyczepę.

Przecisnąwszy się z powrotem na otwartą przestrzeń, zobaczył kobietę wysiadającą ze srebrnego forda lariata, zaparkowanego obok czekającej taksówki. Przez moment stał z Annie Graves twarzą w twarz.

– Pan Booker? – odezwała się. Tom ciężko oddychał. Wszystko, co zarejestrował, to kasztanowate włosy i zaniepokojone zielone oczy. Skinął głową. – Jestem Annie Graves. Dotarł pan tu trochę za wcześnie.

– Nie, proszę pani. Dotarłem tu cholernie za późno.

Wsiadł do taksówki, zatrzasnął drzwi i kazał kierowcy jechać. Gdy opuszczali podjazd, zdał sobie sprawę, że wciąż trzyma w ręku bat. Opuścił szybę i cisnął go do rowu.

11

To Robert ostatecznie zaproponował, by pojechali do Lestera na śniadanie. Decyzja ta spędzała mu sen z powiek od dwóch tygodni. Nie byli tam, odkąd Grace zaczęła ponownie chodzić do szkoły i ten nie wypowiedziany fakt zaczynał im ciążyć. Powodem, dla którego nie wspominali o tym, było to, iż doskonałe śniadanie u Lestera tworzyło zaledwie część rytuału. Drugą, równie ważną, stanowiło dojechanie tam autobusem przez całe miasto.

Była to jedna z tych głupot, które zaczęły się, gdy Grace miała sporo lat mniej. Czasami Annie też jechała, lecz zazwyczaj tylko Robert i Grace. Zawsze udawali, że to jakaś wielka przygoda. Siadali z tyłu i bawili się, szepcząc sobie na zmianę do ucha drobiazgowe fantazje na temat innych pasażerów. Kierowca był tak naprawdę robotem-zabójcą, a tamte małe starsze panie gwiazdami rocka w przebraniu. Ostatnio już tylko plotkowali, ale aż do wypadku nikomu z nich nigdy nie przyszło do głowy, by nie jechać autobusem. Teraz żadne nie miało pewności, czy Grace da radę wsiąść do niego.

Jak dotąd, chodziła do szkoły dwa, a potem trzy dni w tygodniu, tylko rano. Robert zawoził ją taksówką, Elza zaś odbierała ją w południe, również taksówką. Robert i Annie starali się zachować obojętny ton, gdy pytali ją, jak leci. Świetnie, odpowiadała. Wszystko było świetnie. A jak tam Becky i Cathy, i pani Shaw? Też świetnie. Podejrzewał, że ona doskonale wie, o co chcą spytać, lecz nie potrafią. Czy ludzie gapią się na jej nogę? Czy pytają ją o to? Czy zauważyła, by o niej gadali?

– Śniadanie u Lestera? – spytał tego ranka Robert, tak rzeczowym tonem, na jaki tylko mógł się zdobyć. Annie wyszła już na jakieś wczesne spotkanie.

Grace wzruszyła ramionami i powiedziała:

– Jasne. Skoro chcesz.

Zjechali windą na dół i przywitali się z Ramonem, oddźwiernym.

– Sprowadzić taksówkę? – zaproponował.

– Nie. Jedziemy autobusem.

Gdy mijali dwie przecznice w drodze na przystanek, Robert nawijał o czymś i usiłował sprawiać wrażenie, jakby było rzeczą naturalną, że idą tak wolno. Wiedział, że Grace go nie słucha. Oczy miała utkwione w chodnik z przodu, badając jego powierzchnię na wypadek pułapek, koncentrując się mocno na odpowiednim stawianiu gumowej końcówki laski i ciągnąc za nią nogę. Zanim dotarli na przystanek, pomimo chłodu była spocona.

Kiedy nadjechał autobus, wsiadła do niego, jakby robiła to od lat. Panował spory tłok i przez jakiś czas stali blisko przodu. Jakiś starszy mężczyzna, widząc laskę Grace, ofiarował jej swoje miejsce. Podziękowała i próbowała odmówić, ale nie chciał o tym słyszeć. Robert miał ochotę krzyczeć na niego, żeby dał jej spokój, nie zrobił tego jednak. W końcu Grace ustąpiła i czerwieniąc się usiadła. Podniósłszy wzrok na Roberta, posłała mu nikły uśmiech upokorzenia, który poraził mu serce.

Po wejściu do kawiarni Robert nagle spanikował, że nie zadzwonił i nie uprzedził Lestera, tak aby ten nie robił zamieszania i nie zadawał kłopotliwych pytań. Niepotrzebnie się martwił. Być może powiedział im już ktoś ze szkoły, gdyż Lester i kelnerzy zachowywali się zupełnie naturalnie – byli pełni werwy i weseli.

Usiedli przy tym stoliku co zawsze, pod oknem, i zamówili jak zwykle rogale z białym serem i wędzonym łososiem. Podczas czekania Robert bardzo się starał podtrzymywać rozmowę. Całkowicie nowa była dla niego ta potrzeba wypełniania okresów milczenia pomiędzy nimi. Rozmawianie z Grace przychodziło mu zawsze tak łatwo. Zauważył, jak jej oczy wciąż wędrują za przechodniami za szybą, zmierzającymi do pracy. Lester, elegancki człowieczek z małym wąsem, miał za ladą włączone radio i przynajmniej raz Robert czuł wdzięczność za ciągły, bezmyślny bełkot informacji dla kierowców i dżingli. Grace ledwo tknęła swoje rogaliki.

– Chcesz pojechać do Europy latem? – zapytał.

– Co, chodzi ci o wakacje?

– Tak. Myślałem, że moglibyśmy pojechać do Włoch. Wynająć dom w Toskanii albo gdzieś. Co ty na to?

Wzruszyła ramionami.

– Okay.

– Nie musimy.

– Czemu nie. Byłoby fajnie.

– Jeśli będziesz w formie, może byśmy nawet zahaczyli o Anglię i odwiedzili twoją babcię.

Grace skrzywiła się. Groźba wysłania jej do matki Annie stanowiła stary rodzinny żart. Zerknęła za okno, a potem znów na Roberta.

– Chyba już pójdę, tato.

– Nie jesteś głodna?

Potrząsnęła głową. Zrozumiał. Chciała znaleźć się w szkole wcześnie, zanim korytarze zapełnią się głupkowatymi dziewczynami. Odsunął swoją kawę i zapłacił rachunek.

Grace zmusiła go do pożegnania się na rogu, żeby nie odprowadzał jej do wejścia do szkoły. Pocałowawszy ją, odszedł, zwalczając w sobie impuls, by się odwrócić i patrzeć, jak wchodzi. Wiedział, że gdyby zauważyła go obserwującego, mogłaby pomylić troskę z litością. Cofnął się do Trzeciej Alei i skręcił do centrum, w stronę swojego biura.

W czasie gdy siedzieli w kawiarni, przejaśniło się. Zanosiło się na jeden z tych lodowatych nowojorskiech dni z błękitnym niebem, które Robert uwielbiał. Doskonała pogoda na spacer, toteż szedł żwawym krokiem, usiłując odpędzić myśli o tej samotnej postaci kulejącej do szkoły poprzez zastanawianie się nad tym, co musi zrobić po przyjściu do pracy.

Najpierw, jak zwykle, zadzwoni do prawnika od szkód osobistych, wynajętego przez nich do pilnowania farsy prawniczej, jaką – zdawałoby się, że w wyniku przeznaczenia – stawał się wypadek Grace.

Tylko rozsądna osoba byłaby na tyle głupia, by myśleć, że sprawa może sprowadzić się do tego, czy dziewczęta zachowały się nonszalancko, jadąc tamtego ranka konno drogą, czy też kierowca zachował się niedbale, najeżdżając na nie. Zamiast tego, oczywiście, wszyscy pozywali wszystkich: ubezpieczalnie dziewczynek, kierowca ciężarówki, jego firma ubezpieczeniowa, spółka transportowa z Atlanty, ich firma ubezpieczeniowa, firma, w której kierowca pożyczył ciężarówkę, ich firma ubezpieczeniowa, producenci ciężarówki, producenci opon do ciężarówki, hrabstwo, celulozownia, kolej. Nikt jeszcze nie zaskarżył Pana Boga za to, że pozwolił śniegowi padać, był na to jednak jeszcze czas. Sytuacja „powód – adwokat" w czystej postaci i Robert czuł się dziwnie, patrząc na to z drugiego końca.

Przynajmniej, dzięki Bogu, udało im się utrzymać większość z tego, co się działo, z dala od Grace. Poza oświadczeniem, które złożyła w szpitalu, wszystko, co musiała zrobić, to zeznanie pod przysięgą wobec ich prawnika. Grace wielokrotnie wcześniej spotykała się z tą kobietą towarzysko i ponowne relacjonowanie wypadku nie wydawało się jej przeszkadzać. Po raz kolejny stwierdziła, że nie pamięta nic od momentu ześlizgnięcia się z nasypu.

Na początku nowego roku kierowca ciężarówki napisał do nich list z przeprosinami. Robert i Annie długo dyskutowali, czy pokazać go Grace, i w końcu zdecydowali, iż ma do tego prawo. Przeczytała, oddała im i powiedziała jedynie, że to miło z jego strony. Dla Roberta równie ważną decyzją było, czy pokazać list ich adwokatowi, który naturalnie z radością uchwyciłby się go jako przyznania się do winy. Prawnik w Robercie domagał się: „pokaż”. Coś bardziej ludzkiego mówiło mu „nie”. Zachował się asekurancko i zatrzymał list w aktach.

W oddali dostrzegł teraz słońce migoczące zimno w szklanej wieży jego biurowca.

Utracona kończyna, przeczytał niedawno w jakimś uczonym czasopiśmie prawniczym, mogła być w dzisiejszych czasach warta trzy miliony dolarów odszkodowania. Przywołał na myśl bladą twarz córki wyglądającej przez okno kawiarni. Jakimiż doskonałymi ekspertami muszą oni być, pomyślał, by tak to wycenić.

*

Szkolny korytarz był bardziej zatłoczony niż zazwyczaj. Grace szybko przejechała wzrokiem po twarzach, mając nadzieję, że nie zobaczy nikogo z klasy. Dostrzegła mamę Becky, która rozmawiała z panią Shaw, lecz żadna z nich nie patrzyła w jej stronę, a nigdzie nie było widać Becky. Prawdopodobnie siedziała już w bibliotece, przy komputerze. W dawnych czasach Grace też właśnie tam by się udała. Wygłupiałyby się, wysyłając sobie pocztą elektroniczną śmieszne wiadomości, aż do dzwonka. Potem pognałyby schodami do klasy, ze śmiechem odpychając się nawzajem łokciami.

Teraz, gdy Grace nie mogła sobie poradzić na schodach, wszystkie czułyby się zobligowane do pojechania z nią windą – powolnym starociem. By zaoszczędzić im zakłopotania, Grace sama udała się prosto na górę, żeby siedzieć już w ławce, kiedy przyjdą.

Podeszła do windy i nacisnęła guzik, po czym wpatrywała się w niego chcąc, aby ewentualnie przechodzące koleżanki miały szansę jej uniknąć.

Od jej powrotu do szkoły wszyscy byli dla niej tacy mili. Na tym polegał problem. Ona po prostu chciała, żeby zachowywali się normalnie. Inne rzeczy także się zmieniły. Podczas jej nieobecności koleżanki jakby się delikatnie przegrupowały. Becky i Cathy, jej dwie najlepsze przyjaciółki, zbliżyły się do siebie. Kiedyś wszystkie trzy były nierozłączne. Plotkowały, dokuczały sobie, narzekały na siebie i pocieszały nawzajem co wieczór przez telefon. Tworzyły doskonale zgraną trójkę. Teraz jednak, chociaż starały się jak mogły włączyć ją w to, nie było już tak samo. Ale też, jak mogło być?

Nadjechała winda i Grace weszła do środka, wdzięczna losowi za to, że do końca czekała samotnie i będzie miała windę dla siebie. Gdy jednak drzwi już się zasuwały, wpadły dwie młodsze dziewczyny, roześmiane i trajkoczące. Kiedy tylko dostrzegły Grace, obie zamilkły.

Grace uśmiechnęła się i rzuciła:

– Cześć.

– Cześć – odparły razem, ale więcej się nie odezwały i wszystkie trzy stały tak niezręcznie, podczas gdy winda wznosiła się mozolnie i ze skrzypieniem. Grace zauważyła, że obie dziewczyny bacznie oglądają gołe ściany i sufit, patrząc na wszystko poza tą jedną rzeczą, na którą wiedziała, że chcą popatrzeć: jej nogę. Zawsze było tak samo.

Wspomniała o tym „psychologowi pourazowemu", jeszcze jednej specjalistce, do której rodzice wysyłali ją co tydzień. Kobieta miała dobre chęci i prawdopodobnie była doskonała w swoim fachu, dla Grace jednak sesje okazały się kompletną stratą czasu. Jak mogła ta obca osoba – jak mógł ktokolwiek – wiedzieć, jak to jest?

– Powiedz im, że mogą sobie patrzeć – poradziła kobieta. – Powiedz im, że mogą o tym rozmawiać.

Nie o to jednak chodziło. Grace nie chciała, żeby patrzyły; nie chciała, żeby o tym rozmawiały. Rozmawiać. Ci psychiatrzy chyba myślą, że gadanie rozwiązuje każdy problem, a to po prostu nieprawda.

Wczoraj ta kobieta usiłowała namówić ją do rozmowy o Judith, to zaś było ostatnią rzeczą na ziemi, jaką Grace chciała robić.

– Co czujesz na myśl o Judith?

Grace miała ochotę wrzeszczeć. Zamiast tego odparła chłodno:

– Ona nie żyje, jak, według pani, mam się czuć?

W końcu kobieta załapała i porzuciła ten temat.

Tak samo było kilka tygodni wcześniej, kiedy próbowała nakłonić Grace, by mówiła o Pielgrzymie. Był okaleczony i bezużyteczny, tak jak Grace, i za każdym razem gdy o nim pomyślała, wszystko, co widziała, to te okropne oczy, kryjące się w kącie śmierdzącego boksu pani Dyer. Co, u licha, miało pomóc myślenie albo gadanie o tym?

Winda zatrzymała się na piętrze poniżej Grace i dwie młodsze dziewczyny wysiadły. Usłyszała, jak ruszywszy korytarzem, natychmiast znowu zaczęły rozmawiać.

Kiedy dotarła do swojej klasy, było tak, jak liczyła – nikt inny jeszcze się nie pojawił. Wyjęła książki z torby, starannie schowała laskę pod ławkę, po czym powoli opuściła się na twarde, drewniane siedzenie. Właściwie było ono tak twarde, że nim minęło południe, rwało ją w kikucie z bólu. Potrafiła jednak poradzić sobie z tym. Ten rodzaj bólu był łatwy.

*

Minęły trzy dni, zanim Annie miała możność porozmawiać z Tomem Bookerem. Wyrobiła już sobie dosyć jasny obraz tego, co stało się w stajni tamtego dnia. Po odjeździe taksówki weszła na podwórze i odczytała większą część historii z samych twarzy obu chłopaków. Ich matka chłodno oznajmiła Annie, że do poniedziałku Pielgrzym ma opuścić to miejsce.

Annie zadzwoniła do Liz Hammond i razem pojechały do Harry'ego Logana. Kiedy przyjechały, właśnie kończył histerektomię na małym piesku. Pojawił się w rękawicach chirurgicznych, na widok obu kobiet mruknął „ojej" i udał, że się chowa. Za kliniką miał kilka boksów dla zdrowiejących koni i – po wielu wzdychaniach – pozwolił Annie umieścić Pielgrzyma w jednym z nich.

– Tylko na tydzień. – Pogroził jej palcem.

– Na dwa – powiedziała Annie.

Popatrzył na Liz i uśmiechnął się beznadziejnie.

– To twoja przyjaciółka? Okay, w takim razie na dwa. To już absolutne maksimum. W tym czasie znajdziecie coś innego.

– Harry, jesteś kochany – rzekła Liz.

Podniósł ręce.

– Jestem idiotą. Ten koń – gryzie mnie, kopie, przeciąga przez zamarzającą rzekę i co ja robię? Przyjmuję go jako gościa.

– Dzięki, Harry – odezwała się Annie.

Następnego ranka we trójkę pojechali do stajni. Chłopaków nie było w pobliżu i tylko raz Annie zauważyła Joan Dyer, wyglądającą z okna na piętrze domu. Po dwóch godzinach pozostawiającej siniaki walki i potrójnej dawce środków uspokajających, które Harry z radością podał, umieścili Pielgrzyma w przyczepie i odwieźli do kliniki.

Nazajutrz po wizycie Toma Bookera Annie próbowała zadzwonić do niego do Montany. Kobieta, która odebrała telefon – żona Bookera, jak przypuszczała Annie – powiedziała jej, że spodziewa się jego powrotu na drugi dzień wieczorem. Jej ton bynajmniej nie był przyjacielski i Annie pomyślała, że kobieta musiała już słyszeć, co się stało. Powiedziała, że przekaże Tomowi, iż Annie telefonowała. Annie przeczekała dwa długie dni i nikt się nie odezwał. Na drugi wieczór, gdy Robert czytał w łóżku, a Grace już spała, zadzwoniła ponownie. Również tym razem odebrała ta kobieta.

– Je teraz kolację – oznajmiła.

Annie usłyszała męski głos, pytający kto to, i odgłos ręki kładzionej na słuchawce. Dotarły do niej przytłumione słowa: „To znowu ta Angielka". Nastąpiła długa cisza. Annie uświadomiła sobie, że wstrzymuje oddech, i nakazała sobie spokój.

– Pani Graves? Mówi Tom Booker.

– Panie Booker, chciałam przeprosić za to, co się stało w stajni. – Po drugiej stronie panowało milczenie, więc ciągnęła dalej. – Powinnam była wiedzieć, co się tam dzieje, ale chyba po prostu przymykałam oczy.

– Potrafię to zrozumieć.

Spodziewała się, że powie coś więcej, ale nie zrobił tego.

– Tak czy owak przenieśliśmy go w inne miejsce, lepsze miejsce, i zastanawiam się, czy mógłby pan... – Zdała sobie sprawę, jak daremne, jak głupie to jest, zanim zdążyła się odezwać. – Czy zechciałby pan rozważyć przyjechanie jeszcze raz i obejrzenie go?

– Przykro mi. Nie mogę tego zrobić. Nawet gdybym miał czas, to szczerze mówiąc, nie wiem, co by to miało dać.

– Nie mógłby pan poświęcić choćby dnia czy dwóch? Nie obchodzi mnie, ile to by kosztowało. – Usłyszała jego krótki śmiech i pożałowała tych słów.

– Proszę pani, mam nadzieję, że nie będzie pani przeszkadzać, jeśli będę mówił bez ogródek, ale musi pani zrozumieć. Jest pewien limit cierpienia, jaki te stworzenia są w stanie przyjąć. Uważam, że ten wasz koń już zbyt długo żyje w mroku.

– Więc sądzi pan, że powinniśmy go uśpić? Tak jak uważają wszyscy inni? – Chwilę panowała cisza. – Gdyby to był pana koń, panie Booker, uśpiłby go pan?

– Cóż, proszę pani. To nie jest mój koń i cieszę się, że nie do mnie należy decyzja. Ale na pani miejscu tak, to właśnie bym zrobił.

Jeszcze raz próbowała namówić go do przyjazdu, wiedziała jednak, że to bezcelowe. Był uprzejmy, spokojny i absolutnie niewzruszony. Podziękowała mu i odłożywszy słuchawkę, przeszła korytarzem do salonu.

Wszystkie światła były pogaszone i pokrywa pianina lśniła blado w ciemności. Podeszła powoli do okna i stała tam dłuższy czas, spoglądając pomiędzy wierzchołkami parkowych drzew w stronę wysokich bloków mieszkalnych East Side. Przypominało to sceniczną dekorację – dziesięć tysięcy maleńkich okien, światełka wielkości główki od szpilki na sztucznym nocnym niebie. Nie sposób uwierzyć, iż za każdym toczy się życie ze swoim własnym specjalnym bólem i przeznaczeniem.

Robert usnął. Wyjęła mu książkę z rąk, zgasiła jego lampkę nocną i rozebrała się w ciemnościach. Długo leżała na plecach obok niego, słuchając jego oddechu i obserwując pomarańczowe kształty rzucane na sufit przez uliczne latarnie, których światło wlewało się po bokach żaluzji. Wiedziała już, co zrobi. Nie zamierzała jednak mówić Robertowi ani Grace, dopóki wszystkiego nie zorganizuje.

12

Z powodu talentu w promowaniu młodych i bezlitosnych rekrutów do prowadzenia swego potężnego imperium Crawford Gates był znany – pomiędzy wieloma mniej pochlebnymi określeniami – jako Twarz, Która Wypromowała Tysiąc Gówien. Dlatego też Annie zawsze targały mieszane uczucia, gdy pokazywała się z nim.

Siedział naprzeciw niej, metodycznie jedząc przypalonego miecznika i nie spuszczając z niej wzroku. Annie mówiła, zaintrygowana jednocześnie tym, jak jego wielki widelec ciągle znajduje następny kawałek i bezbłędnie trafia do celu, jak gdyby przyciągany magnesem. Była to ta sama restauracja, do której zabrał ją prawie rok temu, gdy zaproponował jej posadę redaktora naczelnego – ogromna, pozbawiona żywego ducha przestrzeń z bardzo skromną, matowoczarną dekoracją i podłogą z białego marmuru, która jakoś zawsze przywodziła Annie na myśl rzeźnię.

Wiedziała, że prosić o miesiąc to dużo, czuła jednak, iż jej się to należy. Do wypadku nie brała prawie ani jednego dnia wolnego, a nawet potem niewiele.

– Będę miała telefon, faks, modem, wszystko – rzekła. – Nawet nie zauważysz, że mnie tu nie ma.

Zaklęła w duchu. Mówiła od piętnastu minut i to całkowicie nieodpowiednim tonem. Brzmiało to, jakby prosiła o coś. Powinna robić to z pozycji siły, zwyczajnie oznajmić mu, bez owijania w bawełnę, co zamierza. W jego zachowaniu nie zauważyła jak dotąd nic, co sugerowałoby brak zgody. Po prostu wysłuchiwał jej, podczas gdy cholerny miecznik sam wskakiwał mu do ust. Kiedy się denerwowała, miała ten głupi zwyczaj czucia się zobowiązaną do wypełniania okresów milczenia w każdej rozmowie. Postanowiła przerwać i poczekać na jakąś reakcję. Crawford Gates skończył żuć, pokiwał głową i powoli upił łyk Perriera.

– Roberta i Grace też masz zamiar zabrać?

– Tylko Grace. Robert jest zbyt zajęty. Ale Grace naprawdę potrzebuje się stąd wyrwać. Odkąd wróciła do szkoły, zaczęła trochę tracić ducha. Przerwa dobrze jej zrobi.

Nie powiedziała jednak, że nawet teraz ani Grace, ani Robert nie mają zielonego pojęcia o jej planach. Powiedzenie im było pewnie jedyną rzeczą, jaka została jej do zrobienia. Wszystko inne, przy pomocy Anthony'ego, już zorganizowała, nie ruszając się z biura.

Dom, który znalazła do wynajęcia, znajdował się w Choteau, najbliższym większym miasteczku od rancza Toma Bookera. Nie miała wielkiego wyboru, lecz ten dom był umeblowany i, sądząc ze szczegółowego opisu przysłanego jej przez agenta handlu nieruchomościami, wydawał się odpowiedni. Niedaleko znalazła fizykoterapeutkę dla Grace oraz jakąś stajnię gotową przyjąć Pielgrzyma, chociaż Annie nie była do końca szczera w opisie konia. Najgorsze miało być ciągnięcie przyczepy przez siedem stanów, aby tam dotrzeć. Ale Liz Hammond i Harry Logan telefonowali, aż zorganizowali łańcuch miejsc, gdzie mogli zatrzymywać się po drodze.

Crawford Gates otarł usta.

– Annie, moja droga, powiedziałem to już wcześniej i mówię jeszcze raz. Weź tyle czasu, ile ci potrzeba. Te nasze dzieci to cenne, dane nam przez Boga istoty i kiedy coś idzie nie tak, musimy po prostu stanąć obok nich i postąpić jak najlepiej.

Jak na kogoś, kto ma za sobą cztery małżeństwa i porzucanie dwa razy tyle dzieci, pomyślała Annie, to dosyć zabawne stwierdzenie. Zabrzmiało to jak u Ronalda Reagana na koniec złego dnia i ta hollywodzka szczerość tylko zaostrzyła jej gniew na samą siebie za własne żałosne wystąpienie. Stary łajdak będzie pewnie jutro przy tym samym stole jadł lunch z jej następcą. Przedtem miała nadzieję, że wpadnie na to od razu i zwolni ją.

Wracając do biura w jego absurdalnie długim, czarnym cadillaku, Annie postanowiła, że dziś wieczorem powie o swoim planie mężowi i córce. Grace zacznie na nią wrzeszczeć, a Robert oświadczy, że zwariowała. Zgodzą się jednak na to, bo zawsze to robią.

Jedyną osobą, którą musiała jeszcze poinformować, była ta, od której cały plan zależał – Tom Booker. Innym wyda się dziwne, pomyślała, że ze wszystkich rzeczy ta niepokoi ją najmniej. Annie robiła to już jednak przedtem wielokrotnie. Jako dziennikarka była specjalistką od ludzi, którzy odmawiali. Kiedyś przemierzyła pięć tysięcy mil na jakąś wysepkę na Pacyfiku i zjawiła się na progu domu sławnego pisarza, który nigdy nie udzielał wywiadów. Skończyło się na tym, że mieszkała u niego przez dwa tygodnie, napisany zaś artykuł zdobył wiele nagród i obiegł cały świat.

Był to, jak wierzyła, prosty i bezsporny życiowy fakt, że jeśli kobieta posuwa się do ostatecznych granic, by zdać się na łaskę mężczyzny, to ten mężczyzna nie będzie chciał, nie będzie mógł odmówić.

13

Między zbiegającymi się płotami szosa rozciągała się przed nimi prosto na wiele mil, w stronę czarnego sklepienia horyzontu. W tym najbardziej odległym punkcie, gdzie droga zdawała się wznosić do nieba, błyskawice migotały co chwila, jak gdyby ponownie rozbijając atomy czarnej kopuły w chmury. Za płotami, po obu stronach, ciągnął się donikąd płaski i niczym się nie wyróżniający ocean prerii Iowa, kapryśnie oświetlany poprzez pędzące chmury jaskrawymi, przetaczającymi się snopami słońca, tak jakby jakiś olbrzym szukał swojej zdobyczy.

W takim krajobrazie następowało przemieszanie zarówno w czasie, jak i w przestrzeni i Annie przeczuwała coś, co mogło – gdyby miała na to pozwolić – przerodzić się w panikę. Badała wzrokiem linię nieba w poszukiwaniu jakiegoś punktu oparcia, jakiegoś znaku życia, silosa zbożowego, drzewa, samotnego ptaka, czegokolwiek. Nie znajdując niczego, liczyła słupki przy płotach albo linie na szosie, które płynęły ku niej od horyzontu, jakby wypalone błyskawicą. Wyobraziła sobie od góry srebrnego lariata i jego przyczepę w kształcie pocisku, połykającego te linie miarowymi haustami.

Przez dwa dni przejechały ponad tysiąc dwieście mil i przez cały ten czas Grace prawie się nie odzywała. Większość czasu spała – tak jak i teraz – skulona na tylnym siedzeniu. Po obudzeniu zostawała tam, słuchając walkmana albo obojętnie patrząc przez okno. Raz, i tylko raz, spojrzawszy we wsteczne lusterko, Annie zauważyła, że córka ją obserwuje. Kiedy ich oczy się spotkały, Annie uśmiechnęła się, a Grace natychmiast odwróciła wzrok.

Zareagowała na plan matki prawie dokładnie tak, jak Annie przewidywała. Krzyczała, piszczała i oznajmiła, że ona nigdzie nie jedzie, że jej nie zmuszą i koniec. Wstała od obiadu i poszła do swojego pokoju, trzaskając drzwiami. Przez jakiś czas Annie i Robert siedzieli w milczeniu. Annie powiedziała mu o wszystkim już wcześniej na osobności, tłumiąc wszelkie jego protesty.

– Ona nie może dalej unikać tego tematu – mówiła. – To jej koń, na miłość boską. Nie może tak po prostu umyć rąk.

– Annie, nie zapominaj, co to dziecko przeszło.
– Ale chowanie się przed tym wcale jej nie pomaga, wręcz przeciwnie. Wiesz, jak bardzo go kochała. Widziałeś, jak zachowała się tamtego dnia w stajni. Nie potrafisz sobie wyobrazić, jak widok Pielgrzyma musi ją prześladować?
Nie odpowiedział, tylko spuścił wzrok i pokiwał głową. Annie ujęła jego dłonie w swoje.
– Możemy coś na to poradzić, Robert – powiedziała, teraz łagodnie. – Wiem o tym. Pielgrzym ma szansę wyzdrowieć. Ten człowiek potrafi to zrobić. A wtedy Grace też się polepszy.
Robert spojrzał na nią.
– Czy on naprawdę uważa, że może to zrobić?
Annie zawahała się, ale nie na tyle, by to zauważył.
– Tak – odparła.
Wówczas po raz pierwszy faktycznie skłamała na ten temat. Robert naturalnie przypuszczał, że skonsultowała z Tomem Bookerem podróż Pielgrzyma do Montany. Tę iluzję podtrzymywała także wobec Grace.
Nie mając w ojcu sprzymierzeńca, Grace poddała się, czego Annie była pewna. Urażone milczenie, w jakie przemieniła się złość córki, trwało o wiele dłużej, niż się spodziewała. Dawniej, przed wypadkiem, Annie poradziłaby sobie z takimi humorami, dogadywaniem albo beztroskim ignorowaniem ich. To milczenie jednak wyglądało na coś zupełnie nowej jakości. Było równie epickie i niezmienne jak przedsięwzięcie, do którego dziewczynkę zmuszano, i w miarę upływu mil Annie mogła się tylko dziwić jej wytrwałości.
Robert pomógł im się spakować, zawiózł je do Chatham i w dniu wyjazdu pojechał z nimi do Harry'ego Logana. W oczach Grace uczyniło to z niego współwinnego. Podczas gdy oni ładowali Pielgrzyma na przyczepę, siedziała w lariacie jak głaz, ze słuchawkami na uszach, udając, że czyta jakieś czasopismo. Rżenie konia i odgłos jego kopyt, trzaskających w boki przyczepy, rozbrzmiewały po podwórzu, lecz Grace ani razu nie podniosła wzroku.
Harry dał Pielgrzymowi silny zastrzyk uspokajający i wręczył Annie całe ich pudełko oraz kilka igieł na wszelki wypadek. Podszedł do okna przywitać się z Grace i zaczął mówić jej na temat odżywiania Pielgrzyma w czasie podróży. Grace przerwała mu od razu.

– Niech pan lepiej rozmawia z mamą.

Gdy nadeszła pora odjazdu, jej odpowiedź na pożegnalny pocałunek Roberta była mało wylewna.

Na tę pierwszą noc zatrzymały się u przyjaciół Harry'ego Logana, którzy mieszkali na skraju małego miasteczka na południe od Cleveland. Mąż, Elliott, studiował z Harrym weterynarię i praktykował teraz w dużej lokalnej spółce. Przyjechały już po zmroku i Elliott nalegał, by Annie i Grace weszły się odświeżyć, podczas gdy on zajmie się koniem. Powiedział, że sami kiedyś również trzymali konie, przygotował więc w stodole boks.

– Harry mówił, żeby zostawiać go w przyczepie – odezwała się Annie.

– Co, przez całą drogę?

– Tak powiedział.

Zrobił oko i posłał jej protekcjonalny uśmiech kogoś znającego się na rzeczy.

– Wejdźcie. Ja zajrzę do niego.

Zaczynało padać i Annie nie zamierzała się kłócić. Żona miała na imię Connie. Była drobną, przyciszoną kobietą, z łamliwą trwałą, wyglądającą, jakby zrobiono ją tego popołudnia. Wprowadziła je do środka i pokazała pokoje. Dom był duży i wypełniony powtarzającą się echem ciszą po wyrosłych dzieciach, które go opuściły. Ich twarze uśmiechały się ze ścian na fotografiach ze szkolnych triumfów i statecznych uroczystości wręczania dyplomów.

Grace została umieszczona w dawnym pokoju ich córki, Annie zaś w pokoju gościnnym w głębi korytarza. Connie pokazała Annie, gdzie jest łazienka, po czym odeszła mówiąc, że poda kolację, kiedy tylko one będą gotowe. Annie podziękowała jej i poszła zajrzeć do Grace.

Córka Connie wyszła za dentystę i przeprowadziła się do Michigan, lecz jej dawny pokój wyglądał, jakby go nigdy nie opuściła. Były tam książki, nagrody z konkursów pływackich i półki zastawione kryształowymi zwierzątkami. Wśród tego porzuconego nieładu dzieciństwa nieznajomej przy łóżku stała Grace i wygrzebywała ze swej torby przybory toaletowe. Nie podniosła wzroku, kiedy Annie weszła.

– W porządku?

Grace wzruszyła ramionami, wciąż na nią nie patrząc. Annie próbowała zachować się obojętnie, udając zainteresowanie obrazkami na ścianie. Przeciągnęła się z jękiem.

– Boże, ale zesztywniałam.

– Co my tutaj robimy?

Głos był zimny i wrogi. Odwróciwszy się Annie ujrzała Grace, która wziąwszy się pod boki, wpatrywała się w nią.

– Co masz na myśli?

Grace ogarnęła cały pokój pogardliwym ruchem ręki.

– To wszystko. Chodzi mi o to, co tutaj robimy!

Annie westchnęła, ale zanim zdążyła cokolwiek powiedzieć, Grace stwierdziła, że to nieważne, nie ma sprawy. Chwyciła swoją laskę i kosmetyczkę i ruszyła do drzwi. Annie widziała, jak złości ją to, że nie może wylecieć z pokoju w bardziej efektowny sposób.

– Grace, proszę cię.

– Powiedziałam, nieważne, okay? – Po czym wyszła.

Annie rozmawiała w kuchni z Connie, gdy Elliott przyszedł z podwórza. Wyglądał blado i cały jeden bok miał ubłocony. Zdawało się też, że stara się nie utykać.

– Zostawiłem go w przyczepie – oznajmił.

Przy kolacji Grace bawiła się jedzeniem i odzywała tylko wtedy, kiedy się do niej zwrócono. Troje dorosłych dokładało wszelkich starań, by podtrzymać konwersację, lecz zdarzały się długie chwile, kiedy jedynym dźwiękiem był brzęk sztućców. Rozmawiali o Harrym Loganie, Chatham i nowej epidemii boreliozy, którą wszyscy się martwili. Elliott mówił, że zna dziewczynkę mniej więcej w wieku Grace, która zaraziła się i jej życie legło w gruzach. Connie rzuciła mu szybkie spojrzenie, na co zaczerwienił się i od razu zmienił temat.

Zaraz po skończeniu posiłku Grace oświadczyła, że jest zmęczona i czy nie będą mieli nic przeciwko temu, żeby się położyła. Annie także chciała już pójść, ale Grace jej nie pozwoliła. Grzecznie życzyła dobrej nocy Elliottowi i Connie. Gdy podchodziła do drzwi, jej laska stukała głucho o podłogę, a Annie dostrzegła wyraz oczu małżeństwa, które patrzyło za nią.

Następnego dnia wyruszyły wcześnie i z zaledwie kilkoma krótkimi postojami przejechały przez całą Indianę i Illinois do Iowa. I przez cały długi dzień, gdy ogromny ląd rozpościerał się wokół nich, Grace trwała w milczeniu.

Kolejną noc spędziły u dalekiej kuzynki Liz Hammond, która wyszła za farmera i mieszkała niedaleko Des Moines. Farma stała samotnie na końcu prostej drogi dojazdowej długości pięciu mil, jak gdyby na swojej własnej brązowej planecie, zaoranej w każdą stronę, jak okiem sięgnąć, w nienaganne bruzdy.

Byli to spokojni, religijni ludzie – baptyści, jak domyśliła się Annie – i tak odmienni od Liz, jak tylko można sobie wyobrazić. Farmer powiedział, że Liz mówiła im wszystko o Pielgrzymie, Annie jednak zauważyła, że to co zobaczył i tak nim wstrząsnęło. Pomógł jej napoić i nakarmić konia, po czym wygarnął i wyrzucił tyle ile się dało mokrej, zabrudzonej łajnem słomy spod trzaskających kopyt Pielgrzyma.

Kolację zjedli przy długim drewnianym stole, razem z szóstką dzieci gospodarzy. Wszystkie miały blond włosy i duże niebieskie oczy swego ojca i przyglądały się Annie oraz Grace z pewnego rodzaju grzecznym podziwem. Jedzenie było proste i zdrowe, do picia zaś tylko mleko podane ze śmietanką i jeszcze ciepłe w pełnych szklanych dzbankach.

Rano kobieta przygotowała im śniadanie złożone z jajek, razowego chleba oraz domowej szynki, a kiedy wyjeżdżały i Grace siedziała już w samochodzie, farmer wręczył coś Annie.

– Chcielibyśmy wam to dać – powiedział.

Była to stara książka w wyblakłej płóciennej oprawie. Żona gospodarza stała obok niego i obserwowali, jak Annie ją otwiera. Okazało się, że to *Wędrówka pielgrzyma* Johna Bunyana. Annie pamiętała, jak czytano jej to w szkole, gdy miała zaledwie siedem czy osiem lat.

– Wydała nam się odpowiednia – wyjaśnił farmer.

Annie przełknęła ślinę i podziękowała.

– Będziemy się modlić za was wszystkich – dodała jego żona.

Książka wciąż leżała na przednim siedzeniu. I za każdym razem, gdy Annie rzuciła na nią okiem, myślała o słowach kobiety.

Chociaż mieszkała w tym kraju od wielu lat, takie szczere religijne wypowiedzi ciągle wzbudzały w niej jakąś głęboko osadzoną angielską rezerwę i sprawiały, że czuła się nieswojo.

Jednak bardziej niepokoił ją fakt, że ta zupełnie obca osoba tak wyraźnie uznała ich za potrzebujących jej modlitw, uznała ich za ofiary. Nie tylko Pielgrzyma i Grace – to było zrozumiałe – lecz również Annie. Nikt, nikt nigdy nie postrzegał Annie Graves w ten sposób.

Teraz coś pod błyskawicą na horyzoncie przykuło jej wzrok. Zaczęło się jako niewiele więcej niż migocący punkcik i rosło powoli w jej oczach, nabierając płynnego kształtu ciężarówki. Wkrótce dostrzegła za nią wieże elewatorów zbożowych, potem zaś inne, niższe budynki – jak spod ziemi wyrosło wokół nich miasto. Stado małych brązowych ptaszków uniosło się w popłochu z pobocza, a wiatr poniósł je w dal. Ciężarówka prawie już się z nimi zrównała i Annie obserwowała błyszczący chrom kratownicy, który stawał się coraz większy, aż w końcu minął ich w podmuchu wiatru, od którego samochód i przyczepa zadrżały. Grace poruszyła się z tyłu.

– Co to było?

– Nic. Tylko ciężarówka.

Annie dostrzegła ją w lusterku przecierającą oczy.

– Dojeżdżamy do jakiegoś miasta. Musimy zatankować. Jesteś głodna?

– Trochę.

Zjazd prowadził długą pętlą wokół białego, drewnianego kościoła, stojącego samotnie na polu zwiędniętej trawy. Mały chłopiec z rowerem stojąc przed nim obserwował, jak go okrążały. Gdy to robiły, kościół nagle utonął w blasku słońca. Annie prawie spodziewała się zobaczyć palec wskazujący w dół poprzez chmury.

Przy stacji benzynowej był bar, więc po zatankowaniu zjadły w milczeniu sandwicze z jajkiem i sałatą, otoczone przez mężczyzn w czapeczkach baseballowych, ozdobionych nazwami produktów rolnych, którzy przytłumionymi głosami rozmawiali o zbożu ozimym i cenach soi. Annie rozumiała tak niewiele, że mogli równie dobrze porozumiewać się w jakimś obcym języku. Poszła zapłacić rachunek, po czym wróciła do stolika powiedzieć Grace, że idzie do toalety i że spotkają się przy samochodzie.

– Zobaczysz, czy Pielgrzym nie potrzebuje wody? – zapytała.

Grace nie odpowiedziała.

– Grace? Słyszałaś mnie?

Annie stała nad nią, świadoma nagle, iż farmerzy dookoła zamilkli. Konfrontacja była zamierzona, teraz jednak pożałowała impulsu, by uczynić ją tak publiczną. Grace nie podniosła wzroku. Dokończyła swoją colę, a odgłos odstawianej szklanki podkreślił tylko ciszę.

– Sama to zrób – powiedziała.

*

Grace pierwszy raz pomyślała o zabiciu się, jadąc taksówką do domu tego dnia, gdy była u protetyczki. Tuleja sztucznej nogi wbiła się w górną część jej kości udowej, lecz udawała, że czuje się doskonale, i dostosowała się do zdeterminowanej wesołości ojca, zastanawiając się przy tym, jaki sposób byłby najlepszy.

Dwa lata temu dziewczyna z ósmej klasy rzuciła się pod pociąg ekspresowy. Nikt nie potrafił domyślić się powodu tego kroku i Grace, tak jak wszyscy inni, była wstrząśnięta. W skrytości ducha jednak była także pod wrażeniem. Jakiej odwagi musiało to wymagać, myślała, w tym ostatnim, decydującym momencie. Grace pamiętała, jak uznała wtedy, że sama nigdy nie zdołałaby zebrać w sobie takiej odwagi, a nawet gdyby jej się to udało, mięśnie i tak odmówiłyby posłuszeństwa przed wykonaniem tego ostatecznego ruchu.

Teraz jednakże postrzegała to w całkowicie innym świetle i potrafiła rozważać możliwość, jeśli nie już konkretną metodę, niemal beznamiętnie. To, że jej życie zostało zrujnowane, stanowiło prosty fakt, wzmacniany tylko przez sposób, w jaki otoczenie starało się tak gorliwie pokazać, że to nieprawda. Żałowała z całego serca, iż nie zginęła tamtego dnia w śniegu razem z Judith i Guliwerem. W miarę upływu tygodni zdała sobie jednak sprawę – i to prawie z rozczarowaniem – że być może nie jest typem samobójczym.

Powstrzymywała ją niemożność spoglądania na to jedynie z własnego punktu widzenia. Wydawało się to takie melodramatyczne, takie ekstrawaganckie, bardziej jak jakiś ekstremizm, którego mogłaby się dopuścić jej matka. Nie przyszło Grace do głowy, że być może to krew Macleanów w niej, te przeklęte prawnicze geny, sprawiły, iż tak zobiektywizowała sprawę własnej śmierci. Gdyż wina w tej rodzinie zawsze płynęła tylko w jedną stronę. Wszystkiemu zawsze była winna Annie.

Grace prawie w równym stopniu kochała swoją matkę, co się na nią oburzała, często za to samo. Za jej pewność siebie, na przykład, oraz za to, że zawsze miała cholerną rację. A przede wszystkim za to, że tak znała Grace. Wiedziała, jak na co zareaguje, co lubi, a czego nie, jaka może być jej opinia na dowolny temat. Być może wszystkie matki posiadały taką intuicję względem swoich córek i czasami wspaniale było być tak rozumianą. Częściej jednak, a zwłaszcza ostatnio, Grace odbierała to jak brutalną inwazję w swoją intymność.

Za tę i tysiąc mniej konretnych krzywd teraz się mściła. Ponieważ przynajmniej to wielkie milczenie wydawało się skuteczną bronią. Dostrzegała efekt, jaki wywiera ono na matce i sprawiało jej to przyjemność. Akty tyranii ze strony Annie były zazwyczaj wykonywane bez śladu poczucia winy czy wątpliwości. Teraz jednak Grace wyczuwała jedno i drugie. Jakby nie wypowiedziane i dające się wykorzystać przyznanie się, iż zmuszenie Grace do uczestnictwa w tej eskapadzie było złe. Widziana z tylnego siedzenia forda matka wyglądała jak jakiś hazardzista, stawiający samo życie na jedno ostatnie, rozpaczliwe zakręcenie kołem.

*

Jechały dalej na zachód do Missouri, a tam skręciły na północ, mając po lewej stronie wijącą się szeroką, brązową rzekę. W Sioux City przekroczyły granicę Południowej Dakoty i znów ruszyły na zachód drogą dziewięćdziesiąt, która miała doprowadzić je aż do Montany. Minęły północne Badlands i ujrzały słońce zachodzące nad Czarnymi Wzgórzami w pasie krwistopomarańczowego nieba. Podróżowały, nie odzywając się do siebie, a wiszący pomiędzy nimi żal jakby rozmnożył się i rozprzestrzenił, aż w końcu wymieszał się z milionem innych żalów i smutków, które nawiedzały tę rozległą, nie przebaczającą krainę.

Ani Liz, ani Harry nie znali w tych stronach nikogo, więc Annie wynajęła pokój w małym hotelu niedaleko Mount Rushmore. Nigdy nie widziała tej rzeźby i cieszyła się na przyjazd tutaj z Grace. Kiedy jednak zajechały na opustoszały hotelowy parking, było ciemno, padało i Annie pomyślała, że jedyną dobrą stroną ich obecności tutaj jest to, że nie musi prowadzić uprzejmych rozmów z gospodarzami, których widzi po raz pierwszy i ostatni w życiu.

Wszystkie pokoje ponazywano na cześć różnych prezydentów. Ten, w którym mieszkały, nosił imię Abrahama Lincolna. Jego broda sterczała z laminowanych rycin na każdej ścianie, nad telewizorem zaś wisiał fragment jego gettysburgskiego przemówienia, częściowo zasłonięty błyszczącą tekturową reklamą filmów dla dorosłych. Stały tam dwa duże łóżka, jedno przy drugim – Grace zaraz opadła na dalsze od drzwi, Annie natomiast wyszła z powrotem na deszcz doglądnąć Pielgrzyma.

Koń zdawał się przyzwyczajać do rytuałów podróży. Ściśnięty w wąskim boksie przyczepy, nie szalał już, gdy Annie wchodziła do niewielkiej, zabezpieczonej przestrzeni przed nim. Wycofywał się tylko w ciemność i patrzył. Czuła na sobie jego wzrok, gdy wieszała nową porcję siana i ostrożnie podsuwała mu wiadro z paszą i wodą. Nigdy ich nie tknął, dopóki nie odeszła. Wyczuwała jego z trudem opanowywaną wrogość, co jednocześnie przerażało ją i podniecało, tak że gdy wychodziła, serce dudniło jej w piersiach.

Kiedy wróciła do pokoju, Grace leżała już rozebrana w łóżku. Była odwrócona plecami, więc Annie nie widziała, czy śpi, czy tylko udaje.

– Grace? – odezwała się cicho. – Nie chcesz jeść?

Żadnej reakcji. Annie zastanawiała się, czy samej nie pójść do restauracji, lecz nie miała na to siły. Wzięła długą, gorącą kąpiel, mając nadzieję, że woda przyniesie jej ulgę. Przyniosła jej tylko zwątpienie. Zawisło ono w powietrzu razem z parą, obejmując ją całą. Co ona niby, u licha, robi, ciągnąc te dwie zranione dusze przez cały kontynent, w jakiejś makabrycznej powtórce pionierskiego szaleństwa? Milczenie Grace oraz bezlitosna pustka przemierzanych przestrzeni wywołały u Annie poczucie nagłego, strasznego osamotnienia. Aby odsunąć te myśli, wsunęła sobie dłonie między nogi i zaczęła pracować nad sobą, nie poddając się początkowej upartej odrętwiałości, aż w końcu jej lędźwie drgnęły i zatraciła się cała.

Tej nocy śniło jej się, że chodziła ze swoim ojcem po ośnieżonym grzbiecie górskim. Byli przywiązani linami jak alpiniści, chociaż nigdy czegoś takiego nie robili. Poniżej, po obu stronach, zapadały się w nicość pionowe ściany skały i lodu. Znajdowali się na gzymsie, cienkim nawisie śniegowym, który ojciec uważał za bezpieczny. Odwrócił się do niej i uśmiechnął tak, jak to robił na jej ulubionej fotografii – uśmiechem, który z całkowitą pewnością mówił jej, że ojciec jest z nią i wszystko będzie w porządku. A gdy to robił, ponad jego ramieniem dostrzegła biegnące w ich stronę zygzakowate pęknięcie – skraj gzymsu zaczął się odrywać i opadać w dół zbocza. Chciała krzyknąć, ale nie mogła. Chwilę przed tym, zanim dotarło do nich pęknięcie, ojciec obejrzał się jednak i zobaczył. I naraz zniknął, Annie zaś ujrzała, jak łącząca ich lina wije się za nim i zdała sobie sprawę, że jedynym sposobem uratowania ich obojga jest skok w drugą stronę. Rzuciła się więc w powietrze po przeciwnej stronie grzbietu. Zamiast jednak poczuć szarpnięcie liną, tylko spadała i spadała, prosto w pustkę.

Kiedy się obudziła, było rano. Długo spały. Na dworze padało jeszcze mocniej. Mount Rushmore i jej kamienne twarze skrywała wirująca chmura, która według kobiety w recepcji nie miała się rozproszyć. Niedaleko znajduje się inna skalna rzeźba, na którą mogłyby rzucić okiem, powiedziała: olbrzymia postać Szalonego Konia.

– Dzięki – odparła Annie. – Mamy własnego.

Zjadły śniadanie i wymeldowawszy się pojechały z powrotem na drogę międzystanową. Po minięciu granicy stanu Wyoming ominęły od południa Devil's Tower i Thunder Basin, po czym przez Powder River skierowały się w stronę Sheridan, gdzie w końcu deszcz ustał.

Coraz częściej mijane pick-upy i ciężarówki prowadzili mężczyźni w kowbojskich kapeluszach. Niektórzy dotykali ronda lub unosili rękę w uroczystym pozdrowieniu. Słońce tworzyło tęczę w fontannie tryskającej spod tylnych kół ich samochodu.

Było późne popołudnie, gdy wjechały do Montany. Annie jednak nie odczuwała żadnej ulgi ani nie miała poczucia osiągnięcia czegoś. Tak bardzo się starała nie poddać milczeniu Grace. Cały dzień skakała po radiowych stacjach i słuchała wbijających do głowy Biblię kaznodziejów, reportaży o zwięrzętach domowych oraz większej ilości muzyki country, niż myślała, że istnieje. Nic to jednak nie dało. Czuła się ściśnięta w coraz bardziej kurczącej się przestrzeni między ciężarem ponuractwa swojej córki a własnym gniewem. Wreszcie nie potrafiła już tego dłużej znosić. Jakieś czterdzieści mil za granicą Montany zjechała z drogi międzystanowej, ani nie patrząc, ani nie dbając, gdzie ją to zaprowadzi.

Chciała zaparkować, lecz nie mogła znaleźć odpowiedniego miejsca. Stało tam samotne duże kasyno, na którym właśnie zamigotał neon, czerwony i posępny w zapadającym mroku. Pojechała dalej, na wzgórze, obok kawiarni i rozsianych z rzadka niskich sklepów, z nie wyasfaltowanym wąskim parkingiem. Dwóch ludzi z długimi czarnymi włosami i piórami w wysokich kowbojskich kapeluszach stało obok poobijanego pick-upa, obserwując zbliżającego się forda z przyczepą. Coś w ich spojrzeniu zmieszało Annie, toteż pojechała wyżej i zatrzymała się po skręceniu w prawo. Zgasiwszy silnik, przez chwilę siedziała zupełnie nieruchomo. Wyczuwała za plecami patrzącą Grace. Głos dziewczynki, kiedy w końcu się odezwała, był ostrożny.

– Co się dzieje?

– Co? – rzuciła ostro Annie.

– Zamknięte. Zobacz.

Przy drodze stała tablica z napisem: POMNIK NARODOWY. POLE BITWY POD LITTLE BIGHORN. Grace miała rację. Zgodnie z podanymi porami otwarcia, miejsce to zamknięto przed godziną. Jeszcze bardziej rozłościło Annie, iż Grace tak mylnie interpretując jej nastrój, sądziła, że przyjechała tutaj specjalnie, niczym turystka. Nie ufała sobie na tyle, żeby na nią spojrzeć. Wpatrywała się po prostu przed siebie i wzięła głęboki oddech.

– Jak długo to będzie jeszcze trwać, Grace?

– Co?

– Wiesz, o co mi chodzi. Jak długo to będzie jeszcze trwać?

Nastąpiła dłuższa przerwa. Annie obserwowała kulkę dmuchawca, goniącą własny cień wzdłuż drogi w ich stronę i po chwili ocierającą się o samochód. Obejrzała się, by popatrzeć na Grace, ale dziewczynka wzruszyła ramionami i odwróciła wzrok.

– No? To znaczy, tak już będzie teraz ciągle? – ciągnęła Annie. – Przejechałyśmy dwa tysiące mil, a ty siedzisz tam i nie odezwałaś się ani słowem. Więc po prostu pomyślałam, że zapytam, żeby wiedzieć. Czy tak właśnie teraz między nami będzie?

– Nie wiem.

– Chcesz, żebyśmy zawróciły i pojechały z powrotem do domu?

Grace wydobyła z siebie krótki, gorzki śmiech.

– No, chcesz?

Grace podniosła wzrok i wyjrzała przez okno, usiłując wyglądać nonszalancko, Annie jednak widziała, że walczy ze łzami. Rozległ się głuchy odgłos, gdy Pielgrzym poruszył się w przyczepie.

– Bo jeśli właśnie tego chcesz...

Nagle Grace odwróciła się do niej, z twarzą dziką i wykrzywioną. Łzy spływały jej po policzkach, a nieudana próba powstrzymania ich tylko podwoiła jej wściekłość.

– Co cię to do cholery obchodzi!? – zawołała. – Przecież ty decydujesz! Zawsze tak jest! Udajesz, że obchodzi cię, co myślą inni, ale wcale nie, to tylko pierdoły!

– Grace – odezwała się łagodnie Annie, wyciągając rękę.

Grace jednak odepchnęła ją gwałtownie.

– Przestań! Po prostu zostaw mnie w spokoju!

Annie popatrzyła na nią przez chwilę, po czym otworzyła drzwi i wysiadła. Zaczęła iść, na oślep, wystawiając twarz na wiatr. Droga prowadziła obok sosnowego zagajnika do parkingu i niskiego budynku – obu opustoszałych. Szła dalej, ścieżką wijącą się po zboczu, aż znalazła się obok otoczonego metalowym ogrodzeniem cmentarza. Na szczycie wzgórza stał prosty kamienny pomnik, i to właśnie tam Annie się zatrzymała.

Na tym zboczu pewnego czerwcowego dnia 1876 roku George Armstrong Custer i ponad dwustu żołnierzy zostało pociętych na kawałki przez tych, których usiłowali zabić. Ich nazwiska wyryto w kamieniu. Annie odwróciła się, by spojrzeć w dół zbocza na gęsto rozsiane białe nagrobki. Rzucały długie cienie w bladych resztkach słońca. Stała tam i spoglądała na ogromne, kołyszące się równiny spłaszczonej przez wiatr trawy, która ciągnęła się od tego smutnego miejsca po horyzont, gdzie smutek był nieskończony. I zaczęła płakać.

Później wyda jej się dziwne, że trafiła tutaj przypadkowo. Nigdy się nie dowie, czy jakieś inne miejsce także wywołałoby łzy, które powstrzymywała tak długo. Pomnik stanowił rodzaj okrutnej anomalii, oddając honor ludobójcom, podczas gdy niezliczone groby tych, których zarżnęli gdzie indziej, leżały na zawsze nie oznakowane. Jednak znaczenie cierpienia tutaj oraz obecność tylu duchów przekraczały sens podobnych rozważań. Było to po prostu odpowiednie miejsce do płaczu. Toteż Annie zwiesiła głowę i zaszlochała. Płakała nad Grace i nad Pielgrzymem oraz nad straconymi duszami dzieci, które zmarły w jej łonie. Przede wszystkim zaś płakała nad sobą i tym, czym się stała.

Całe swoje życie mieszkała w obcych miejscach. Ameryka nie była jej domem. Nie była nim również – gdy tam teraz jeździła – Anglia. W każdym z tych krajów traktowano ją, jakby pochodziła z tego drugiego. Prawda natomiast była taka, iż pochodziła znikąd. Nie miała domu. Już od śmierci ojca. Była pozostawiona własnemu losowi, pozbawiona korzeni, pozbawiona własnego plemienia.

Kiedyś wydawało się to jej największą siłą. Potrafiła jakby się podłączyć. Mogła bezboleśnie się adaptować, wślizgiwać się do dowolnej grupy, dowolnej kultury czy sytuacji. Instynktownie wiedziała, co jest wymagane, kogo trzeba znać, co trzeba robić, by wygrać. W pracy, która tak długo ją prześladowała, ten dar pomógł jej zdobyć wszystko, co było do zdobycia. Teraz, od czasu wypadku Grace, wszystko to wydawało się bezwartościowe.

Przez ostatnie trzy miesiące odgrywała tę silną, oszukując siebie, że właśnie tego Grace potrzebuje. Faktem było, iż nie znała żadnego innego sposobu reakcji. Zatraciwszy cały kontakt z sobą, utraciła go także ze swoim dzieckiem i z tego powodu trawiło ją poczucie winy. Działanie stało się substytutem uczucia. A przynajmniej jego wyrażania. I to właśnie dlatego – jak uświadomiła sobie teraz – porwała się na to ryzykowne przedsięwzięcie z Pielgrzymem.

Annie płakała, aż rozbolały ją ramiona, po czym osunęła się wzdłuż zimnego pomnika i siadła tam z głową w dłoniach. Została tak, aż słońce zanurzyło się blade i płynne za odległą, ośnieżoną krawędź gór Bighorn, a topole nad rzeką w dole zlały się w pojedynczą czarną szramę. Kiedy podniosła wzrok, było ciemno, a świat stanowił latarnię nieba.

– Proszę pani?

Był to dozorca parku. Miał latarkę, lecz taktownie trzymał jej promień z dala od twarzy Annie.

– Dobrze się pani czuje?

Annie otarła twarz i przełknęła ślinę.

– Tak. Dziękuję – odparła. – Wszystko ze mną w porządku. – Wstała.

– Pani córka tam w dole trochę się zaczynała martwić.

– Tak, przepraszam. Już idę.

Dotknął kapelusza, gdy przechodziła.

– Dobranoc pani. Jedźcie ostrożnie.

Poszła w stronę samochodu, świadoma, że ją obserwuje. Grace spała, choć być może tylko udawała. Annie uruchomiła silnik, włączyła światła i zawróciła. Wjechała z powrotem na drogę międzystanową i w noc, aż do Choteau.

CZĘŚĆ III

14

Dwa strumienie biegły przez działkę braci Bookerów i to one nadały ranczu nazwę – Double Divide – Podwójny Dział Wód. Wypływały z przyległych stoków góry i przez pierwsze pół mili wyglądały jak bliźniacy. Biegnąca tu między nimi grań była niska, w jednym miejscu prawie tak bardzo, że mogły się spotkać, zaraz jednak wznosiła się ostro w porwanym łańcuchu zachodzących na siebie urwisk, rozdzielając strumienie. Zmuszone w ten sposób do szukania własnych dróg stały się zupełnie różne.

Północny płynął płytki i bystry szeroką, niemal pustą doliną. Jej brzegi, chociaż czasem strome, dawały bydłu łatwy dostęp. W wirach i załamaniach urzędowały pstrągi, a po kamienistych brzegach dumnie paradowały czaple. Trasa, którą musiał obrać strumień południowy, była bardziej urozmaicona, pełna przeszkód i drzew. Wił się przez splątane gąszcze wierzby i czerwonego derenia, po czym znikał na chwilę w bagnie. Niżej, kręcąc się po łące tak płaskiej, że pętle zachodziły na siebie, tworzył labirynt nieruchomych, ciemnych sadzawek i trawiastych wysepek, których geografię ciągle zmieniały bobry.

Ellen Booker mawiała kiedyś, iż strumienie są jak jej dwaj synowie: Frank północny, a Tom południowy. Aż do czasu, gdy Frank – wówczas siedemnastoletni – zauważył pewnego wieczoru przy kolacji, że to nie w porządku, bo on też lubi bobry. Ojciec kazał mu iść do łóżka. Tom nie był pewien, czy matka zrozumiała żart, ale chyba musiała, gdyż nigdy nie użyła już tego porównania.

Dom, który nazywali domkiem nad potokiem – najpierw zamieszkany przez Toma i Rachel, potem Franka i Diane, a teraz pusty – stał na urwistym cyplu nad zakrętem północnego strumienia. Rozciągał się z niego widok w dół doliny ponad topolami, aż do oddalonego o pół mili rancza, otoczonego pobielonymi stodołami, stajniami i zagrodami. Domy łączyła polna droga, biegnąca dalej, do niżej położonych łąk, gdzie bydło spędzało zimę. Teraz, na początku kwietnia, większość śniegu zniknęła już z tej części rancza. Leżał jeszcze tylko w ocienionych, usłanych głazami rowach oraz pomiędzy sosnami i świerkami, porastającymi północną stronę grani.

Tom spojrzał na dom nad potokiem z siedzenia starego chevroleta i zastanowił się, co często robił, nad zamieszkaniem tam. Razem z Joe wracali z dokarmiania bydła – chłopak po mistrzowsku omijał dziury. Jak na swój wiek Joe był niski i musiał siedzieć sztywno wyprostowany, by widzieć przez przednią szybę. W tygodniu dokarmiał Frank, lecz w czasie weekendu Joe lubił to robić, a Tom chętnie mu pomagał. Po rozładowaniu bloków lucerny obaj rozkoszowali się widokiem i odgłosami krów pędzących ze swoimi cielakami do paszy.

– Możemy pójść zobaczyć źrebaka Bronty? – zapytał Joe.

– Jasne, że możemy.

– Jeden chłopak w szkole mówi, że trzeba by w nim wyrobić odruchy.

– Uhm.

– Twierdzi, że jak się to zrobi zaraz po urodzeniu, to potem dużo łatwiej sobie z nimi radzić.

– No. Niektórzy tak mówią.

– Pokazywali raz w telewizji faceta, który robi to też z gęsiami. Ma samolot i wszystkie małe gęsiątka rosną myśląc, że to ich mama. On leci, a one idą za nim.

– Tak, słyszałem o tym.

– Co o tym wszystkim sądzisz?

– No cóż, Joe, nie znam się zbytnio na gęsiach. Może dobrze im rosnąć z myślą, że są samolotami. – Joe roześmiał się. – Ale jeśli chodzi o konia, to – na mój rozum – najpierw trzeba pozwolić mu nauczyć się być koniem.

Podjechali do rancza i zatrzymali się przed długą stodołą, gdzie Tom trzymał część swoich koni. Bracia Joe, bliźniacy Scott i Craig, wybiegli im z domu na spotkanie. Tom zauważył, że chłopakowi zrzedła mina. Bliźniacy mieli po dziewięć lat i z powodu swojej urody oraz tego, że wszystko robili w hałaśliwym unisono, zawsze poświęcano im więcej uwagi niż ich bratu.

– Idziecie zobaczyć źrebaka? – zawołali. – Możemy też?

Tom położył każdemu na głowie dłoń, wielką niczym koparka.

– O ile będziecie cicho, to możecie – odparł.

Poprowadził ich do stodoły i stanął z bliźniakami przed boksem Bronty, a Joe wszedł do środka. Bronty była dużą, dziesięcioletnią klaczą, maści czerwonawo-gniadej. Wysunęła nozdrza do Joego, który przykrył je ręką, jednocześnie głaszcząc jej szyję. Tom lubił oglądać chłopaka przy koniach. Joe miał do nich łatwe podejście, które wzbudzało zaufanie. Źrebak, trochę ciemniejszy od matki, zaczął z trudem stawać w narożniku, gdzie przedtem leżał. Poruszając się niepewnie na komicznych, sztywnych nogach, schował się za matkę, wyglądając zza jej zadu na chłopca. Bliźniacy zachichotali.

– Wygląda tak śmiesznie – odezwał się Scott.

– Mam zdjęcia was obu w tym wieku – rzekł Tom. – I wiecie co?...

– Wyglądali jak ropuchy – rzucił Joe.

Bliźniacy szybko się znudzili i wyszli. Tom i Joe wypuścili pozostałe konie na wygon za stodołą. Po śniadaniu zamierzali zacząć pracować z częścią jednoroczniaków. Gdy szli z powrotem do domu, psy zaczęły szczekać i przebiegły obok nich. Odwróciwszy się Tom dostrzegł srebrnego forda lariata, mijającego koniec grani i jadącego w ich kierunku. Siedział w nim tylko kierowca, i gdy samochód podjechał bliżej, okazało się, że to kobieta.

– Twoja mama spodziewa się kogoś? – zapytał Tom.

Joe wzruszył ramionami. Dopiero, gdy samochód się zatrzymał, otoczony biegającymi i szczekającymi psami, Tom poznał, kto to jest. Trudno mu było uwierzyć. Joe zauważył jego spojrzenie.

– Znasz ją?

– Chyba tak. Ale nie wiem, co tutaj robi.

Uciszył psy i podszedł bliżej. Annie wysiadła z samochodu i nerwowym krokiem zbliżyła się do niego. Miała na sobie dżinsy, sportowe buty i kremowy sweter, sięgający jej do połowy ud. Słońce za plecami czyniło jej włosy jaskrawo czerwonymi i Tom zdał sobie sprawę, jak wyraźnie pamięta te zielone oczy od tamtego dnia w stajni. Skinęła mu głową właściwie bez uśmiechu, trochę nieśmiało.

– Dzień dobry, panie Booker.

– No, dzień dobry. – Stali tak przez chwilę. – Joe, to jest pani Graves. A to Joe, mój bratanek.

Annie podała chłopcu rękę.

– Witaj, Joe. Jak się masz?

Spojrzała w dolinę, w stronę gór, a potem z powrotem na Toma.

– Jakie piękne miejsce.

– Owszem.

Zastanawiał się, czy zamierza zabrać się w końcu za wyjaśnienie, co tutaj, u licha, porabia, chociaż już się domyślał. Wzięła głęboki oddech.

– Panie Booker, pomyśli pan, że to wariactwo, ale chyba może pan zgadnąć, czemu tu przyjechałam.

– Cóż. Tak sobie kombinuję, że nie przejeżdżała pani akurat przypadkiem.

Prawie się uśmiechnęła.

– Przepraszam, że tak się zjawiam, ale wiedziałam, co by pan powiedział, gdybym zadzwoniła. Chodzi o konia mojej córki.

– Pielgrzyma.

– Tak. Wiem, że może mu pan pomóc i przyjechałam prosić pana, błagać pana, by jeszcze raz rzucił pan na niego okiem.

– Pani Graves...

– Proszę. Tylko rzucić okiem. To nie zajmie dużo czasu.

Tom zaśmiał się.

– Co, polecieć do Nowego Jorku? – Kiwnął głową na forda. – Czy może zamierzała pani mnie tam zawieźć?

– On jest tutaj. W Choteau.

Tom przez moment wpatrywał się w nią z niedowierzaniem.

– Przywlokła go pani cały ten kawał drogi?

Skinęła głową. Joe przenosił wzrok z Toma na nią i z powrotem, usiłując zrozumieć, o co tu chodzi. Diane wyszła na ganek, gdzie stanęła i patrzyła, przytrzymując siatkowe drzwi.

– Całkiem sama? – spytał Tom.

– Z Grace, moją córką.

– Tylko po to, bym na niego rzucił okiem?

– Tak.

– Idziecie jeść? – zawołała Diane.

„Co to za kobieta" – znaczyło to tak naprawdę. Tom położył rękę na ramieniu Joe.

– Powiedz mamie, że już idę.

Po odejściu chłopaka odwrócił się z powrotem do Annie. Przez chwilę stali, spoglądając na siebie. Wzruszyła lekko ramionami i w końcu uśmiechnęła się. Zauważył, jak opuściły się przy tym kąciki jej ust, chociaż zakłopotanie w oczach nie ustąpiło. Ponaglano go i zastanawiał się, dlaczego mu to nie przeszkadza.

– Niech mi pani wybaczy, że to mówię – stwierdził – ale cholernie nie lubi pani przyjmować „nie" za odpowiedź.

– Owszem – odparła po prostu Annie. – Chyba nie lubię.

*

Grace leżała na plecach na zmurszałej podłodze, wykonując ćwiczenia i słuchając elektronicznych dzwonów metodystycznego kościoła po drugiej stronie ulicy. Nie tylko wybijały one godziny, lecz wygrywały całe melodie. Dosyć lubiła ten dźwięk, głównie dlatego, że doprowadzał do szału jej matkę. Annie była na dole w holu i dzwoniła właśnie w tej sprawie do agenta handlu nieruchomościami.

– Czy oni nie wiedzą, że są przepisy prawne regulujące takie rzeczy? – mówiła. – Przecież zanieczyszczają powietrze!

Telefonowała do niego po raz piąty w ciągu dwóch dni. Biedak popełnił błąd, podając jej swój domowy numer i Annie rujnowała mu weekend, bombardując go skargami: ogrzewanie w dalszym ciągu nie działa, w sypialniach panuje wilgoć, dodatkowej linii telefonicznej, o którą prosiła, nie zainstalowano. A teraz jeszcze te dzwony.

– Nie byłoby tak źle, gdyby jeszcze grali coś przyzwoitego – mówiła. – To absurd, przecież metodyści mają tyle dobrych melodii.

Wczoraj, kiedy Annie wyjeżdżała na ranczo, Grace nie chciała z nią jechać. Po wyjściu matki wybrała się na rekonesans. Nie było zbyt wiele do oglądania. Choteau to w zasadzie jedna długa główna ulica, z torami kolejowymi po jednej stronie oraz siatką willowych uliczek po drugiej. Był też psi salon, wypożyczalnia wideo, restauracja i kino, wyświetlające film, który Grace widziała ponad rok temu. Jedyny powód do dumy stanowiło muzeum, gdzie można było zobaczyć jaja dinozaurów. Zaszła do paru sklepów – ludzie zachowywali się przyjaźnie, ale z rezerwą. Gdy powoli wracała ulicą ze swoją laską, zdała sobie sprawę, że jej się przyglądają. Po dotarciu do domu poczuła się tak przygnębiona, że wybuchła płaczem.

Annie przyjechała uniesiona radością i oznajmiła Grace, że Tom Booker zgodził się zobaczyć Pielgrzyma nazajutrz rano. Grace odparła na to tylko tyle:

– Jak długo musimy siedzieć w tej dziurze?

*

Dom był duży, zbudowany bez jednolitego planu, z łuszczącym się, bladoniebieskim oszalowaniem, cały wyłożony brudną, włochatą wykładziną koloru żółtawobrązowego. Z rzadka rozmieszczone meble wyglądały, jakby je powybierano na wyprzedaży. Annie przeraziła się, kiedy po raz pierwszy zobaczyła to miejsce. Grace była zachwycona. Uderzające niedogodności domu stanowiły jej sprzymierzeńca, doskonały dowód matczynej winy.

W duchu nie sprzeciwiała się aż tak bardzo wyprawie matki, jak dawała to po sobie poznać. Właściwie wręcz z ulgą przyjęła możliwość wyrwania się ze szkoły i męczącego rytuału robienia przez cały czas dzielnej miny. Lecz jej uczucia wobec Pielgrzyma były pogmatwane. Przerażały ją. Najlepiej było w ogóle nie dopuszczać myśli o nim. Matka jednak uniemożliwiała to. Każde jej posunięcie zdawało się zmuszać Grace do stawienia czoła temu zagadnieniu. Zajęła się całą tą sprawą tak, jakby Pielgrzym należał do niej, a przecież on nie należał do niej, należał do Grace. Oczywiście, Grace chciała, by mu się polepszyło, tylko że... Uderzyło ją wtedy, po raz pierwszy, iż może wcale nie chce, żeby mu się polepszyło. Może winiła go za to, co się stało? Nie, to głupota. Może chciała, aby był – tak jak ona – na zawsze okaleczony? Dlaczego on miałby wyzdrowieć, a ona nie? To nie w porządku. Przestań, przestań, mówiła sobie. Te wirujące, zwariowane myśli to wina matki, i Grace nie zamierzała pozwolić, aby nią zawładnęły.

Znowu podwoiła wysiłek fizyczny i zaczęła ćwiczyć tak, że poczuła pot spływający po karku. Podniosła wysoko w górę kikut, i jeszcze raz i jeszcze, powodując ból mięśni prawego pośladka i uda. Potrafiła teraz patrzeć na tę nogę i zaakceptowała wreszcie fakt, że należy ona do niej. Blizna wyglądała ładnie – nie był to już ten wściekły, swędzący róż. Grace nabierała z powrotem mięśni, tak bardzo, że tuleja protezy zaczynała być przyciasna. Usłyszała, jak Annie odkłada słuchawkę.

– Grace? Skończyłaś? On niedługo przyjedzie.

Grace nie odpowiedziała, pozwalając słowom zawisnąć w powietrzu.

– Grace?

– No. I co z tego?

Potrafiła wyczuć reakcję matki, wyobrazić sobie rozdrażnienie na jej twarzy, ustępujące rezygnacji. Usłyszała jeszcze, jak Annie wzdycha i wraca do bezbarwnej jadalni, którą – w pierwszym rzędzie, oczywiście – przekształciła w swoje biuro.

15

Tom obiecał jedynie, że pójdzie jeszcze raz obejrzeć konia. Po tym, jak Annie przejechała taki kawał drogi, przynajmniej to mógł zrobić. Postawił jednak warunek, że pójdzie sam. Nie chciał, by patrzyła mu przez ramię, wywierała jakiś nacisk. Była w tym bardzo dobra, zdążył się już o tym przekonać. Wymusiła na nim obietnicę, że wpadnie później przekazać swój werdykt.

Tom znał stajnie Petersena, zaraz obok Choteau, gdzie Annie umieściła Pielgrzyma. Byli to dosyć mili ludzie, lecz jeśli koń zachowywał się równie źle, jak wtedy, gdy Tom widział go po raz ostatni, nie wytrzymają z nim długo.

Stary Petersen miał twarz wyjętego spod prawa, trzydniowy zarost i zęby równie czarne jak tytoń, który żuł nieustannie. Pokazał je w złośliwym uśmiechu, gdy Tom zajechał chevroletem.

– Jak to mówią? Jeżeli szukasz kłopotów, trafiłeś w odpowiednie miejsce. Mało mnie nie zabił, do licha, kiedy go wyładowywałem. Od tej pory kopie i ciska się jak jakiś diabelski pomiot.

Poprowadził Toma błotnistą drogą, obok rdzewiejących karoserii porzuconych samochodów, do starej stodoły z boksami po obu stronach. Tom słyszał Pielgrzyma na długo, zanim tam dotarli.

– Ledwo zeszłego lata założyłem te bramki – odezwał się Petersen. – Stare by już dawno rozwalił. Kobieta mówi, że wyciągniesz go z tego dla niej.

– O, czyżby?

– Uhm. Radzę ci tylko, żebyś najpierw poszedł do Billa Larsona na przymiarkę. – Ryknął śmiechem i grzmotnął Toma w plecy. Bill Larson był miejscowym przedsiębiorcą pogrzebowym.

Koń znajdował się w jeszcze bardziej przykrym stanie niż ostatnio. Przednie nogi miał tak osłabione, że Tom zastanawiał się, jak w ogóle daje radę stać, a co dopiero bez przerwy kopać.

– Musiała być z niego kiedyś przystojna bestia – zauważył Petersen.

– Przypuszczam. – Tom odwrócił się. Zobaczył dosyć.

Wjechawszy z powrotem do Choteau, spojrzał na kartkę, na której Annie napisała mu swój adres. Kiedy zaparkował przed domem i podchodził do drzwi, kościelne dzwony wygrywały melodię, której nie słyszał, odkąd jako dzieciak uczęszczał do szkółki niedzielnej. Zadzwonił do drzwi i czekał.

Twarz, którą ujrzał po otwarciu drzwi, przeraziła go. Nie dlatego, że spodziewał się matki, lecz z powodu otwartej wrogości na bladej, piegowatej twarzy dziewczynki. Pamiętał ją ze zdjęcia przysłanego przez Annie – szczęśliwą dziewczynę i jej konia. Kontrast był szokujący. Uśmiechnął się.

– Ty pewnie jesteś Grace.

Nie odwzajemniła uśmiechu, tylko skinęła głową i odsunęła się, by go przepuścić. Zdjąwszy kapelusz czekał, aż zamknie drzwi. Słyszał głos Annie dobiegający z pokoju w głębi.

– Rozmawia przez telefon. Może pan zaczekać tutaj.

Zaprowadziła go do salonu w kształcie litery L. Idąc za Grace, Tom spojrzał na jej nogę i laskę, zapisując wszystko w pamięci, by więcej nie patrzeć. Pokój był ponury i pachniał wilgocią. Stały tam dwa stare fotele, zapadająca się sofa oraz telewizor, w którym leciał jakiś stary, czarno-biały film. Grace usiadła i kontynuowała oglądanie.

Tom usadowił się na oparciu jednego z foteli. Przez na wpół otwarte drzwi po drugiej stronie holu dostrzegł faks, ekran komputera i plątaninę kabli. Jeśli chodzi o Annie, to widział jedynie skrzyżowaną nogę i machający niecierpliwie but. Sądząc po głosie, była dosyć zdenerwowana.

– Co? Co powiedział? Lucy... Lucy, nie obchodzi mnie to. Crawfordowi nic do tego, ja jestem cholernym naczelnym i taką okładkę dajemy.

Tom dostrzegł, że Grace wznosi oczy do sufitu i zastanawiał się, czy to nie na jego użytek. W filmie aktorka, której nazwiska nigdy nie mógł zapamiętać, klęczała, trzymając się kurczowo Jamesa Cagneya i błagając go, by nie odchodził. Zawsze to robiły i Tom nie potrafił zrozumieć, po co zawracają sobie głowę.

– Grace, podasz panu Bookerowi kawę? – zawołała z drugiego pokoju Annie. – Ja też poproszę. – Wróciła do swojej rozmowy telefonicznej.

Grace wyłączyła telewizor i wstała, wyraźnie poirytowana.

– Nie ma sprawy, naprawdę – odezwał się Tom.

– Właśnie ją zaparzyła. – Wpatrywała się w niego, jakby powiedział coś niegrzecznego.

– W takim razie dobrze, dziękuję. Ale oglądaj dalej film, a ja przyniosę.

– Już go widziałam. Nudny.

Podniosła swoją laskę i wyszła do kuchni. Tom po chwili poszedł za nią. Rzuciła mu spojrzenie i zaczęła hałasować filiżankami bardziej, niż trzeba było. Stanął przy oknie.

– Co robi twoja mama?

– Co?

– Twoja mama. Zastanawiam się, czym się zajmuje.

– Wydaje czasopismo. – Podała mu filiżankę kawy. – Śmietanki i cukru?

– Nie, dzięki. To musi być nieźle stresująca praca.

Grace zaśmiała się. Zdziwiło Toma, jak gorzko to zabrzmiało.

– No, chyba można tak powiedzieć.

Zapadła niezręczna cisza. Odwróciwszy się, Grace zamierzała nalać następną filiżankę, lecz zamiast tego zatrzymała się i popatrzyła na niego. Widział, jak od jej napięcia drży powierzchnia kawy w szklanym dzbanku. Wyraźnie miała coś ważnego do powiedzenia.

– Na wypadek, gdyby panu jeszcze nie mówiła, nie chcę nic o tym wiedzieć, okay?

Tom powoli pokiwał głową, czekając, co powie dalej. Niemal wypluła na niego te słowa i jego spokojna reakcja trochę wytrąciła ją z równowagi. Nagłym ruchem nalała kawy, ale zrobiła to za szybko i rozlała nieco. Odstawiła dzbanek na stół i chwyciwszy filiżankę, odezwała się ponownie, nie patrząc na niego.

– Cała ta sprawa to jej pomysł. Moim zdaniem totalna głupota. Powinni się go po prostu pozbyć.

Wyszła ciężkim krokiem. Tom popatrzył za nią, a potem wyjrzał na małe zapuszczone podwórko. Przy przewróconym pojemniku na śmieci jakiś kot jadł coś żylastego.

Przyjechał tutaj, aby powiedzieć matce tej dziewczynki, po raz ostatni, że koniowi nie można pomóc. Nie będzie to łatwe po tym, jak przejechały ten cały szmat drogi. Wiele o tym myślał od czasu ostatniej wizyty Annie na ranczu. Ściśle mówiąc, wiele myślał o Annie i o smutku w tych jej oczach. Przyszło mu do głowy, iż gdyby zajął się koniem, to może robiłby to nie, żeby pomóc zwierzęciu, ale jej. Nigdy tak nie postępował. Byłby to zły powód.

– Przepraszam. To była ważna rozmowa.

Odwrócił się, by zobaczyć wchodzącą Annie. Miała na sobie obszerną dżinsową koszulę, a włosy zaczesane do tyłu, wciąż mokre od prysznica. Nadawało jej to chłopięcy wygląd.

– Nie ma sprawy.

Wzięła kawę i napełniła swoją filiżankę. Następnie podeszła i bez pytania to samo zrobiła z jego.

– Był pan go zobaczyć?

Odstawiła dzbanek, ale w dalszym ciągu stała przed nim. Pachniała mydłem albo szamponem, w każdym razie czymś drogim.

– Tak. Właśnie stamtąd wracam.

– No i?

Tom ciągle nie wiedział, jak jej to przekaże, nawet gdy już zaczął mówić.

– No cóż, właściwie gorzej z koniem być nie może.

Przerwał na chwilę i zobaczył jakiś błysk w jej oczach. Następnie za jej plecami dostrzegł stojącą w progu Grace, która bez powodzenia próbowała wyglądać, jakby jej to nie obchodziło. Spotkanie tej dziewczyny – właśnie teraz – było jak ujrzenie ostatniego obrazu z tryptyku. Wszystko stało się jasne. Cała trójka – matka, córka i koń – byli nierozerwalnie połączeni w bólu. Gdyby zdołał pomóc koniowi, chociaż trochę, może mógłby pomóc im wszystkim. Co w tym złego? I tak po prawdzie, jak mógłby odwrócić się plecami do takiego cierpienia?

Usłyszał własne słowa: – Może dałoby się coś zrobić.

Na twarz Annie napłynęła fala ulgi.

– Ale chwileczkę, proszę pani. Mówiłem tylko „może". Zanim w ogóle będę mógł się nad tym zastanowić, muszę coś wiedzieć. To pytanie do Grace.

Zobaczył, jak dziewczynka sztywnieje.

– Widzisz, kiedy pracuję z jakimś koniem, to nic nie wychodzi, gdy robię to sam. To tak nie działa. Właściciel też musi być zaangażowany. Więc oto układ. Nie mam pewności, czy mogę coś zrobić ze starym Pielgrzymem, ale jeśli pomożesz, jestem gotów spróbować.

Grace zaśmiała się gorzko i odwróciła wzrok, jakby nie potrafiła uwierzyć, że mógł wyjść z tak idiotyczną propozycją. Annie utkwiła oczy w podłodze.

– Masz z tym jakiś problem, Grace? – spytał Tom.

Spojrzała na niego z czymś, co niewątpliwie miało być pogardą, kiedy jednak się odezwała, głos jej drżał.

– To chyba jasne.

Tom rozważał to przez chwilę, po czym pokręcił głową.

– Wcale. Nie sądzę. W każdym razie, taki jest układ. Dzięki za kawę. – Odstawił filiżankę i ruszył do drzwi. Annie popatrzyła na Grace, która odwróciła się w stronę salonu, a potem pospieszyła za nim na korytarz.

– Co miałabym robić?

– Po prostu tam być, pomagać, włączać się.

Coś powiedziało mu, że nie powinien wspominać o jeżdżeniu. Nałożył kapelusz i otworzył frontowe drzwi. Widział desperację w oczach Annie.

– Zimno tu – rzekł. – Powinna pani kazać sprawdzić ogrzewanie.

Miał już wychodzić, gdy w progu salonu ukazała się Grace.

Nie patrzyła na niego. Powiedziała coś, ale tak cicho, że nie dosłyszał.

– Słucham, Grace?

Poruszyła się niespokojnie, kierując oczy w bok.

– Powiedziałam, że w porządku. Zrobię to.

Po czym odwróciła się i wróciła do pokoju.

*

Diane upiekła indyka i kroiła go, wkładając w to całą swoją energię. Jeden z bliźniaków spróbował zwinąć kawałek i dostał po łapach. Miał przynieść talerze z kredensu na stół, przy którym wszyscy już siedzieli.

– A co z jednoroczniakami? – zapytała. – Myślałam, że na tym właśnie polega cały pomysł nie organizowania klinik, żebyś mógł dla odmiany popracować z własnymi końmi.

– Będzie na to czas – odparł Tom. Nie mógł zrozumieć, dlaczego Diane wydawała się taka rozdrażniona.

– Za kogo ona się uważa, że tak tu przyjechała? Po prostu założyła, że potrafi zmusić cię do tego. Moim zdaniem ma cholerny tupet. Spadaj! – Usiłowała znowu trzepnąć chłopca, ale tym razem udało mu się umknąć z mięsem. Diane uniosła nóż. – Następnym razem dostaniesz tym, okay? Frank, nie sądzisz, że ona ma tupet?

– Oj, do licha, nie wiem. Na mój rozum to sprawa Toma. Craig, możesz podać kukurydzę?

Nałożywszy ostatni talerz dla siebie, Diane usiadła. Wszyscy się uciszyli, by Frank mógł odmówić modlitwę.

– Tak czy siak – podjął później Tom – Joe będzie mi pomagał z jednoroczniakami. Zgadza się, Joe?

– Jasne.

– O ile nie będziesz w szkole – stwierdziła Diane.

Tom i Joe wymienili spojrzenia. Przez chwilę nikt się nie odzywał, każdy nakładał sobie warzyw i sosu żurawinowego. Tom miał nadzieję, że Diane porzuci temat, ona jednak przypominała psa z kością.

– Chyba będą chciały żywienia i w ogóle, siedząc tu cały długi dzień.

– Nie sądzę, by tego oczekiwały – rzekł Tom.

– Co, pojadą może czterdzieści mil do Choteau za każdym razem, gdy zachce im się kawy?

– Herbaty – wtrącił Frank. – Diane rzuciła mu nieprzyjemne spojrzenie.

– Ha?

– Herbaty. To Angielka. Oni piją herbatę. Przestań, Diane, daj chłopakowi spokój.

– Śmiesznie wygląda noga tej dziewczyny? – zapytał z ustami pełnymi indyka Scott.

– Śmiesznie! – Joe pokręcił głową. – Dziwny z ciebie dzieciak.

– Nie, chodzi mi o to, czy jest zrobiona z drewna czy czego?

– Jedz, co masz na talerzu, Scott, dobrze? – rzucił Frank.

Przez jakiś czas jedli w milczeniu. Tom widział nastrój Diane wiszący nad jej głową niczym chmura. Była wysoką, władczą kobietą, której twarz i ducha zahartowało miejsce, w jakim żyła. Po przekroczeniu czterdziestki coraz bardziej roztaczała wokół siebie atmosferę straconych możliwości. Wyrosła na farmie niedaleko Great Falls i najpierw poznała Toma. Odbyli kilka randek, lecz on dał jasno do zrozumienia, że nie jest gotów osiąść, a zresztą tak rzadko bywał w okolicy, iż po prostu samo to jakoś wygasło. Diane wyszła więc za młodszego z braci. Tom bardzo ją lubił, chociaż czasem – zwłaszcza, odkąd jego matka przeniosła się do Great Falls – uznawał za odrobinę nadopiekuńczą. Od czasu do czasu martwił się, że poświęca mu więcej uwagi niż Frankowi. Co nie oznaczało, iż Frank kiedykolwiek zdawał się to zauważać.

– Na kiedy planujesz znakowanie? – zapytał brata.

– Na przyszły weekend. Jeśli poprawi się pogoda.

Na wielu ranczach zostawiali to na później, Frank jednak znakował w kwietniu, chłopcy bowiem lubili pomagać, a cielaki były jeszcze wtedy na tyle małe, by sobie z nimi mogli poradzić. Zawsze robiono z tego wydarzenie. Przyjaciele przychodzili pomóc, a później Diane dawała wszystkim wyżerkę. Była to tradycja zapoczątkowana przez ojca Toma i jedna z wielu, jakie Frank pielęgnował. Zgodnie z inną, wciąż używali koni do wielu prac, do których inni ranczerzy stosowali obecnie maszyny. Spędzanie bydła na motocyklach to jakoś nie to samo.

Tom i Frank zawsze mieli ten sam punkt widzenia w tych kwestiach. Nigdy nie kłócili się o sposób prowadzenia rancza ani właściwie o nic. Częściowo wynikało to z faktu, iż Tom uważał gospodarstwo bardziej za Franka niż za swoje. To Frank spędził tutaj te wszystkie lata, podczas gdy on podróżował, organizując swoje końskie kliniki. Frank zawsze też miał lepszą głowę do interesów i wiedział więcej o bydle, niż Tom kiedykolwiek mógłby się nauczyć. Obu łączyły bliskie i swobodne stosunki, a Frank był autentycznie przejęty planami Toma, by poważniej zająć się hodowlą koni, oznaczało to bowiem, iż częściej będzie na miejscu. Chociaż bydło należało w większości do Franka, konie zaś do Toma, omawiali różne sprawy i kiedy tylko mogli, pomagali sobie wzajemnie. W zeszłym roku, gdy Tom wyjechał na serię klinik, właśnie Frank nadzorował budowę areny i basenu do ćwiczeń, zaprojektowanych przez Toma dla koni.

Tom zdał sobie nagle sprawę, że jeden z bliźniaków zadał mu pytanie.

– Słucham, o co chodzi?

– Czy ona jest sławna? – To był Scott.

– Czy kto jest sławny, na miłość boską? – warknęła Diane.

– Ta kobieta z Nowego Jorku.

Diane nie dała Tomowi szansy na odpowiedź.

– Słyszałeś o niej? – spytała chłopaka. Pokręcił głową. – No to nie jest sławna, nie? Jedz, co masz na talerzu.

16

Północny skraj Choteau strzeżony był przez wysokiego na trzynaście i pół stopy dinozaura. Pedanci wiedzieli, że to Albertasaurus, dla wszystkich innych wyglądał on jednak zdecydowanie jak zwyczajny Tyrannosaurus Rex. Pełnił swą wartę z parkingu Muzeum Starego Szlaku, a można go było zobaczyć zaraz po minięciu, na drodze nr 89, tablicy z napisem WITAMY W CHOTEAU – MILI LUDZIE, WSPANIAŁA KRAINA. Świadomy, być może, ewentualnie deprymującego oddziaływania takiego powitania, rzeźbiarz nadał wielkim jak noże do steków zębom chytry uśmiech. Efekt napawał niepokojem. Nie sposób było określić, czy bestia chce cię zjeść, czy zalizać na śmierć.

Cztery razy dziennie, już od dwóch tygodni, Annie mijała to gadzie spojrzenie w drodze do i z Double Divide. Wyruszały w południe, po tym, jak Grace pouczyła się trochę lub spędziła wyczerpujący poranek u fizykoterapeutki. Annie zostawiała ją na ranczu, wracała, zasiadała przy telefonach i faksie, po czym znów ruszała w drogę około szóstej, tak jak teraz, by odebrać Grace.

Podróż trwała blisko czterdzieści minut i podobała się Annie, a odkąd zmieniła się pogoda, zwłaszcza wieczorna przejażdżka. Od pięciu dni niebo było czyste – większe i bardziej niebieskie niż kiedykolwiek wydawało jej się to możliwe. Po godzinach szaleńczych telefonów do Nowego Jorku wjeżdżanie w ten krajobraz było jak zanurzanie się w ogromnym, uspokajającym basenie.

Trasa przypominała długą literę L i przez pierwsze dwadzieścia mil na północ drogą nr 89 samochód Annie był często jedynym na drodze. Po prawej stronie rozciągały się bezkresne równiny, zaś w świetle zachodzącego słońca po lewej – w stronę Gór Skalistych – zniszczona przez zimę trawa zmieniała się w blade złoto.

Skręciła na zachód na nie oznakowaną żwirową drogę, ciągnącą się prostą linią przez następne piętnaście mil do rancza i górskiej ściany za nim. Lariat zostawił za sobą chmurę pyłu, który rozpłynął się powoli w podmuchu lekkiego wiaterku. Przechadzające się dumnie po drodze kuliki w ostatniej chwili skoczyły na pastwisko. Annie opuściła osłonkę chroniącą przed rażącym słońcem i poczuła, jak coś w niej się ożywia.

W ostatnich paru dniach zaczęła wyjeżdżać na ranczo trochę wcześniej, po to, by móc obserwować Toma Bookera przy pracy. Co nie znaczy, że prawdziwa praca z Pielgrzymem już się rozpoczęła. Jak dotąd, odbywała się głównie fizykoterapia, odbudowywanie w basenie zmarnowanych mięśni łopatki i nogi. Pływał i pływał dookoła z takim wzrokiem, jakby goniły go krokodyle. Mieszkał teraz poza ranczem, w boksie przy samym basenie i jedyny bliski kontakt, jaki miał z nim Tom, to wprowadzanie i wyprowadzanie z wody. Nawet to było wystarczająco niebezpieczne.

Wczoraj Annie stanęła obok Grace i patrzyła, jak Tom wyciąga Pielgrzyma z basenu. Koń, bojąc się jakiejś pułapki, nie chciał wyjść, więc mężczyzna zszedł po rampie, aż znalazł się po pas w wodzie. Pielgrzym rzucał się, zupełnie przemoczył Toma, a nawet stanął nad nim dęba. Tom jednak absolutnie nie tracił opanowania. Wydawało się Annie cudem, jak ten człowiek może z takim spokojem stać tak blisko śmierci. Jak można obliczyć takie marginesy? Pielgrzym też zdawał się zbity z tropu tym brakiem strachu i wkrótce zaprzestał walki, pozwalając zaprowadzić się do boksu.

Wróciwszy do Grace i Annie, Tom stanął przed nimi ociekający wodą. Zdjął kapelusz i wylał wodę przez rondo. Grace zaczęła się śmiać. Posłał jej krzywe spojrzenie, na co roześmiała się jeszcze bardziej. Następnie odwrócił się do Annie i pokręcił głową.

– Kobieta bez serca z tej pani córki – powiedział. – Ale jeszcze nie wie, że następnym razem to ona wchodzi.

Odgłos śmiechu Grace pozostał od tamtej pory w głowie Annie. W drodze powrotnej do Choteau córka opowiedziała jej, co robili z Pielgrzymem i jakie pytania związane z nim zadawał Tom. Powiedziała jej o źrebaku Bronty, o Franku, Diane i chłopakach, jakie z bliźniaków są urwisy, ale Joe jest w porządku. Pierwszy raz rozmawiała swobodnie i wesoło, odkąd wyjechały z Nowego Jorku i Annie musiała starać się nie reagować zbyt mocno, tylko po prostu zachowywać się, jak gdyby nie było w tym nic specjalnego. Nie trwało to długo. Mijając dinozaura Grace umilkła, tak jakby przypomniał jej, jak teraz zachowuje się w stosunku do matki. Przynajmniej chociaż jakiś początek, pomyślała Annie.

Opony forda zachrzęściły na żwirze, gdy samochód objechał grzbiet i skręcił w dolinę pod drewnianym znakiem podwójnego D, który oznaczał początek drogi dojazdowej do rancza. Annie dostrzegła konie biegające na dużej otwartej arenie przy stajni, a podjechawszy bliżej, także Toma, krążącego między nimi. W ręce trzymał długi kij z pomarańczową chorągiewką na końcu i machał nim na konie, odpędzając je. Było tam kilkanaście źrebaków, które trzymały się raczej razem. Jeden biegał zawsze sam i teraz Annie zobaczyła, że to Pielgrzym.

Grace opierała się o sztachety obok Joe i bliźniaków – wszyscy obserwowali. Zaparkowawszy, Annie podeszła do nich, mierzwiąc po drodze sierść psów, które nie szczekały już na jej widok. Joe uśmiechnął się do niej i jako jedyny powitał.

– Co się dzieje? – zapytała Annie.

– O, trochę je tylko trenuje.

Annie stanęła przy nim. Źrebaki skakały i biegały z jednego końca areny na drugi, rzucając długie cienie na piasek i wzbijając z niego bursztynowe chmury, które jakby łapały w pułapkę zachodzące słońce. Tom bez wysiłku posuwał się za nimi na Rimrocku, czasem przesuwając się trochę na boki lub w tył, żeby zablokować je albo otworzyć jakąś lukę. Annie nie widziała go jeszcze w siodle. Ozdobione białymi skarpetkami nogi konia stawiały zawiłe kroki bez żadnego widocznego prowadzenia, sterowane – wydawało się Annie – samymi myślami Toma. Było tak, jakby on i koń stanowili jedno. Nie potrafiła oderwać od niego wzroku. Mijając ich, podniósł dłoń do kapelusza i uśmiechnął się.

– Annie.

Po raz pierwszy nie powiedział do niej „proszę pani" albo „pani Graves". Ucieszyła się słysząc, jak wypowiada jej imię; sprawiło to, iż poczuła się zaakceptowana. Patrzyła, jak zbliża się do Pielgrzyma, który zatrzymał się, tak jak wszystkie pozostałe zwierzęta, w głębi areny. Stał osobno i jako jedyny się pocił. W świetle słońca wyraźnie widać było blizny na jego pysku i klatce piersiowej. Machał łbem i parskał, zaniepokojony, jak się wydawało, obecnością zarówno innych koni, jak i Toma.

– Właśnie próbujemy tutaj, Annie, nauczyć go, jak znowu być koniem. Cała reszta już wie, widzisz? Tak zachowują się na wolności zwierzęta stadne. Kiedy mają problem – tak jak teraz ze mną i tą chorągiewką – pilnują siebie nawzajem. Ale stary Pielgrzym całkiem o tym zapomniał. Ja jestem skałą, a one twardym miejscem. Uważa, że nie posiada na tym świecie żadnego przyjaciela. Wypuścić te inne w góry, a świetnie sobie poradzą. Za to biedny Pielgrzym poszedłby tylko na przynętę dla niedźwiedzia. Nie o to chodzi, że on nie chce się zaprzyjaźnić, on po prostu nie wie jak.

Ruszył Rimrockiem w stado, ostro wznosząc chorągiewkę, aż trzasnęła w powietrzu. Wszystkie źrebaki rzuciły się w prawo i tym razem – zamiast skoczyć w lewo, tak jak przedtem – Pielgrzym pobiegł za nimi. Gdy tylko jednak znalazł się z dala od Toma, odłączył się i znów stanął samotnie. Tom uśmiechnął się szeroko.

– Sam do tego dojdzie.

Słońce dawno już zaszło, zanim odprowadzili Pielgrzyma do boksu, i zrobiło się zimno. Diane zawołała chłopców do domu na kolację i Grace weszła z nimi po kurtkę, którą tam zostawiła. Tom i Annie powoli szli do forda. Annie nagle uświadomiła sobie, że są sami. Przez chwilę żadne z nich się nie odzywało. Sowa przeleciała nisko nad ich głowami do strumienia i Annie patrzyła, jak wtapia się w ciemność topoli. Poczuła na sobie wzrok Toma i odwróciła się do niego. Uśmiechnął się spokojnie i zupełnie bez zakłopotania, a jego spojrzenie właściwie nie było spojrzeniem obcego, lecz kogoś, kto zna ją od bardzo dawna. Zdołała odwzajemnić uśmiech i z ulgą dostrzegła Grace, idącą w ich stronę od domu.

– Jutro tu znakujemy – rzekł Tom. – Może byście chciały przyjechać pomóc.

Annie zaśmiała się.

– Chyba byśmy tylko wchodziły w drogę.

Wzruszył ramionami.

– Może. Ale tak długo, jak nie weszłybyście w drogę wypalarce do znakowania, nie ma to zbytniego znaczenia. A nawet jeśli, to ładny znaczek. W mieście można by być z niego dumnym.

Annie odwróciła się do Grace i zauważyła, że ma ona ochotę, chociaż stara się nie okazać tego po sobie. Ponownie spojrzała na Toma.

– Okay, czemu nie? – stwierdziła.

Powiedział, że zaczynają około dziewiątej, lecz one mogą się zjawić, kiedy zechcą. Potem życzyli sobie dobrej nocy. Ruszając z podjazdu, Annie zerknęła we wsteczne lusterko. Wciąż stał tam, patrząc, jak odjeżdżają.

17

Tom podjeżdżał jedną stroną doliny, zaś Joe drugą. Chodziło o wyłapanie maruderów, krowy jednak potrzebowały trochę więcej zachęty. Widzieli starego chevroleta w dole na łące, gdzie zawsze stał w porze karmienia, a także słyszeli Franka i bliźniaków, krzyczących w celu zachęcenia krów do przyjścia po paszę. Starsze zwierzęta zsuwały się ze wzgórz, mrucząc w odpowiedzi, podczas gdy cielaki gramoliły się za nimi, bojąc się zostać w tyle.

Ojciec Toma hodował tylko czystą rasę Hereford, lecz od paru lat Frank przestawił się na krzyżówkę Czarnego Angusa i Hereford. Krowy Angus były dobrymi matkami i lepiej pasowały do klimatu, gdyż miały czarne wymiona, których nie opalało słońce odbijające się od śniegu. Tom obserwował przez chwilę, jak oddalały się od niego, po czym skierował Rimrocka w lewo i zajrzał do ocienionego koryta strumienia.

Para unosiła się z wody w ocieplające powietrze, a jakiś nurek odfrunął i poleciał prosto w górę potoku, szybko i tak nisko, iż jego ciemnoszare skrzydła niemal muskały powierzchnię wody. Nawoływanie bydła było tutaj stłumione i jedyny dźwięk stanowiło miękkie człapanie nóg konia, posuwającego się ku szczytowi łąki. Czasem w tym miejscu jakiś cielak zaplątywał się w gęste zarośla karłowatych wierzb. Dzisiaj jednak nic nie znaleźli, toteż Tom wyprowadził Rimrocka na brzeg i pocwałowali w słońcu na szczyt grzbietu górskiego, gdzie się zatrzymali.

Dostrzegł Joe na jego brązowo-białym kucyku, daleko po drugiej stronie doliny. Chłopiec pomachał i Tom odpowiedział mu tym samym. W dole bydło spieszyło do chevroleta, kłębiąc się wokół niego tak, że wyglądał stąd jak łódź na kipiącym rozlewisku czerni. Bliźniaki rzucały kawałkami suchej paszy, by utrzymać zainteresowanie krów, podczas gdy Frank usiadł za kierownicą i powoli ruszył z powrotem w dół łąki. Zwabiane jedzeniem zwierzęta szeroką falą podążyły za nim.

Z tego grzbietu rozciągał się widok na całą dolinę, aż do rancza i zagród, ku którym było teraz prowadzone bydło. Patrząc tak, Tom dostrzegł to, czego – jak sobie uświadomił –

wyglądał przez cały ranek. Drogą dojazdową zbliżał się samochód Annie, pozostawiając za sobą niską szarą chmurę pyłu. Gdy skręcił przed domem, słońce błysnęło w jego przedniej szybie.

Ponad mila oddzielała go od dwóch postaci, które wysiadły z samochodu. Były małe i właściwie niczym się nie wyróżniające. Tom jednak potrafił wyobrazić sobie twarz Annie, tak jakby stała obok niego. Ujrzał ją taką, jaka była zeszłego wieczoru, gdy obserwowała sowę, zanim nie wyczuła, że on na nią patrzy. Wyglądała tak pięknie i bezbronnie, iż chciał ją wziąć w ramiona. Ona jest żoną innego mężczyzny, powiedział sobie, kiedy tylne światła forda oddalały się od domu. Lecz nie powstrzymywało go to od myślenia o niej. Pchnął Rimrocka naprzód i ruszył w dół zbocza, za bydłem.

*

Nad korralem wisiało powietrze ciężkie od pyłu i zapachu przypalanego ciała. Oddzielone od nawołujących bez przerwy matek cielaki przesuwano przez rząd połączonych wybiegów, aż znalazły się na wąskiej pochylni, skąd nie było powrotu. Wynurzając się stąd, jeden po drugim, były chwytane w kleszcze i opuszczane bokiem na stół, gdzie cztery pary rąk natychmiast zabierały się do pracy. Zanim się zorientowały, dostawały zastrzyk, żółtą skuwkę przeciw insektom w jedno ucho, kulkę wzrostu w drugie, a następnie znak wypalany na zadzie żelazem. Potem stół ponownie ustawiał się pionowo, klamra się zwalniała i były wolne. Oszołomione truchtały w stronę głosu swoich matek i wreszcie znajdowały ukojenie u ich wymion.

Wszystkiemu temu przypatrywali się z leniwym, królewskim brakiem zainteresowania ich ojcowie – pięć ogromnych byków rasy Hereford, które leżały, przeżuwając, w przyległej zagrodzie. Przyglądała się temu także Annie, z czymś bliskim przerażeniu. Widziała, iż Grace czuje to samo. Cielaki kwiczały przeraźliwie, a jedyną ich zemstą było bluzganie odchodami po butach napastników i kopanie w każdą nieostrożną goleń, jaka się napatoczyła. Część sąsiadów przybyłych do pomocy przywiozła ze sobą dzieci, które teraz próbowały swych sił w związywaniu i siłowaniu się z mniejszymi cielakami. Annie dostrzegła, że Grace je obserwuje i pomyślała, że przyjście tutaj było strasznym błędem. We wszystkim tym było coś skrajnie fizycznego. Zdawało się to jedynie jeszcze bardziej rażąco podkreślać kalectwo jej własnego dziecka.

Tom musiał wyczytać te myśli z twarzy Annie, ponieważ podszedł i szybko znalazł jej zajęcie. Ustawił ją na wybiegu paszowym, obok uśmiechniętego od ucha do ucha olbrzyma w lustrzanych okularach przeciwsłonecznych. Ten przedstawił się jako Hank i uścisnął Annie rękę, aż zatrzeszczały jej chrząstki. Oświadczył, że mieszka na następnym ranczu w dół doliny.

– Nasz przyjacielski sąsiad świr – stwierdził Tom.

– W porządku, jestem niegroźny – zwierzył się Annie Hank.

Zabierając się do pracy, Annie zauważyła, że Tom podchodzi do Grace, obejmuje ją ramieniem i odprowadza, chociaż Annie nie zdążyła zobaczyć dokąd, bo jakieś cielę nadepnęło jej na stopę, a potem kopnęło mocno w kolano. Wrzasnęła, na co Hank roześmiał się i pokazał jej, jak wpychać zwierzęta na pochylnię, by nie zarobić zbyt wielu siniaków ani nie zostać obrobionym. Była to ciężka praca, Annie musiała się skoncentrować i wkrótce – także dzięki żartom Hanka i ciepłemu, wiosennemu słońcu – zaczęła czuć się lepiej.

Później w wolnej chwili dostrzegła, iż Tom zabrał Grace wprost na linię frontu i dał we władanie żelazo do znakowania. Na początku robiła to z zaciśniętymi powiekami. Szybko jednak tak wymusił na niej myślenie o technice, że całe przeczulenie zniknęło.

– Nie naciskaj zbyt mocno – Annie usłyszała słowa Toma. Stał za Grace, z dłońmi opartymi na jej ramionach. – Po prostu pozwól mu lekko opaść. – Rozbłysły płomienie, gdy rozpalona do czerwoności głowica żelaza dotknęła zadu cielaka. – Tak dobrze. Zdecydowanie, chociaż delikatnie. To boli, ale przejdzie. Teraz pokołysz trochę. Dobra. Podnieś. Grace, doskonałe wypalenie. Najlepsze podwójne D tego dnia.

Wszyscy zawiwatowali. Twarz dziewczynki zaczerwieniła się, a oczy jej błyszczały. Roześmiała się i lekko ukłoniła. Tom zauważył, że Annie patrzy, uśmiechnął się szeroko i wskazał na nią.

– Teraz twoja kolej, Annie.

*

Do późnego popołudnia oznakowano wszystkie oprócz najmniejszych cielęta i Frank ogłosił, że pora na jedzenie. Wszyscy ruszyli w stronę domu, młodsze dzieci z wrzaskiem pobiegły przodem. Annie rozejrzała się w poszukiwaniu Grace. Nikt nie mówił, że są zaproszone, więc Annie czuła, iż czas wyjechać. Dostrzegła córkę z przodu, idącą z Joe – rozmawiali o czymś swobodnie. Annie zawołała ją i dziewczynka się odwróciła.

– Musimy już jechać – powiedziała Annie.

– Co? Dlaczego?

– Właśnie, dlaczego? Nie wolno wam odjeżdżać. – To był Tom, który podszedł z boku. Znajdowali się obok zagrody byków. Przez cały dzień prawie ze sobą nie rozmawiali. Annie wzruszyła ramionami.

– No, wiesz. Robi się późno.

– Taa... wiem. A ty musisz wrócić nakarmić faks i wykonać te wszystkie telefony i w ogóle, zgadza się?

Słońce wisiało za nim, toteż Annie przechyliła głowę i mrużąc oczy przyjrzała mu się. Mężczyźni normalnie nie droczyli się z nią w ten sposób. Podobało jej się to.

– Ale widzisz, jest tutaj taka tradycja – ciągnął Tom – że ten, kto zrobi najlepszy znak, musi po kolacji wygłosić mowę.

– Co!? – zawołała Grace.

– Owszem. Albo wypić dziesięć dzbanów piwa. Więc, Grace, lepiej idź się przygotuj. – Grace spojrzała na Joe, by upewnić się, że to żart. Tom z kamienną twarzą skinął głową w stronę domu. – Joe, pokaż jej drogę. – Joe poprowadził, starając się zachować powagę.

– Skoro jesteś pewien, że jesteśmy zaproszone – odezwała się Annie.

– Jesteście.

– Dziękuję.

– Proszę bardzo.

Uśmiechnęli się do siebie, a ciszę między nimi wypełniło na kilka chwil ryczenie bydła. Kiedy już szaleństwo dnia minęło, jego nawoływania były łagodniejsze. Annie pierwsza odczuła potrzebę odezwania się. Popatrzyła na byki wylegujące się w ostatnich promieniach słońca.

– Kto chciałby być krową, gdyby można było się tak byczyć cały dzień, jak te tutaj? – powiedziała.

Tom pokiwał głową.

– No. Spędzają całe lato kochając się, a zimą tylko leżą i żrą. – Urwał na chwilę, w zamyśleniu przypatrując się zwierzętom. – Z drugiej strony niewiele ich doczekuje tego. Urodź się bykiem, a masz dziewięćdziesiąt procent szans, że cię wykastrują i pójdziesz na hamburgery. Biorąc pod uwagę jedno i drugie, chyba wybrałbym bycie krową.

*

Siedzieli przy długim stole nakrytym wykrochmalonym białym obrusem i zastawionym szynką w galarecie, indykiem i parującymi półmiskami kukurydzy, fasoli i patatów. Pokój stanowił najwyraźniej główny salon, wydawał się jednak Annie raczej dużym holem dzielącym dwa skrzydła domu. Sufit był wysoki, zaś podłoga i ściany pokryte ciemnym, barwionym drzewem. Wisiały tam obrazy, przedstawiające Indian polujących na bizony oraz stare sepiowe fotografie mężczyzn z długimi wąsami i zwyczajnie ubranych kobiet o poważnych twarzach. Po jednej stronie otwarte kręte schody prowadziły na szerokie półpiętro z balustradą, górujące nad całym pokojem.

Annie poczuła się zażenowana, kiedy weszli. Zdała sobie sprawę, że kiedy brała na dworze udział w znakowaniu, większość pozostałych kobiet przygotowywała w domu posiłek. Nikomu to jednak jakby nie przeszkadzało. Diane, która dotychczas nigdy nie wydawała się nadmiernie przyjacielsko nastawiona, serdecznie ją powitała, a nawet zaproponowała przebranie się. Ponieważ inni uczestnicy znakowania byli również zakurzeni i zabrudzeni, Annie podziękowała i odmówiła.

Dzieci siedziały przy jednym końcu stołu, i zgiełk, jaki robiły, był tak duży, iż dorośli po drugiej stronie musieli się wysilać, by słyszeć własne słowa. Co jakiś czas Diane krzyczała do nich, by zachowywali się ciszej, odnosiło to jednak niewielki albo zgoła żaden skutek i wkrótce, za sprawą Franka i Hanka, siedzących po obu stronach Annie, zapanował ogólny rozgardiasz. Grace zajmowała miejsce obok Joe. Annie słyszała, jak opowiada mu o Nowym Jorku i koledze, którego obrobili w metrze z nowych nike'ów. Joe słuchał z szeroko otwartymi ustami.

Tom siedział naprzeciwko Annie, pomiędzy swoją siostrą

Rosie oraz ich matką. Przyjechały tego popołudnia z Great Falls z dwoma córkami Rosie – pięcio– i sześcioletnią. Ellen Booker była łagodną, delikatnej budowy kobietą o pięknych siwych włosach i oczach równie niebieskich jak u Toma. Odzywała się niewiele, głównie słuchając tego, co działo się wokół niej i uśmiechając się. Annie zauważyła, jak Tom dba o nią i opowiada jej cicho o ranczu i o koniach. Ze sposobu, w jaki Ellen na niego patrzyła, domyśliła się, że to jej ukochane dziecko.

– No więc, Annie, walniesz o nas wszystkich wielki artykuł w swoim piśmie? – odezwał się Hank.

– Zgadza się, Hank. Ty będziesz miał zdjęcie na dwie strony.

Ryknął śmiechem.

– Hej, Hank – odezwał się Frank – lepiej zrób sobie te, no... jak to się nazywa? Ssanie tkanki.

– Odsysanie tkanki, głupku – rzuciła Diane.

– Ja bym wolał ssanie – stwierdził Hank. – Chociaż to chyba zależy, kto by ssał.

Annie zapytała Franka o ranczo, więc opowiedział jej, jak przeprowadzili się tutaj, kiedy on i Tom byli jeszcze mali. Zaprowadził ją do fotografii i objaśnił, kogo przedstawiają. W tej galerii uroczystych twarzy było coś, co Annie uznała za wzruszające. Tak jakby samo przeżycie tych ludzi na tej zniechęcającej ziemi stanowiło już jakiś ogromny triumf. Podczas gdy Frank opowiadał jej o swoim dziadku, Annie przypadkowo rzuciła okiem na stół z tyłu i zobaczyła, jak Tom podnosi wzrok i uśmiecha się, patrząc na nią.

Kiedy razem z Frankiem usiedli z powrotem, Joe opowiadał właśnie Grace o jakiejś hipisce, która mieszkała wyżej w górach. Parę lat temu kupiła kilka mustangów Pryor Mountain i po prostu puściła je wolno. Rozmnożyły się i teraz było ich już spore stadko.

– Ma też dzieciaki, co latają bez niczego. Tata nazywa ją Granola Gay. Przyjechała tu z Los Angeles.

– Kalifornikacja! – wykrzyknął Hank. Wszyscy się roześmiali.

– Hank, proszę cię! – odezwała się Diane.

Później, przy deserze, na który składał się placek z dynią i domowej roboty lody wiśniowie, Frank odezwał się:

– Wiesz co, Tom? Przez ten czas, gdy ty pracujesz nad tym ich koniem, Annie i Grace powinny wprowadzić się do domku nad potokiem. To wariactwo, ciągłe takie jeżdżenie w tę i w tę.

Annie zdołała przechwycić ostre spojrzenie, jakie Diane posłała mężowi. Było to najwyraźniej coś, czego nie przedyskutowali wcześniej. Tom popatrzył na Annie.

– Jasne – stwierdził. – To dobry pomysł.

– Och, to bardzo miło z waszej strony, ale naprawdę...

– Do licha, znam tę chatę, w której mieszkacie w Choteau – powiedział Frank. – Może wam się zawalić na głowę.

– Frank, dom nad potokiem to też nie pałac, na miłość boską – włączyła się Diane. – A zresztą Annie na pewno chce trochę intymności.

Zanim Annie zdążyła się odezwać, Frank pochylił się i spojrzał w dół stołu.

– Grace? A ty co myślisz?

Grace popatrzyła na matkę, lecz jej mina już zdradziła odpowiedź i tego tylko Frank potrzebował.

– W takim razie załatwione.

Diane wstała.

– Zrobię kawę – rzekła.

18

Półksiężyc koloru nakrapianej kości wciąż wisiał na bladnącym niebie, kiedy Tom wyszedł przez siatkowe drzwi na ganek. Stanął tam, nakładając rękawiczki i czując na twarzy zimne powietrze. Świat stał się biały i kruchy od mrozu, a żaden wietrzyk nie poruszał kłębami pary, które tworzył jego oddech. Psy machając ogonami, popędziły Tomowi na powitanie – dotknął ich głów i nieznacznym skinieniem głowy odesłał je w stronę korrali. Odbiegły popychając się i podskubując, pozostawiając ślady na trawie. Tom podniósł kołnierz swojej zielonej, wełnianej marynarki i zszedł z ganku za nimi.

Żółte rolety okna na piętrze domku nad potokiem były zasunięte. Annie i Grace prawdopodobnie jeszcze spały. Poprzedniego popołudnia pomógł im się wprowadzić, posprzątawszy tam wpierw trochę z Diane. Szwagierka przez cały ranek prawie się nie odzywała, domyślił się jednak, co czuje, z jej wysuniętej szczęki oraz metodycznie gwałtownego sposobu, w jaki używała odkurzacza i szykowała łóżka. Annie miała spać w głównej sypialni od frontu, wychodzącej na strumień. To tam właśnie spali Frank i Diane, wcześniej zaś on i Rachel. Grace przypadł dawny pokój Joe z tyłu domu.

– Jak długo planują zostać? – zapytała Diane, kiedy skończyła ścielić łóżko Annie.

Tom stał przy drzwiach, sprawdzając działanie kaloryfera. Odwrócił się, ona jednak nie patrzyła na niego.

– Nie wiem. To chyba zależy od tego, jak pójdzie z koniem.

Diane nic nie odpowiedziała, tylko kolanami przesunęła łóżko z powrotem na miejsce, aż wezgłowie grzmotnęło o ścianę.

– Jeśli widzisz w tym jakiś problem, jestem pewien, że...

– Kto powiedział, że widzę w tym problem? Nie widzę problemu. – Energicznym krokiem przeszła obok niego na podest, zgarniając zostawiony tam stos ręczników. – Mam tylko nadzieję, że ta kobieta umie gotować, to wszystko. – I zeszła po schodach.

Diane nie było w pobliżu później, gdy Annie i Grace przyjechały. Tom pomógł im wypakować lariata i zaniósł rzeczy na górę. Z ulgą zauważył, że przywiozły dwa duże pudła artykułów spożywczych. Słońce wpadało ukosem przez duże frontowe okno do salonu, co tworzyło atmosferę lekkości i przewiewności. Annie bardzo się tu spodobało. Spytała, czy może przesunąć duży stół jadalny pod okno, by móc używać go jako biurka i spoglądać w czasie pracy na potok i zagrody. Tom chwycił za jeden koniec, ona za drugi, a później pomógł wnieść wszystkie komputery, faksy i jakieś inne elektroniczne gadżety, których przeznaczenia nawet nie próbował zgadnąć.

Uderzyło go, że pierwszą rzeczą, jaką Annie chciała zrobić na nowym miejscu – przed rozpakowaniem się, nawet przed zobaczeniem, gdzie ma spać – było zorganizowanie stanowiska pracy. Z miny Grace domyślił się, że dla niej to wcale nie zaskoczenie – zawsze tak było.

Ostatniego wieczoru przed spaniem wyszedł, jak zwykle, sprawdzić konie, a wracając spojrzał na domek nad potokiem i dostrzegł światła. Zastanawiał się, co robią, ta kobieta i jej dziecko, i o czym – jeśli w ogóle – rozmawiają. Widząc dom, stojący tak na tle czystego nocnego nieba, pomyślał o Rachel oraz o bólu, jaki wiele lat temu zamykały w sobie te mury. Teraz znów ból był tutaj zamknięty, ból najwyższego rzędu, precyzyjnie zbudowany wspólną winą i używany przez zranione dusze, by karać tych, których kochają najbardziej.

Tom przeszedł obok korrali – zamarznięta trawa skrzypiała pod podeszwami jego butów. Gałęzie topoli wzdłuż strumienia ozdobione były koronką srebra, a nad ich wierzchołkami dostrzegł wschodnie niebo, zaczynające jarzyć się na różowo tam, gdzie wkrótce miało się pokazać słońce. Psy czekały na niego przed drzwiami stodoły, pełne entuzjazmu. Wiedziały, że nigdy nie pozwala im wejść ze sobą, lecz zawsze uważały, iż warto spróbować. Odsunął je nogą na bok i wszedł doglądnąć koni.

Godzinę później, gdy słońce wytopiło już czarne plamy na wyglazurowanym szronem dachu stodoły, Tom wyprowadził jednego z tych źrebaków, które zaczął ćwiczyć w poprzednim tygodniu i wskoczył na siodło. Koń, tak jak wszystkie inne wyhodowane przez niego, prowadził się lekko, toteż łagodnym spacerkiem jechali polną drogą w stronę łąk.

Mijając dom nad potokiem, Tom zauważył, że rolety w sypialni Annie są już odsłonięte. Dalej znalazł odciski stóp na szronie przy drodze i pojechał ich śladem, aż zniknęły pomiędzy wierzbami, gdzie droga przecinała strumień płytkim brodem. Z wody wystawały tam kamienie, a z mokrych śladów na nich domyślił się, że ktoś właśnie tamtędy przechodził.

Źrebak zobaczył ją wcześniej. Zauważywszy, że strzyże uszami, Tom podniósł wzrok i ujrzał Annie biegnącą od strony łąki. Miała na sobie bladoszarą bluzę, czarne legginsy i te studolarowe buty, jakie reklamują w telewizji. Nie dostrzegła go jeszcze. Zatrzymał konia na skraju wody i patrzył, jak się zbliża. Poprzez cichy szum wody dosłyszał jej oddech. Włosy miała związane z tyłu, a twarz zrobiła jej się różowa od zimnego powietrza i wysiłku. Patrzyła w dół, koncentrując się tak mocno na tym, gdzie stawiać stopy, że gdyby źrebak nie parsknął cicho, mogłaby na nich wpaść. Na ten dźwięk jednak podniosła wzrok i stanęła w miejscu, w odległości jakichś dziesięciu jardów.

– Cześć!
Tom dotknął rąbka kapelusza.
– Trochę joggingu, co?
Zrobiła prawie wyniosłą minę.
– Ja nie uprawiam joggingu, panie Booker. Ja biegam.
– To masz szczęście. Okoliczne grizzly lecą tylko na uprawiających jogging.
Oczy jej się rozszerzyły.
– Niedźwiedzie grizzly? Mówisz poważnie?
– No wiesz, trzymamy je dobrze odżywione i w ogóle. – Widząc, że się zaniepokoiła, uśmiechnął się od ucha do ucha. – Żartuję. Owszem, żyją w okolicy, ale lubią siedzieć wyżej. Jesteś bezpieczna. – Chciał dodać, że mogłyby jej zagrozić jedynie górskie lwy, lecz jeśli słyszała o tej kobiecie z Kalifornii, mogłaby nie uznać tego za zbyt zabawne.
Spojrzała karcąco spod przymrużonych powiek za dokuczanie jej, po czym uśmiechnęła się szeroko i podeszła bliżej, tak że słońce zaświeciło jej prosto w twarz i musiała osłonić oczy ręką, by spojrzeć na Toma. Jej piersi i ramiona unosiły się w rytmie oddechu, a delikatny kłąb pary oderwał się od niej i roztopił w powietrzu.
– Dobrze spałaś tam, w domku? – zapytał.
– Ja nigdzie dobrze nie śpię.
– Ogrzewanie w porządku? Minęło trochę czasu, odkąd...
– Świetnie. Wszystko świetnie. Naprawdę bardzo miło z waszej strony, że pozwoliliście nam się tu zatrzymać.
– Dobrze, że stara chata jest zamieszkana.
– No, tak czy owak, dziękuję.
Przez chwilę żadne z nich jakby nie wiedziało, co powiedzieć. Annie wyciągnęła dłoń, by dotknąć konia, lecz zrobiła to odrobinę zbyt gwałtownie, więc zwierzę szarpnęło głową w bok i cofnęło się o parę kroków.
– Przepraszam – powiedziała.
Tom pogłaskał źrebaka po szyi.
– Po prostu trzymaj rękę wyciągniętą. Trochę niżej, tutaj, żeby mógł poznać twój zapach.
Koń zniżył nozdrza do ręki Annie i zbadał ją koniuszkami swoich wąsów, a następnie powąchał. Annie przyglądała się temu. Na jej twarzy zaczął się pojawiać delikatny uśmiech

i Tom ponownie zwrócił uwagę, że kąciki jej ust zdają się wieść jakieś własne tajemne życie, klasyfikując każdy uśmiech w zależności od okazji.

– Jest piękny – odezwała się.

– Taa, całkiem nieźle sobie radzi. Jeździsz konno?

– Och, jeździłam dawno temu. Kiedy byłam w wieku Grace.

Coś w jej twarzy zmieniło się i natychmiast pożałował tego pytania. Poczuł się także głupio, ponieważ było jasne, iż w jakiś sposób ona obwinia się za to, co stało się jej córce.

– Lepiej już wrócę, zaczynam marznąć. – Przesunęła się obok konia, rzucając Tomowi ukośne spojrzenie. – Zdaje się, że miała być wiosna!

– No cóż, wiesz, jak to mówią, jeżeli nie podoba ci się pogoda w Montanie, poczekaj pięć minut.

Obróciwszy się w siodle patrzył, jak przechodzi z powrotem po kamieniach brodu. Poślizgnęła się i zaklęła pod nosem, gdy jeden but na moment zanurzył się w lodowatej wodzie.

– Podwieźć cię?

– Nie, nic się nie stało.

– Koło drugiej przyjadę po Grace – zawołał.

– Okay.

Dotarła na drugą stronę strumienia i odwróciła się, by mu lekko pomachać. Dotknął kapelusza i obserwował, jak zaczyna biec, wciąż nie patrząc dookoła ani przed siebie, a tylko pod nogi.

*

Pielgrzym wpadł na arenę niczym wystrzelony z armaty. Pobiegł prosto na drugi koniec i zatrzymał się, wzbijając chmurę czerwonego piasku. Podwiązany ogon drgał, zaś uszy poruszały się w przód i w tył. Oczy miał dzikie, skupione na otwartej bramce, przez którą wbiegł i przez którą – jak wiedział – przejdzie teraz człowiek.

Tom stał, trzymając w ręku pomarańczowy kij i zwinięty sznur. Zamknąwszy za sobą bramkę, podszedł na środek areny. Po niebie pędziły białe chmurki, toteż raz było mroczno, a raz oślepiająco jasno.

Przez prawie minutę stali tak, zupełnie nieruchomo, koń i człowiek, oceniając jeden drugiego. Pielgrzym ruszył pierwszy. Parsknął i zniżywszy łeb, cofnął się o kilka kroków. Tom stał niczym posąg, opierając chorągiewkę o piasek. W końcu zrobił krok w stronę Pielgrzyma, a jednocześnie uniósł sznur w prawej ręce i strzelił nim. Koń natychmiast rzucił się w lewo i pobiegł.

Krążył wokół areny, kopiąc piach, parskając głośno i podrzucając łbem. Jego podniesiony i splątany ogon trzepotał i świstał na wietrze. Biegł z zadem odchylonym do wewnątrz a łbem na zewnątrz okręgu i każda uncja mięśni jego ciała była napięta i skupiona jedynie na człowieku. Łeb miał przekrzywiony pod takim kątem, iż musiał bardzo wytężać lewe oko do tyłu, by go zobaczyć. Ani razu jednak nie zbłądziło ono, utrzymane linią strachu tak frapującą, że świat widziany drugim okiem stanowił zaledwie zamazany krąg nicości.

Wkrótce boki zaczęły mu świecić od potu, a z kącików pyska pociekła piana. Człowiek wciąż jednak kazał mu biec, za każdym razem zaś gdy Pielgrzym zwolnił, chorągiewka opadała z trzaskiem, zmuszając go znowu do biegu, do przodu i do przodu.

Wszystko to Grace obserwowała z ławki, którą Tom ustawił dla niej poza ogrodzeniem areny. Po raz pierwszy widziała go pracującego w ten sposób, nie konno. Roztaczał dzisiaj wokół siebie jakąś siłę, którą zauważyła od razu, gdy punkt druga przyjechał chevroletem, by zabrać ją do stajni. Dzisiaj bowiem właśnie, jak oboje wiedzieli, miała się zacząć prawdziwa praca nad Pielgrzymem.

Dzięki pływaniu mięśnie nóg konia wróciły do formy, blizny zaś na klatce piersiowej i pysku z każdym dniem wyglądały lepiej. Teraz trzeba było zająć się bliznami w jego łbie. Tom zaparkował przed stajnią i puścił Grace przodem wzdłuż alejki boksów do tego dużego na końcu, gdzie mieszkał teraz Pielgrzym. W górnej połowie drzwi były kraty i widzieli, że zwierzę przez całą drogę ich obserwuje. Kiedy zbliżali się do bramki, zawsze cofał się w głąb, spuszczając łeb i kładąc uszy po sobie. Nie atakował już jednak, gdy wchodzili, i ostatnio Tom pozwolił Grace wnieść dla niego paszę i wodę. Sierść miał zbitą w kłaki, a grzywę i ogon brudne i poplątane, toteż dziewczynka bardzo chciała go wyczesać.

W tylnej ścianie boksu były suwane drzwiczki, które otwierały się na nagi betonowy korytarz, z niego wiodły zaś kolejne zarówno na basen, jak i arenę. Przeprowadzenie Pielgrzyma przez którekolwiek z nich polegało na otwarciu właściwych i zepchnięciu go tak, by skoczył na drugą stronę. Dzisiaj, jakby wyczuwając jakiś nowy spisek, nie chciał iść, więc Tom musiał zbliżyć się i klepnąć go w zad.

Teraz, gdy Pielgrzym przebiegał obok chyba po raz setny, Grace dostrzegła, jak odwraca łeb, by spojrzeć na Toma, zastanawiając się, dlaczego nagle pozwala mu się zwalniać bez wznoszenia bata. Tom dał mu przejść aż do chodu, a później zatrzymać się. Koń stał, rozglądając się dookoła i sapiąc. Zastanawiał się, co się dzieje. Po paru chwilach Tom ruszył w jego stronę. Uszy Pielgrzyma pochyliły się do przodu, potem do tyłu i znowu do przodu. Mięśnie na jego barkach drżały spazmatycznie.

– Widzisz to, Grace? Widzisz te mięśnie, całe pokurczone? Masz tu cholernie zdeterminowanego konia. Potrzeba ci będzie mnóstwo „gotowania", co stary?

Wiedziała, o co mu chodzi. Opowiadał jej któregoś dnia o staruszku imieniem Dorrance z Wallowa County w Oregonie, najlepszym koniarzu, jakiego Tom kiedykolwiek spotkał. Gdy staruszek próbował zrelaksować jakiegoś konia, wepchnął mu palec w mięśnie i powiedział, że chce sprawdzić, czy ziemniaki są już ugotowane. Grace wiedziała jednak, iż Pielgrzym nie pozwoli na nic takiego. Przechylał łeb w bok, rejestrując zbliżanie się człowieka pełnym strachu okiem, a kiedy Tom znalazł się w odległości około pięciu jardów, rzucił się w tę samą stronę, co przedtem. Tylko że teraz Tom zablokował go chorągiewką. Koń zahamował gwałtownie na piachu i skręcił w prawo, byle dalej od Toma. Gdy jego zad śmigał obok, Tom zrobił sprytnie krok i trzasnął go kijem. Pielgrzym skoczył jeszcze dalej i teraz biegł w kółko, zgodnie z ruchem zegara, a cały proces zaczął się od nowa.

– Chce być w porządku – wyjaśnił Tom. – Tylko po prostu nie wie, jak to jest: być w porządku.

A jeśli kiedykolwiek do tego dojdzie, pomyślała Grace, to co wtedy? Tom nic nie mówił o tym, dokąd to wszystko prowadzi. Brał każdy dzień tak, jak ten przychodził, nie wymuszając niczego, dając Pielgrzymowi czas i pozwalając na dokonywanie wyborów. Ale co potem? Jeśli Pielgrzymowi się polepszy, czy to właśnie ona miałaby na nim jeździć?

Grace doskonale wiedziała, że ludzie z większym stopniem kalectwa niż ona dosiadają koni. Niektórzy nawet zaczynali się dopiero wtedy uczyć. Widywała ich na zawodach, a raz nawet brała udział w sponsorowanych pokazach skoków, z których cały dochód szedł na miejscowy Klub Jazdy Konnej dla Inwalidów. Podziwiała tych ludzi za odwagę i współczuła im. Teraz jednak nie potrafiła znieść myśli, że inni mogliby odczuwać to samo wobec niej. Nie da im do tego okazji. Oświadczyła, że nigdy więcej nie wsiądzie na konia i na tym koniec.

Jakieś dwie godziny później, po powrocie Joe i bliźniaków ze szkoły, Tom otworzył bramkę areny i pozwolił Pielgrzymowi wbiec z powrotem do boksu. Grace wysprzątała go już i wysypała nowymi trocinami, teraz zaś, pod czujnym okiem Toma, przyniosła wiadro paszy i powiesiła świeżą belę siana.

Gdy odwoził ją doliną do domu nad potokiem, słońce wisiało nisko, a skały i giętkie sosny na zboczach ponad nimi rzucały długie cienie na bladą trawę. Nie rozmawiali i Grace dziwiła się, czemu milczenie przy tym mężczyźnie, którego znała tak krótko, nigdy nie wprawiało jej w zakłopotanie. Domyślała się, że coś chodzi mu po głowie. Zajechał chevroletem na tył domu i zatrzymał się przy ganku. Następnie wyłączył silnik, odchylił się na siedzeniu i spojrzał jej prosto w oczy.

– Grace, mam problem.

Urwał i ona nie wiedziała, czy ma coś powiedzieć, on jednak ciągnął dalej.

– Widzisz, kiedy pracuję nad koniem, lubię znać historię. Otóż, najczęściej koń może ci sam sobą bardzo dobrze zrelacjonować całą sprawę. Właściwie o wiele lepiej niż zrobiłby to jego właściciel. Ale czasem zwierzę ma tak namieszane we łbie, że trzeba czegoś więcej, by kontynuować. Trzeba wiedzieć, co poszło nie tak. I często nie chodzi o tę oczywistą rzecz, tylko o coś, co poszło nie tak zaraz przed tym, może nawet jakiś drobiazg.

Grace nie rozumiała i zobaczył, jak marszczy brwi.

– To tak, jakbym prowadził tego starego chevroleta i uderzył w drzewo, a ktoś mnie pyta, co się stało, no to nie powiedziałbym: „Cóż, no wiesz, walnąłem w drzewo". Może bym powiedział, że wypiłem za dużo piw albo że na drodze był rozlany olej, albo że słońce świeciło mi w oczy, albo jeszcze coś. Rozumiesz?

Skinęła głową.

– Cóż, nie wiem, czy masz ochotę rozmawiać o tym i na pewno potrafię zrozumieć, że możesz nie chcieć. Ale jeśli mam wykoncypować, co się dzieje w głowie Pielgrzyma, bardzo by mi pomogło, gdybym wiedział coś o wypadku i o tym, co dokładnie stało się tamtego dnia.

Grace usłyszała samą siebie biorącą głęboki oddech. Odwróciwszy wzrok od niego, popatrzyła na domek i stwierdziła, że widać jego wnętrze przez kuchnię aż do salonu. Dostrzegła niebieskoszary blask ekranu komputera i swoją matkę, siedzącą tam, przy telefonie, w obrębie niknącego światła dużego frontowego okna.

Nie opowiadała jeszcze nikomu o tym, co naprawdę pamiętała z owego dnia. Wobec policji, prawników, lekarzy, nawet wobec własnych rodziców udawała, że większość wydarzeń okryła mgła niepamięci. Problem stanowiła Judith. Grace wciąż nie wiedziała, czy poradzi sobie z mówieniem o Judith. Albo nawet o Guliwerze. Spojrzała z powrotem na Toma Bookera i uśmiechnęła się. W jego oczach nie było ani śladu politowania i w tej sekundzie zrozumiała, iż jest akceptowana, a nie osądzana. Być może wynikało to z faktu, że on znał tylko osobę, którą jest obecnie, tę zeszpeconą, częściową, nie zaś tę całą, jaką była kiedyś.

– Nie chodzi mi o teraz – wyjaśnił łagodnym tonem. – Jak będziesz gotowa. I tylko, jeżeli będziesz chciała.

Coś poza nią przykuło jego wzrok. Podążyła za jego spojrzeniem i dostrzegła matkę wychodzącą na ganek. Odwróciwszy się ponownie do niego, Grace skinęła głową.

– Pomyślę o tym – powiedziała.

*

Robert przesunął okulary na czoło, odchylił się w fotelu i długo pocierał oczy. Rękawy koszuli miał podwinięte, zaś jego krawat leżał pomięty wśród stert papierów i książek prawniczych, które pokrywały biurko. Z korytarza słyszał sprzątaczki, które przechodząc systematycznie przez pozostałe biura sprzątały je i od czasu do czasu rozmawiały między sobą po hiszpańsku. Wszyscy inni poszli do domu już cztery czy pięć godzin temu. Bill Sachs, jeden z młodszych wspólników, usiłował namówić go, by poszedł z nim i jego żoną na jakiś nowy film z Gerardem Depardieu, o którym wszyscy mówili. Robert podziękował, ale oznajmił, że ma jeszcze zbyt dużo roboty, a poza tym zawsze uważał nos Depardieu za lekko irytujący.

– Wygląda, wiesz, trochę penisowato – stwierdził.

Bill, który mógłby uchodzić za psychiatrę, zerknął na niego sponad swoich rogowych oprawek i bawiąc się we freudystę zapytał, czemu niby dla Roberta takie skojarzenie jest denerwujące. Potem rozśmieszył go opowiadając o dwóch kobietach, których rozmowę podsłuchał któregoś dnia w metrze.

– Jedna z nich przeczytała książkę tłumaczącą sny i mówiła tej drugiej, że według tej książki, jeśli śnią ci się węże, to tak naprawdę masz obsesję na punkcie penisów, a druga na to, phi, no to mi ulżyło, bo mi zawsze śnią się tylko penisy.

Bill nie był jedynym, który ostatnio dokładał specjalnych starań, by go rozweselić. Robert czuł się wzruszony, ale tak naprawdę wolał, gdy tego nie robili. Samotność przez kilka tygodni nie usprawiedliwiała takiego poziomu współczucia, podejrzewał więc, iż koledzy wyczuwali w nim jakąś głębszą udrękę. Jeden nawet zaproponował, że przejmie sprawę Dunford Securities. Boże, to przecież była jedna z niewielu rzeczy, które go podtrzymywały.

Każdego wieczoru, od prawie trzech tygodni, siedział do późna w nocy pracując nad tym. Twardy dysk jego laptopa pękał już niemal w szwach. Była to jedna z najbardziej skomplikowanych spraw, jaką kiedykolwiek się zajmował, gdzie w grę wchodziły obligacje warte miliardy dolarów, przesuwane bez końca przez labirynt firm na trzech kontynentach. Dzisiaj odbył dwugodzinną konferencję telefoniczną z prawnikami i klientami w Hongkongu, Genewie, Londynie i Sydney. Różnice czasu stanowiły koszmar. Co ciekawe jednak, pozwalało mu to zachowywać zdrowie psychiczne i, co ważniejsze, zbyt zajmowało, by mógł rozmyślać dużo o tym, jak tęsknił za Grace i Annie.

Otworzył obolałe oczy i nachylił się, by nacisnąć przycisk powtórzenia numeru na jednym z telefonów. Potem oparł się ponownie, patrząc przez okno na oświetloną neonami iglicę budynku Chryslera. Numer, który podała mu Annie, do tego nowego miejsca, gdzie się przeprowadziły, był wciąż zajęty.

*

Zanim przywołał taksówkę, przeszedł na róg Piątej i Pięćdziesiątej Dziewiątej. Zimne nocne powietrze dobrze mu zrobiło i przemyśliwał nawet, czy by nie pójść do domu pieszo, przez park. Zdarzało mu się to już nocą, chociaż tylko raz popełnił błąd i powiedział o tym Annie. Wrzeszczała na niego przez całe dziesięć minut, zwariował chyba, żeby łazić tamtędy po nocy, czy chce, żeby go wypatroszyli? Zastanowił się, czy przeoczył coś w gazetach na temat tego konkretnego ryzyka, uznał jednak, iż nie pora teraz o to pytać.

Z nazwiska widniejącego na tablicy rozdzielczej taksówki domyślił się, iż kierowca jest Senegalczykiem. Spotykało się ich obecnie dość często i Robert zawsze miał dobrą zabawę, wprawiając ich w osłupienie niedbałą odzywką w narzeczu *wolof* albo *jola*. Ten młody człowiek tak się zdumiał, iż omal nie wjechał prosto w autobus. Rozmawiali o Dakarze i miejscach, które obaj znali, a jazda stała się tak ryzykowna, iż Robert zaczął myśleć, że park mógł się jednak okazać bezpieczniejszy. Kiedy zajechali przed blok, zszedł Ramon i otworzył drzwi taksówki, a kierowca podziękował za napiwek i oświadczył, że będzie się modlił, aby Allach pobłogosławił Roberta wieloma silnymi synami.

Po wysłuchaniu od Ramona informacji, najwyraźniej jeszcze gorącej, o pewnym znanym graczu właśnie kupionym przez Metsów, Robert pojechał windą na górę i wszedł do mieszkania. Panowała tam ciemność, a trzask zamykanych drzwi rozległ się echem poprzez pozbawiony życia labirynt pokoi.

Poszedł do kuchni, gdzie znalazł kolację, przygotowaną przez Elzę oraz, jak zwykle, notatkę informującą, co to jest i ile czasu potrzebuje w mikrofalówce. Zrobił to, co zawsze, czyli z poczuciem winy wyrzucił danie do śmieci. Zostawiał jej kartki z podziękowaniami i prośbą, by nie zawracała sobie głowy gotowaniem dla niego, gdyż może kupić sobie coś na mieście na wynos albo przyrządzić coś sam. Kolacja co wieczór jednak czekała na niego. Kochana Elza.

Prawda była taka, że bolesna pustka mieszkania wprawiała go w posępny nastrój i na ile się dało, unikał przebywania w nim. Najostrzej odczuwał to w weekendy. Próbował pojechać do Chatham, lecz tam samotność okazała się jeszcze gorsza. Nie pomogło również odkrycie po przyjeździe, iż termostat w tropikalnym akwarium Grace zepsuł się i wszystkie rybki zdechły z zimna. Widok maleńkich, martwych stworzonek, unoszących się na powierzchni wody, zupełnie wyprowadził go z równowagi. Nie powiedział nic Grace, ani nawet Annie, zebrał się jednak w sobie, spisał wszystko dokładnie i zamówił identyczne rybki w sklepie zoologicznym.

Od wyjazdu Annie i Grace telefoniczna rozmowa z nimi stała się dla Roberta głównym punktem dnia. Dzisiaj wieczorem, bezskutecznie usiłując dodzwonić się do nich przez kilka godzin, odczuwał silniejszą niż kiedykolwiek potrzebę usłyszenia ich głosów.

Zawiązał torbę z odpadkami, po to, by Elza nie odkryła wstydliwego losu kolacji. Wystawiając worek za drzwi, usłyszał telefon i najszybciej jak mógł pobiegł z powrotem korytarzem. Zanim dotarł na miejsce, włączyła się już automatyczna sekretarka i musiał prawie krzyczeć, konkurując z własnym nagranym głosem.

– Chwileczkę, jestem. – Znalazł przycisk wyłączający automat. – Cześć. Właśnie wszedłem.

– Jesteś cały zasapany. Gdzie byłeś?

– O, używałem życia. Wiesz, bary, kluby i tak dalej. Boże, ależ to męczące.

– Nie musisz mi mówić.

– Nie zamierzałem. No i co słychać tam, gdzie tańczy jeleń z antylopą? Cały dzień próbowałem się do was dodzwonić.

– Przepraszam. Jest tu tylko jedna linia i biuro usiłowało zakopać mnie pod zwałami papieru faksowego.

Powiedziała, że Grace dzwoniła do niego do biura pół godziny temu, prawdopodobnie zaraz po jego wyjściu. Teraz poszła już do łóżka, ale przesyła mu ucałowania.

Podczas gdy Annie relacjonowała mu dzień, Robert przeszedł do salonu i, nie zapalając świateł, usadowił się na sofie pod oknem. Annie wydawała się znużona i zdeprymowana, toteż, bez większego powodzenia, starał się ją rozweselić.

– A jak Grace?
Nastąpiła pauza i usłyszał westchnienie Annie.
– Och, nie wiem. – Zniżyła teraz głos, prawdopodobnie po to, by Grace nie słyszała. – Widzę, jaka jest z Tomem Bookerem i Joe, wiesz, tym dwunastolatkiem. Rozumieją się naprawdę dobrze. I przy nich wydaje się w świetnej formie. Ale kiedy jesteśmy tylko we dwie, nie wiem. Zrobiło się tak źle, że nawet nie chce na mnie spojrzeć. – Ponownie westchnęła. – A zresztą.
Przez chwilę milczeli i w oddali Robert usłyszał wycie syren na ulicy, w drodze do kolejnej bezimiennej tragedii.
– Tęsknię za wami, Annie.
– Wiem – odparła. – My też za tobą tęsknimy.

19

Annie podrzuciła Grace do kliniki trochę przed dziewiątą, po czym wróciła na stację benzynową w centrum Choteau. Tankowała obok wielkiego mężczyzny z twarzą jak wyprawiona skóra zwierzęca i w kapeluszu tak szerokim, że mógłby dać schronienie koniowi. Sprawdzał olej w pick-upie marki Dodge, połączonym z przyczepą pełną bydła. Były to krowy Black Angus, takie jak stado w Double Divide i Annie musiała walczyć z impulsem podzielenia się kilkoma mądrymi uwagami na ich temat, opartymi na wiedzy zebranej od Toma i Franka w dniu znakowania. Przećwiczyła to w głowie. Zadbane bydło. Nie, nie powiedziałoby się bydło. Zdrowe zwierzaki? Krasule? W końcu zrezygnowała. Prawdę mówiąc, nie miała pojęcia, czy są zadbane, w kiepskim stanie, czy pogryzione przez pchły, toteż nie otworzyła ust, a tylko skinęła mężczyźnie głową i uśmiechnęła się.
Gdy już zapłaciła za benzynę, ktoś zawołał ją po imieniu. Rozejrzawszy się, zauważyła Diane, wysiadającą ze swej toyoty przy drugim rzędzie dystrybutorów. Annie pomachała i podeszła.
– Więc w końcu jednak czasem odrywasz się od tego telefo-

nu – odezwała się Diane. – Zaczynaliśmy się już nad tym zastanawiać.

Annie uśmiechnęła się i wyjaśniła, że trzy razy w tygodniu musi przywozić rano Grace do miasta na fizykoterapię. Wraca teraz na ranczo popracować i przyjedzie tu po Grace w południe.

– Hej, mogę to za ciebie zrobić – rzekła Diane. – Mam parę rzeczy do załatwienia w mieście. Ona jest w Bellview Medical Center?

– Tak, ale tak szczerze, chyba nie chcesz...

– Nie bądź głupia. To wariactwo, żebyś się tłukła taki kawał drogi.

Annie ciągle miała obiekcje, lecz Diane nic nie przyjmowała do wiadomości. Oznajmiła, że to żaden problem i w końcu Annie poddała się i podziękowała jej. Rozmawiały jeszcze swobodnie kilka minut o tym, jak się żyje w domku nad potokiem i czy Annie i Grace niczego nie brakuje, po czym Diane stwierdziła, że czas jechać.

W drodze powrotnej na ranczo Annie głowiła się nad tym spotkaniem. Istota propozycji Diane była zdecydowanie przyjacielska, jednak sposób jej przekazania już trochę mniej. Wyczuła w niej jakby delikatną sugestię, ślad oskarżenia, że Annie jest zbyt zajęta, by zawracać sobie głowę byciem matką. A może Annie po prostu wpadała w paranoję.

Jechała na północ i patrzyła na równiny z prawej strony, gdzie czarne kształty bydła odbijały się na tle bladej trawy, niczym duchy bizonów z innej ery. Z przodu słońce tworzyło już plamy miraży. Opuściła szybę i pozwoliła, aby wiatr rozwiał jej włosy. Był drugi tydzień maja i wreszcie czuło się, że wiosna chyba przyszła naprawdę i nie na żarty. Kiedy skręciła w lewo z drogi nr 89, zamajaczyły przed nią stoki Gór Skalistych, przykryte od góry chmurą, która wyglądała jak wyciśnięta z jakiejś galaktycznej puszki śmietany w sprayu. Pomyślała, że brakuje tylko wiśni i małej papierowej parasolki. Nagle przypomniała sobie wszystkie faksy i wiadomości telefoniczne, które będą czekały na nią po powrocie na ranczo i dopiero chwilę później zdała sobie sprawę, iż ta myśl złagodziła nacisk jej stopy na pedał gazu.

Wykorzystała już sporą część miesięcznego urlopu, o który

poprosiła Crawforda Gatesa. Będzie musiała poprosić go o więcej, a nie napawało jej to radością. Ponieważ pomimo całej jego gadaniny, jak to niby powinna bez skrupułów wziąć tyle wolnego, ile potrzebuje, Annie nie miała złudzeń. W ciągu kilku ostatnich dni nadeszły wyraźne sygnały, iż Gates zaczyna się niecierpliwić. Nastąpiła seria drobnych ingerencji, z których każda z osobna nie nastręczała powodów do niepokoju, lecz które – zebrane razem – sygnalizowały niebezpieczeństwo.

Skrytykował artykuł Lucy Friedman o bywalcach nocnych klubów, który Annie uznała za doskonały, zakwestionował dwie okładki w dziale artystycznym – nie kategorycznie, lecz wystarczająco, by zrobić wrażenie; przysłał także Annie długie memo na temat tego, jak, jego zdaniem, w porównaniu z konkurencją, obniża się poziom ich relacji z Wall Street. To nawet byłoby w porządku, gdyby nie rozesłał pisma do czterech innych dyrektorów, zanim w ogóle zaczął z nią rozmawiać. Ale jeżeli stary łajdak chciał walki, niech tak będzie. Nie zatelefonowała do niego. Zamiast tego napisała natychmiastową i mocną odpowiedź, pełną faktów i liczb, po czym przesłała kopie do tych samych osób, plus dodatkowo do kilku innych, których znała jako sprzymierzeńców. *Touché*. Ale, na litość boską, jakiego to wymagało wysiłku.

Przejechawszy wzgórze, a potem wzdłuż korrali, zobaczyła źrebaki Toma biegające po arenie, samego Toma jednak nie było – poczuła rozczarowanie, co później ją rozbawiło. Z tyłu domku nad potokiem stał wóz firmy telekomunikacyjnej i kiedy wysiadała, na ganku pojawił się mężczyzna w niebieskim kombinezonie. Życzył jej dobrego dnia i oznajmił, że zainstalował jej właśnie dwie dodatkowe linie.

Znalazła dwa nowe telefony obok komputera. Automatyczna sekretarka wskazywała cztery wiadomości, były także trzy faksy – w tym jeden od Lucy Friedman. Gdy zaczęła go czytać, jeden z nowych telefonów zadzwonił.

– Cześć. – Był to męski głos i przez chwilę nie rozpoznała go. – Chciałem tylko sprawdzić, czy działa.

– Kto mówi? – spytała.

– Przepraszam. Tu Tom, Tom Booker. Zobaczyłem właśnie, że facet od telefonów odjeżdża i chciałem upewnić się, czy nowe linie działają.

Annie roześmiała się.
– Słyszę, że tak – ciągnął – w każdym razie jedna. Nie przeszkadza ci, mam nadzieję, że sam sobie wszedł.
– Oczywiście że nie. Dziękuję. Naprawdę niepotrzebnie zawracałeś sobie głowę.
– To żaden kłopot. Grace mówiła, że jej tata ma czasem problemy z dodzwonieniem się.
– Cóż, to bardzo miło z twojej strony.
Nastąpiła chwila ciszy, a potem, żeby coś powiedzieć, Annie zrelacjonowała mu, jak wpadła na Diane w Choteau i jak ona uprzejmie zaoferowała się, że przywiezie Grace.
– Mogła ją też tam zawieźć, gdybyśmy wiedzieli.
Annie podziękowała mu jeszcze raz za telefony i zaproponowała, że za nie zapłaci, on jednak zbył to, stwierdził, że da jej szansę poużywać ich i odłożył słuchawkę. Zaczęła ponownie czytać faks od Lucy, lecz z jakiegoś powodu miała trudności z koncentracją i przeszła do kuchni zrobić kawę.
Dwadzieścia minut później była z powrotem przy swoim stole, gdzie jedną z nowych linii podłączyła do modemu, drugą zaś tylko do faksu. Miała właśnie zadzwonić do Lucy, która znów wściekała się z powodu Gatesa, kiedy usłyszała kroki na tylnym ganku, a po chwili lekkie pukanie w siatkowe drzwi.
Za mgiełką siatki dostrzegła Toma Bookera. Na jej widok zaczął się uśmiechać. Cofnął się, gdy Annie otworzyła drzwi, i zauważyła, że ma za sobą dwa osiodłane konie – Rimrocka i innego źrebaka. Założywszy ręce na piersiach, oparła się o framugę i obdarzyła go sceptycznym uśmiechem.
– Odpowiedź brzmi: nie – oznajmiła.
– Jeszcze nie wiesz, jak brzmi pytanie.
– Chyba potrafię się domyślić.
– Potrafisz?
– Tak sądzę.
– No cóż, tak sobie wykombinowałem, że skoro zaoszczędziłaś czterdzieści minut jazdy do Choteau i jakieś drugie tyle z powrotem i w ogóle, to może byś była skłonna przepuścić trochę tego na odetchnięcie świeżym powietrzem.
– Na końskim grzbiecie.
– No... taa...
Przez moment patrzyli na siebie, tylko się uśmiechając.

Miał na sobie wyblakłą różową koszulę, zaś na dżinsach te stare, połatane, skórzane osłony, w których zawsze jeździł konno. Może powodowało to światło, lecz jego oczy wydawały się równie jasne i błękitne, jak niebo za nimi.

– Po prawdzie, to byś mi zrobiła przysługę. Mam do objeżdżenia wszystkie te chętne młodziaki i biedny stary Rimrock czuje się trochę pozostawiony na uboczu. Byłby taki wdzięczny, że naprawdę dobrze by się tobą zaopiekował.

– Czy w ten właśnie sposób mam zapłacić za telefony?

– Nie, proszę pani, obawiam się, że to jest ekstra.

*

Fizykoterapeutka, która zajmowała się Grace, była drobną kobietą z gęstymi lokami i szarymi oczami, tak dużymi, iż nadawały jej wygląd permanentnie zdziwionej. Terri Carlson miała pięćdziesiąt jeden lat i była spod znaku Wagi; oboje jej rodzice nie żyli. Wychowała trzech synów, których mąż dał jej w krótkich odstępach czasu, zanim uciekł z teksańską królową rodeo, jakieś trzydzieści lat temu. Uparł się, by chłopców nazwać John, Paul i George, i Terri dziękowała Bogu, że odszedł przed pojawieniem się czwartego. Wszystkiego tego Grace dowiedziała się już podczas swojej pierwszej wizyty, a przy każdej następnej Terri podejmowała wątek tam, gdzie go przerwała, toteż teraz, gdyby ktoś Grace o to poprosił, mogłaby zapisać kilka zeszytów szczegółami z życia tej kobiety. Grace zresztą nie miała absolutnie nic przeciwko temu. Lubiła to wręcz. Oznaczało to, że mogła po prostu leżeć na ławce do ćwiczeń, tak jak teraz, i poddać się całkowicie nie tylko dłoniom kobiety, ale także jej słowom.

Grace zaprotestowała, gdy Annie powiedziała jej, że zorganizowała tutaj dla niej trzy poranne wizyty w tygodniu. Wiedziała, iż po tych wszystkich miesiącach to więcej, niż faktycznie potrzebuje. Terapeutka w Nowym Jorku poinformowała jednak Annie, iż im ciężej się nad tym pracuje, tym mniejsze ryzyko, że pozostanie utykanie.

– Kogo obchodzi, czy będę utykać? – spytała Grace.

– Mnie – odparła Annie, więc tak zostało.

W rzeczywistości Grace bardziej się podobały zajęcia tutaj niż w Nowym Jorku. Najpierw robiły rozgrzewkę. Terri kazała jej wyczyniać dosłownie wszystko. Na koniec ćwiczeń przyczepiła jej rzepami ciężarki do kikuta, wymęczyła na rowerze, a nawet zmusiła do tańczenia disco przed lustrami zapełniającymi ścianę. Pierwszego dnia zauważyła minę Grace po włączeniu taśmy.

– Nie lubisz Tiny Turner?

Grace odparła, że Tina Turner jest w porządku. Tylko trochę...

– Stara? A niech cię! Ona jest w moim wieku!

Grace zaczerwieniła się, po czym roześmiały się i odtąd sprawy szły świetnie. Terri powiedziała jej, żeby przyniosła kilka własnych kaset, które teraz stały się źródłem ciągłych żartów pomiędzy nimi. Gdy Grace przynosiła jakąś nową, Terri oglądała ją dokładnie i kręciła głową, stwierdzając z westchnieniem: „Jeszcze więcej ponuractwa od tego grobowego bractwa".

Po rozgrzewce Grace odpoczywała chwilę, a następnie szła ćwiczyć sama w basenie. Później, przez ostatnią godzinę, znów wracała przed lustra na ćwiczenie chodu albo „trening bramkowy", jak nazywała to Terri. Grace nigdy, w całym swoim życiu, nie czuła się w lepszej kondycji.

Dzisiaj Terri nacisnęła przycisk pauzy na historii swojego życia i opowiadała Grace o pewnym indiańskim chłopcu, którego odwiedzała co tydzień w rezerwacie Czarnych Stóp. Miał dwadzieścia lat, był dumny i piękny, niczym postać z obrazu Charliego Russella. Tak było aż do zeszłego lata, kiedy to poszedł popływać z przyjaciółmi w jeziorze i skoczył na główkę prosto na ukrytą skalną półkę. Doznał pęknięcia kręgów szyjnych i teraz był sparaliżowany od tego miejsca w dół.

– Przy mojej pierwszej wizycie, rany, ale był zły – opowiadała, pracując kikutem Grace niczym rączką u pompki. – Oświadczył, że nie chce mieć ze mną nic wspólnego i jeśli sobie nie pójdę, to on to zrobi, bo nie będzie się wystawiać na poniżenie. Nie dodał „przez kobietę", ale właśnie to miał na myśli. Zastanawiałam się, co on chce powiedzieć przez „pójść sobie"? On nigdzie nie mógł sobie iść, wszystko, co mógł zrobić, to leżeć. Ale wiesz co? Faktycznie poszedł. Zaczęłam nad nim pracować, a gdy po chwili spojrzałam na jego twarz, zobaczyłam, że on... odszedł.

Zauważyła, że Grace nie rozumie.

– Jego umysł, duch, jakkolwiek chcesz to nazwać. Zabrał się i poszedł. Tak po prostu. I było widać, że nie udaje. Był gdzie indziej. A gdy skończyłam, jakby wrócił. Teraz praktykuje to przy każdej mojej wizycie. A teraz obróć się, kochanie, poćwiczymy trochę z Jane Fondą.

Grace przekręciła się na lewy bok i zaczęła wykonywać nożyce.

– Mówi, dokąd sobie idzie? – zapytała.

Terri roześmiała się.

– Wiesz, pytałam go o to, ale stwierdził, że mi nie odpowie, bo na pewno bym poszła za nim wścibiać nos. Tak mnie nazywa, Stara Wścibska. Zachowuje się, jakby mnie nie lubił, ale wiem, że lubi. To tylko jego sposób zachowania dumy. Chyba wszyscy robimy to w taki czy inny sposób. Dobrze, kochanie. Teraz trochę wyżej? Świetnie!

Potem zaprowadziła Grace na basen i zostawiła tam. Było to spokojne miejsce i dzisiaj Grace miała je całe dla siebie. W powietrzu unosił się zapach czystego chloru. Przebrała się w strój kąpielowy i usadowiła w małym baseniku z wirami, by chwilę odpocząć. Przez świetlik w dachu promienie słoneczne padały ukośnie na powierzchnię wody. Niektóre odbijały się, by tańczyć migoczącymi refleksami na suficie, reszta zaś docierała na dno basenu, gdzie tworzyły faliste kształty, niczym kolonia bladoniebieskich węży, które żyły, umierały i wciąż rodziły się na nowo.

Wirująca woda przyjemnie działała na kikut, więc Grace położyła się, rozmyślając o Indianinie. Jak to dobrze móc zrobić coś takiego, zostawić swoje ciało, kiedy się chce, i pójść gdzie indziej. Zaczęła się zastanawiać nad czasem spędzonym w śpiączce. Może właśnie to się wtedy stało. Ale dokąd poszła i co widziała? Nie pamiętała z tego absolutnie nic, nawet żadnego snu, tylko wychodzenie z tego stanu, płynięcie przez tunel kleju w stronę głosu matki.

Zawsze potrafiła zapamiętywać sny. To było łatwe – wystarczyło opowiedzieć je komuś zaraz po obudzeniu, nawet samej sobie. Kiedy była młodsza, wchodziła rano do łóżka rodziców, przytulała się do ojca i opowiadała mu. Zadawał jej szczegółowe pytania i czasem musiała wymyślać, żeby wypełnić luki. Zawsze tylko ojciec brał w tym udział, gdyż o tej porze Annie była już na nogach, na treningu albo pod prysznicem, skąd wrzeszczała do Grace, by się ubrała i poćwiczyła grę na pianinie. Robert radził jej zapisywać wszystkie sny, bo będzie miała dobrą zabawę czytając je, gdy dorośnie, Grace jednak nie zawracała sobie tym głowy.

Spodziewała się okropnych, krwawych snów, związanych z wypadkiem. Ani razu jednak to się jej nie śniło. Jedyny sen o Pielgrzymie miała dwie noce temu. Stał po drugiej stronie wielkiej brązowej rzeki i – co dziwne – był młodszy niż w rzeczywistości, wyglądał prawie jak źrebak, ale na pewno to był on. Zawołała go, a on sprawdził nogą wodę, po czym wszedł prosto do rzeki i zaczął do niej płynąć. Prąd okazał się jednak silniejszy i zaczął go znosić. Patrząc, jak jego łeb staje się coraz mniejszy, Grace czuła się taka bezsilna i przepełniona bólem, gdyż jedyne, co mogła zrobić, to wołać go po imieniu. Nagle uświadomiła sobie, że ktoś stoi obok i odwróciwszy się, ujrzała Toma Bookera, który powiedział, żeby się nie martwiła, Pielgrzymowi nic się nie stanie, ponieważ w dole rzeki woda nie jest już taka głęboka i na pewno znajdzie sobie jakieś miejsce, by wydostać się na brzeg.

Grace nie powiedziała Annie, że Tom Booker pytał, czy porozmawia z nim o wypadku. Obawiała się, iż matka może narobić zamieszania, poczuć się urażona albo spróbować podjąć decyzję za nią. To nie Annie sprawa. Było to coś osobistego pomiędzy nią a Tomem, dotyczyło jej i jej konia, i to ona musiała zadecydować. I zdała sobie teraz sprawę, że już zdecydowała. Chociaż perspektywa napawała ją lękiem, będzie z nim rozmawiać. Może później powie też matce.

Otworzyły się drzwi i weszła Terri, pytając, jak idzie. Powiedziała, że dzwoniła właśnie mama. W południe przyjedzie po nią Diane Booker.

*

Pojechali wzdłuż strumienia i przecięli go brodem, przy którym spotkali się tamtego ranka. Gdy wjeżdżali w głąb niżej położonej łąki, bydło rozłaziło się leniwie, by ich przepuścić. Chmury rozwiały się nad pokrytymi śniegiem wierzchołkami gór i powietrze świeżo pachniało rozprostowującymi się korzeniami. W trawie pokazały się już różowe krokusy, a na topolach pojawiły się, niczym zielona mgiełka, pierwsze ślady liści.

Przez jakiś czas pozwolił jej jechać przed sobą i obserwował wiatr w jej włosach. Nigdy przedtem nie jeździła po zachodniemu i stwierdziła, że czuje się w siodle jak na łodzi. Jeszcze przy domu poprosiła go o skrócenie strzemion Rimrocka, więc teraz miały długość stosowną dla ostrego konia albo do powstrzymywania wierzchowca w biegu. Annie stwierdziła jednak, że w ten sposób czuje, iż ma większą kontrolę. Po sposobie, w jaki utrzymywała się w siodle i swobodnym poruszaniu ciałem w rytm kroków konia, widział, że dobry z niej jeździec.

Upewniwszy się, że Annie już oswoiła się ze zwierzęciem, wyrównał krok i jechali obok siebie, nie odzywając się prawie, poza tym, że czasem pytała o nazwę jakiegoś drzewa, rośliny czy ptaka. Przeszywała go tymi swoimi zielonymi oczami, kiedy objaśniał, po czym z powagą kiwała głową, zapamiętując informację. Minęli kępy osik, które – jak jej powiedział – naprawdę drżały, gdy wiatr poruszał ich liśćmi, pokazał jej także czarne blizny na ich białych pniach w miejscach, gdzie plądrujący zimą łoś zdarł korę.

Posuwali się długim, pochyłym grzbietem górskim, usianym sosnami i pięciornikiem, aż dotarli do krawędzi wysokiego urwiska, skąd rozciągał się widok na bliźniacze doliny, które dały nazwę ranczu. Tam zatrzymali się, nie zsiadając z koni.

– Niezły widok – stwierdziła Annie.

Pokiwał głową.

– Kiedy tata przeprowadził nas tu wszystkich, czasem przychodziłem tu z Frankiem do tego miejsca i ścigaliśmy się z powrotem do korralu o dziesięciocentówkę, albo ćwierćdolarówkę, gdy czuliśmy się akurat bogaci. On biegł wzdłuż jednego strumienia, a ja wzdłuż drugiego.

– Kto wygrywał?

– Cóż, on był młodszy i zwykle gnał tak diabelnie szybko, że się wywalał, a ja musiałem wałęsać się tam w dole między drzewami i wyliczyć to dokładnie w czasie, tak byśmy kończyli łeb w łeb. Naprawdę bardzo się cieszył z wygranej, więc najczęściej tak właśnie było.

Uśmiechnęła się do niego.

– Całkiem dobrze jeździsz – powiedział.

Skrzywiła się.

– Na tym twoim koniu każdy by dobrze wyglądał.

Pochyliła się, by poklepać Rimrocka po szyi i przez chwilę jedynym dźwiękiem było ciche parskanie koni. Wyprostowawszy się, ponownie spojrzała w dolinę. Ponad drzewami widać było sam szczyt domku nad potokiem.

– Kto to jest R.B.? – zapytała.

Zmarszczył brwi.

– R.B.?

– Na studni, przy domu. Są jakieś inicjały, T.B. – to chyba twoje – i R.B.

Roześmiał się.

– Rachel. Moja żona.

– Jesteś żonaty?

– Moja była żona. Rozwiedliśmy się. Dawno temu.

– Masz dzieci?

– Uhm, jedno. Ma dwadzieścia lat. Mieszka z matką i ojczymem w Nowym Jorku.

– Jak ma na imię?

Bez wątpienia zadawała mnóstwo pytań. Taki jej zawód, domyślił się, i wcale mu to nie przeszkadzało. Wręcz podobała mu się jej bezpośredniość – po prostu patrzyła ci prosto w oczy i waliła prosto z mostu. Uśmiechnął się.

– Hal.

– Hal Booker. Brzmi miło.

– Cóż, to miły chłopak. Wyglądasz na trochę zdziwioną.

Od razu pożałował swoich słów, gdyż ze sposobu, w jaki się zaczerwieniła, domyślił się, że wprawił ją w zakłopotanie.

– Nie, wcale nie. Ja tylko...

– Urodził się właśnie tam, w domku nad potokiem.

– Tam mieszkaliście?

– Tak. Rachel nie podobało się tutaj. Zimy mogą być dosyć ciężkie, jeśli nie jest się przyzwyczajonym.

Jakiś cień przesunął się ponad łbami koni i oboje podnieśli wzrok na niebo. Była to para złotych orłów. Powiedział jej, jak można to odgadnąć z ich rozmiarów oraz kształtu i koloru skrzydeł. I razem, w milczeniu, obserwowali, jak ptaki wzbijają się powoli ponad doliną, aż zniknęły za masywną szarą ścianą gór.

*

– Byłaś już tutaj? – spytała Diane, gdy Albertosaurus obserwował je przejeżdżające obok muzeum w drodze z miasta.

Grace odparła, że nie. Diane prowadziła z werwą, obchodząc się z samochodem tak, jakby trzeba mu było dać nauczkę.

– Ja to uwielbiam. Bliźniaki wolą Nintendo.

Grace zaśmiała się. Lubiła Diane. Była dosyć kolczasta, ale od samego początku miła dla Grace. No, wszyscy byli mili, lecz zauważyła, że Diane rozmawia z nią w szczególny sposób – ufny, niemal siostrzany. Mogło to wynikać z tego, przyszło Grace do głowy, iż sama miała tylko synów.

– Powiadają, że dinozaury używały całego tego obszaru jako terenu rozpłodowego – ciągnęła dalej. – I wiesz co, Grace? Ciągle są w pobliżu. Wystarczy, że poznasz paru facetów w tych stronach.

Rozmawiały o szkole i Grace zwierzyła się jej, że Annie każe jej się uczyć w dni, kiedy nie trzeba jechać do kliniki. Diane zgodziła się, iż to niezbyt miłe.

– Co wasz tata mówi na to, że obie jesteście tutaj?

– Czuje się trochę samotny.

– Na pewno.

– Ale prowadzi teraz jakąś dużą ważną sprawę, więc może i tak bym go zbyt często nie oglądała.

– Naprawdę, superpara z tych twoich rodziców, co? Te wielkie kariery i w ogóle.

– O, tata nie jest taki. – Wyszło to tak po prostu i milczenie, które później nastąpiło, jeszcze pogorszyło sprawę. Grace nie zamierzała implikować żadnej krytyki wobec matki, ze spojrzenia Diane wiedziała jednak, że tak to zabrzmiało.

– Czy ona w ogóle miewa wakacje?

Ton był dobrze wyważony, współczujący i Grace poczuła się niczym zdrajca, jakby sama wręczyła Diane jakąś broń. Chciała powiedzieć „nie, źle mnie pani zrozumiała, to wcale nie tak". Zamiast tego jednak tylko wzruszyła ramionami i rzekła:

– O, tak, czasami.

Odwróciła wzrok i przez kilka chwil żadna z nich się nie odzywała. Są rzeczy, których inni ludzie nigdy nie potrafią zrozumieć, pomyślała. Zawsze musiało być w tę albo w tę, a to było bardziej skomplikowane. Była dumna ze swojej matki, do licha. Chociaż nawet nie przyszłoby jej do głowy, żeby jej to powiedzieć, Annie była taka, jaką ona sama chciała być, gdy dorośnie. Może niedokładnie taka, lecz wydawało się naturalne i właściwe, że kobiety powinny mieć takie kariery. Podobało jej się, że wszystkie koleżanki wiedziały o jej matce – jakie odnosi sukcesy i w ogóle. Nie chciałaby, żeby było inaczej i chociaż czasami miała do Annie pretensje, że przebywa w domu mniej niż inne mamy, szczerze mówiąc, nigdy nie czuła się stratna. Często robiła coś tylko z tatą, ale to było w porządku. Bardziej niż w porządku, czasem nawet tak właśnie wolała. Rzecz tylko w tym, iż Annie była, no, taka pewna siebie we wszystkim. Taka radykalna i zdecydowana. Prowokowało to do walki, nawet gdy się człowiek z nią zgadzał.

– Ślicznie, prawda? – odezwała się Diane.

– Tak. – Grace wpatrywała się od jakiegoś czasu w równiny, ale nic do niej nie docierało, a „ślicznie" wcale nie wydawało się właściwym słowem. Wyglądało to na odludne miejsce.

– Nie śniłoby ci się nawet, że jest tam zakopanych dosyć rakiet atomowych, żeby wysadzić w powietrze całą planetę, co?

Grace popatrzyła na nią.

– Naprawdę?

– Możesz się założyć. – Uśmiechnęła się szeroko. – Silosy z pociskami są wszędzie dookoła. Może nie mamy tu zbyt wiele ludzi, ale bomb i wołowiny... o rany, nie ma od nas lepszych.

*

Annie przytrzymywała głową słuchawkę przy uchu i nieuważnie słuchała Dona Farlowa, bawiąc się na klawiaturze dopiero co wystukanym zdaniem. Próbowała napisać główny artykuł, jedyną rzecz, jaką obecnie robiła. Dzisiaj mieszała z błotem nową inicjatywę walki z przestępczością uliczną, świeżo ogłoszoną przez burmistrza Nowego Jorku, miała jednak kłopoty ze znalezieniem dawnej mieszaniny dowcipu i jadowitości, która charakteryzowała Annie Graves w jej najlepszym okresie.

Farlow namawiał ją do przyspieszenia w różnych sprawach, nad którymi pracował razem ze swoimi legalnymi płatnymi mordercami. Żadna z nich nawet pobieżnie nie interesowała Annie. Dała sobie spokój ze zdaniem i wyjrzała przez okno. Słońce obniżało się, a na dużej arenie zobaczyła opartego o ogrodzenie Toma rozmawiającego z Grace i Joe. Dostrzegła, jak odrzuca głowę do tyłu i śmieje się z czegoś. Stodoła za nim rzucała długi klin cienia na czerwony piach.

Całe popołudnie pracowali nad Pielgrzymem, który teraz stał, obserwując wszystko z drugiego końca areny. Na jego grzbiecie lśnił pot. Joe dopiero co wrócił ze szkoły i jak zwykle od razu do nich dołączył. Przez ostatnie kilka godzin Annie spoglądała od czasu do czasu na Toma i Grace, doświadczając zaledwie przeczucia czegoś, co – gdyby nie znała siebie lepiej – mogłaby mylnie wziąć za zazdrość.

Po rannej przejażdżce bolały ją uda. Nie używane od trzydziestu lat mięśnie dały o sobie znać i Annie rozkoszowała się tym bólem niczym jakąś pamiątką. Minęły lata, odkąd ostatni raz czuła uniesienie, jakiego doświadczyła dzisiaj rano. To było tak, jakby ktoś wypuścił ją z klatki. Wciąż podekscytowana, opowiedziała wszystko Grace, gdy tylko Diane podrzuciła ją do domu. Dziewczynce trochę zrzedła mina, zanim przybrała wyraz braku zainteresowania, z jakim ostatnio witała wszelkie nowiny pochodzące od matki, i Annie zganiła się w duchu, że tak z tym wyskoczyła. To było niedelikatne, pomyślała, chociaż później, po zastanowieniu, nie miała do końca pewności, dlaczego.

– I powiedział, żeby dać sobie spokój – mówił Farlow.

– Co? Przepraszam, Don, mógłbyś powtórzyć?

– Powiedział, żeby porzucić proces.

– Kto?

– Annie! Dobrze się czujesz?

– Przepraszam, majstruję tu przy czymś.

– Gates każe mi porzucić sprawę Fiskego. Pamiętasz? Fenimore Fiske? „A kto to jest, na Boga, Martin Scorsese?"

Była to jedna z wielu nieśmiertelnych gaf Fiskego. Pogrążył się jeszcze bardziej kilka lat później, nazywając *Taksówkarza* nędznym filmikiem zrobionym przez znikomy talent.

– Dzięki, Don, dobrze go pamiętam. Gates naprawdę tak powiedział?

– Tak. Stwierdził, że to za dużo kosztuje i przyniesie tobie i pismu więcej szkody niż pożytku.

– Co za sukinsyn! Jak śmie to robić bez ustalenia ze mną? Jezu!

– Na litość boską, nie mów mu, że ci powiedziałem.

– Jezu.

Annie okręciła się na krześle i łokciem strąciła z biurka filiżankę z kawą.

– Cholera!

– Wszystko w porządku?

– No. Słuchaj, Don, muszę to przemyśleć. Oddzwonię do ciebie, okay?

– Okay.

Odłożywszy słuchawkę, przez dłuższą chwilę wpatrywała się w rozbitą filiżankę i rozszerzającą się plamę kawy.

– Cholera!

I poszła do kuchni po ścierkę.

20

– Widzisz, myślałam, że to był pług śnieżny. Słyszałam go z bardzo daleka. Miałyśmy mnóstwo czasu. Gdybyśmy wiedziały, co to jest, mogłybyśmy sprowadzić konie z drogi, na pole albo gdzieś. Powinnam coś powiedzieć Judith na ten temat, ale po prostu nie pomyślałam. Zresztą, kiedy byłyśmy na koniach, ona była zawsze szefem, wiesz? Czyli, gdyby trzeba było podjąć jakąś decyzję, to ona właśnie musiałaby to zrobić. Z Guliwerem i Pielgrzymem też tak było. Guliwer był szefem, jako ten rozsądny.

Zagryzła wargę i odwróciła wzrok, tak że światło za stodołą oświetliło bok jej twarzy. Ściemniało się, a od strumienia nadciągał chłodny wietrzyk. We trójkę odprowadzili Pielgrzyma na noc, po czym Joe – wymieniwszy zaledwie spojrzenie z Tomem – wyniósł się, twierdząc, że ma lekcje do odrobienia. Tom i Grace przeszli powoli do tylnej zagrody, gdzie trzymano jednoroczne źrebaki. Raz stopa sztucznej nogi wpadła jej w koleinę i Grace potknęła się trochę. Tom prawie skoczył, by powstrzymać ją od upadku, ona jednak wyprostowała się sama, więc ucieszył się, że nie musiał. Teraz oboje opierali się o ogrodzenie wybiegu, obserwując konie.

Przeprowadzała go krok po kroku przez śnieżny poranek, w który zdarzył się wypadek. Jak pojechały przez las i jak śmieszny był Pielgrzym, gdy bawił się ze śniegiem, jak zgubiły ścieżkę i musiały schodzić tą stromizną obok potoku. Mówiła nie spoglądając na niego, ze wzrokiem utkwionym w koniach, on jednak wiedział, że widzi jedynie to, co zobaczyła tamtego dnia – innego konia oraz przyjaciółkę – martwych. Tom zaś patrzył na nią i współczuł jej z całego serca.

– Potem znalazłyśmy to miejsce, którego szukałyśmy. To był taki stromy nasyp, prowadzący na wiadukt kolejowy. Byłyśmy już tam kiedyś, więc wiedziałyśmy, gdzie jest ścieżka. No, nieważne. Judith pojechała pierwsza i wiesz, to było niesamowite, jakby Guliwer wiedział, że coś nie tak, bo nie chciał iść, a on taki nie jest.

Usłyszała własne słowa i to, że użyła złego czasu. Spojrzała przelotnie na Toma, on zaś uśmiechnął się do niej.

– Więc zaczął się wspinać i ja spytałam, czy jest okay, a Judith odpowiedziała, że tak, ale żeby uważać, no więc ruszyłam za nią.

– Musiałaś namawiać Pielgrzyma?

– Nie, wcale. Z nim nie było tak jak z Guliwerem. Szedł chętnie.

Spuściła wzrok i przez moment milczała. Jeden ze źrebaków zarżał cicho na drugim końcu zagrody. Tom położył jej dłoń na ramieniu.

– Wszystko w porządku?

Skinęła głową.

– Potem Guliwer zaczął się ślizgać. – Spojrzała na niego, nagle przejęta. – Wiesz, odkryli później, że lód był tylko po tej stronie ścieżki. Gdyby był, no, o kilka cali bardziej na lewo, nic by się nie stało. Ale musiał akurat postawić jedną nogę na tym i wystarczyło.

Znów odwróciła wzrok i ze sposobu, w jaki poruszały się jej ramiona, domyślił się, że walczy, by uspokoić oddech.

– Więc zaczął się ześlizgiwać. Tak bardzo się starał – było widać – przebierał nogami, żeby się utrzymać, ale im bardziej się starał, tym było gorzej, po prostu nie mógł się już utrzymać. Jechali prosto na nas i Judith wrzasnęła, żebyśmy zeszli z drogi. Sama wczepiła się w szyję Guliwera, a ja próbowałam zawrócić Pielgrzyma i wiem, że zrobiłam to za mocno, rozumiesz, naprawdę go szarpnęłam. Gdybym tylko nie straciła głowy i pociągnęła go łagodniej, to by poszedł. Ale chyba przestraszyłam go tylko jeszcze bardziej i nie chciał... po prostu nie chciał się ruszyć!

Przerwała na chwilę i przełknęła ślinę.

– Wtedy w nas uderzyli. Jak się utrzymałam, tego nie wiem. – Roześmiała się krótko. – Dużo sprytniej byłoby spaść. Chyba żebym się zaczepiła tak jak Judith. Kiedy zleciała, to było, no, tak, wiesz, jakby ktoś machał flagą albo czymś, taka była cała wątła i jakby pusta w środku. Trochę nią szarpnęło, gdy spadała, w każdym razie noga się jej zaklinowała w strzemieniu i polecieliśmy wszyscy w dół, ześlizgnęliśmy się. Wydawało się, że to trwa wieczność. I wiesz co? Najbardziej niesamowita rzecz: pamiętam, że gdy tak spadaliśmy z całym tym niebieskim niebem, świecącym słońcem, śniegiem na drzewach i w ogóle, pomyślałam sobie, o rety, pomyślałam, jaki to piękny dzień. – Odwróciła się, by na niego spojrzeć. – Czy to nie najbardziej niesamowita rzecz, jaką kiedykolwiek słyszałeś?

Tom wcale nie uważał tego za niesamowite. Wiedział, że bywają takie chwile, kiedy świat postanawia w ten sposób się objawić, nie – jak mogłoby się wydawać – by wykpić niestosowność naszego położenia, lecz po prostu potwierdzić nam i całemu życiu sam akt istnienia. Uśmiechnął się do niej i skinął głową.

– Nie wiem, czy Judith od razu ją zobaczyła, to znaczy tę ciężarówkę. Musiała naprawdę mocno uderzyć się w głowę, a Guliwer kompletnie wpadł w panikę i, no, młócił nią dookoła. Ale jak tylko ja zobaczyłam, jak nadjeżdża stamtąd, gdzie kiedyś był most, pomyślałam, nie ma szans, żeby ten facet się zatrzymał i że gdybym tylko mogła złapać Guliwera, to bym ściągnęła nas wszystkich z drogi. Byłam taka głupia. Boże, ale byłam głupia!

Objęła głowę dłońmi, zaciskając mocno oczy, chociaż tylko na chwilę.

– Co powinnam zrobić, to zsiąść. Byłoby mi dużo łatwiej go złapać. To znaczy, był porządnie przestraszony, ale zranił się w nogę i nie ruszał się tak szybko. Mogłam trzepnąć Pielgrzyma w zad i odesłać, a potem sprowadzić Guliwera z drogi. Ale nie zrobiłam tego.

Pociągnęła nosem i ponownie zebrała się w sobie.

– Pielgrzym był niesamowity. To znaczy, też był nieźle przestraszony, ale zaraz się pozbierał. Tak, jakby wiedział, czego chcę. Mógł przecież nadepnąć na Judith albo cokolwiek, Boże, ale nie zrobił tego. Wiedział. I gdyby ten facet nie zatrąbił, to by się nam udało, tak niewiele brakowało. Moje palce były o tyle, o tyle...

Grace popatrzyła na niego z twarzą wykrzywioną bólem z powodu świadomości tego, co mogło być, i w końcu przyszły łzy. Tom objął ją ramieniem i przytulił, ona zaś położyła głowę na jego piersi i zaszlochała.

– Widziałam ją patrzącą na mnie z dołu, od nóg Guliwera, tuż przed zatrąbieniem. Wyglądała na taką małą, taką przestraszoną. Mogłam ją uratować. Mogłam uratować nas wszystkich.

Nie odzywał się, wiedział bowiem, że wszelkie słowa byłyby daremne i nic by nie zmieniły oraz że nawet mimo upływu lat jej pewność może pozostać niezachwiana. Stali tak przez dłuższy czas, spowici nocą. Zagarnąwszy ręką z tyłu jej włosy, wciągnął ich świeży, młody zapach. A kiedy już się wypłakała i poczuł, jak jej ciało się odpręża, zapytał łagodnie, czy chce mówić dalej. Pokiwała głową, pociągnęła nosem i wzięła głęboki oddech.

– Jak tylko rozległ się klakson, było po wszystkim. A Pielgrzym nawet jakby odwrócił się przodem do ciężarówki. To było wariactwo, ale tak jakby nie miał zamiaru jej przepuścić. Nie miał zamiaru pozwolić temu wielkiemu potworowi nas skrzywdzić, chciał walczyć. Walczyć z czterdziestotonową ciężarówką, na litość boską! Czy to nie coś? Ale miał taki zamiar, czułam to. A kiedy pojawiła się prosto przed nami, stanął na nią dęba. A ja spadłam i uderzyłam się w głowę. To wszystko, co pamiętam.

Resztę Tom znał, przynajmniej w zarysie. Annie podała mu numer Harry'ego Logana i kilka dni temu zadzwonił i wysłuchał jego relacji z wydarzeń. Logan powiedział mu, jak to się skończyło dla Judith i Guliwera, jak Pielgrzym odbiegł daleko i jak go znaleźli w potoku z tą ogromną dziurą w piersi. Tom zadał mu wiele szczegółowych pytań, z których część – jak się domyślił – wprawiła Logana w zakłopotanie. Weterynarz wydał się jednak człowiekiem wielkiego serca i cierpliwie wyliczył rany konia i co zrobił, by je wyleczyć. Opowiedział Tomowi, jak zawieźli Pielgrzyma do Cornell – a o doskonałej reputacji tej kliniki Tom słyszał – oraz o wszystkim, co tam dla niego zrobiono.

Gdy Tom, zgodnie z prawdą, zauważył, iż nigdy nie słyszał o weterynarzu, który by wyleczył konia tak okrutnie poranionego, Logan zaśmiał się i stwierdził, że bardzo tego żałuje. Powiedział, że później u Dyer wszystko potoczyło się źle i Bóg jeden wie, co ci dwaj chłopacy zrobili biednemu stworzeniu. On wini nawet siebie za współdziałanie w części tych praktyk, na przykład blokowanie łba konia w bramce, by dać mu zastrzyk.

Grace zaczęła marznąć. Zrobiło się późno i matka będzie się zastanawiać, gdzie się podziewa. Powoli przeszli z powrotem do stodoły, przez jej ciemną, wywołującą echo pustkę i wyszli z drugiej strony do samochodu. Strumień światła z reflektorów chevroleta wznosił się i opadał, w miarę jak podskakiwali na wyboistej drodze do domku nad potokiem. Przez jakiś czas psy biegły z nimi, rzucając przed siebie spiczaste cienie, a gdy odwracały się, by spojrzeć na samochód, ich oczy błyskały zielono i upiornie.

Grace zapytała go, czy to, co teraz wie, pomoże mu polepszyć stan Pielgrzyma, on zaś odparł, że musi to wszystko przemyśleć, lecz ma nadzieję, że tak. Po dojechaniu z zadowoleniem stwierdził, iż nie widać już po niej, że płakała. Kiedy wysiadła, uśmiechnęła się do niego, a on domyślił się, że chciałaby mu podziękować, ale jest zbyt nieśmiała, by to powiedzieć. Popatrzył ponad nią na dom, mając nadzieję zobaczyć Annie, nie było jednak ani śladu po niej. Odwzajemnił uśmiech Grace i dotknął kapelusza.

– Do zobaczenia jutro.

– Okay – rzuciła i zamknęła drzwi.

*

Zanim dotarł, inni już zjedli. Przy dużym stole w salonie Frank pomagał Joe rozwiązać jakiś matematyczny problem i po raz ostatni nakazywał bliźniakom ściszyć jakiś program komediowy, który oglądali, grożąc, że inaczej przyjdzie i sam go wyłączy. Diane bez słowa włożyła do mikrofalówki zostawioną dla Toma kolację, podczas gdy on poszedł umyć się do łazienki.

– No więc spodobały się jej nowe telefony?

Przez otwarte drzwi widział, jak usadowiła się z powrotem przy kuchennym stole ze swoimi robótkami.

– Tak, była naprawdę wdzięczna.

Wytarł ręce i wrócił. Kuchenka zabrzęczała, więc wyjął swoją kolację i podszedł do stołu. Była to zapiekanka z kurczaka z zieloną fasolką i ogromnym, pieczonym ziemniakiem. Diane zawsze sądziła, że to jest jego ulubiony posiłek, on zaś nie miał serca wyprowadzać jej z błędu. Nie był wcale głodny, lecz nie chciał jej sprawiać przykrości, więc usiadł i zaczął jeść.

– Nie mogę tylko wykombinować, co zrobi z trzecim – odezwała się Diane, nie podnosząc wzroku.

– Że jak?

– No, ma przecież tylko dwoje uszu.

– O, ma faks i inne rzeczy, które same zajmują linię, a że ludzie dzwonią do niej cały czas, właśnie tego jej potrzeba. Zaproponowała, że zapłaci za założenie tych linii.

– A ty odmówiłeś, założę się.

Nie zaprzeczył i zauważył, że Diane uśmiecha się do siebie. Był wystarczająco rozsądny, żeby nie dyskutować, kiedy ona znajdowała się w takim nastroju. Od samego początku dawała jasno do zrozumienia, iż obecność Annie tutaj nie zachwyca jej i Tom uznał, że najlepiej pozwolić jej się wygadać. Jadł dalej i przez jakiś czas żadne z nich się nie odzywało. Frank i Joe sprzeczali się, czy jakaś liczba powinna być podzielona czy pomnożona.

– Frank mówi, że rano wziąłeś ją na przejażdżkę Rimrockiem – powiedziała Diane.

– Zgadza się. Pierwszy raz, odkąd była dzieckiem. Dobrze jeździ.

– Okropna rzecz, to co się przytrafiło tej dziewczynce.

– Taa...

– Wydaje się taka samotna. Lepiej by jej było w szkole, na mój rozum.

– O, nie wiem. Nie jest jej źle.

Po zjedzeniu i sprawdzeniu koni w stajniach powiedział

Diane i Frankowi, że ma coś do poczytania i życzył im oraz chłopcom dobrej nocy.

Pokój Toma zajmował cały północno-zachodni narożnik domu i z jego bocznego okna rozciągał się widok na dolinę. Pokój był duży, a wydawał się jeszcze większy z powodu niewielkiej liczby sprzętów. Łóżko należało kiedyś do jego rodziców, wysokie i wąskie, z ozdobionym spiralami klonowym wezgłowiem. Leżała na nim kołdra zrobiona przez babcię Toma. Kiedyś była czerwono-biała, czerwień jednak wypłowiała do bladego różu, a materiał zrobił się miejscami taki cienki, iż prześwitywała wyściółka. Był tam także mały sosnowy stół z jednym prostym krzesłem, komoda oraz stary skórzany fotel, stojący pod lampą przy czarnym, żelaznym piecyku.

Na podłodze leżało kilka meksykańskich dywaników, które Tom przywiózł przed kilkoma laty z Santa Fe, były jednak zbyt małe, żeby nadać pokojowi wrażenie przytulności i raczej wywierały efekt przeciwny – niczym zagubione wysepki na ciemnym morzu parkietu. W tylnej ścianie zainstalowano dwoje drzwi – jedne do szafy, w której Tom trzymał swoje ubrania, drugie zaś – prowadzące do małej łazienki. Na komodzie stało kilka starannie oprawionych fotografii jego rodziny. Jedna przedstawiała Rachel z małym Halem w ramionach – w kolorach ciemnych i nasyconych. Obok nowsze zdjęcie Hala z uśmiechem niesamowicie podobnym do uśmiechu matki na pierwszym. Lecz pomimo tych drobiazgów, a także książek i czasopism poświęconych koniom, które zajmowały ściany, ktoś obcy mógłby się zdziwić, jak człowiek może żyć tak długo i posiadać tak niewiele.

Tom usiadł przy stole, przeglądając stos starych „Quarter Horse Journals" w poszukiwaniu artykułu, który czytał przed paroma laty. Napisany został przez pewnego kalifornijskiego trenera koni, którego Tom kiedyś spotkał i opowiadał o młodej klaczy w fatalnym stanie. Przewozili ją z Kentucky razem z sześcioma innymi końmi i gdzieś w Arizonie kierowca zasnął, zjechał z drogi i wszystko się wywróciło. Przyczepa spadła na tę stronę, gdzie były drzwi, więc ratownicy musieli użyć pił łańcuchowych, by dostać się do środka. Tam odkryli, że konie były przywiązane za szyje do boksów i zwisały z tego, co teraz stanowiło sufit, wszystkie martwe oprócz tej jednej klaczy.

Ten trener, jak Tom wiedział, miał swoją ulubioną teorię, że aby pomóc koniowi, można wykorzystać jego naturalną reakcję na ból. Sprawa była skomplikowana i Tom nie miał pewności, czy w pełni ją pojmuje. Zdawała się opierać na mniemaniu, że chociaż pierwszą instynktowną reakcją konia jest ucieczka, kiedy faktycznie poczuje ból, on jednak odwraca się i stawia mu czoło.

Człowiek ten podpierał ten pogląd opowieściami o tym, jak konie żyjące dziko uciekały na widok stada wilków, lecz kiedy poczuły zęby dotykające ich boków, obracały się „na pięcie" i stawały w obliczu bólu. Przyrównywał to do ząbkowania niemowlęcia, które nie unika bólu, tylko się w niego jakby wgryza. Twierdził także, iż ta teoria pomogła mu wyleczyć klacz po urazie, tę, która przeżyła tamten wypadek.

Tom znalazł właściwy numer i ponownie przeczytał artykuł, mając nadzieję, że może to rzucić nieco światła na problem z Pielgrzymem. Trochę brakowało szczegółów, lecz wyglądało na to, że tak naprawdę facet jedynie sprowadził klacz do podstaw, jak gdyby zaczynał z nią od początku, pomagając jej odnaleźć się, sprawiając, by dobre było łatwe, a złe trudne. Wszystko świetnie, tyle że Tom nie znalazł tam dla siebie nic nowego. Już robił takie rzeczy. Jeśli zaś chodzi o to zwracanie się w stronę bólu, wciąż niewiele z tego rozumiał. Ale właściwie, co on robił? Szukał nowej sztuczki? Nie ma żadnych sztuczek, powinien to już wiedzieć. Byłeś tylko ty, koń oraz zrozumienie tego, co się dzieje w obu waszych głowach. Odsunął czasopismo i odchylił się z westchnieniem do tyłu.

Rozważał każdy szczegół wieczornej rozmowy z Grace i wcześniej z Loganem, w poszukiwaniu jakiegoś punktu oparcia, jakiegoś klucza, jakiejś dźwigni, którą mógłby zastosować. Nie znalazł jednak nic takiego. Teraz zaś wreszcie zrozumiał, co przez cały ten czas widział w oczach Pielgrzyma. Było to całkowite załamanie. Zaufanie zwierzęcia do siebie samego i wszystkiego dookoła legło w gruzach. Ci, których kochał i którym ufał, zdradzili go, Grace, Guliwer, wszyscy. Zaprowadzili go na to zbocze, udając, że jest bezpieczne, a potem, gdy okazało się, że jest inaczej, krzyczeli na niego i skrzywdzili go.

Być może Pielgrzym nawet winił siebie samego za to, co się stało. Bo niby dlaczego ludzie mieliby uważać, że mają monopol na poczucie winy? Tak często Tom widywał konie ochraniające swoich jeźdźców, zwłaszcza dzieci, przed niebezpieczeństwami, do których prowadził je brak doświadczenia. Pielgrzym zawiódł Grace. A kiedy próbował obronić ją przed ciężarówką, wszystko co otrzymał w zamian, to ból i kara. A potem wszyscy ci obcy ludzie, którzy oszukali go, złapali, skrzywdzili, skłuli swoimi igłami i zamknęli na cztery spusty w ciemności, plugastwie i smrodzie.

Później, leżąc bezsennie przy zgaszonym świetle w domu dawno pogrążonym w ciszy, Tom poczuł, jak coś unosi się w nim i osiada mu na sercu. Miał już obraz sytuacji, na którym mu zależało, dowiedział się już wszystkiego, czego mógł się dowiedzieć, i okazało się, że ten obraz jest bardziej mroczny i pozbawiony nadziei niż jakikolwiek inny znany mu.

Nie było żadnych złudzeń, nic głupiego ani zmyślonego w sposobie, w jaki Pielgrzym oszacował tragedie, które mu się przytrafiły. Było to po prostu logiczne i właśnie to czyniło pomaganie mu takim trudnym. A Tom tak bardzo chciał mu pomóc. Chciał tego ze względu na samego konia, a także na dziewczynkę. Lecz wiedział także – i jednocześnie wiedział, że to źle – iż przede wszystkim chciał tego ze względu na kobietę, z którą jeździł rano, a której oczy i usta potrafił wyobrazić sobie teraz równie wyraźnie, jak gdyby leżała tutaj obok niego.

21

Tę noc, kiedy umarł Matthew Graves, Annie spędzała razem z bratem u przyjaciół w Błękitnych Górach na Jamajce. Kończyły się ferie bożonarodzeniowe i ich rodzice wrócili do Kingston, zostawiając ich jeszcze na kilka dni, ponieważ tak dobrze się tam bawili. Annie i George, jej brat, zajmowali szerokie łoże, otoczone ogromną moskitierą, do którego w środku nocy przyszła w nocnej koszuli matka przyjaciół, by ich obudzić. Zapaliwszy lampkę, siadła na końcu łóżka, czekając, aż Annie i George otrą sen z powiek. Poprzez siatkę moskitiery Annie dostrzegła w półmroku męża kobiety, w piżamie w paski, z twarzą w cieniu.

Annie na zawsze zapamiętała dziwny uśmiech na twarzy kobiety. Później zrozumiała, iż był to uśmiech zrodzony ze strachu przed tym, co miała do powiedzenia, w tym momencie jednak, gdy sen i świadomość jeszcze się mieszały, wyraz jej twarzy wydawał się zabawny, więc kiedy oznajmiła, że ma złe nowiny i że ich ojciec nie żyje, Annie uznała to za żart. Niezbyt śmieszny, ale mimo wszystko żart.

Wiele lat później Annie stwierdziła, że powinna zająć się swoją bezsennością (nagła potrzeba, która nachodziła ją co cztery – pięć lat i prowadziła jedynie do wydawania sporych sum pieniędzy po to, by usłyszeć rzeczy już sobie znane), złożyła więc wizytę hipnoterapeutce. Technika tej kobiety była „zorientowana na wydarzenie". Oznaczało to, zdaje się, że lubiła, jak klienci zjawiali się z jakimś incydentem, który wyznaczał początek konkretnych kłopotów, jakie ich trapiły. Wtedy wprawiała delikwenta w trans, cofała go w przeszłość i rozwiązywała problem.

Po pierwszej studolarowej sesji biedaczka była wyraźnie rozczarowana, iż jej pacjentka nie potrafi znaleźć odpowiedniego incydentu, więc przez następny tydzień Annie głowiła się, by go odszukać. Omówiła sprawę z Robertem i to właśnie on wpadł na pomysł: Annie w wieku dziesięciu lat została obudzona, by usłyszeć, że jej ojciec nie żyje.

Terapeutka prawie spadła z krzesła z podekscytowania. Annie również czuła się całkiem zadowolona, niczym jedna z tych dziewcząt, których zawsze nienawidziła w szkole – siedzących w pierwszym rzędzie z podniesioną ręką. Nie zasypiaj, bo ktoś, kogo kochasz, może umrzeć. Sprawa nie mogła być bardziej klarowna. Fakt, że przez następne dwadzieścia lat Annie co noc spała jak kłoda, jakoś zdawał się kobiecie nie przeszkadzać.

Zapytała, co Annie czuje w związku ze swoim ojcem, a później, co czuje w związku z matką, a gdy Annie jej powiedziała, zaproponowała „małe ćwiczenie rozdzielania". Annie nie miała nic przeciwko temu. Wtedy kobieta próbowała ją zahipnotyzować, była jednak tak podniecona, że zrobiła to za szybko i po prostu nie powiodło się. Aby jej nie rozczarować, Annie dołożyła wszelkich starań, by udać trans, chociaż miała sporo problemów z utrzymaniem powagi, gdy kobieta stawiała jej rodziców na wirujących dyskach i wysyłała ich, żegnając się pogodnie, w kosmos.

Lecz nawet jeśli śmierć ojca – jak wierzyła w rzeczywistości Annie – nie miała związku z niemożnością snu, jej wpływ na niemal wszystko inne w życiu Annie był wprost nieograniczony.

Przed upływem miesiąca po pogrzebie matka spakowała dom w Kingston i pozbyła się rzeczy, wokół których – w odczuciu dzieci – obracało się ich życie. Sprzedała małą łódź, na której ojciec uczył ich żeglować, a także zabierał na opustoszałe wysepki, gdzie nurkowali wśród korali w poszukiwaniu homarów i biegali nago na białym piasku pod palmami. Zaś ich psa, czarną krzyżówkę labradora imieniem Bella, oddała sąsiadowi, którego ledwie znali. Zobaczyli ją, obserwującą przy furtce, jak taksówka zabierała ich na lotnisko.

Polecieli do Anglii, dziwnego, mokrego i zimnego miejsca, gdzie nikt się nie uśmiechał. Matka zostawiła ich u swoich rodziców w Devon, a sama pojechała do Londynu, poukładać – jak stwierdziła – sprawy męża. Nie traciła czasu układając je też sobie, za pół roku bowiem szykowała się do ponownego wyjścia za mąż.

Dziadek Annie był łagodnym, nieudolnym człowiekiem, który palił fajkę i rozwiązywał krzyżówki, a którego główną troskę w życiu stanowiło unikanie gniewu czy nawet lekkiego niezadowolenia swojej małżonki. Natomiast babka Annie była drobną, złośliwą kobietą, ze sztywną, siwą trwałą, przez którą różowa skóra czaszki przebłyskiwała niczym ostrzeżenie. Jej niechęć do dzieci nie była ani mniejsza, ani większa od jej niechęci do niemal wszystkiego innego w życiu. Podczas gdy jednak większość z tych rzeczy była abstrakcyjna, nieożywiona lub po prostu nieświadoma jej niechęci, od swoich jedynych wnuków czerpała dużo przyjemniejszą odpłatę i postarała się, by uczynić ich pobyt w następnych miesiącach tak przykrym, jak to możliwe.

Faworyzowała George'a, nie dlatego, że mniej go nie lubiła, lecz aby ich podzielić i w ten sposób jeszcze bardziej unieszczęśliwić Annie, w której oczach szybko dostrzegła przekorę. Oznajmiła Annie, iż życie w „koloniach" uczyniło z niej dziecko wulgarne i niechlujne, po czym zabrała się za leczenie jej z tego, wysyłając ją do łóżka bez kolacji i za najbłahsze przewinienia trzepiąc po nogach drewnianą łyżką na długiej rączce. Ich matka, która co weekend przyjeżdżała pociągiem, by się z nimi zobaczyć, bezstronnie wysłuchiwała opowieści dzieci. Odbywano zdumiewająco obiektywne dochodzenia i Annie po raz pierwszy się dowiedziała, jak można subtelnie przearanżowywać fakty, by pokazać różne prawdy.

– To dziecko ma taką żywą wyobraźnię – mawiała jej babka.

Annie pozostawały akty pogardy i drobnej zemsty, kradła więc papierosy z torebki jędzy i paliła je za rododendronami, naiwnie kontemplując, jak niemądrze jest kochać, gdyż ci, których kochasz, i tak umrą i cię zostawią.

Jej ojciec był energicznym, radosnym człowiekiem. Jedynym z jej otoczenia, który uważał ją za kogoś wartościowego. I od jego śmierci życie Annie stanowiło nie kończące się pasmo starań, by udowodnić, że miał rację. Przez szkołę i czasy studenckie i dalej, gdy zaczęła robić karierę, napędzał ją ten jeden cel: pokazać sukinsynom.

Przez jakiś czas, po urodzeniu Grace, uznała swoje racje za dowiedzione. Pomarszczona, różowa twarzyczka, tak ślepo łaknąca jej piersi, przyniosła spokój, tak jakby podróż się skończyła. To był czas określeń. Teraz, powiedziała sobie, może zacząć się liczyć to, kim jestem, a nie co robię. Później przyszło poronienie. Potem następne, następne i jeszcze jedno, porażka mieszająca się z porażką i wkrótce Annie na powrót stała się tą bladą, rozłoszczoną dziewczyną za rododendronami. Pokazała im już przedtem i pokaże znowu.

Ale nie było już tak jak przedtem. Od jej wczesnych dni w „Rolling Stone", te części mass mediów, które śledziły takie sprawy, nazwały ją „błyskotliwą i porywczą". Obecnie, gdy wypłynęła jako szefowa własnego czasopisma – praca, której ślubowała nigdy nie przyjmować – pierwszy z tych epitetów ostał się. Lecz, jakby w uznaniu chłodniejszego paliwa, które ją teraz napędzało, „porywcza" przeobraziło się w „bezlitosna". Właściwie Annie zaskoczyła nawet samą siebie brutalnością, jaka stała się jej cechą na obecnym stanowisku.

Zeszłej jesieni spotkała starą przyjaciółkę z Anglii, z którą chodziła kiedyś do tej samej szkoły z internatem i gdy opowiedziała jej o „puszczaniu krwi" w czasopiśmie, kobieta roześmiała się i zapytała, czy Annie pamięta, jak grała Lady Makbet w szkolnym przedstawieniu. Annie pamiętała. W rzeczy samej, chociaż tego nie powiedziała, pamiętała też, że była dość dobra.

– Przypominasz sobie, jak wsadziłaś ręce do tego wiadra fałszywej krwi przy kwestii „Precz, przeklęta plamo"? Byłaś czerwona po łokcie!

– No, jasne. To była faktycznie diabelska plama.

Annie śmiała się razem z nią, lecz później przez całe popołudnie martwiła się tym wspomnieniem, aż zdecydowała, iż nie jest ono ani trochę związane z jej obecną sytuacją, ponieważ Lady Makbet robiła to dla kariery męża, nie własnej, a zresztą miała wyraźnie nierówno pod sufitem. Następnego dnia, być może dla dowiedzenia swojej racji, wylała Fenimore'a Fiskego.

Teraz, z głupkowatej perspektywy swojego biura na wygnaniu, Annie zastanawiała się nad takimi postępkami oraz stratami w niej samej, które ją do nich skłoniły. Część z tych rzeczy ujrzała przelotnie tamtej nocy przy Little Bighorn, kiedy osunęła się obok kamienia z wygrawerowanymi nazwiskami poległych mężczyzn i zapłakała. Tutaj, w tym miejscu bliskim chmurom, zobaczyła je teraz wyraźniej, jak gdyby ich tajemnice rozwijały się z samą porą roku. I ze smutnym bezruchem, zrodzonym z tej świadomości, w miarę mijania maja, obserwowała, jak oddzielny świat na zewnątrz staje się ciepły i zielony.

Tylko w obecności Toma czuła się częścią tych zmian. Jeszcze trzykrotnie podjeżdżał do jej drzwi z końmi i jeździli razem w różne miejsca, które chciał jej pokazać.

Stało się zwyczajem, że w środy Diane odbierała Grace z kliniki, a czasami w inne dni ona albo Frank także ją zawozili, jeśli musieli jechać do miasta. W te poranki Annie przyłapywała się na tym, że czeka na telefon od Toma z pytaniem, czy ma ochotę na przejażdżkę, a kiedy dzwonił, starała się nie okazywać zbytniego entuzjazmu.

Ostatnim razem była akurat w trakcie telekonferencji, gdy spojrzawszy w stronę zagród, dostrzegła go prowadzącego Rimrocka i innego młodego konia – oba osiodłane – za stajni i całkowicie straciła wątek rozmowy. Nagle zdała sobie sprawę, że wszyscy w Nowym Jorku umilkli.

– Annie? – odezwał się jeden ze starszych redaktorów.

– Tak, przepraszam – odparła. – Mam jakieś zakłócenia z tej strony. Nie słyszałam ostatniej kwestii.

Kiedy Tom pokazał się za siatkowymi drzwiami, konferencja wciąż trwała, więc Annie kiwnięciem ręki zaprosiła go do środka. Zdjął kapelusz i wszedł, a Annie bezgłośnie przeprosiła go i zachęciła, żeby poczęstował się kawą. Zrobił to, po czym usadowił się na oparciu kanapy, by poczekać.

Leżało tam parę ostatnich numerów pisma, wziął więc jeden do przejrzenia. Nazwisko Annie na górze strony, gdzie wymieniano wszystkich pracujących, zrobiło na nim wrażenie. Potem zauważyła, jak uśmiecha się do siebie czytając kolejny kawałek Lucy Friedman napisany w typowym dla niej stylu, pod tytułem *Nowi jajogłowi*. Zabrali kilku modeli w jakieś zapomniane przez Boga miejsce w Arkansas i sfotografowali zabawnie ubranych, bez uśmiechu na twarzach, z piwem, tatuażami i bronią zwisającą z okien pick-upów. Annie zastanawiała się, jak fotograf, genialny człowiek, który nosił makijaż i lubił pokazywać wszystkim swoje przekłute sutki, uszedł z życiem.

Telekonferencja trwała jeszcze dziesięć minut, i Annie, świadoma tego, że Tom słucha, była coraz bardziej skrępowana. Zdała sobie sprawę, że stara się wywrzeć na nim wrażenie i mówi tonem innym niż zwykle, i natychmiast poczuła się głupio. Zebrani wokół głośno mówiącego aparatu w jej nowojorskim biurze Lucy i pozostali musieli się zastanawiać, o co jej chodzi. Po wszystkim Annie odłożyła słuchawkę i odwróciła się do niego.

– Przepraszam.

– W porządku, fajnie było słyszeć cię przy pracy. I wiem teraz, w co ubrać się następnym razem, gdy wybiorę się do Arkansas. – Rzucił czasopismo na kanapę. – Mnóstwo zabawy.

– Mnóstwo zawracania. Zwłaszcza dupy.

Miała już na sobie strój do konnej jazdy i od razu wyszli na zewnątrz. Chciała spróbować trochę dłuższych strzemion, więc poszedł pokazać jej, jak to zrobić, ponieważ paski były trochę inne od tych, do których była przyzwyczajona. Przysunęła się bliżej, żeby go obserwować i po raz pierwszy poczuła jego zapach, ciepły czysty zapach skórzanej odzieży i jakiegoś popularnego gatunku mydła. Przez tę chwilę ich ramiona dotykały się, lecz żadne z nich się nie odsunęło.

Tego ranka dotarli do południowego strumienia i powoli ruszyli wzdłuż niego do miejsca, gdzie – zdaniem Toma – mogli zobaczyć bobry. Nie ujrzeli jednak żadnego, a jedynie dwie nowo przez nie zbudowane wysepki. Usiedli na szarym pniu przewróconej topoli, podczas gdy konie spijały własne odbicia z sadzawki.

Jakaś ryba albo żaba załamała powierzchnię wody przed nosem źrebaka, który przerażony skoczył w tył niczym postać z filmu animowanego. Rimrock rzucił mu znużone spojrzenie i pił dalej. Tom roześmiał się. Wstał i podszedłszy do źrebaka, położył mu jedną dłoń na szyi, a drugą na pysku. Przez chwilę stał tak, trzymając go. Annie nie słyszała, czy coś mówił, zauważyła jednak, że koń wygląda, jakby słuchał. Bez większego namawiania wrócił do sadzawki, a po paru ostrożnych parsknięciach pił już wodę, jakby nic się nie stało.

– O co chodzi? – spytał Tom po powrocie, widząc jak Annie z uśmiechem kręci głową.

– Jak ty to robisz?

– Co robię?

– Dajesz mu poczucie, że wszystko w porządku.

– Och, on wiedział, że jest okay. – Czekała co jeszcze powie. – Czasem staje się trochę zbyt ckliwy.

– A skąd to wiesz?

Posłał jej to samo rozbawione spojrzenie, co tego dnia, gdy zadawała mu te wszystkie pytania dotyczące jego żony i syna.

– Ciągle się uczysz. – Urwał, lecz coś w jej twarzy musiało mu powiedzieć, że poczuła się zganiona, gdyż uśmiechnął się i ciągnął dalej. – To tylko różnica między patrzeniem a widzeniem. Patrzysz wystarczająco długo, a jeśli robisz to właściwie, w końcu zobaczysz. To samo z twoją pracą. Wiesz, co będzie dobrym kawałkiem do twojego pisma, bo spędziłaś sporo czasu, ucząc się tego.

Annie zaśmiała się.

– Taa, na przykład jajogłowi?

– No, zgadza się. Ja za milion lat bym nie wpadł, że właśnie o tym ludzie chcą czytać.

– Wcale nie chcą.

– Na pewno chcą. To śmieszne.

– Idiotyczne.

Wyszło to opryskliwie i nieudolnie, co sprawiło, że zażenowani umilkli. Obserwował Annie, ona zaś zmiękła i uśmiechnęła się samokrytycznie.

– To idiotyczne, protekcjonalne i sztuczne.

– Jest tam też trochę poważnych rzeczy.

– O, tak. Ale komu one potrzebne?

Wzruszył ramionami. Annie spojrzała na konie. Ugasiły już pragnienie i skubały teraz świeżą trawę na skraju wody.

– To, co ty robisz, jest rzeczywiste – stwierdziła.

W drodze powrotnej opowiedziała mu o książkach, które znalazła w bibliotece publicznej, na temat zaklinaczy, czarnej magii i tak dalej. Tom roześmiał się i oznajmił, iż też coś z tego czytał i na pewno parę razy żałował, że nie jest czarodziejem. Słyszał o Sullivanie i J.S. Rareyu.

– Niektórzy z tych facetów – nie Rarey, on był prawdziwym koniarzem – ale inni robili rzeczy, które wyglądały jak magia, ale były po prostu okrutne. Wiesz, na przykład takie wlewanie koniowi do ucha ołowiu, żeby sparaliżować go strachem, a ludzie mówili: o, patrzcie, poskromił tę szaloną bestię. Nie wiedzieli jednak, że pewnie ją też zabił.

Powiedział, że wiele razy trudnemu koniowi musi się pogorszyć, zanim się polepszy i trzeba mu na to pozwolić, pozwolić mu przekroczyć granicę, pójść do piekła i z powrotem. Annie nie odpowiedziała, gdyż zdawała sobie sprawę, że on mówi nie tylko o Pielgrzymie, lecz o czymś większym, co obejmowało ich wszystkich.

Wiedziała, że Grace opowiadała Tomowi o wypadku, nie od niego, ale z rozmowy Grace z Robertem, którą podsłuchała, kilka dni później. Stało się to jedną z ulubionych sztuczek Grace – pozwalać Annie dowiadywać się wszystkiego z drugiej ręki, po to, by mogła dokładnie ocenić skalę swojego wyizolowania. Owego wieczoru Annie brała kąpiel na górze i leżała słuchając przez otwarte drzwi – o czym Grace musiała wiedzieć, wcale bowiem nie starała się zniżyć głosu.

Nie wchodząc w szczegóły, Grace powiedziała po prostu Robertowi, że pamięta więcej, niż się spodziewała, z tego, co się stało i ulżyło jej, gdy porozmawiała na ten temat. Później Annie czekała, aż powie coś jej samej, wiedziała jednak, że to nie nastąpi.

Przez pewien czas czuła złość na Toma, tak jakby w jakiś sposób wtargnął w ich życie. Następnego dnia zachowywała się wobec niego szorstko.

– Słyszę, że Grace opowiadała ci o wypadku?

– Tak, owszem – odparł, niemal beznamiętnie. I to wszystko. Było jasne, że według niego była to sprawa pomiędzy nim a Grace i kiedy Annie przezwyciężyła swój gniew, szanowała go za to, przypomniawszy sobie, iż to nie on wtargnął w ich życie, tylko odwrotnie.

Tom rzadko rozmawiał z nią na temat Grace, a jeżeli już, to o rzeczach bezpiecznych i o faktach. Annie jednak była pewna, że wiedział, jak jest między nimi, bo jakże mogło być inaczej?

22

Cielęta stłoczyły się w głębi błotnistego korralu, próbując schować się jedno za drugie i wypychając się wzajemnie do przodu swoimi wilgotnymi czarnymi nosami. Kiedy jedno zostało przepchnięte na front, panika narastała, aż w końcu zwierzę przebijało się okrężną drogą na tył i cała rzecz zaczynała się od początku.

Był sobotni poranek przed trzydziestym maja – świętem pamięci poległych – i bliźniaki pokazywały Joe i Grace jak dobrze posługują się już lassem. Scott, którego kolej właśnie nadeszła, miał na nogach nowiutkie skórzane ochraniacze i kapelusz o numer za duży. Parokrotnie go już strącił, kręcąc pętlą. Za każdym razem Joe i Craig ryczeli ze śmiechu, Scott zaś czerwienił się i bardzo starał się pokazać, że jego to też bardzo śmieszy. Tak długo obracał lassem w powietrzu, że Grace zaczynało się już kręcić w głowie od patrzenia.

– Mamy wrócić za tydzień? – spytał Joe.

– Ja łapię, okay?

– Tam są. Czarne, z czterema nogami i ogonem.

– Dobra, dobra, cwaniaczku.

– Jeery, rzuć już tym diabelstwem.
– Okay! Okay!
Joe pokręcił głową i uśmiechnął się szeroko do Grace. Siedzieli obok siebie na górnej żerdzi i Grace wciąż czuła się dumna, że się tam wdrapała. Zrobiła to jakby nigdy nic i chociaż bolało teraz jak diabli w miejscu, gdzie belka wbijała się w kikut, ani drgnęła.
Miała na sobie nowe wranglery, które znalazła z Diane po długich poszukiwaniach, i wiedziała, że dobrze w nich wygląda, gdyż spędziła rano pół godziny przed lustrem w łazience przymierzając je. Dzięki Terri mięśnie prawego pośladka dobrze je wypełniały. Zabawne, w Nowym Jorku nawet martwej nie zobaczyliby jej w czymkolwiek innym niż levisy, ale tutaj wszyscy nosili wranglery. Facet w sklepie mówił, że to dlatego, iż szwy na wewnętrznej stronie nogawki są wygodniejsze do konnej jazdy.
– I tak jestem lepszy od ciebie – zauważył Scott.
– Na pewno kręcisz większą pętlę.
Joe zeskoczył do korralu i ruszył przez błoto w stronę cielaków.
– Joe! Złaź z drogi, co?
– Nie zsikaj się w gacie. Chcę ci to ułatwić, trochę je poderwać.
W miarę, jak się zbliżał, zwierzęta cofały się, aż stanęły zbite w gromadkę w narożniku. Ich jedyną ucieczką teraz byłoby zrobienie wyłomu i Grace widziała, jak niepokój narasta w nich, coraz bardziej bliski wybuchu. Joe zatrzymał się. Jeszcze jeden krok i skoczyłyby.
– Gotowy? – zawołał.
Scott zagryzł dolną wargę i zakręcił pętlą trochę szybciej, tak że aż furkotała w powietrzu. Skinął głową, a wtedy Joe zrobił krok w przód. Cielaki natychmiast rzuciły się w drugi narożnik. Rzucając lasso, Scott wydał z siebie niezamierzony okrzyk. Sznur pomknął przez powietrze niczym wąż i pętla gładko opadła na szyję prowadzącego cielaka.
– Taak! – wrzasnął i szarpnął mocno.
Triumf trwał jednak zaledwie sekundę, bo gdy tylko zwierzę poczuło zaciskającą się pętlę, skoczyło w bok, a Scott poleciał za nim. Kapelusz pofrunął w powietrze, a on klapnął głową w błoto, jak nurek na zawodach pływackich.

– Puść! Puść go! – ryczał w kółko Joe, lecz Scott może nie słyszał, a może nie pozwalała mu na to duma, ponieważ trzymał się sznura, jakby ręce miał do niego przylepione klejem. Co cielakowi brakowało w wielkości, nadrabiał duchem, i skakał, fikał, kopał niczym młody wół na rodeo, wlokąc za sobą chłopaka przez błoto.

Grace z przerażenia przyłożyła dłonie do twarzy i omal nie spadła do tyłu z ogrodzenia. Kiedy jednak zobaczyli, że Scott tylko dlatego się trzyma, że chce, Joe i Craig zaczęli pokrzykiwać i śmiać się. A on wciąż nie puszczał. Cielak przeciągnął go z jednego końca korralu na drugi i z powrotem, podczas gdy pozostałe zwierzęta stały całkiem otumanione.

Słysząc wrzask, wybiegła z domu Diane, lecz Tom i Frank, którzy byli w stodole, prześcignęli ją. Dotarli do ogrodzenia obok Grace akurat wtedy, gdy Scott puścił.

Leżał nieruchomo, z twarzą w błocie. Wszyscy zamarli. Och nie, pomyślała Grace, och nie. W tym samym momencie przybiegła Diane i krzyknęła z przerażenia.

Jedna ręka powoli uniosła się z błota, w geście komicznego pozdrowienia. Później, w teatralny sposób, chłopak wstał i odwrócił się przodem do nich, stojąc na środku korralu, by mogli się naśmiać. I tak też zrobili. A kiedy Grace ujrzała białe zęby Scotta, prześwitujące się w doskonale brązowej pokrywie mazi, przyłączyła się do nich. I śmiali się razem głośno i długo, zaś Grace czuła się ich częścią, a także czuła to, że życie może jeszcze być dobre.

*

Pół godziny później wszyscy się rozeszli. Diane zabrała Scotta do domu, żeby się umył, a Frank, chcąc zasięgnąć opinii Toma na temat cielaka, o którego się niepokoił, zawiózł jego i Craiga na łąkę. Annie pojechała już wcześniej do Great Falls kupić jedzenie na – jak to określiła pomimo zażenowania Grace – uroczystą kolację, na którą zaprosiła tego wieczoru rodzinę Bookerów. Zostało więc tylko ich dwoje, Grace oraz Joe, i Joe zaproponował, by zajrzeli do Pielgrzyma.

Pielgrzym miał teraz własny korral obok źrebaków, które Tom zaczynał trenować i których zainteresowanie, ponad podwójnym płotem, odwzajemniał z mieszaniną podejrzliwości i pogardy. Z daleka dostrzegł Grace i Joe i zaczął parskać i truchtać tam i z powrotem po błotnistej ścieżce, jaką ubił wzdłuż tylnego boksu korralu.

Pokryta bruzdami trawa utrudniała trochę chodzenie, lecz Grace skoncentrowała się na przeciąganiu nogi i chociaż wiedziała, że Joe idzie wolniej niż normalnie, nie martwiła się tym. Czuła się z nim równie swobodnie jak z Tomem. Dotarli do bramki korralu Pielgrzyma i oparli się o nią, by go obserwować.

– Był takim pięknym koniem – odezwała się.

– Ciągle jest.

Grace pokiwała głową. Opowiedziała mu o tamtym dniu, prawie rok temu, kiedy pojechali do Kentucky. I w miarę jak mówiła, Pielgrzym zdawał się odgrywać w głębi korralu jakąś perwersyjną parodię opisywanych wydarzeń. Stąpał dumnie wzdłuż ogrodzenia, z ogonem uniesionym, chociaż splątanym, skurczonym i wykrzywionym – Grace to wiedziała – przez strach, a nie dumę.

Joe słuchał i dostrzegła w jego oczach to samo spokojne opanowanie, co u Toma. Zdumiewające było czasami, jak bardzo przypominał wuja, zarówno wyglądem jak i zachowaniem. Ten naturalny uśmiech i sposób, w jaki zdejmował kapelusz i przegarniał włosy do tyłu. Od czasu do czasu Grace przyłapywała się na tym, że żałowała, iż nie jest chociaż z rok, dwa starszy – co nie znaczyłoby, oczywiście, żeby się nią zainteresował. Nie w taki sposób, nie teraz, przy jej nodze. Zresztą to obecne bycie przyjaciółmi już było bardzo fajne.

Sporo się nauczyła, obserwując, jak Joe obchodzi się z młodszymi końmi, zwłaszcza ze źrebakiem Bronty. Nigdy nie podchodził do nich z pozycji siły, zamiast tego pozwalał im przyjść i ofiarować siebie, wtedy zaś akceptował je ze swobodą, dzięki której – jak zauważyła Grace – czuły się chciane i bezpieczne. Bawił się z nimi, lecz kiedy tylko traciły pewność, wycofywał się i zostawiał je w spokoju.

– Tom mówi, że trzeba pokazać im kierunek – powiedział jej pewnego dnia, gdy byli ze źrebakiem. – Ale jak będziesz naciskać za mocno, zrobią się nerwowe. Musisz pozwolić im się jakby wczuć. On twierdzi, że tu chodzi o instynkt samozachowawczy.

Pielgrzym zatrzymał się najdalej, jak mógł i stamtąd patrzył na nich.

– Więc będziesz na nim jeździć? – spytał Joe.

Grace odwróciła się do niego, marszcząc brwi.

– Co?

– Jak Tom już go wyprowadzi na prostą.

Wydobyła z siebie śmiech, który nawet w jej uszach brzmiał głucho.

– O, nie mam zamiaru już na nim jeździć.

Joe wzruszył ramionami i pokiwał głową. Z sąsiedniego korralu dobiegło ich dudnienie kopyt – obróciwszy się, zobaczyli, że źrebaki bawią się w jakąś końską wersję berka. Joe pochylił się, wyrwał źdźbło trawy i zaczął je ssać.

– Szkoda – odezwał się po chwili.

– Co?

– No, jeszcze parę tygodni i tata będzie prowadził bydło w góry na letnie pastwiska, a my wszyscy jedziemy z nim. Fajnie, naprawdę fajnie tam jest, wiesz.

Przeszli do źrebaków i dokarmili je paroma orzeszkami, które Joe miał w kieszeni. Gdy wracali do stodoły, Joe ssał swoją trawkę, a Grace zastanawiała się, dlaczego w dalszym ciągu udaje, że nie chce jeździć. W pewien sposób złapała się w pułapkę. I czuła, że tak jak przy większości spraw, prawdopodobnie miało to coś wspólnego z jej matką.

Annie zaskoczyła ją, popierając tę decyzję tak bardzo, że aż Grace zrobiła się podejrzliwa. Była to oczywiście sztywniacka angielska metoda, że kiedy spadłeś, od razu wspinaj się z powrotem, by nie stracić panowania nad sobą. I chociaż to, co się stało, znaczyło dużo więcej niż upadek, Grace zaczęła podejrzewać, iż matka stosuje jakiś przebiegły podwójny blef, zgadzając się z postanowieniem Grace tylko w celu nakłonienia jej do czegoś przeciwnego. Jedyne, co budziło w niej wątpliwości, to fakt, że sama Annie, po tylu latach, znów zaczęła jeździć. W skrytości ducha Grace zazdrościła jej tych porannych przejażdżek z Tomem Bookerem. Niesamowite jednak było to, że Annie musiała wiedzieć, że prawie na pewno zniechęci tym Grace do jazdy na koniu.

Dokąd jednak, zastanawiała się obecnie dziewczynka, zaprowadziły ją te domysły? Jaki sens odmawiać matce jakiegoś –

może wyimaginowanego – triumfu, gdy oznaczało to odmawianie sobie czegoś, czego – była tego teraz prawie pewna – chciała?

Wiedziała, że nigdy już nie wsiądzie na Pielgrzyma. Nawet jeśli mu się polepszy, nigdy już nie będzie pomiędzy nimi tego zaufania, a on na pewno wyczułby w niej utajony strach. Lecz mogła ewentualnie spróbować jazdy na jakimś pośledniejszym koniu. Gdyby tylko potrafiła to zrobić tak zwyczajnie, żeby to nie było wielkie halo, żeby nie miało znaczenia, jeśli jej się nie uda albo głupio wypadnie.

Dotarli do stodoły, Joe otworzył drzwi i wszedł pierwszy. Po tym, jak zrobiło się cieplej, wszystkie konie przebywały na dworze i Grace nie wiedziała, po co ją tu sprowadził. Stukot jej laski o betonową podłogę roznosił się głośnym echem.

Joe skręcił w lewo do pomieszczenia z ekwipunkiem, zaś Grace zatrzymała się w progu, zastanawiając się, co on chce robić.

Pomieszczenie pachniało nową sosnową boazerią i wygarbowaną skórą. Grace patrzyła, jak Joe podchodzi do rzędu siodeł, wiszących na podpórkach na ścianie. Odezwał się przez ramię, wciąż z trawką w zębach i zapytał rzeczowym głosem, tak jakby proponował jej wybór napoju gazowanego z lodówki.

– Mój koń czy Rimrock?

*

Annie pożałowała zaproszenia, gdy tylko je złożyła. Kuchnia w domku nad strumieniem nie była raczej przystosowana do wielkiego kucharzenia, co nie oznacza, że jej kucharzenie było takie wielkie. Częściowo dlatego, iż uważając je za zajęcie kreatywne, głównie jednak z powodu swojej niecierpliwości, gotowała raczej na podstawie instynktu niż przepisów. I poza repertuarem trzech czy czterech dań, które potrafiła przygotować z zamkniętymi oczami, szanse były pół na pół, czy coś wyjdzie świetnie, czy będzie spartaczone. Dzisiejszego wieczoru, już to czuła, szala przechylała się raczej w stronę tego ostatniego.

Zdecydowała się na makaron – jak sądziła, bezpiecznie. Danie, które w zeszłym roku robili aż do znudzenia. Szykowne, ale proste. Dzieciakom będzie smakować, a na Diane może nawet zrobić wrażenie. Zauważyła także, że Tom unika jedzenia zbyt dużych ilości mięsa, a – bardziej niż gotowa była przed sobą przyznać – chciała zrobić przyjemność właśnie jemu. Nie trzeba było żadnych wymyślnych składników. Potrzebowała jedynie penne regata, mozarelli oraz trochę świeżej bazylii i suszonych na słońcu pomidorów – wszystko to spodziewała się dostać w Choteau.

Facet w sklepie spojrzał na nią, jakby odezwała się w języku urdu. Musiała pojechać do dużego supermarketu w Great Falls, a i tak nie mogła znaleźć wszystkiego, co chciała. Beznadzieja. Musiała przemyśleć sprawę na miejscu i mozolnie obejść regały, coraz bardziej się irytując i powtarzając sobie, że niech ją licho porwie, jeśli miałaby się poddać i zaserwować im stek. Zdecydowała się na makaron i będzie makaron. Ostatecznie wybrała spaghetti, sos boloński w butelce i kilka godnych zaufania składników do przyprawienia, by mogła udawać, że to jej własne dzieło. Do kasy poszła z dwoma butelkami dobrego, włoskiego czerwonego wina oraz resztką dumy.

Zanim dotarła z powrotem do Double Divide, poczuła się lepiej. Chciała zrobić to dla nich, przynajmniej tyle mogła. Wszyscy Bookerowie byli tacy mili, nawet jeśli w uprzejmości Diane zawsze zdawała się kryć uszczypliwość. Kiedykolwiek Annie podnosiła kwestię zapłaty – za mieszkanie oraz za pracę, jaką wykonywał z Pielgrzymem – Tom zbywał to. Rozliczą się później, mówił. Tę samą odpowiedź otrzymywała od Franka i Diane. Tak więc dzisiejsza uroczysta kolacja była zastępczym sposobem podziękowania im.

Odstawiła żywność i zaniosła stos gazet i czasopism kupionych w Great Falls do stołu, pod którym wznosiła się już ich mała sterta. Sprawdziła przedtem na swoich urządzeniach, czy nie ma wiadomości. Była tylko jedna na poczcie elektronicznej, od Roberta.

Miał nadzieję przylecieć i spędzić z nimi świąteczny weekend, lecz w ostatniej chwili wezwano go na poniedziałek do Londynu na jakieś spotkanie. Stamtąd musiał jeszcze jechać do Genewy. Zadzwonił zeszłego wieczoru i pół godziny przepraszał Grace, obiecując, że niedługo przyjedzie. Komputerowy list był tylko żartem, który przesłał przed samym wyjazdem na lotnisko Kennedy'ego, napisanym w jakimś tajemniczym języku, który on i Grace nazywali cybermową, a który Annie rozumiała tylko połowicznie. Na dole narysował wygrawerowany przez komputer obrazek szeroko uśmiechniętego konia. Annie wydrukowała to bez czytania.

Kiedy wczoraj wieczorem Robert powiedział, że nie przyjeżdża, jej pierwszą reakcją była ulga. Później zmartwiło ją, iż ma takie odczucia i od tej pory gorliwie unikała dalszej analizy.

Usiadła, zastanawiając się daremnie, gdzie się podziewa Grace. Wracając z Great Falls, nie zauważyła na ranczu nikogo. Domyśliła się, że wszyscy są w domu albo z tyłu, przy korralach. Pojedzie się rozejrzeć, kiedy już nadrobi tygodniki, sobotni rytuał, przy którym tutaj trwała, chociaż wymagało to o wiele więcej wysiłku. Otworzyła „Time'a" i wgryzła się w jabłko.

*

Około dziesięć minut zajęło Grace dotarcie do miejsca, o którym mówił jej Joe – za korralami i topolowym zagajnikiem. Nie była tam jeszcze, lecz kiedy wyszła zza drzew, zrozumiała, czemu wybrał to miejsce.

Poniżej, u stóp zakręcającej skarpy, leżała doskonała elipsa łąki, otoczona – niczym fosą – łukiem strumienia. Była to naturalna arena, odizolowana od wszystkiego poza niebem i drzewami. Trawa stała wysoko, jej zieleń była soczyście błękitna, a wśród niej rosły dzikie kwiaty, jakich Grace nigdy nie widziała.

Czekała i nasłuchiwała Joe. Leciutki wietrzyk ledwo niepokoił liście topoli wznoszących się za nią. Słyszała jedynie brzęczenie owadów i bicie swojego serca. Nikt nie miał się dowiedzieć. Taka była umowa. Usłyszeli samochód Annie i przez szparę w drzwiach stodoły obserwowali, jak odjeżdża. Scott niedługo znowu wyjdzie na dwór, więc na wszelki wypadek Joe kazał jej iść przodem. On miał osiodłać konia, sprawdzić teren i ruszyć za nią.

Joe stwierdził, że Tom na pewno nie miałby nic przeciwko temu, by dosiadła Rimrocka, Grace wolała jednak tego nie robić, więc wybrali Gonzo, niewielkiego konia Joe. Tak jak wszystkie inne konie, które tu poznała, był uroczy i spokojny, i Grace już się z nim zaprzyjaźniła. Miał także odpowiedniejszą dla niej wielkość. Usłyszała trzask gałęzi i ciche parsknięcie konia i odwróciwszy się, zobaczyła ich wychodzących spomiędzy drzew.

– Nikt cię nie widział? – spytała.

– Nie.

Minął ją i delikatnie pokierował Gonzo w dół skarpy na łąkę. Grace ruszyła za nim, ale pochyłość była trudna i jakiś jard od dołu potknęła się i przewróciła. Skończyła w pozycji, która wyglądała na gorszą niż była w rzeczywistości. Joe zsiadł i podszedł do niej.

– Okay?

– Cholera!

Pomógł jej wstać.

– Zraniłaś się?

– Nie, nic mi nie jest. Cholera, cholera, cholera!

Pozwolił jej kląć i bez słowa otrzepał jej plecy. Zauważyła ślad od błota wzdłuż całej jednej nogawki nowych dżinsów.

– Noga w porządku?

– Tak. Przepraszam. Czasem tak mnie to po prostu złości.

Skinął głową i przez chwilę się nie odzywał, dając jej czas na dojście do siebie.

– Ciągle chcesz spróbować?

– Tak.

Joe poprowadził Gonzo i w trójkę wyszli na łąkę. Motyle unosiły się ponad nimi, gdy przedzierali się przez wysoką do połowy łydki trawę, pachnącą w słońcu ciepło i słodko. Potok płynął tutaj płytko po żwirze i kiedy podeszli bliżej, Grace usłyszała wodę. Czapla wzbiła się w powietrze i leniwie odleciała, układając w locie nogi. Doszli do niskiego pniaka topoli, sękatego i porośniętego, przy którym Joe zatrzymał się i tak ustawił Gonzo, by Grace miała platformę do wsiadania.

– Dobrze? – spytał.

– Uhm. Jeśli uda mi się tam dostać.

Stanął przy łopatce konia, trzymając go mocno jedną ręką, drugą zaś Grace. Gonzo poruszył się, na co Joe klepnął go w szyję i powiedział, że wszystko w porządku. Grace położyła dłoń na ramieniu Joe i na dobrej nodze wywindowała się na pniak.

– Okay?

– No, chyba tak.

– Strzemiona za krótkie?

– Nie, akurat.

Jej lewa ręka wciąż spoczywała na jego ramieniu. Zastanawiała się, czy czuje łomotanie jej krwi.

– Okay. Trzymaj się mnie, a jak będziesz gotowa, złap prawą ręką łęk siodła.

Grace wzięła głęboki oddech i tak zrobiła. Gonzo poruszył trochę głową, lecz jego nogi były jak wrośnięte w ziemię. Upewniwszy się, że Grace siedzi stabilnie, Joe puścił ją i sięgnął po strzemię.

Teraz miała nastąpić trudniejsza część. Żeby wsadzić lewą stopę w strzemię, Grace będzie musiała przenieść cały swój ciężar na protezę. Myślała, że się poślizgnie, poczuła jednak, jak Joe zebrał się w sobie, przyjmując na siebie dużą część ciężaru i zanim się obejrzała, jej stopa tkwiła bezpiecznie w strzemieniu, tak jakby robili to już wielokrotnie. Gonzo wprawdzie znowu lekko się poruszył, ale Joe zawołał „prrr!", spokojnie, choć tym razem bardziej stanowczo, tak że koń w jednej chwili znieruchomiał.

Wszystko, co pozostało jej teraz do zrobienia, to przerzucić protezę na drugą stronę. Tak dziwnie było nie mieć tam czucia, nagle też przypomniała sobie, że ostatni raz robiła to w dniu wypadku.

– Okay? – spytał Joe.

– Tak.

– No to dalej.

Napięła lewą nogę, pozwalając, by strzemię przejęło ciężar, po czym spróbowała unieść prawą nad zadem konia.

– Nie mogę podnieść wystarczająco wysoko.

– Oprzyj się o mnie trochę bardziej. Odchyl się, żebyś miała większy kąt.

Zrobiła to i – zbierając całą siłę, tak jakby jej życie od tego zależało – machnęła nogą. Obróciła się przy tym, podciągnęła na łęku, poczuła, że Joe też ją dźwiga i przerzuciła nogę na drugą stronę.

Usadowiła się w siodle, zdziwiona, że nie jest jej w nim bardziej obco. Joe zauważył, że szuka drugiego strzemienia, więc szybko obszedł konia i pomógł jej. Czuła na siodle wewnętrzną stronę uda swojej kalekiej nogi i chociaż było wrażliwe, nie potrafiła dokładnie określić, gdzie kończy się czucie, a zaczyna nicość.

Joe odsunął się, na wszelki wypadek nie spuszczając z niej oczu, ona jednak zbyt była przejęta, by to zauważyć. Zebrała wodze i trąciła Gonzo. Ruszył od razu. Oprowadziła go długim łukiem wzdłuż krawędzi strumienia, nie oglądając się za siebie. Potrafiła dawać większy nacisk nogą, niż wydawało jej się to przedtem możliwe, chociaż bez mięśni łydki musiała to robić kikutem i mierzyć efekt reakcją konia. Zwierzę poruszało się tak, jakby wiedziało to wszystko i zanim dotarli do końca łąki, gdzie zawrócili bez najmniejszego potknięcia, oboje stanowili już jedno.

Grace po raz pierwszy podniosła oczy i dostrzegła Joe czekającego na nią pośród kwiatów. Wróciła do niego zataczając duże S i zatrzymała się. Uśmiechnął się do niej szeroko, ze słońcem w oczach i łąką rozciągającą się za plecami, a Grace nagle zachciało się płakać. Zagryzła jednak mocno wargę i zamiast tego odwzajemniła jego uśmiech.

– Proste jak drut.

Grace pokiwała głową i gdy tylko mogła zaufać swojemu głosowi, powiedziała, no, proste jak drut.

23

Kuchnia w domku nad potokiem była dosyć spartańska, oświetlona zimnymi jarzeniówkami, których obudowy stały się trumnami dla szerokiej kolekcji owadów. Przy przeprowadzce na ranczo Frank i Diane zabrali najlepsze wyposażenie ze sobą. Garnki i patelnie pochodziły z rozbitych rodzin, a zmywarce do naczyń potrzebne było grzmotnięcie w odpowiednie miejsce, by zaskoczyła. Jedyną rzeczą, której Annie jeszcze nie całkiem opanowała, był piecyk, mający swój własny rozum. Uszczelnienie drzwiczek zniszczyło się, a pokrętło regulacji ciepła obluzowało, tak iż pieczenie wymagało mieszaniny zgadywania, czujności i szczęścia.

Wszelako upieczenie francuskiej szarlotki, którą chciała

podać na deser, nie było ani w połowie tak trudne, jak rozwiązanie problemu podania jej. Annie zbyt późno odkryła, że nie ma dosyć talerzy, sztućców ani nawet krzeseł. Zakłopotana – ponieważ w jakiś sposób pokrzyżowało to cały plan – zmuszona była zadzwonić do Diane i podjechać pożyczyć trochę. Później uświadomiła sobie, że jedynym stołem wystarczająco dużym jest ten, którego używała jako biurka, toteż musiała uprzątnąć go i teraz cała jej maszyneria piętrzyła się na podłodze razem z gazetami i czasopismami.

Wieczór rozpoczął się w panice. Annie przyzwyczajona była podejmować ludzi, którzy uważali, że im później przychodzisz, tym większy z ciebie luzak, nie przyszło jej więc do głowy, że Bookerowie zjawią się punktualnie co do minuty. O siódmej, nim jeszcze zdążyła się przebrać, pokazali się na drodze, wszyscy oprócz Toma. Wrzasnęła do Grace, pognała na górę i zarzuciła na siebie sukienkę, której nie miała już czasu wyprasować. Zanim usłyszała ich głosy na ganku, pomalowała oczy i usta, przyczesała włosy, opryskała się perfumami i była na dole, by ich przywitać.

Widząc ich wszystkich stojących tam, Annie pomyślała, jakim głupim pomysłem było goszczenie tych ludzi w ich własnym domu. Wszyscy czuli się chyba niezręcznie. Frank wyjaśnił, że Tom spóźnił się, bo miał problem z którymś z jednoroczniaków, ale kiedy wychodzili, już brał prysznic i niedługo dotrze. Zapytała ich, czego chcą się napić, w tej samej chwili uprzytomniwszy sobie, że zapomniała kupić piwo.

– Ja bym się napił piwa – odezwał się Frank.

Później zrobiło się jednak lepiej. Otworzyła butelkę wina, podczas gdy Grace usadziła Joe z bliźniakami na podłodze przed komputerem Annie, gdzie wkrótce jak zahipnotyzowani szaleli po Internecie. Annie, Frank i Diane wynieśli krzesła na ganek, gdzie siedli i rozmawiali w zanikającym blasku wieczornego światła. Śmiali się z przygody Scotta z cielakiem, zakładając, iż Grace wszystko matce opowiedziała. Udawała, że tak. Potem Frank opowiedział długą historię o katastrofalnym rodeo w szkole średniej, kiedy to poniżył się na oczach dziewczyny, której chciał zaimponować.

Annie słuchała z udawaną uwagą, cały czas czekając na moment, kiedy ujrzy Toma wychodzącego zza rogu domku. A kiedy się wreszcie pojawił, jego uśmiech, sposób, w jaki zdjął kapelusz i słowa przeprosin za opóźnienie były dokładnie takie, jak sobie wyobrażała.

Wprowadziła go do środka, przepraszając za brak piwa, jeszcze nawet zanim o nie poprosił. Stwierdził, że chętnie napije sią wina i patrzył, jak mu nalewa. Podając mu kieliszek, po raz pierwszy spojrzała mu prosto w oczy i cokolwiek zamierzała powiedzieć, natychmiast wyleciało jej z głowy. Zapadło pełne zakłopotania milczenie, aż w końcu Tom pospieszył na ratunek.

– Coś ładnie pachnie.

– Och nic specjalnego. Z twoim koniem wszystko w porządku?

– O, tak. Ma trochę podwyższoną temperaturę, ale nic mu nie będzie. Dobrze ci minął dzień?

Zanim zdążyła odpowiedzieć, wpadł Craig wołając Toma, że musi przyjść zobaczyć, co mają w komputerze.

– Hej, ja tu rozmawiam z mamą Grace.

Annie roześmiała się i powiedziała, żeby szedł, mama Grace i tak musi zajrzeć do jedzenia. Po chwili Diane przyszła pomóc i obie przygotowywały wszystko, gawędząc o dzieciach. Co jakiś czas Annie zaglądała do salonu, gdzie Tom w swojej bladoniebieskiej koszuli przykucnął wśród dzieciaków, z których każde chciało zwrócić na siebie jego uwagę.

Spaghetti okazało się przebojem. Diane poprosiła nawet o przepis na sos i Annie przyznałaby się do niego, gdyby Grace nie wyprzedziła jej i nie oznajmiła wszystkim, że to z butelki. Annie ustawiła stół na środku salonu i oświetliła go świeczkami, kupionymi w Great Falls. Grace uznała to przedtem za przesadę, Annie jednak uparła się i teraz była zadowolona, ponieważ świece nadawały pokojowi ciepły blask i rzucały migoczące cienie na ściany.

Pomyślała także, jak dobrze słyszeć ciszę tego domu wypełnioną rozmowami i śmiechem. Dzieciaki siedziały przy jednym końcu, zaś czwórka dorosłych przy drugim, ona z Frankiem naprzeciw Toma i Diane. Ktoś obcy, przyszło Annie do głowy, wziąłby ich za pary.

Grace opowiadała wszystkim o rzeczach, do których można mieć dostęp w Internecie, na przykład o Widzialnym Człowieku, mordercy z Teksasu, który przed egzekucją ofiarował swoje ciało dla nauki.

– Zamrozili go, pokroili na dwa tysiące małych kawałków i każdy z nich sfotografowali.

– Obrzydliwe – odezwał się Scott.

– Czy chcemy o tym słuchać przy jedzeniu? – włączyła się Annie. Powiedziała to lekko, Grace jednak postanowiła przyjąć to jako reprymendę. Rzuciła Annie miażdżące spojrzenie.

– To Narodowa Biblioteka Medycyny, mamo. To nauka, kurczę blade, a nie jakaś głupia gra typu pobij ich.

– Raczej posiekaj ich – rzucił Craig.

– Mów dalej, Grace – rzekła Diane. – To fascynujące.

– No, to właściwie tyle – stwierdziła Grace. Mówiła teraz bez entuzjazmu, sygnalizując wszystkim, że jej matka, jak zwykle, pozbawiła nie tylko ją, ale i temat zarówno atrakcyjności, jak i humoru. – Po prostu poskładali go z powrotem i można to wywołać na ekranie i zrobić mu sekcję, taką trójwymiarową, wiecie.

– Można to wszystko zrobić tu na miejscu, na tym małym ekranie? – zdziwił się Frank.

– Tak.

To słowo było tak płaskie i ostateczne, że mogło po nim zapaść tylko milczenie. Trwało zaledwie chwilę, chociaż wydawało się Annie wiecznością i Tom musiał dostrzec rozpacz w jej oczach, z sardonicznym uśmiechem bowiem kiwnął Frankowi głową i powiedział:

– No widzisz, braciszku, oto twoja szansa na nieśmiertelność.

– Panie, zmiłuj się! – zawołała Diane. – Ciało Franka Bookera na pokaz dla narodu.

– O, a co jest nie tak z moim ciałem, jeśli wolno spytać?

– Gdzie mamy zacząć? – odezwał się Joe. Wszyscy się roześmiali.

– Do licha – rzekł Tom. – Mając dwa tysiące kawałków, mógłbyś złożyć je inaczej i otrzymać ciekawszy rezultat.

Nastrój znowu się poprawił i kiedy Annie już była go pewna, posłała Tomowi spojrzenie wyrażające ulgę i podziękowanie, które przyjął z ledwie zauważalnym zmrużeniem oczu. Uderzyło ją, jako niesamowite, że ten mężczyzna, który nie miał szansy, aby poznać dokładnie własne dziecko, tak rozumie każdy raniący niuans relacji pomiędzy nią a Grace.

Szarlotka nie była taka wspaniała. Annie zapomniała dodać cynamonu, a już przy krojeniu pierwszego kawałka mogła stwierdzić, że ciastu przydałoby się jeszcze z piętnaście minut. Nikomu jednak zdawało się to nie przeszkadzać, a zresztą dzieci i tak jadły lody i wkrótce wróciły do komputera, podczas gdy dorośli siedzieli z kawą przy stole.

Frank narzekał na konserwatystów – zieloniaków, jak ich nazywał – i na to, że nie rozumieją podstawowych rzeczy związanych z prowadzeniem rancza. Zwracał się do Annie, gdyż pozostali najwyraźniej słyszeli to już ze sto razy. Ci cwaniacy wypuszczają wilki, przywożąc najpierw te diabelskie pomioty z Kentucky, żeby pomogły niedźwiedziom grizzly zjadać bydło. Przed kilkoma tygodniami, mówił, jeden z ranczerów niedaleko Augusty stracił dwie jałówki.

– I wszyscy ci zieloniacy przylatują z Missoula ze swoimi helikopterami, sumieniami i tak dalej i mówią, przykro nam, stary, zabierzemy ci go, ale nie próbuj go łapać ani zastrzelić, bo wyłoimy ci skórę w sądzie. Cholery pewnie się wylegują teraz przy basenie w jakimś pięciogwiazdkowym hotelu, a ty i ja bulimy za to.

Frank zauważył, że Tom uśmiecha się szeroko do Annie i wskazał go palcem.

– Ten facet to jeden z nich, Annie, mówię ci. Ma prowadzenie rancza we krwi, a jest zielony jak żaba z chorobą morską na stole bilardowym. Poczekaj, aż Pan Wilk capnie jednego z jego źrebaków, o rany. To będzie trzy razy Z.

Tom wybuchnął śmiechem, zaś Annie zmarszczyła brwi.

– Zastrzel, zakop i zamknij cholerną jadaczkę – wyjaśnił. – Reakcja troskliwego ranczera na naturę.

Annie roześmiała się i nagle poczuła na sobie wzrok Diane. Kiedy na nią spojrzała, Diane uśmiechała się w sposób, który tylko podkreślał, że wcześniej się nie uśmiechała.

– Co o tym sądzisz, Annie? – zapytała.

– Och, ja nie muszę z tym żyć.

– Ale musisz mieć przecież jakąś opinię.

– Niekoniecznie.

– O, jasne. Ale na pewno ciągle opisujesz takie rzeczy w swoim piśmie.

Annie zdziwiło takie nagabywanie. Wzruszyła ramionami.
– Chyba uważam, że każde stworzenie ma prawo żyć.
– Co, nawet zakażone szczury i komary roznoszące zarazę? Diane wciąż się uśmiechała i mówiła lekkim tonem, lecz pod tym było coś, co uczyniło Annie ostrożną.
– Masz rację – stwierdziła po chwili. – To chyba zależy, kogo gryzą.
Frank ryknął śmiechem, zaś Annie pozwoliła sobie zerknąć na Toma. Uśmiechał się do niej. Podobnie Diane, która wreszcie wydawała się gotowa porzucić temat. Czy tak rzeczywiście było, pozostało tajemnicą, gdyż nagle rozległ się wrzask i zjawił się za nią Scott, z policzkami rozpalonymi oburzeniem, szarpiąc ją za ramię.
– Joe nie chce mi pozwolić używać komputera!
– Nie twoja kolej – zawołał Joe z miejsca, gdzie inni wciąż cisnęli się wokół ekranu.
– Moja!
– Nie twoja kolej, Scott!
Diane przywołała Joe i spróbowała mediacji. Wrzaski zrobiły się jednak jeszcze gorsze, wkrótce włączył się Frank i walka zaczęła zataczać coraz szersze kręgi.
– Nigdy nie pozwalasz mi na moją kolej! – mówił Scott. Był bliski łez.
– Nie bądź takim dzieciakiem.
– Chłopcy, chłopcy. – Frank położył im ręce na ramionach.
– Myślisz, że jesteś taki duży...
– O, zamknij się.
– ...bo uczysz Grace jeździć i w ogóle.
Wszyscy umilkli, poza jakimś rysunkowym ptaszkiem, który niepomny dalej skrzeczał na ekranie monitora. Annie spojrzała na Grace, która natychmiast odwróciła wzrok. Wydawało się, że nikt nie wie, co powiedzieć. Scott trochę się przestraszył efektu, jaki wywołała jego rewelacja.
– Widziałem was! – Atakował gwałtownie, lecz był już mniej pewny. – Ją na Gonzo, nad strumieniem!
– Ty mały gówniarzu! – syknął przez zęby Joe i w tej samej chwili rzucił się na niego. Wszyscy skoczyli na równe nogi. Scott poleciał na stół i filiżanki z kawą oraz kieliszki poprzewracały się i pospadały. Obaj chłopcy spleceni upadli na po-

dłogę, mając nad sobą Franka i Diane, krzyczących i usiłujących ich rozdzielić. Craig też podleciał, czując, że również powinien się tutaj jakoś zaangażować, lecz Tom wyciągnął rękę i delikatnie go przytrzymał. Annie i Grace mogły tylko stać i patrzeć.

W następnej chwili Frank wyprowadzał chłopców z domu – Scotta jęczącego, Craiga płaczącego ze współczucia, zaś Joe w milczącej furii, która przemawiała głośniej niż zawodzenia tamtych. Tom poszedł z nimi aż do drzwi kuchni.

– Annie, przepraszam – odezwała się Diane.

Stały przy wraku stołu niczym oszołomieni rozbitkowie po huraganie. Grace, blada i samotna, została z drugiej strony pokoju. Gdy Annie popatrzyła na nią, coś, co nie było ani strachem ani bólem, lecz jednym i drugim jednocześnie, przemknęło po twarzy dziewczynki. Tom także to zauważył, wracając z kuchni – podszedł do Grace i położył jej dłoń na ramieniu.

– W porządku?

Skinęła głową, nie patrząc na niego.

– Idę na górę.

Podniósłszy laskę, z niezręcznym pośpiechem ruszyła przez pokój.

– Grace... – odezwała się łagodnie Annie.

– Nie, mamo!

Wyszła, a oni w trójkę stali i słuchali odgłosu jej nierównych kroków na schodach. Annie zauważyła zakłopotanie na twarzy Diane. U Toma z kolei współczucie, które – gdyby na to pozwoliła – wywołałoby w niej płacz. Wzięła głęboki oddech i spróbowała się uśmiechnąć.

– Wiedzieliście o tym? – spytała. – Czy wszyscy oprócz mnie wiedzieli?

Tom pokręcił głową.

– Chyba nikt z nas nie wiedział.

– Może chciała zrobić z tego niespodziankę – zasugerowała Diane.

Annie roześmiała się.

– No, taa...

Chciała jedynie, żeby sobie poszli, lecz Diane uparła się, że zostaną, by posprzątać, tak więc zapełnili zmywarkę do naczyń i sprzątnęli rozbite szkło ze stołu. Później Diane, zakasawszy rękawy, zabrała się za garnki i patelnie. Najwyraźniej uważała, że najlepiej okazywać dobry humor, toteż trajkotała przy zlewie o potańcówce w stodole, na którą Hank zaprosił ich wszystkich w poniedziałek.

Tom prawie się nie odzywał. Pomógł Annie przeciągnąć z powrotem stół pod okno i poczekał, aż wyłączy komputer. Później, pracując ramię w ramię, zaczęli ładować na stół wszystkie jej materiały i urządzenia.

Annie nie wiedziała, co ją do tego skłoniło, lecz nagle zapytała o Pielgrzyma. Nie odpowiedział od razu, tylko dalej przebierał w kablach, nie patrząc na nią i rozważając odpowiedź. Kiedy wreszcie się odezwał, jego ton był niemal rzeczowy.

– O, myślę, że się wygrzebie.

– Tak?

– Uhm.

– Jesteś pewien?

– Nie. Ale widzisz, Annie, tam gdzie jest ból, jest ciągle uczucie, a tam gdzie jest uczucie, jest nadzieja.

Podłączył ostatni kabel.

– No, masz. – Odwrócił się i spojrzeli sobie w oczy.

– Dzięki – powiedziała cicho Annie.

– Cała przyjemność po mojej stronie, madame. Nie pozwól, żeby Grace cię odrzuciła.

Kiedy wrócili do kuchni, Diane już skończyła i wszystko, poza rzeczami, które sama pożyczyła, zostało poukładane w miejscach znanych jej lepiej niż Annie. Pominąwszy milczeniem podziękowania Annie i przeprosiwszy jeszcze raz za chłopców, razem z Tomem życzyli jej dobrej nocy i wyszli.

Annie stała pod lampą na ganku i patrzyła, jak odchodzą. A w miarę, jak ich postacie pochłaniała ciemność, chciała zawołać za nim, by został, przytulił ją i utrzymał z dala od chłodu, który znów spadł na dom.

*

Tom pożegnał się z Diane przed stodołą i wszedł do środka doglądnąć chorej źrebicy. W drodze powrotnej nad strumieniem Diane powtarzała w kółko, jaka to głupota ze strony Joe tak zabrać dziewczynę na konia, nie mówiąc o tym żywej duszy. Tom odparł, że wcale nie uważa tego za głupotę, rozumiał, czemu Grace mogła chcieć utrzymać to w tajemnicy. Joe zachował się po przyjacielsku, to wszystko. Diane stwierdziła, że to nie sprawa chłopaka i, szczerze mówiąc, będzie zadowolona, gdy Annie spakuje się i zabierze biedną dziewczynkę z powrotem do Nowego Jorku.

Źrebicy nie pogorszyło się, chociaż wciąż miała trochę przyspieszony oddech. Temperatura spadła jej do 102 stopni Fahrenheita. Tom pogłaskał ją po szyi, przemawiając łagodnie, a jednocześnie drugą ręką zbadał jej puls za stawem. Liczył uderzenia przez dwadzieścia sekund, po czym pomnożył przez trzy. Wyszło czterdzieści dwa uderzenia na minutę, ciągle powyżej normy. Najwyraźniej przechodziła jakąś chorobę i jeśli nie nastąpi żadna zmiana, być może rano będzie musiał ściągnąć weterynarza.

*

Światło w sypialni Annie paliło się, kiedy wyszedł i paliło się w dalszym ciągu, gdy skończył czytać i zgasił własną lampkę nocną. Stało się to teraz zwyczajem – to ostatnie spojrzenie na domek nad potokiem, gdzie rozświetlone żółte rolety w oknie Annie odbijały się na tle nocy. Czasami dostrzegał jej cień, gdy przechodziła w trakcie swoich nieznanych wieczornych rytuałów. Raz zauważył nawet, jak przystanęła, obramowana blaskiem, rozbierając się, ale poczuł się jak podglądacz i odwrócił.

Teraz jednak rolety były odsunięte i wiedział, iż oznacza to, że coś się wydarzyło albo nawet działo wtedy, gdy patrzył. Lecz wiedział także, że jest to coś, co tylko one mogą rozwiązać i – chociaż to głupie – powiedział sobie, że może rolety są odsunięte nie po to, by wpuścić ciemność, ale by ją wypuścić.

Nigdy, odkąd po raz pierwszy jego oczy spoczęły na Rachel, tyle lat temu, nie spotkał kobiety, której pragnąłby bardziej.

Dzisiaj wieczorem po raz pierwszy widział ją w sukience. Była prosta, z czarnej bawełny nakrapianej malutkimi różowymi kwiatkami, od przodu cała zapinana na perłowe guziki. Sięgała jej sporo poniżej kolan i miała małe pękate rękawy odsłaniające ramiona.

Kiedy przyszedł i zaprosiła go do kuchni na drinka, nie mógł oderwać od niej wzroku. Wszedł za nią, wdychając głęboko powiew jej perfum, a kiedy mu nalewała, obserwował ją i zauważył, jak trzyma język między zębami, żeby się skoncentrować. Dostrzegł także w przelocie atłasowy pasek na jej ramieniu, na który cały wieczór nadaremnie usiłował nie patrzeć. Podała mu kieliszek i uśmiechnęła się, marszcząc kąciki ust w sposób, który chciał, żeby istniał tylko dla niego.

Przy kolacji prawie w to uwierzył, uśmiechy bowiem, jakimi obdarzała Franka, Diane i dzieci były zupełnie inne. I może mu się wydawało, lecz kiedy się odzywała, niezależnie od tego, na jaki temat, zawsze było to jakby skierowane do niego. Nigdy przedtem nie widział jej z pomalowanymi ustami i patrzył, jak błyszczą zielonawo i odbijają płomień świec, kiedy się śmiała.

Po awanturze i gwałtownym wyjściu Grace tylko obecność Diane powstrzymała go od tego, by wziąć Annie w ramiona i pozwolić jej się wypłakać, tak jak – widział to – chciała. Nie oszukiwał się, że ten impuls miał na celu jedynie pocieszenie jej. Chodziło o to, aby ją trzymać i poznać bliżej jej dotyk, kształt oraz zapach.

Nie uważał jednak również, by to czyniło ten impuls niegodziwym, choć wiedział, że inni mogliby tak sądzić. Ból tej kobiety i jej dziecko i ból tego dziecka – wszystko stanowiło jej część, czyż nie? I jaki człowiek mógłby być na tyle Bogiem, żeby osądzać delikatne podziały uczucia stosownego do każdej z tych części, wszystkich lub którejkolwiek z nich?

Wszystkie rzeczy stanowiły jedno, tak jak jeździec w harmonii z koniem, i najlepsze, co człowiek mógł zrobić, to uznać to uczucie, postępować według niego i być mu tak dalece wiernym, jak pozwoli dusza.

*

Pogasiła wszystkie światła na dole i wchodząc po schodach, zauważyła, że drzwi do pokoju Grace są zamknięte i panuje w nim ciemność. Annie poszła do siebie i zapaliła lampkę. Przystanęła w drzwiach, uświadomiwszy sobie, że przestąpienie progu będzie miało duże znaczenie. Jak mogła przepuścić taką okazję? Pozwolić, aby kolejna nie zakwestionowana warstwa osiadła wraz z nocą pomiędzy nimi, jak gdyby chodziło o jakąś nieubłaganą geologię? Nie musiało tak być.

Drzwi Grace zaskrzypiały, gdy Annie je otwierała, wpuszcząjąc światło z półpiętra. Wydawało jej się, że widzi jakiś ruch w pościeli, nie miała jednak pewności, gdyż łóżko stało poza kręgiem światła, zaś oczy Annie musiały się przyzwyczaić.

– Grace?

Grace leżała twarzą do ściany, a w kształcie jej ramion pod przykryciem była wystudiowana nieruchomość.

– Grace?

– Co? – Nie poruszyła się.

– Możemy porozmawiać?

– Chcę spać.

– Ja też, ale myślę, że byłoby dobrze, gdybyśmy porozmawiały.

– O czym?

Annie podeszła do łóżka i usiadła. Proteza opierała się o ścianę przy stoliku nocnym. Grace westchnęła i odwróciwszy się na plecy, wpatrzyła się w sufit. Annie wzięła głęboki oddech. Załatw to jak trzeba, powtarzała sobie. Nie okazuj urazy, mów gładko, bądź miła.

– A więc znowu jeździsz.

– Próbowałam.

– Jak było?

Grace wzruszyła ramionami.

– Okay. – Wciąż patrzyła na sufit, starając się wyglądać na znudzoną.

– To świetnie.

– Tak?

– No a nie?

– Nie wiem, ty mi powiedz.

Annie zwalczyła bicie serca i powtarzała sobie „spokojnie, do przodu, przyjmij to". Zamiast tego jednak usłyszała własne słowa:

– Nie mogłaś mi powiedzieć?

Grace spojrzała na nią, a nienawiść i ból w jej oczach niemal odebrały Annie oddech.

– Czemu niby miałam ci mówić?

– Grace...

– Nie, czemu? No? Bo cię to obchodzi? Czy tylko dlatego, że musisz wszystko wiedzieć i wszystko kontrolować i nie pozwolić nikomu na nic, chyba że ty tak powiesz!? O to chodzi?

– Och, Grace. – Annie nagle poczuła, że potrzebuje światła i sięgnęła, by włączyć lampkę na stoliku nocnym, lecz Grace zaczęła machać rękami wokół siebie.

– Nie! Nie chcę światła!

Cios trafił Annie w rękę i lampka spadła z hukiem na podłogę. Ceramiczna podstawka pękła na trzy gładkie części.

– Udajesz, że dbasz o to, ale tak naprawdę dbasz tylko o siebie i o to, co ludzie o tobie pomyślą. I o swoją pracę i super przyjaciół.

Podparła się na łokciach, jakby po to, by wesprzeć gniew, już osłabiony przez łzy zeszpecające jej twarz.

– Zresztą powiedziałaś, że nie chcesz, bym znów jeździła, więc po cholerę miałam ci mówić? Po co mam ci mówić cokolwiek? Nienawidzę cię!

Annie próbowała ją przytrzymać, ale Grace odepchnęła ją.

– Spadaj! Po prostu zostaw mnie w spokoju! Wynoś się!

Annie wstała i poczuła, że się kołysze; przez moment myślała, że może upaść. Prawie na oślep przeszła do plamy światła, która – jak wiedziała – zaprowadzi ją do drzwi. Nie miała zbytnio pojęcia, co zrobi, gdy tam dotrze, a jedynie, że jest posłuszna jakiemuś ostatecznemu rozkazowi separacji. Gdy znalazła się przy drzwiach, usłyszała, jak Grace coś mówi – odwróciła się i spojrzała z powrotem na łóżko. Dostrzegła, że dziewczynka znów leży twarzą do ściany, a jej ramiona drżą.

– Co? – spytała.

Czekała i czy to był smutek jej własny czy Grace, który po raz drugi okrył słowa całunem, nie wiedziała, lecz w sposobie ich wypowiedzenia było coś, co kazało jej wrócić. Podeszła do łóżka i stanęła wystarczająco blisko, żeby dotknąć, nie zrobiła tego jednak, ze strachu, iż jej ręka może zostać gwałtownie odtrącona.

– Grace? Nie słyszałam, co powiedziałaś.

– Powiedziałam, że... zaczęłam.

Nadeszło to wśród szlochów i przez moment Annie nie zrozumiała.

– Zaczęłaś?

– Okres.

– Co, dzisiaj?

Grace pokiwała głową.

– Poczułam to przy stole, a jak tu przyszłam, miałam krew na majtkach. Uprałam je w łazience, ale nie chciało zejść.

– Och, Grace.

Annie położyła dłoń na ramieniu Grace, a dziewczynka się odwróciła. Na jej twarzy nie było teraz gniewu, jedynie ból i smutek, więc Annie siadła na łóżku i wzięła córkę w ramiona. Grace przylgnęła do niej kurczowo, a Annie poczuła jak dziecięcy szloch wstrząsa nimi, jak gdyby stanowiły jedno ciało.

– Kto będzie mnie chciał?

– Co, kochanie?

– Kto będzie mnie chciał? Nikt.

– Och, Grace, to nieprawda...

– Niby czemu mieliby chcieć?

– Bo to jesteś ty. Jesteś niesamowita. Jesteś piękna i silna. Jesteś najdzielniejszą osobą, jaką kiedykolwiek spotkałam w całym swoim życiu.

Obejmowały się nawzajem i płakały. A kiedy znowu mogły mówić, Grace powiedziała jej, że nie myślała tak naprawdę tych okropnych rzeczy, które mówiła, Annie zaś odparła, że wie, ale że było tam także sporo prawdy oraz, że ona jako matka zrobiła tak wiele, wiele rzeczy źle. Siedziały przytulone z głowami na ramionach i pozwalały płynąć słowom, które przedtem ledwo ośmielały się wypowiedzieć każda przed sobą.

– Przez wszystkie te lata, kiedy ty i tata próbowaliście mieć kolejne dziecko, każdej nocy modliłam się, żeby tym razem wyszło. I to nie ze względu na was, albo że chciałam mieć brata czy siostrę, nie, to nie było nic takiego. Tylko po to, żebym dalej nie musiała być taka... och, nie wiem.

– Powiedz mi.

– Taka specjalna. Ponieważ byłam jedyna, czułam, że oczekujecie ode mnie, żebym była taka dobra i w ogóle, taka doskonała, a ja nie byłam, ja byłam tylko sobą. A teraz i tak to wszystko zepsułam.

Annie przytuliła ją mocniej, pogłaskała po włosach i powiedziała, że to nie tak. I pomyślała także, chociaż tego nie powiedziała, jakim ryzykownym towarem jest miłość oraz, że właściwe zrównoważenie dawania i brania jej jest zbyt precyzyjnym zadaniem dla zwykłych istot ludzkich.

Jak długo tak siedziały, Annie nie potrafiła określić, lecz

jeszcze długo po tym, jak przestały płakać, a wilgoć po ich łzach zrobiła się zimna na jej sukience. Grace zasnęła w jej ramionach i nie obudziła się nawet wtedy, gdy matka położyła ją, a potem wyciągnęła się obok niej.

Nasłuchiwała oddechu córki, równego i ufnego, i przez moment obserwowała blade firanki w oknie, poruszane lekkim wietrzykiem. Później sama również zasnęła, głębokim i pozbawionym marzeń snem, podczas gdy na zewnątrz ziemia obracała się, ogromna i cicha pod niebem.

24

Robert wyjrzał przez opryskaną deszczem szybę czarnej taksówki na kobietę z ulicznego plakatu, która machała do niego w ten sam sposób przez ostatnie dziesięć minut. Był to jeden z tych elektronicznych gadżetów, i jej ramię faktycznie się poruszało. Miała na sobie okulary Ray-Bans i jasnoróżowy strój kąpielowy, zaś w drugiej ręce trzymała coś, co prawdopodobnie miało być pina coladą. Starała się, jak mogła przekonać Roberta i kilkuset innych ugrzęzłych w korku, przemoczonych podróżnych, iż lepiej zrobiliby, kupując bilet lotniczy na Florydę.

Sprawa była dyskusyjna. I – jak Robert wiedział – trudniejsza do sprzedania niż się wydawało, angielskie gazety rozpisywały się bowiem o brytyjskich turystach na Florydzie, ograbianych, gwałconych i zastrzeliwanych. Gdy taksówka podpełzła do przodu, Robert zauważył, że jakiś dowcipniś dopisał przy nogach kobiety: „Nie zapomnij swojego uzi”.

Zbyt późno uświadomił sobie, iż powinien był skorzystać z metra. Przy każdym jego pobycie w Londynie w ciągu ostatnich dziesięciu lat rozkopywali jakiś nowy odcinek drogi na lotnisko i miał całkowitą pewność, że nie zostawiali sobie tego specjalnie na jego przyjazd. Samolot do Genewy powinien odlecieć za trzydzieści pięć minut, a przy tym tempie spóźni się o jakieś dwa lata. Taksówkarz już go poinformował – i to z czymś podejrzanie bliskim upodobaniu – iż na lotnisku panuje „mgła jak trzeba”.

Faktycznie. I nie spóźnił się na lot, ponieważ go odwołano. Siadł w poczekalni klasy business i przez kilka godzin cieszył się towarzystwem rosnącej zgrai zaniepokojonych przedstawicieli kadry kierowniczej, z których każdy podążał własną, wyjątkową ścieżką do zawału. Spróbował zadzwonić do Annie, lecz odezwała się tylko automatyczna sekretarka. Zastanawiał się, gdzie są. Zapomniał zapytać je o plany na to pierwsze od lat święto pamięci poległych, którego nie spędzali razem.

Zostawił wiadomość i zaśpiewał dla Grace kilka taktów *Holów Montezumy*, co zawsze robił tego dnia przy śniadaniu jako przypomnienie jęków i pocisków. Później po raz ostatni przejrzał notatki z dzisiejszego spotkania (które dobrze poszło) oraz papiery na jutrzejsze (które również może dobrze pójść, o ile on w ogóle tam dotrze), po czym odłożył to wszystko i poszedł na kolejny spacer po hali odlotów.

Gdy przyglądał się leniwie i bez specjalnego powodu wieszakowi z golfami z kaszmiru, których założenia nie życzyłby najgorszemu wrogowi, ktoś zaczepił go. Podniósłszy wzrok, ujrzał człowieka, który zaliczał się do tej ostatniej kategorii bardziej niż ktokolwiek inny.

Freddie Kane należał do średnich, a nawet małych w świecie wydawniczym, był jednym z tych ludzi, których nie wypytuje się zbytnio o dokładną naturę interesów, z obawy, by nie zakłopotać nie ich, ale siebie. Kompensował sobie wszelkie niedostatki, jakie mogły istnieć w tej mrocznej dziedzinie, dając jasno do zrozumienia, że posiada osobistą fortunę, a ponadto zna każdą plotkę, jaką trzeba znać o każdym, kto jest kimś w Nowym Jorku. Zapominając imienia Roberta przy każdej z czterech czy pięciu okazji, kiedy ich sobie przedstawiano, Freddie okazywał jasno, że mąż Annie Graves nie jest dla niego kimś. Sama Annie z kolei była jak najbardziej.

– Cześć! Tak myślałem, że to ty! Jak leci?

Grzmotnął Roberta ręką w ramię, drugiej zaś użył do napompowania jego dłoni w sposób, który jakimś dziwnym sposobem był jednocześnie brutalny i flakowaty. Robert uśmiechnął się i zauważył, że facet ma takie okulary, jakie nosiły teraz wszystkie gwiazdy filmowe w nadziei, iż nada im to bardziej intelektualny wygląd. Najwyraźniej znów zapomniał imienia Roberta.

Gadali przez chwilę nad golfami, wymieniając informacje o celu podróży, oczekiwanych czasach przylotu oraz właściwościach mgły. Robert odpowiadał mętnie i wymijająco na pytania o powód swojego pobytu w Europie, nie dlatego że była to tajemnica, lecz ponieważ wiedział, jak rozczaruje tym Freddie'ego. Być może więc właśnie chęć zemsty sprawiła, że powiedział:

– Słyszałem, że Annie ma kłopoty z Gatesem.

– Słucham?

Przyłożył dłoń do ust i zrobił minę uczniaka, który coś przeskrobał.

– Ups. Może nie powinniśmy wiedzieć.

– Przepraszam, Freddie, jesteś dużo lepiej poinformowany ode mnie.

– Och, tylko jakiś ptaszek wyćwierkał mi, że Crawford Gates znowu bawi się w łowcę głów. Pewnie nie ma w tym słowa prawdy.

– Co masz na myśli mówiąc – łowcę głów?

– Och, wiesz, jak tam zawsze było, muzyczne krzesła i zastrzel pianistę. Obiło mi się po prostu o uszy, że utrudnia Annie życie, to wszystko.

– Cóż, pierwsze słyszę.

– To tylko plotka. Nie powinienem był o tym wspominać.

Wyszczerzył zęby z zadowoleniem i – wypełniwszy to, co istotnie mogło być jedynym celem tego spotkania – stwierdził, że lepiej wróci do stanowiska linii lotniczych jeszcze się pożalić.

Z powrotem w poczekalni Robert poczęstował się kolejnym piwem i przejrzał egzemplarz „The Economist", rozważając słowa Freddie'ego. Chociaż udawał naiwnego, od razu wiedział, do czego facet zmierza. Słyszał to już drugi raz w ciągu tygodnia.

W zeszły wtorek był na przyjęciu wydanym przez jednego z ważnych klientów swojej firmy. Zazwyczaj wymawiał się od udziału w tego rodzaju jublach, lecz tym razem, pod nieobecność Annie i Grace, wręcz się ucieszył. Odbywało się to na wielu akrach okazałych biur niedaleko Centrum Rockefellera, z górami kawioru wystarczająco wysokimi, by jeździć po nich na nartach.

Jakikolwiek by był najnowszy rzeczownik zbiorowy na określenie zgromadzenia prawników (co tydzień wymyślali nowy i bardziej obraźliwy), z pewnością jedno z nich miało tutaj miejsce. Robert rozpoznał wiele twarzy z innych firm prawniczych i domyślił się, że do zaproszenia ich wszystkich skłoniła gospodarza chęć utrzymania własnej firmy w gotowości bojowej. Wśród tych innych prawników był Don Farlow. Spotkali się przedtem tylko raz, lecz Robert polubił go, a wiedział, że Annie także go lubi i wysoko ceni.

Farlow przywitał się z nim ciepło, Robert zaś z zadowoleniem odkrył podczas pogawędki, że podzielają nie tylko graniczący z zachłannością apetyt na kawior, ale również trzeźwą cyniczną postawę wobec tych, którzy go dostarczają. Oznakowali swój teren obok pagórków tego smakołyku i Farlow słuchał ze współczuciem relacji Roberta z postępów sprawy sądowej w związku z wypadkiem Grace – czy raczej braku takowych, komplikowała się bowiem tak bardzo, iż wydawała się już skazana na ciągnięcie się latami. Później Farlow zapytał o Annie i o to, jak się mają sprawy na zachodzie.

– Annie jest niesamowita – stwierdził. – Naprawdę najlepsza. Wariactwo polega na tym, że ten dupek Gates to wie.

Robert spytał go, co ma na myśli, na co Farlow zrobił zdziwioną, a po chwili zakłopotaną minę. Szybko zmienił temat i jedyne, co jeszcze powiedział na odchodnym, to to, że Robert powinien doradzić Annie szybki powrót. Robert pojechał prosto do domu i zatelefonował do Annie. Zlekceważyła sprawę.

– To miejsce to Pałac Paranoi – oznajmiła. Och, pewnie, Gates czepiał się, ale nie bardziej niż zwykle. – Ten stary łajdak wie, że potrzebuje mnie bardziej niż ja jego.

Robert zarzucił temat, aczkolwiek czuł, iż zuchowatość Annie zdawała się mieć na celu raczej przekonanie siebie samej niż jego. Jeśli Freddie Kane wiedział o tym, można się było bez obawy założyć, iż większość Nowego Jorku też wiedziała, albo wkrótce się dowie. I chociaż nie był to świat Roberta, znał go dostatecznie dobrze, by wiedzieć, co jest ważniejsze: to, co zostało powiedziane czy to, co było prawdą.

25

Hank i Dorlane zazwyczaj organizowali u siebie potańcówkę Czwartego Lipca. W tym roku jednak Hank miał na koniec czerwca przewidziane usuwanie żylaków, a nie miał ochoty na kuśtykanie dookoła, więc urządzili to o przeszło miesiąc wcześniej, w Dzień Pamięci Poległych.

Wiązało się z tym pewne ryzyko. Przed kilkoma laty, akurat w ten weekend napadało dwie stopy śniegu. Część z zaproszonych przez Hanka uważała ponadto, że dzień wybrany dla uczczenia tych, którzy zginęli za swój kraj, w ogóle nie jest odpowiedni do urządzenia imprez. Hank stwierdził na to, że cholera, skoro już o tym mowa, to świętowanie niepodległości też jest idiotyczne, jeśli się jest po ślubie tak długo jak on i Dorlane, a zresztą wszyscy jego znajomi, którzy pojechali do Wietnamu, lubili dobrze się zabawić, więc o co chodzi?

Jakby po to, żeby mu dać nauczkę, zaczął padał deszcz. Strumienie wody spływały z falujących brezentów, kończąc z sykiem wśród burgerów, żeberek i steków na grillu. Skrzynka z bezpiecznikami wybuchła jaskrawo i zgasiła wszystkie kolorowe lampki porozwieszane na podwórku. Zdawało się, że nikomu to zbytnio nie przeszkadza. Wszyscy po prostu wpakowali się do stodoły. Ktoś dał Hankowi koszulkę, którą ten zaraz włożył – miała na przodzie napisane dużymi czarnymi literami: A NIE MÓWIŁEM?

Tom spóźniał się, gdyż weterynarz mógł dotrzeć do Double Divide dopiero po szóstej. Dał małej źrebicy jeszcze jeden zastrzyk i uznał, że to wystarczy. Gdy pozostali wyjechali już na imprezę, wciąż się nią zajmowali. Przez otwarte drzwi stodoły Tom widział wszystkie dzieciaki wpychające się do forda z Annie i Grace. Annie pomachała mu i zapytała, czy jedzie. Odparł, że dołączy później. Ucieszyło go, że włożyła tę samą sukienkę, co przed dwoma dniami.

Ani ona, ani Grace nie odezwały się słowem na temat tego, co wydarzyło się tamtej nocy. W niedzielę wstał przed świtem i ubierając się po ciemku, zauważył, iż żaluzje w pokoju Annie są wciąż podciągnięte, a światło się pali. Chciał pójść sprawdzić, czy wszystko w porządku, ale postanowił z tym poczekać, by nie wyjść na wścibskiego. Kiedy skończył doglądać konie i przyszedł na śniadanie, Diane powiedziała mu, że Annie przed chwilą dzwoniła, żeby zapytać, czy mogłaby razem z Grace pojechać z nimi do kościoła.

– Pewnie chce to opisać w swojej gazecie – stwierdziła Diane.

Tom odparł, że to nie fair tak mówić i żeby dała Annie spokój. Diane nie odezwała się do niego ani słowem przez resztę dnia.

Pojechali wszyscy do kościoła dwoma samochodami i natychmiast stało się jasne, przynajmniej dla Toma, że coś się zmieniło pomiędzy Annie i Grace. Zapanował tam spokój. Zauważył, że kiedy Annie się odzywa, Grace patrzy jej teraz w oczy, oraz że po zaparkowaniu samochodu wzięły się pod rękę i razem przeszły całą drogę do kościoła.

Nie zmieścili się wszyscy w jednym rzędzie, więc Annie i Grace usiadły jeden rząd bliżej, gdzie snop słońca padał ukośnie od okna, wyłapując powolne drobinki kurzu. Tom zwrócił uwagę, że ludzie przyglądają się nowo przybyłym, kobiety tak samo jak mężczyźni. Jego oczy też wciąż powracały na kark Annie, gdy wstawała do śpiewu lub schylała głowę w modlitwie.

Potem, po powrocie do Double Divide, Grace znów dosiadła Gonzo, tyle że tym razem na dużej arenie i na oczach wszystkich. Jakiś czas go prowadziła, a później, kiedy Tom dał jej sygnał, przyspieszyła do kłusa. Na początku była trochę spięta, szybko jednak rozluźniła się i odnalazła rytm, Tom zaś zauważył, jak gładko jedzie. Doradził jej parę rzeczy związanych z używaniem nogi, a gdy wszystko zagrało, powiedział, by przeszła w galop.

– Galop?

– A czemu nie?

Zrobiła więc i to, i poszło znakomicie. Otworzyła biodra i poddała się ruchowi – Tom dostrzegł szeroki uśmiech pojawiający się na jej twarzy.

– Nie powinna mieć czapki? – spytała go cicho Annie. Miała na myśli jeden z tych kasków, jakie ludzie noszą w Anglii i na wschodzie, więc odparł, że nie, chyba że planuje spaść. Wiedział, że powinien podejść do tego poważniej, lecz Annie zdawała się mu ufać i poprzestała na tym.

Zachowując doskonałą równowagę, Grace zwolniła i łatwo zatrzymała Gonzo przed wszystkimi, oni zaś zaczęli klaskać i wznosić radosne okrzyki. Mały konik wyglądał, jakby wygrał Derby Kentucky. A uśmiech Grace był szeroki i pogodny jak poranne niebo.

Po wyjeździe weterynarza Tom wziął prysznic, włożył czystą koszulę i wyruszył w deszczu do Hanka. Padało tak rzęsiście, że wycieraczki starego chevroleta poddały się i Tom musiał przystawić nos do szyby, by widzieć pełną dziur żwirową drogę. Kiedy wreszcie dotarł, było tam tyle samochodów, że musiał zaparkować jeszcze na drodze dojazdowej i gdyby nie pamiętał o płaszczu przeciwdeszczowym, przed dojściem do stodoły przemókłby do suchej nitki.

Gdy tylko wszedł, Hank zauważył go i podszedł z piwem. Tom uśmiał się z jego koszulki i już zdejmując płaszcz uświadomił sobie, że lustruje twarze w poszukiwaniu Annie. Stodoła była spora, ale i tak za mała dla tylu ludzi. Grała muzyka country, niemal zagłuszana odgłosami rozmów i śmiechu. Co jakiś czas wiatr wwiewał przez otwarte drzwi do środka chmurę dymu z grilla. Ludzie jeszcze jedli, w większości na stojąco, przyciągnięte bowiem z dworu stoły były ciągle mokre.

Gadając z Hankiem i paroma innymi facetami, Tom pozwolił swoim oczom błądzić po sali. Jeden z pustych boksów w głębi zamieniono na bar, zza którego Frank serwował drinki. Część starszych dzieciaków, w tym Grace i Joe, zebrało się wokół sprzętu grającego, przeglądając pudełko z kasetami i jęcząc na żenującą perspektywę oglądania rodziców usiłujących tańczyć do muzyki The Eagles czy Fleetwood Mac. Nie opodal Diane ostatni raz zapowiadała bliźniakom, że zaraz zabierze ich do domu, jeżeli nie przestaną rzucać jedzeniem. Było wiele znajomych twarzy i wielu ludzi pozdrawiało Toma, lecz on szukał tylko jednej i wreszcie ją zobaczył.

Stała w przeciwległym narożniku z pustym kieliszkiem w ręku, rozmawiając ze Smokym, który wrócił z Nowego Meksyku, gdzie pracował od czasu ostatniej kliniki Toma. Mówił głównie on. Od czasu do czasu Annie rozglądała się po sali i Tom zastanawiał się, czy szuka kogoś konkretnego i czy właśnie jego. Potem nakazał sobie nie być takim cholernym głupcem i poszedł po jedzenie.

*

Smoky domyślił się, kim jest Annie, gdy tylko ich sobie przedstawiono.

– To pani jest tą, co dzwoniła do niego, jak robiliśmy klinikę w Marin County! – stwierdził.

Annie uśmiechnęła się.

– Zgadza się.

– Do licha, pamiętam, jak dzwonił do mnie po powrocie z Nowego Jorku i mówił, że za Chiny nie będzie pracował z tym koniem. No a teraz wszyscyście tutaj.

– Zmienił zdanie.

– Na pewno, psze pani. W życiu żem nie widział, aby Tom robił coś, czego nie chce.

Annie zadawała mu pytania dotyczące jego pracy z Tomem oraz tego, co się dzieje w czasie klinik, a ze sposobu, w jaki jej odpowiadał, widać było jasno, iż czci ziemię, po której Tom stąpa. Powiedział, że sporo ludzi organizuje teraz takie rzeczy, ale żaden z nich nie jest w tej samej lidze ani nawet blisko. Opowiedział jej o wyczynach Toma, których był świadkiem, o koniach, którym pomógł, a które większość ludzi wyprowadziłaby i zastrzeliła.

– Kiedy kładzie na nich ręce, to się widzi, że wszystkie kłopoty no, jakby to powiedzieć, po prostu z nich wylatują.

Annie zauważyła, iż nie zrobił tego jeszcze z Pielgrzymem, na co Smoky odparł, że to koń po prostu nie jest jeszcze gotowy.

– To brzmi jak magia – rzekła.

– Nie, psze pani. To więcej niż magia. Magia to tylko sztuczki.

Cokolwiek to było, Annie czuła to. Czuła to, obserwując Toma przy pracy, jeżdżąc z nim konno. Prawdę mówiąc, czuła to prawie w każdym momencie, kiedy z nim była.

Nad tym rozmyślała wczoraj rano, obudziwszy się z Grace wciąż śpiącą obok i ujrzawszy świt wlewający się przez wyblakłe firany, które teraz wisiały bez ruchu. Przez dłuższy czas leżała zupełnie nieruchomo, ukołysana spokojem oddechu córki. Raz, z jakiegoś odległego snu, Grace mruknęła coś, co Annie na próżno usiłowała rozszyfrować.

Właśnie wtedy dostrzegła, wśród stosu książek i czasopism obok łóżka, egzemplarz *Wędrówki pielgrzyma,* który dostała od kuzynów Liz Hammond. Nawet jeszcze nie otworzyła tej książki ani nie miała pojęcia, iż Grace ją tu przyniosła. Cicho wysunęła się z łóżka i poszła z nią do krzesła przy oknie, gdzie akurat było dosyć światła do czytania.

Pamiętała, jak w dzieciństwie słuchała tej historii z szeroko otwartymi oczami, urzeczona prostotą i dosłownością opowieści o heroicznej podróży małego Chrześcijanina do Niebieskiego Grodu. Gdy czytała teraz, alegoria wydawała się naciągana i niezręczna. Pod koniec znajdował się jednak fragment, przy którym się zatrzymała.

„Teraz ujrzałem w moim śnie, że pielgrzymi tymczasem opuścili Zaczarowany Teren i weszli do Ziemi Poślubionej, gdzie powietrze było świeże i przyjemne. Ponieważ droga ich wiodła przez sam środek kraju, mogli więc cieszyć się, przez pewien czas, pobytem w tamtych stronach. Tutaj słyszeli nieustannie śpiew ptaków, podziwiali przepiękne kwiaty, które rosły na każdym kroku, i słuchali świergotu skowronków, unoszących się nad polami. W tym kraju słońce świeci we dnie i w nocy, gdyż znajduje się on już poza zasięgiem Doliny Cienia Śmierci. Nie mógł dotrzeć tam i olbrzym Rozpacz. Z tego kraju pielgrzymi nawet nie mogli dojrzeć Zamku Zwątpienia, natomiast było widać Miasto, do którego zdążali. Tutaj także spotkali kilku mieszkańców tego Miasta, gdyż w tym kraju Jaśniejący często przebywają, jako że jest on położony na pograniczu Nieba”.*

Annie przeczytała ten ustęp trzy razy i na tym zakończyła lekturę. Właśnie on skłonił ją do tego, że zatelefonowała do Diane i zapytała, czy mogą z Grace pojechać do kościoła. Wszelako ten impuls – tak niezwyczajny, iż rozbawił nawet ją samą – miał niewiele, jeśli w ogóle cokolwiek, wspólnego z religią. Miał za to dużo wspólnego z Tomem Bookerem.

Annie wiedziała, że w jakiś sposób on ustawił scenę dla tego, co się stało. Odryglował drzwi, przez które trafiły do siebie z Grace. „Nie pozwól jej się odtrącić”, powiedział jej. I nie pozwoliła. Teraz po prostu chciała podziękować, lecz w zrytualizowany sposób, który nie wprawiłby nikogo w zakłopotanie. Grace docięła jej, pytając, ile wieków minęło, odkąd po

---

* John Bunyan, *Wędrówka pielgrzyma*, tłum. Józef Prower. Wydano staraniem Prezydium Rady Zjednoczonego Kościoła Ewangelicznego. Warszawa 1961.

raz ostatni widziała wnętrze kościoła. Powiedziała to jednak z sympatią i miała szczerą ochotę się przyłączyć.

Umysł Annie z powrotem skupił się na imprezie. Smoky chyba nie zauważył jej odpłynięcia myślami. Znajdował się właśnie w połowie jakiejś długiej, zawiłej historii o właścicielu rancza w Nowym Meksyku, na którym pracował. Słuchając, Annie powróciła do zajęcia, przy którym zeszła jej większość wieczoru – do szukania Toma. Może jednak nie miał przyjechać.

Hank i inni mężczyźni ponownie wystawili stoły na deszcz i zaczęły się tańce. Muzyka była teraz głośniejsza i wciąż country, więc dzieciaki – pod wodzą najsprytniejszych – mogły w dalszym ciągu jęczeć, niewątpliwie w duchu zadowolone, że same nie muszą tańczyć. Wyśmiewanie się z rodziców było o wiele zabawniejsze niż dopuszczenie, by oni śmiali się z ciebie. Jedna czy dwie ze starszych dziewczynek wyłamały się i tańczyły – ten widok nagle zmartwił Annie. Poczuła się głupio, bo aż do tej pory nie przyszło jej do głowy, że widok innych osób tańczących może sprawić Grace przykrość. Przeprosiła Smoky'ego i poszła jej poszukać.

Grace siedziała przy boksach razem z Joe. Dostrzegli nadchodzącą Annie i Grace szepnęła mu coś, co go rozbawiło. Zanim Annie dotarła, uśmiech zniknął z jego twarzy. Wstał, by się z nią przywitać.

– Proszę pani, zechciałaby pani zatańczyć?

Grace wybuchnęła śmiechem, a Annie posłała jej podejrzliwe spojrzenie.

– To jest całkowicie spontaniczne, rzecz jasna – odezwała się.

– Oczywiście, proszę pani.

– I nie, w żadnym wypadku, prowokacja?

– Mamo! Aleś ty niegrzeczna! – zawołała Grace. – Jak możesz sugerować coś tak okropnego!

Annie znów spojrzała na Grace, która teraz odczytała jej myśli.

– Mamo, jeśli sądzisz, że będę z nim tańczyła do tej muzyki, to zapomnij o tym.

– W takim razie dziękuję ci, Joe. Będę zachwycona.

Tak więc zatańczyli. Joe dobrze sobie radził i chociaż inne

dzieciaki wygwizdywały go, ani mrugnął. Podczas tańca zauważyła wreszcie Toma. Obserwował ją od baru i pomachał jej, a jego widok wywołał w niej taki młodzieńczy dreszcz, iż natychmiast poczuła się zakłopotana, że może to być widoczne. Kiedy muzyka ustała, Joe ukłonił się kurtuazyjnie i odprowadził ją z powrotem do Grace, która nie przestawała się śmiać. Annie poczuła czyjś dotyk na ramieniu i odwróciła się. To był Hank. Chciał zatańczyć z nią następny kawałek i nie przyjąłby odmowy. Zanim skończyli, tak rozbawił Annie, że boki bolały ją ze śmiechu. Nie dane jej było jednak wytchnienie. W kolejce czekał Frank, potem Smoky.

Obejrzawszy się w tańcu, zobaczyła, że Grace i Joe zorganizowali teraz jakąś zabawę z bliźniakami oraz paroma innymi dzieciakami, na tyle żartobliwą, by dać Grace i Joe złudzenie, iż tak naprawdę nie tańczą ze sobą.

Patrzyła jak Tom tańczy z Dorlane, później z Diane, później z jakąś śliczną, młodą kobietą, której Annie nie znała i nie chciała znać. Może była to jakaś jego dziewczyna, o której nie słyszała przedtem. I za każdym razem, gdy muzyka się urywała, Annie rozglądała się za nim i zastanawiała, czemu nie przychodzi prosić jej do tańca.

*

Zobaczył, jak po tańcu ze Smokym przepycha się w stronę baru i kiedy tylko mógł zrobić to grzecznie, podziękował swojej partnerce i poszedł za Annie. Już po raz trzeci usiłował do niej dotrzeć, lecz ktoś zawsze go wyprzedzał.

Klucząc przez rozgrzany tłum, dostrzegł, że ściera pot z czoła, obiema rękami do góry, na włosy, tak jak wtedy, gdy spotkał ją podczas biegania. Na plecach miała ciemniejszą plamę, w miejscu gdzie materiał sukienki przemókł i przylepił się do ciała. Znalazłszy się bliżej poczuł jej perfumy oraz inny, bardziej subtelny i silny zapach – jej własny.

Frank znowu stał za barem i ponad głowami ludzi zapytał Annie, na co ma ochotę. Poprosiła o szklankę wody. Frank odparł, że ma niestety tylko Dr Peppersa. Podał jej, a gdy podziękowała i odwróciła się, Tom stał przed nią.

– Cześć! – rzuciła.

– A więc Annie Graves lubi tańczyć.

– Tak się składa, że nie znoszę. Tyle że tutaj nikt się ciebie nie pyta.

Roześmiał się, postanawiając jednocześnie, że w takim razie jej nie poprosi, chociaż czekał na to przez cały wieczór. Ktoś przepychał się pomiędzy nimi, rozdzielając ich na chwilę. Znów rozległa się muzyka, musieli więc krzyczeć, żeby słyszeć się nawzajem.

– Ty za to na pewno – powiedziała.

– Co?

– Lubisz tańczyć. Widziałam cię.

– Chyba tak. Ale ja też cię widziałem i myślę, że bardziej lubisz niż się przyznajesz.

– Och, no wiesz, czasami. Jak jestem w nastroju.

– Chcesz wody?

– Oddałabym życie za wodę.

Tom zawołał do Franka o czystą szklankę i oddał mu Dr Peppersa. Potem lekko położył dłoń na plecach Annie, by pokierować nią przez tłum i przez wilgotną sukienkę poczuł ciepło jej ciała.

– Chodź.

*

Wynajdywał dla nich ścieżkę pomiędzy ludźmi, Annie zaś nie mogła myśleć o niczym innym poza dotykiem jego ręki na plecach, zaraz pod łopatkami i zapinką stanika.

Idąc skrajem parkietu, złajała się w duchu za powiedzenie mu, że nie lubi tańczyć, gdyż w przeciwnym razie na pewno by ją poprosił, a niczego nie pragnęła bardziej.

Wielkie wrota stodoły stały otworem, a dyskotekowe światła rozświetlały deszcz na zewnątrz niczym wciąż zmieniającą kolory paciorkową zasłonę. Wiatr ustał już, lecz deszcz padał tak mocno, że tworzył własną bryzę. Część gości zebrała się w progu dla ochłody – Annie poczuła teraz chłód na twarzy.

Zatrzymali się i stali razem na krawędzi schronienia, wyglądając na deszcz, którego szum zagłuszał muzykę za ich plecami. Nie było już powodu, by trzymał rękę na jej plecach, więc – chociaż miała nadzieję, że tego nie zrobi – zdjął ją. Annie ledwo mogła dostrzec światła domu, niczym zagubionego statku, dokąd, jak sądziła, zmierzali po wodę dla niej.

– Przemokniemy do suchej nitki – powiedziała. – Nie jestem aż tak zdesperowana.

– Wydawało mi się, że mówiłaś, iż oddałabyś życie za wodę.

– Tak, ale nie w niej. Chociaż powiadają, że utopienie się to najlepsza metoda. Zawsze się zastanawiałam, skąd oni to u licha wiedzą?

Zaśmiał się.

– Widać, że sporo się zastanawiasz, co?

– No, ciągle coś tam buzuje. Nie umiem przestać.

– Czasem to chyba przeszkadza, nie?

– Owszem.

– Tak jak teraz. – Zauważył, że nie zrozumiała. Wskazał na dom. – No, stoimy tu, patrząc na deszcz, a ty myślisz „kiepsko, nie będzie wody".

Annie rzuciła mu spojrzenie z ukosa i wyjęła szklankę z jego ręki.

– Chodzi ci o to, że to jakby sytuacja typu: wchodzisz w las i nie widzisz drzew.

Wzruszył ramionami i uśmiechnął się, ona zaś wystawiła rękę ze szklanką w noc. Ukłucia deszczu o gołe przedramię były dotkliwe, niemal bolesne. Jego szum wyłączył wszystko poza nimi dwojgiem. I podczas gdy szklanka się napełniała, nie spuszczali z siebie oczu połączeni chwilą, której nastrój stanowił zaledwie powierzchnię. Trwało to krócej niż się wydawało, albo niż którekolwiek z nich chciało.

Annie poczęstowała najpierw jego, lecz tylko pokręcił głową i dalej się w nią wpatrywał. Pijąc odwzajemniała jego spojrzenie sponad krawędzi szklanki. Woda zaś smakowała chłodno i czysto i tak, jakby była z niczego, aż Annie zachciało się płakać.

26

Grace domyśliła się, iż coś się szykuje, gdy tylko wsiadła obok niego do chevroleta. Zdradzał to jego uśmiech, niczym u dzieciaka, który schował słoik z cukierkami. Zamknęła drzwi, a Tom ruszył zza domku nad potokiem w stronę korrali. Dopiero co wróciła z porannych zajęć z Terri w Choteau i jadła jeszcze kanapkę.

– Co jest? – spytała.

– A co ma być?

Spojrzała na niego zwężonymi oczami, on jednak udawał niewiniątko.

– No, po pierwsze, jesteś za wcześnie.

– Taa? – Potrząsnął zegarkiem na ręku. – Diabelstwo.

Zrozumiała, że to przegrana sprawa i zajęła się ponownie swoją kanapką. Tom znów uśmiechnął się do niej zabawnie i jechał dalej.

Drugą wskazówką był sznur, który wziął ze stodoły, zanim poszli do korralu Pielgrzyma. Dużo krótszy od tego, którego używał jako lassa i o mniejszej średnicy, spleciony w zawiłą kombinację purpury i zieleni.

– Co to jest?

– Sznur. Ładny, nie?

– Chodzi mi, do czego to?

– No cóż, Grace, dałoby się wyliczać bez końca rzeczy, jakie ręka może zrobić z takim sznurem.

– Na przykład huśtać się na gałęziach, związać się...

– No, takie rzeczy.

Po dotarciu do korralu Grace oparła się o sztachetę, tam gdzie zwykle, a Tom wszedł ze sznurem do środka. W przeciwległym rogu, też jak zwykle, Pielgrzym zaczął parskać i truchtać tam i z powrotem, jak gdyby próbując daremnie jakiegoś ostatecznego środka. Jego ogon, uszy i mięśnie na bokach wydawały się podłączone do wywołującego konwulsje prądu. Obserwował każdy krok Toma, który jednak na niego nie patrzył. Idąc majstrował coś ze sznurem, chociaż Grace nie wiedziała co, gdyż był do niej odwrócony plecami. Cokolwiek robił, kontynuował to po zatrzymaniu się na środku korralu i wciąż nie podnosił wzroku.

Grace zauważyła, że Pielgrzym jest równie zaintrygowany jak ona. Przestał dreptać i stał, przyglądając się. I chociaż co jakiś czas podrzucał głową i grzebał nogą w ziemi, nastawił uszy w stronę Toma, wręcz naciągnął je, jakby były na gumce. Grace powoli przesunęła się wzdłuż płotu, żeby mieć lepszy kąt widzenia. Nie musiała iść daleko, gdyż Tom odwrócił się w jej stronę, ramieniem zasłaniając widok Pielgrzymowi. Grace dostrzegła jednak tylko, że Tom zdaje się wiązać sznur w supły. Przelotnie spojrzał na nią i uśmiechnął się spod kapelusza.

– Trochę go zaciekawiło, co?

Grace popatrzyła na Pielgrzyma. Był więcej niż zaciekawiony. A teraz, gdy nie widział, czym zajmuje się Tom, zrobił to, co Grace i przeszedł kawałek. Tom usłyszał go, więc w tej samej chwili odsunął się jeszcze o kilka kroków i jednocześnie bardziej się odwrócił, tak że teraz stał do konia plecami. Pielgrzym przez jakiś czas spoglądał w bok. Następnie znowu spojrzał na Toma i zrobił ponownie kilka ostrożnych kroków w jego stronę. Tom zaś usłyszał go także tym razem i przesunął się – przestrzeń pomiędzy nimi pozostała prawie, ale nie całkiem, taka sama.

Grace zauważyła, że skończył wiązać supły, lecz teraz ściągał je i nagle domyśliła się, co takiego zrobił. Był to prosty kantar. Nie wierzyła własnym oczom.

– Chcesz spróbować mu to założyć?

Tom uśmiechnął się do niej szeroko i odparł scenicznym szeptem:

– Tylko jeżeli bardzo mnie poprosi.

Grace była zbyt przejęta, by zauważyć, ile to trwało. Dziesięć, może piętnaście minut, lecz niewiele więcej. Za każdym razem, gdy Pielgrzym podchodził bliżej, Tom się odsuwał, odmawiając mu tajemnicy i podsycając jego pragnienie poznania jej. Później Tom zatrzymywał się, ciągle o ułamek zmniejszając dzielącą ich odległość. Zanim dwukrotnie okrążyli korral i Tom dotarł z powrotem na środek, dzieliło ich już tylko kilkanaście kroków.

Teraz odwrócił się, tak że stał pod właściwym kątem, wciąż spokojnie pracując nad sznurem, i chociaż raz podniósł wzrok na Grace i uśmiechnął się, ani razu nie spojrzał na konia. Ignorowany w ten sposób Pielgrzym parsknął, po czym rozejrzał się na boki i znowu zrobił kilka kroków w stronę Toma. Grace wiedziała, że spodziewał się, iż człowiek i tym razem się odsunie, lecz on się nie ruszył. Ta zmiana zaskoczyła konia i ponownie się rozejrzał, by sprawdzić, czy cokolwiek na tym świecie, łącznie z Grace, mogłoby pomóc mu zrozumieć, co tu jest grane. Nie znalazłszy żadnej odpowiedzi, podszedł bliżej. Później jeszcze bliżej, sapiąc i wyciągając nos, by poczuć choć trochę niebezpieczeństwo, jakie ten człowiek może chować w rękawie, jednocześnie szacując ryzyko związane z przemożną teraz potrzebą dowiedzenia się, co ma on w rękach.

W końcu znalazł się tak blisko, że jego chrapy nieomal ocierały się o rondo kapelusza Toma, który musiał już czuć sapiący oddech na karku.

Teraz Tom odszedł kilka kroków i chociaż ruch nie był gwałtowny, Pielgrzym podskoczył jak przerażony kot i zarżał. Nie odbiegł jednak. A kiedy zobaczył, że Tom stoi obecnie twarzą do niego, uspokoił się. Wreszcie zobaczył sznur. Tom trzymał go obiema rękami, żeby Pielgrzym mógł się dobrze przyjrzeć. Patrzenie jednak to za mało, jak wiedziała Grace. Musiałby także powąchać.

Po raz pierwszy Tom popatrzył na niego, a także powiedział coś, choć Grace była za daleko, by usłyszeć co. Zagryzła usta, siłą woli popychając konia do przodu. Idź, on cię nie skrzywdzi, idź. Nie potrzebował jednak innej zachęty poza własną ciekawością. Niepewnie, ale z rosnącą z każdym krokiem śmiałością, Pielgrzym zbliżył się do Toma i przyłożył nos do sznura... A gdy już go powąchał, zaczął obwąchiwać ręce Toma. Tom zaś stał i pozwalał mu na to.

W tym momencie, w chwili tego drżącego dotyku konia i człowieka, Grace poczuła, że wiele rzeczy się łączy. Nie potrafiłaby tego wytłumaczyć, nawet sobie. Po prostu wiedziała, iż na wszystkim, co wydarzyło się w minionych dniach, została postawiona jakaś pieczęć. Odnalezienie na nowo matki, jazda konna, pewność siebie, jaką poczuła na potańcówce, wszystkiemu temu do tej pory Grace nie całkiem ośmielała się ufać, tak jakby w jednej sekundzie ktoś mógł to zniszczyć. W tej próbie zaufania ze strony Pielgrzyma była jednak taka nadzieja, taka obietnica światła, iż Grace poczuła, jak coś porusza się i otwiera w niej, i wiedziała, że tak już zostanie.

Z wyraźnym przyzwoleniem Tom powoli przesunął teraz dłoń do szyi konia. Pielgrzym zadrżał i na moment jakby zamarł. Była to jednak tylko ostrożność i kiedy poczuł na sobie rękę i uświadomił sobie, że nie przynosi ona bólu, rozluźnił się i pozwolił Tomowi się głaskać.

Trwało to długo. Tom powoli przesuwał dłoń w górę, aż wzdłuż całej szyi. Później Pielgrzym pozwolił mu także zrobić to samo z drugiej strony, a nawet dotknąć grzywy. Była tak zbita w kłaki, że sterczała niczym kolce pomiędzy palcami Toma. Wreszcie, delikatnie i wciąż bez pośpiechu, Tom nasunął kantar. Pielgrzym zaś nie sprzeciwiał się, ani nie wahał się nawet przez chwilę.

*

Jedyne, co niepokoiło go w związku z pokazaniem tego Grace, to to, że mogłaby zbyt dużo sobie po tym obiecywać. Sprawa zawsze była delikatna, kiedy konie robiły ten krok, a z tym koniem nawet bardziej niż delikatna. Nie skorupka jajka, ale błona wewnątrz niej. Wyczytał w oczach Pielgrzyma i w drżeniu jego boków, jak blisko był odrzucenia tego wszystkiego. Gdyby zaś odrzucił, to następny raz – gdyby w ogóle nastąpił – byłby jeszcze trudniejszy.

Przez wiele dni Tom, bez wiedzy Grace, pracował nad tym. Kiedy obserwowała popołudniami, robił różne rzeczy, było to głównie machanie chorągiewką, nakierowywanie i przyzwyczajanie konia do dotyku lassa. Jednak zbliżenie się do etapu uździenicy było czymś, co chciał zrobić w samotności. I aż do dzisiejszego ranka nie wiedział, czy to kiedykolwiek się wydarzy, czy iskra nadziei, o której mówił Annie, rzeczywiście tam jest. Później zauważył ją i zatrzymał się, chciał bowiem, aby Grace była przy tym, gdy dmuchnie na tę iskrę i sprawi, że rozbłyśnie.

Nie musiał patrzeć na Grace, by wiedzieć, jak ją to poruszyło. Nie zdawała sobie jednak sprawy z tego – a co może powinien jej był powiedzieć zawczasu, zamiast zgrywać takiego cwaniaka – że wszystko wcale nie musiało pójść teraz pięknie i gładko. Czekała ich praca, po której Pielgrzym mógł dostać nawrotu szaleństwa. Lecz to mogło poczekać. Tom nie zamierzał zaczynać od razu, gdyż ten moment należał do Grace i nie chciał go zepsuć.

Powiedział jej więc, żeby podeszła, czego – jak wiedział – musiała pragnąć. Patrzył, jak opiera laskę o słupek i idzie ostrożnie przez korral, utykając zaledwie minimalnie. Kiedy prawie już dotarła, kazał jej się zatrzymać. Lepiej pozwolić koniowi podejść do niej niż odwrotnie. Wystarczyło, że ledwo ruszył kantarem i Pielgrzym to zrobił.

Tom widział, jak Grace zagryza wargi i stara się nie drżeć, wyciągając ręce w stronę końskich nozdrzy. Po obu stronach panował strach i z pewnością było to powitanie dużo bardziej powściągliwe od tych, jakie Grace musiała pamiętać. Lecz w obwąchiwaniu przez zwierzę jej dłoni, a później także twarzy i włosów, dostrzegł – jak mu się wydawało – przynajmniej przelotnie to, czym kiedyś byli razem i mogli jeszcze znowu być.

*

– Annie, mówi Lucy. Jesteś tam?

Annie pozwoliła temu pytaniu zawisnąć na chwilę. Tworzyła ważne memo do swoich najważniejszych współpracowników na temat tego, jak powinni sobie radzić z wtrącaniem się Crawforda Gatesa. Zasadnicze przesłanie brzmiało: powiedzieć mu, żeby się odpieprzył. Włączyła automatyczną sekretarkę, by zapewnić sobie spokój i móc znaleźć jedynie troszeczkę bardziej zawoalowany sposób przekazania tego.

– Cholera. Pewnie polazłaś odrąbywać krowie jaja albo coś innego, co w tamtych stronach robią, do cholery. Posłuchaj, ja... Och, po prostu zadzwoń do mnie, dobra?

W jej głosie słychać było podenerwowanie, które skłoniło Annie do podniesienia słuchawki.

– Krowy nie mają jaj.

– Mów za siebie, dziecino. A więc czailiśmy się tam, co?

– Osłanialiśmy, Lucy, to się nazywa osłanianie. Co tam?

– Wylał mnie.

– Co?

– Ten sukinsyn mnie wylał.

Annie przeczuwała to od tygodni. Lucy była pierwszą osobą, jaką zatrudniła, jej najbliższym sprzymierzeńcem. Zwalniając ją, Gates wysyłał najwyraźniejszy z możliwych sygnałów. Annie wysłuchała relacji Lucy z uczuciem tępego bólu w klatce piersiowej.

Pretekst stanowił artykuł o kobietach – kierowcach ciężarówek. Annie widziała kopię – aczkolwiek, jak można się było spodziewać, przesycony sprawami seksu, był całkiem zabawny. Zdjęcia też świetne. Lucy chciała dać duży tytuł, który brzmiałby po prostu „Tirówki". Gates zawetował to, twierdząc, że Lucy ma „obsesję na punkcie obskurności". Odbyli kłótnię na stojąco na oczach całego biura, podczas której Lucy bez ogródek powiedziała Gatesowi to, na co Annie usiłowała znaleźć jakiś eufemizm w swoim memo.

– Nie mam zamiaru mu na to pozwolić – oznajmiła Annie.

– Dziecino, to załatwione. Już mnie nie ma.

– Nieprawda. Nie może tego zrobić.

– Może, Annie. Wiesz, że może, cholera, ja i tak miałam tego dosyć. To przestało być zabawne.

Na kilka sekund zapadło milczenie – obie to przemyśliwały. Annie westchnęła.

– Annie?

– Co?

– Lepiej tu wracaj, wiesz? I to szybko.

*

Grace późno wróciła do domu, rozentuzjazmowana tym, co wydarzyło się z Pielgrzymem. Pomogła Annie przygotować kolację i podczas jedzenia opowiedziała jej, jak było wspaniale znowu go dotykać, jak drżał. Nie pozwolił jej poklepać się tak jak Tomowi i trochę ją zdenerwowało, że tak krótko tolerował ją obok siebie. Ale Tom mówił, że to przyjdzie, trzeba tylko robić krok po kroku.

– Nie chciał na mnie patrzeć. To było dziwne. Jakby się wstydził albo coś.

– Tego, co się stało?

– Nie. Nie wiem. Może tego, jaki jest.

Powiedziała matce, jak później Tom odprowadził go do stajni i umyli go. Pozwolił Tomowi podnieść nogę i wyczyścić zbity brud z kopyt, a chociaż nie dał tknąć grzywy ani ogona, przynajmniej udało im się przeczesać prawie całą sierść. Grace nagle urwała i rzuciła Annie zatroskane spojrzenie.

– Dobrze się czujesz?

– Doskonale. A czemu?

– Nie wiem. Wyglądasz jakby na zmartwioną albo coś.

– Po prostu chyba jestem zmęczona, to wszystko.

Kiedy prawie skończyły jeść, zadzwonił Robert, i Grace,

usiadłszy przy biurku Annie, zrelacjonowała jeszcze raz całą historię od początku, podczas gdy Annie posprzątała naczynia. Stała przy zlewie, myjąc garnki i słuchając oszalałego brzęczenia owada uwięzionego w jednej z jarzeniówek wśród trupów, które być może rozpoznawał. Telefon Lucy pogrążył ją w refleksyjnym przygnębieniu, którego nawet nowinom Grace nie udało się w pełni rozproszyć.

Przedtem nastrój na krótko jej się poprawił, gdy usłyszała przed domem chrzęst opon chevroleta odwożącego Grace z korrali. Nie rozmawiała z Tomem od potańcówki w stodole, chociaż myślała o nim prawie nieustannie. Szybko przejrzała się w szklanych drzwiczkach piecyka, mając nadzieję, że wejdzie. On jednak tylko pomachał i odjechał.

Telefon Lucy przyciągnął ją z powrotem – tak jak teraz w inny sposób Robert – do tego, co było jej prawdziwym życiem; miała tego przygnębiającą świadomość. Chociaż co rozumiała pod pojęciem „prawdziwe”, już nie wiedziała. Nic, w pewnym sensie, nie mogło być bardziej prawdziwe niż życie, które znalazły tutaj. Więc jaka była różnica między tymi dwoma życiami?

Jedno – wydawało się Annie – składało się z obowiązków, a drugie z możliwości. Stąd, być może, pojęcie realności. Obowiązki bowiem są namacalne, mocno zakorzenione w czynach obu stron; możliwości zaś to chimery, kruche i bezwartościowe, nawet niebezpieczne. I w miarę, jak stajesz się starszy i mądrzejszy, uświadamiasz to sobie i odcinasz je. W ten sposób jest lepiej. Oczywiście.

Owad w lampie spróbował nowej taktyki, robiąc długie przerwy na odpoczynek, a potem rzucając się ze zdwojonym wysiłkiem na plastikową obudowę. Grace mówiła Robertowi, jak pojutrze będzie uczestniczyć w prowadzeniu bydła na letnie pastwiska i jak wszyscy będą spać na łonie natury. Tak, stwierdziła, jasne, że pojedzie konno, jak niby miałaby jechać?

– Tato, nie musisz się martwić, okay? Gonzo jest super.

Annie skończyła w kuchni i zgasiła światło, by przestać męczyć owada. Weszła powoli do salonu i stanęła za krzesłem Grace, bawiąc się w zamyśleniu włosami dziewczynki.

– Ona nie jedzie – powiedziała Grace. – Mówi, że ma za dużo roboty. Jest tutaj, chcesz z nią rozmawiać? Okay. Ja też cię kocham, tatusiu.

Zwolniła krzesło dla Annie i poszła na górę się wykąpać. Robert wciąż był w Genewie. Powiedział, że prawdopodobnie przyleci do Nowego Jorku w najbliższy poniedziałek. Dwa dni wcześniej przekazał Annie, co mówił Freddie Kane, a teraz ona znużonym głosem poinformowała go o wyrzuceniu Lucy przez Gatesa. Robert słuchał w milczeniu, po czym zapytał, co ma zamiar w związku z tym zrobić. Annie westchnęła.

– Nie wiem. A co według ciebie powinnam?

Nastąpiła przerwa i Annie wyczuła, że dokładnie namyśla się, co powiedzieć.

– Cóż, nie sądzę, żebyś stamtąd mogła wiele zrobić.

– Mówisz, że powinnyśmy wrócić?

– Nie, tego nie mówię.

– Kiedy wszystko tak dobrze idzie z Grace i Pielgrzymem?

– Nie, Annie. Ja tego nie powiedziałem.

– Ale tak to zabrzmiało.

Słyszała, jak wciągnął głęboko powietrze i nagle poczuła się winna, że przekręca jego słowa, podczas gdy sama nie jest szczera. Kiedy odezwał się ponownie, jego głos był wyważony.

– Przepraszam, jeśli to tak zabrzmiało. Cudowna sprawa z Grace i Pielgrzymem. Ważne, żebyście wszyscy zostali tam tak długo, jak trzeba.

– Ważniejsze niż moja praca, chcesz powiedzieć?

– Na Boga, Annie!

– Przepraszam.

Rozmawiali jeszcze o innych, mniej spornych sprawach, i zanim się pożegnali, znowu byli przyjaciółmi, chociaż nie powiedział jej, że ją kocha. Annie odłożyła słuchawkę, ale nie ruszała się z miejsca. Nie miała zamiaru tak go zaatakować. Chodziło raczej o to, że karała samą siebie za własną niemożność – lub niechęć – rozwiązania tej plątaniny na wpół spełnionych pragnień i wyrzeczeń, które w niej kipiały.

Grace miała w łazience włączone radio. Jakaś stacja ze starociami ciągle prezentowała coś, co nazywali Wielką Małpią Retrospekcją. Przed chwilą puścili *Daydream Believer,* a teraz *Last Train to Charksville*. Grace musiała zasnąć albo miała uszy pod wodą.

Nagle, z samobójczą jasnością, Annie zrozumiała, co zrobi. Oznajmi Gatesowi, że jeśli nie przywróci Lucy Friedman na stanowisko, ona zrezygnuje. Jutro przefaksuje to ultimatum. Jeśli nie przeszkodzi to Bookerom, pojedzie jednak w końcu na ten przeklęty spęd bydła. A po powrocie albo będzie miała pracę, albo nie.

27

Stado przetoczyło się w jego stronę wokół występu wzgórza niczym rozlewająca się czarna rzeka płynąca pod prąd. Ukształtowanie terenu pozwalało tutaj na odpowiednie kierowanie, zmuszające bydło do przesuwania się łukiem pod górę, szlakiem, który – choć nie oznaczony ani opłotkowany – stanowił jednak dla nich jedyną możliwość. Tom zawsze lubił wyjeżdżać w tym miejscu do przodu i obserwować zwierzęta ze wzgórza.

Nadjeżdżali teraz pozostali jeźdźcy, porozstawiani strategicznie przed stadem i na jego krawędzi, Joe i Grace po prawej, Frank z bliźniakami po lewej, z tyłu ukazały się już Diane i Annie. Płaskowyż za nimi był morzem dzikich kwiatów, a ich przejście wzburzyło w nim kilwater zieleni. Wcześniej na jej dalekim brzegu odpoczywali pod południowym słońcem i patrzyli na pijące bydło.

Z miejsca, gdzie Tom zatrzymał konia, widać było najlżejsze drżenie tego rozlewiska, a nie dolinę za nim, gdzie teren przechodził w łąki i obrośnięte topolami strumienie Double Divide. Tak jakby płaskowyż opadał naturalnie – prosto na rozległe równiny i wschodnią krawędź nieba.

Cielęta sprawiały wrażenie zgrabnych i silnych, a ich sierść delikatnie połyskiwała. Tom uśmiechnął się do siebie na myśl o lichych bydlętach, które pędzili tamtej wiosny, jakieś trzydzieści lat temu, gdy ojciec dopiero co sprowadził tutaj rodzinę. Niektóre były takie kościste, że prawie słychać było grzechotanie żeber.

Daniel Booker prowadził ranczo przez kilka ciężkich zim w Clark's Fork, żadna jednak surowością nie dorównywała temu, co zastał na Przedgórzu. Tej pierwszej zimy stracił niemal tyle samo cieląt, ile uratował, zimno zaś i zmartwienia wytrawiły jeszcze głębsze ślady na jego twarzy i tak już zmienionej na zawsze wymuszoną sprzedażą domu. Lecz na grzbiecie górskim, gdzie stał Tom, ojciec uśmiechnął się na widok, jaki roztaczał się dookoła, i po raz pierwszy pomyślał, że jego rodzina może przeżyć w tym miejscu, a nawet jest szansa, że będzie im się dobrze powodziło.

Tom opowiedział o tym Annie podczas jazdy przez płaskowyż. Rano, nawet gdy zatrzymali się na posiłek, zbyt wiele się działo, by mogli rozmawiać. Teraz jednak, zarówno zwierzęta jak i ludzie, połapali się we wszystkim, więc był czas. Jechał obok niej, a ona pytała go o nazwy kwiatów. Pokazał jej len, srebnik, niecierpek oraz te, które nazywali głowami koguta, Annie zaś słuchała na ten swój poważny sposób, zapisując wszystko w pamięci, jakby pewnego dnia miała zostać przepytana.

Wiosna była jedną z cieplejszych, jakie Tom pamiętał. Trawa wyrosła bujna i w zetknięciu z końskimi nogami wydawała lekki świst. Tom wskazał Annie grzbiet górski przed nimi i opowiedział o tym, jak dawno temu wjechał z ojcem na jego grań, by zobaczyć, czy znajdują się na dobrej drodze do położonych wyżej pastwisk.

Dzisiaj Tom dosiadał jedną ze swoich młodszych klaczy, ślicznego czerwonego deresza, a Annie jechała na Rimrocku. Cały dzień rozmyślał, jak dobrze się na nim prezentuje. Obie z Grace miały na sobie kapelusze i buty, które pomógł im kupić wczoraj, gdy Annie zdecydowała się jechać. W sklepie zaśmiewały się, stojąc razem przed lustrem. Annie zapytała, czy będą musiały nosić też pistolety, Tom zaś odparł, że to zależy, kogo zamierza zastrzelić. Odparła, iż jedynym kandydatem jest jej szef w Nowym Jorku, więc może lepszy byłby pocisk tomahawk.

Przejazd przez płaskowyż odbył się bez pośpiechu. Kiedy jednak krowy dotarły do stóp grzbietu górskiego, jakby wyczuły, że odtąd czeka je długa wspinaczka, gdyż przyspieszyły kroku i nawoływały się nawzajem, mobilizując się do jakiegoś kolektywnego wysiłku. Tom poprosił Annie, by pojechała z nim przodem, lecz ona uśmiechnęła się i odparła, że lepiej cofnie się i zobaczy, czy Diane nie potrzebuje pomocy. Dojechał więc tutaj sam.

Teraz stado prawie go dogoniło. Obrócił konia i pojechał przez grań. Mała grupka saren rozpierzchła się przed nim w podskokach. Przystanęły w bezpiecznej odległości, by obejrzeć się za siebie. Łanie, z brzuchami ciężkimi od młodych, nasłuchiwały Toma swymi dużymi, zakrzywionymi uszami, w końcu samiec popędził je dalej. Za ich podskakującymi głowami Tom dostrzegł pierwszą z wąskich, obrośniętych sosnami przełęczy, prowadzących na górskie pastwiska oraz, pochylające się masywnie przed nimi, pokryte łatami śniegu, wierzchołki działu wód.

Chciał znajdować się przy Annie i obserwować jej twarz, kiedy ukaże się przed nią ten widok, toteż zabolało go, gdy odmówiła i wróciła do Diane. Może wyczuła w jego propozycji intymność, której nie miał na myśli, albo raczej – do której wzdychał, lecz nie zamierzał tego okazywać.

Zanim dotarli do przełęczy, okrył ją już cień gór. Poruszali się powoli między ciemniejącymi rzędami drzew, a obejrzawszy się, zobaczyli cień rozciągający się za nimi na wschód niczym plama, aż do odległych równin, które jeszcze zatrzymały słońce. Po obu stronach, ponad drzewami, obejmowały ich pionowe szare ściany skalne, w których echo powtarzało okrzyki dzieci i muczenie bydła.

*

Frank dorzucił do ogniska kolejną gałąź, a siła uderzenia wzbiła w nocne niebo wulkan iskier. Drewno pochodzące z przewróconej sosny było tak wyschnięte, że zdawało się łaknąć płomieni, które je otaczały, wysuwając języki wysoko w bezwietrzne niebo.

Poprzez płomienie Annie obserwowała rozpalone twarze dzieci, widziała ich oczy i zęby błyskające, gdy się śmiały. Opowiadały zagadki i Grace wprawiła wszystkich w gorączkowe podniecenie jedną z ulubionych zgadywanek Roberta. Swój nowy kapelusz przesunęła zawadiacko na przód, zaś jej włosy, opadające spod niego na ramiona, łapały światło ognia w spektrum czerwieni, bursztynu i złota. Nigdy, pomyślała Annie, jej córka nie wyglądała ładniej.

Skończyli właśnie jeść – prosty posiłek przygotowany na ognisku, złożony z fasoli, kotletów i słonawego bekonu z ziemniakami w mundurkach upieczonymi w żarze. Smakowało cudownie. Teraz Frank doglądał ognia, a Tom poszedł po wodę do strumienia po drugiej stronie łąki, by mogli zrobić kawę. Diane przyłączyła się do zgadywanek. Wszyscy przypuszczali, iż Annie zna odpowiedź i chociaż zapomniała jej, z zadowoleniem milczała, przypatrując się wszystkiemu oparta o siodło.

Dotarli do tego miejsca przed samą dziewiątą, kiedy resztki słońca blakły na dalekich równinach. Ostatnia przełęcz była stroma, z górami nachylającymi się nad nią niczym ściany katedry. W końcu przeszli za bydłem przez antyczną skalną bramę i ujrzeli otwierające się przed nimi pastwisko.

W wieczornym świetle trawa była gęsta i ciemna, a ponieważ wiosna – jak przypuszczała Annie – przyszła późno, rosło w niej jeszcze niewiele kwiatów. W górze pozostał tylko najwyższy szczyt, którego kąt pochylił się, by odsłonić zachodnie wzgórze, gdzie płat śniegu lśnił złoto-różowo w resztkach zachodzącego słońca.

Pastwisko otaczał las, a z jednej strony – tam, gdzie grunt lekko się wznosił – stała mała chatka z okrąglaków, z prostym wybiegiem dla krów. Po drugiej stronie, pomiędzy drzewami wił się strumień i to właśnie tam najpierw wszyscy podjechali, by dać się koniom napić obok rozpychającego się bydła. Tom ostrzegał ich, że nocą może być mróz i żeby wzięli ciepłe ubrania. Powietrze pozostało jednak łagodne.

– No i jak tam, Annie? – Frank zabezpieczył ognisko i usadowił się właśnie koło niej.

Widziała Toma, wynurzającego się z ciemności za niewidocznymi, porykującymi od czasu do czasu zwierzętami.

– Poza bolącym tyłkiem czuję się świetnie, Frank.

Roześmiał się. To nie był tylko tyłek. Łydki też ją bolały, a wewnętrzne strony ud miała tak obtarte, że krzywiła się przy każdym ruchu. Grace jeździła ostatnio konno jeszcze mniej niż ona, lecz kiedy Annie spytała wcześniej, czy również ma odparzenia, odparła, że nic jej nie jest i że noga też wcale nie boli. Annie nie uwierzyła w to zupełnie, ale nie drążyła kwestii.

– Pamiętasz tych Szwajcarów w zeszłym roku, Tom?

Tom nalewał akurat wodę do czajnika. Przytaknął ze śmiechem, po czym powiesił czajnik nad ogniem i usiadł obok Diane, by posłuchać.

Frank zaczął opowiadać, jak jechał z Tomem samochodem przez góry Pryor i drogę zablokowało im stado bydła. A za zwierzętami zjawili się ci kowboje, wszyscy odstrzeleni w nowe super ciuchy.

– Jeden miał ręcznie obrębiane ochraniacze na nogi, za które musiał dać ze sto dolców. Śmieszna rzecz, że nie jechali, tylko wszyscy szli, prowadząc konie za sobą. Wyglądali naprawdę żałośnie. Tak czy siak, my z Tomem opuszczamy szybę i pytamy, czy wszystko okay, a oni nie rozumieją ani słowa.

Annie obserwowała Toma poprzez płomienie. Patrzył na brata i uśmiechał się swoim zwykłym uśmiechem. Jakby wyczuł jej spojrzenie, jego oczy bowiem przesunęły się z Franka na nią i nie było w nich zdziwienia, a jedynie spokój tak mądry, iż wywołał drżenie jej serca. Wytrzymała jego wzrok tak długo, jak miała śmiałość, a potem uśmiechnęła się i odwróciła z powrotem do Franka.

– My też nie kapujemy ani słowa z tego, co oni gadają, więc tylko machamy i przepuszczamy ich. Potem, dalej na drodze, znajdujemy tego starszego gościa, co drzemał za kółkiem nowiutkiego winnebago, najlepszy model. I podnosi kapelusz, a ja go znam. To Lonnie Harper. Tak czy siak, pytamy, jak leci i czy to jego stado tam, a on że tak, jasne, a ci kowboje są ze Szwajcarii, wszyscy na wakacjach. Mówił, że założył ranczo dla mieszczuchów i ci goście płacili mu tysiące dolców, żeby przyjechać i móc robić to, do czego on zawsze najmował pomocników. Spytaliśmy, czemu idą na piechotę. Zaśmiał się i stwierdził, że to najlepsze w tym wszystkim, bo po jednym dniu wszyscy za bardzo poobcierali się w siodłach, więc konie nawet się nie zmęczyły.

– Niezły sposób – wtrąciła Diane.

– No. Te szwajcarskie biedaczyska spały na ziemi i gotowały własną fasolę nad ogniskiem, a on spał w winnebago, oglądał telewizję i jadł jak król.

Kiedy woda się zagotowała, Tom zaparzył kawę. Bliźniaki skończyły już zagadki i Craig poprosił Franka, żeby pokazał Grace sztuczkę z zapałkami.

– O, nie – jęknęła Diane. – Znowu.

Frank wyjął dwie zapałki z pudełka, które trzymał w kieszeni kurtki, i położył jedną na skierowanej ku górze prawej dłoni. Następnie z poważną miną nachylił się i potarł główkę drugiej zapałki o włosy Grace. Dziewczynka zaśmiała się trochę niepewnie.

– Masz chyba w szkole fizykę i inne takie rzeczy, co, Grace?

– Uhm.

– No to słyszałaś pewnie o elektryczności statycznej. Tak naprawdę tylko o to tu chodzi. Po prostu jakby się naładowują.

– No pewnie – rzucił sarkastycznie Scott. Joe natychmiast go uciszył.

Trzymając „naładowaną" zapałkę pomiędzy dwoma palcami lewej ręki, Frank przysunął ją powoli do prawej dłoni, tak że jej główka zbliżyła się do główki pierwszej zapałki. Gdy tylko się dotknęły, rozległ się głośny trzask i pierwsza zapałka wyskoczyła z jego dłoni. Grace pisnęła z zaskoczenia, a wszyscy się zaśmiali.

Kazała mu zrobić to jeszcze raz i znowu, a potem spróbowała sama i oczywiście nie wyszło. Frank teatralnie pokręcił głową, jakby zawiedziony, że tak się stało. Dzieciaki były zachwycone. Diane, która musiała to już oglądać ze sto razy, posłała Annie zmęczony, pobłażliwy uśmiech.

Obie kobiety dobrze teraz ze sobą żyły, dużo lepiej niż przedtem, jak sądziła Annie, chociaż zaledwie wczoraj wyczuła oziębłość, niewątpliwie spowodowaną jej podjętą w ostatniej chwili decyzją o wybraniu się na spęd bydła. Jadąc dzisiaj razem, rozmawiały swobodnie na różne tematy. Wciąż jednak, gdzieś pod przyjaznym nastawieniem Diane, Annie wyczuwała ostrożność – mniej niż niechęć, lecz więcej niż nieufność. Przede wszystkim Annie zwróciła uwagę na sposób, w jaki Diane patrzyła na nią, gdy była blisko Toma. Właśnie to po południu skłoniło Annie – wbrew wszelkiemu pragnieniu – do odrzucenia zaproszenia Toma, by wjechać z nim na szczyt grzbietu górskiego.

– Jak myślisz, Tom? – spytał Frank. – Spróbujemy z wodą?

– Tak myślę, braciszku. – Sumienny konspirator podał Frankowi napełnioną w strumieniu blaszankę, ten zaś polecił Grace podwinąć rękawy i zanurzyć obie ręce po łokcie. Grace tak chichotała, że połowę wody wylała sobie na koszulę.

– To jakby trochę pomaga przewodzić ładunek, wiesz?

Dziesięć minut później, wcale nie mądrzejsza, a znacznie bardziej mokra Grace poddała się. W tym czasie i Tomowi, i Joe udało się podrzucić zapałkę, Annie zaś spróbowała, ale nie mogła jej ruszyć. Bliźniakom także nie wyszło. Diane zwierzyła się Annie, że za pierwszym razem, gdy Frank wypróbowywał to na niej, kazał jej usiąść w ubraniu w bydlęcym korycie.

Potem Scott poprosił Toma o zrobienie sztuczki ze sznurkiem.

– To żadna sztuczka – stwierdził Joe.

– A właśnie, że tak.

– Wcale nie, prawda Tom?

Tom uśmiechnął się.

– No, to trochę zależy, co się rozumie przez sztuczkę. – Wyciągnął coś z kieszeni spodni. Był to zwykły kawałek szarego sznurka długości około dwóch stóp. Związał razem dwa końce, by zrobić pętlę. – Okay – rzucił. – Ta zagadka jest dla Annie. – Wstał i podszedł do niej.

– Nie, jeśli wiąże się to z bólem albo śmiercią – zastrzegła się Annie.

– Nic nie poczujesz, o pani.

Klęknął obok niej i poprosił, by podniosła palec wskazujący prawej ręki. Kiedy to zrobiła, założył na niego pętlę i powiedział, by patrzyła uważnie. Trzymając drugi koniec pętli naprężony lewą ręką, środkowym palcem prawej przeciągnął jedną stronę sznurka nad drugą. Następnie przełożył dłoń, tak że znalazła się pod pętlą, a potem z powrotem nad nią i przyłożył koniuszek tego samego palca do palca Annie.

Wydawało się teraz, że pętla otacza ich dotykające się koniuszki palców i że można ją zdjąć jedynie po ich oderwaniu od siebie. Annie podniosła wzrok na Toma. Uśmiechał się, a bliskość jego jasnoniebieskich oczu prawie ją przygniotła.

– Popatrz – odezwał się miękko.

I spojrzała ponownie w dół na ich stykające się palce, a on delikatnie pociągnął za sznurek, który spadł, wciąż zasupłany, nawet nie naruszając ich dotyku.

Pokazał jej to jeszcze kilka razy, a później sama spróbowała, a po niej Grace, a także bliźniaki, lecz żadne z nich nie potrafiło tego powtórzyć. Joe był jedynym, któremu się udało, chociaż z uśmiechu Franka Annie domyśliła się, że i on wie, jak to robić. Czy Diane również wiedziała, trudno powiedzieć, popijała bowiem swoją kawę i obserwowała wszystko z rozbawioną bezstronnością.

Kiedy wszyscy dość się już napróbowali, Tom wstał i zawiązał pętlę wokół palców, tworząc ze sznurka płaski zwój. Wręczył go Annie.

– Czy to prezent? – zapytała.

– Nie – odparł. – Tylko dopóki nie załapiesz.

*

Obudziwszy się przez moment nie miała pojęcia, na co patrzy. Potem zrozumiała, gdzie jest i uświadomiła sobie, że wpatruje się w księżyc. Wydawało się, iż jest tak blisko, że wystarczy sięgnąć ręką, aby umieścić palce w jego kraterach. Odwróciła głowę i zobaczyła obok siebie twarz śpiącej Grace. Frank zaproponował im chatkę, z której oni korzystali tylko w razie deszczu. Annie miała ochotę, Grace jednak nalegała, by spały na dworze razem z innymi. Annie dostrzegła ich leżących w śpiworach przy gasnącym blasku ogniska.

Czuła się spragniona i tak raźna, że nie miała szans na ponowne zaśnięcie. Usiadła i rozejrzała się. Nie mogła dostrzec naczynia z wodą, a szukając go, z pewnością obudziłaby innych. Na łące czarne kształty bydła rzucały jeszcze czarniejsze cienie na bladą, oświetloną księżycem trawę. Zachowując się jak najciszej, wysunęła cicho nogi ze śpiwora i znów poczuła spustoszenie uczynione w mięśniach konną jazdą. Spali w ubraniach, zdjąwszy tylko buty i skarpetki. Annie miała na sobie dżinsy i białą koszulkę. Wstała i na boso ruszyła w stronę strumienia.

Pokryta rosą trawa chłodziła jej stopy, chociaż uważała, gdzie je stawia z obawy przed wdepnięciem w coś mniej romantycznego. Gdzieś wysoko pośród drzew wołała sowa i Annie zastanawiała się, czy to właśnie to, czy księżyc, czy może przyzwyczajenie ją obudziło. Krowy podnosiły łby, gdy je mijała, szepnęła do nich coś na powitanie, aż zrobiło jej się głupio.

Trawa na bliższym brzegu strumienia była stratowana bydlęcymi kopytami. Woda poruszała się wolno i cicho, zaś jej szklana powierzchnia odbijała tylko czerń lasu z tyłu. Annie poszła w górę strumienia i znalazła miejsce, gdzie potok rozdzielał się gładko wokół samotnego drzewa – wysepki. Dwoma długimi krokami przeszła na drugą stronę i ruszyła w przeciwnym kierunku, do spiczastego nawisu, gdzie mogła uklęknąć, by się napić.

Widziana stąd woda odzwierciedlała jedynie niebo. Księżyc był zaś tak doskonały, że Annie wahała się zakłócić jego odbicie. Kiedy w końcu to zrobiła, temperatura wody sprawiła, iż gwałtownie wciągnęła powietrze. Była zimniejsza niż lód, jakby wypływała ze starożytnego lodowcowego serca góry. Annie nabrała jej w trupio blade ręce i obmyła twarz. Następnie wzięła trochę więcej i wypiła.

Zobaczyła go najpierw w wodzie, kiedy zamajaczył na tle odbitego księżyca, który tak przykuł jej wzrok, że straciła poczucie czasu. Nie przestraszyła się. Jeszcze zanim podniosła wzrok, wiedziała, że to on.

– Dobrze się czujesz? – zapytał.

Drugi brzeg, na którym stał, był wyższy, więc musiała mrużyć oczy patrząc pod księżyc. Odczytała troskę na jego twarzy i uśmiechnęła się.

– Świetnie.

– Obudziłem się i zauważyłem, że cię nie ma.

– Chciało mi się po prostu pić.

– To ten bekon.

– Przypuszczam.

– Czy woda smakuje tak dobrze jak tamta szklanka deszczu, wtedy w nocy?

– Prawie. Spróbuj.

Spojrzał na wodę i stwierdził, że łatwiej będzie sięgnąć z jej miejsca.

– Nie masz nic przeciwko, żebym przeszedł? Przeszkadzam ci pewnie.

Annie prawie wybuchnęła śmiechem.

– Och, wcale nie. Zapraszam.

Poszedł do drzewa – wysepki i przeskoczył na drugą stronę, Annie zaś patrzyła i wiedziała, że coś więcej jest przekraczane niż tylko woda. Podchodząc uśmiechnął się, a gdy znalazł się przy niej, ukląkł obok, bez słowa zagarnął wodę ręką i napił się. Trochę pociekło mu między palcami, ożywiając księżyc w srebrnych strużkach.

Wydawało się Annie – i zawsze będzie się wydawać – iż w tym, co się stało, nie było elementu wyboru. Niektóre rzeczy po prostu były i nie mogły zdarzyć się inaczej. Drżała teraz czyniąc to i miała drżeć później na myśl o tym, nigdy jednak z żalem.

Skończywszy pić, obrócił się do niej, a gdy chciał otrzeć wodę z twarzy, ona wyciągnęła dłoń i zrobiła to za niego. Na czubkach palców poczuła chłód wody. Mogła przyjąć to za odrzucenie i cofnąć rękę, gdyby nie poczuła wtedy przez tę wilgoć pokrzepiającego ciepła jego ciała. I wraz z tym dotykiem świat znieruchomiał.

Jego oczy miały jedynie bladość księżyca. Oczyszczone z koloru, posiadały jakąś nieograniczoną głębię, w którą ona zapuszczała się teraz ze zdziwieniem, lecz zupełnie bez obaw. Delikatnie uniósł swoją dłoń do dłoni, którą trzymała ciągle przy jego policzku. Chwycił ją, obrócił i przycisnął wnętrzem do ust, jak gdyby przypieczętowując jakieś długo oczekiwane powitanie.

Annie obserwowała go i drżąc odetchnęła głęboko. Potem wyciągnęła drugą rękę i przesunęła nią po boku jego twarzy, od szorstkiego, nie ogolonego policzka po miękkość włosów. Poczuła, jak jego dłoń ociera się o wewnętrzną część jej przedramienia i głaska jej twarz, tak jak ona głaskała jego. Na ten dotyk zamknęła oczy i ślepo pozwoliła jego palcom przejść delikatną ścieżkę od skroni do kącików ust. Kiedy palce dotknęły jej warg, rozchyliła je, pozwalając mu czule zbadać ich owal.

Nie ośmielała się otworzyć oczu, ze strachu, iż u niego może dostrzec jakąś powściągliwość, zwątpienie albo nawet litość. Lecz gdy spojrzała, ujrzała jedynie spokój i pewność oraz potrzebę równie czytelną jak jej własna. Położył ręce na jej łokciach i wsunął je do wnętrza rękawów koszulki, by chwycić ją za ramiona. Annie poczuła, że skóra jej się ściąga. Miała teraz obie dłonie w jego włosach – delikatnie przyciągnęła do siebie jego głowę, czując równy nacisk na swoich ramionach.

Na moment przed tym, jak ich usta się dotknęły, Annie poczuła nagły impuls, aby powiedzieć, że jej przykro, by zechciał jej wybaczyć, ale nie to miała cały czas na myśli. Musiał dostrzec tę myśl nabierającą kształtu w jej oczach, zanim bowiem zdążyła ją wypowiedzieć, uciszył ją delikatnie najdrobniejszym poruszeniem warg.

Kiedy się pocałowali, wydawało się Annie, że wraca do domu. Że w jakiś sposób zawsze znała jego smak i dotyk. I chociaż prawie drżała pod dotykiem jego ciała, nie potrafiła stwierdzić, w którym miejscu dokładnie jej własna skóra się kończy, a jego zaczyna.

*

Jak długo się całowali, Tom mógł jedynie zgadywać z własnego zmienionego cienia na jej twarzy, kiedy przestali i odsunęli się trochę, by na siebie popatrzeć. Posłała mu smutny uśmiech, po czym podniosła wzrok na księżyc wiszący na nowym miejscu i uchwyciła w oczach Toma jego kawałki. On wciąż miał posmak słodkiej wilgoci lśniących ust Annie i czuł na twarzy ciepło jej oddechu. Przejechał dłońmi po jej nagich ramionach i poczuł, że zadrżała.

– Zimno ci?

– Nie.

– Nigdy nie przeżyłem tu tak ciepłej nocy w czerwcu.

Opuściła wzrok, po czym wzięła w ręce jego dłoń i ułożyła ją sobie wnętrzem do góry na kolanach, przesuwając palcami po stwardnieniach.

– Masz taką twardą skórę.

– Uhm. To na pewno przykra ręka.

– Wcale nie. Czujesz, jak ją dotykam?

– O, tak.

Nie spojrzała na niego. Poprzez ciemny łuk opadających włosów dostrzegł łzę cieknącą jej po policzku.

– Annie?

Potrząsnęła głową, wciąż na niego nie patrząc. Ujął ją za ręce.

– Annie, w porządku. Naprawdę jest w porządku.

– Wiem. Tyle że to aż tak w porządku, iż nie wiem, jak sobie z tym poradzić.

– Jesteśmy tylko dwojgiem ludzi, to wszystko.

Skinęła głową.

– Którzy spotkali się zbyt późno.

W końcu na niego spojrzała, uśmiechnęła się i otarła oczy. Tom odwzajemnił uśmiech, lecz nie odpowiedział. Jeśli to, co powiedziała, było prawdą, nie chciał wyrażać dla tego poparcia. W zamian przytoczył jej słowa swojego brata wypowiedziane tyle lat temu w podobną noc, lecz pod cieńszym księżycem. Jak Frank pragnął, by „teraz" mogło trwać wiecznie i jak ich ojciec stwierdził, że „zawsze" to jedynie ciąg „teraz", i najlepsze, co człowiek może zrobić, to przeżyć w pełni każde z nich po kolei.

Kiedy mówił, nie odrywała od niego wzroku i nie odezwała się, gdy skończył, więc nagle zaniepokoił się, że może opacznie go zrozumiała i dostrzegła w jego słowach jakieś wynikające z egoistycznych pobudek podburzanie. W sosnach za nimi sowa znów zaczęła wołać i tym razem inna odpowiedziała jej z drugiej strony łąki.

Annie nachyliła się, ponownie odnajdując jego usta, on zaś dostrzegł w niej łapczywość, jakiej przedtem nie było. Czuł słoność łez w kąciku jej ust, tym miejscu, do dotknięcia którego tak długo wzdychał, a nigdy nawet nie marzył, że pocałuje. A gdy tak ją trzymał i przesuwał po niej swoimi dłońmi i czuł na sobie nacisk jej piersi, nie myślał, że to jest złe, a jedynie niepokój, iż ona mogłaby tak to odebrać. Lecz jeśli to było złe, to cóż w całym życiu było dobre?

W końcu oderwała się od niego i odchyliła, oddychając ciężko, jakby przestraszona własną żądzą i tym, do czego z pewnością by ona doprowadziła.

– Lepiej już wrócę – odezwała się.

– Tak.

Pocałowała go delikatnie jeszcze raz, po czym złożyła głowę na jego ramieniu, tak że nie widział jej twarzy. Musnął ustami jej szyję i wciągnął głęboko zapach jej ciała, tak jakby chciał go zachować, być może na zawsze.

– Dziękuję – wyszeptała.

– Za co?

– Za to, co zrobiłeś dla nas wszystkich.

– Nic nie zrobiłem.

– Och, Tom, wiesz, co zrobiłeś.

Wyswobodziwszy się stanęła przed nim z rękoma opartymi lekko na jego ramionach. Uśmiechnęła się i pogłaskała go po włosach, on zaś ujął jej dłoń i pocałował. Potem opuściła go i poszła do drzewa – wysepki, gdzie przekroczyła strumień.

Tylko raz odwróciła się, by na niego popatrzeć, chociaż miała księżyc za plecami, więc mógł się jedynie domyślać, jakie to było spojrzenie. Obserwował jej białą koszulkę wracającą przez łąkę, jej cień przesuwający się za śladami stóp na szarości rosy, podczas gdy krowy prześlizgiwały się wokół niej, czarne i milczące – niczym statki.

*

Ostatni blask ogniska zniknął, zanim wróciła. Diane poruszyła się, lecz wydawało się Annie, że tylko przez sen. Po cichu wsunęła mokre stopy z powrotem do śpiwora. Sowy wkrótce zakończyły nawoływania i jedynym dźwiękiem było chrapanie Franka. Później, kiedy księżyc zaszedł, usłyszała wracającego Toma, ale nie ośmieliła się spojrzeć. Leżała długo, patrząc na rozbłysłe na nowo gwiazdy, myśląc o nim oraz o tym, co on musi myśleć o niej. Nadeszła ta godzina, kiedy ogarnęło ją mocno zwyczajne zwątpienie i Annie czekała, aż poczuje wstyd za to, co właśnie zrobiła. Wcale jednak się nie pojawił.

Rano, kiedy wreszcie znalazła odwagę, by na niego spojrzeć, nie dostrzegła żadnych zdradliwych śladów tego, co zaszło między nimi. Żadnego potajemnego zerkania, ani – gdy się odezwał – żadnych dwuznaczności, które tylko ona mogłaby zrozumieć. Właściwie jego zachowanie – tak jak i wszystkich innych – było do tego stopnia naturalnie i szczęśliwie takie samo jak przedtem, iż Annie poczuła niemal rozczarowanie, bo tak całkowita była zmiana, którą odczuwała w sobie.

Podczas śniadania rozglądała się po drugiej stronie łąki w poszukiwaniu miejsca, gdzie klęczeli, lecz dzienne światło jakby zmieniło geografię terenu i nie mogła go znaleźć. Nawet odciski ich stóp zostały zdeptane przez bydło i wkrótce zniknęły na zawsze pod porannym słońcem.

Po śniadaniu Tom i Frank pojechali obejrzeć przyległe pastwiska. W tym czasie dzieci bawiły się nad strumieniem, a Annie i Diane zmywały i pakowały rzeczy. Diane zdradziła jej niespodziankę, jaką uszykowali z Frankiem dla chłopaków. W następnym tygodniu wszyscy mieli lecieć do Los Angeles.

– Wiesz, Disneyland, Studia Filmowe Universal, w ogóle wszystko.

– To wspaniale. Nie domyślają się?

– Wcale. Frank próbował namówić też Toma, ale on już obiecał pojechać do Sheridan pomóc jakiemuś staruszkowi rozwiązać problem z koniem.

Powiedziała, że to prawie jedyny okres, kiedy mogą wyrwać się z domu. Smoky miał doglądać wszystkiego za nich. Poza tym ranczo opustoszeje.

Ta wiadomość wstrząsnęła Annie i to nie tylko dlatego, że Tom o niej nie wspomniał. Może spodziewał się, że do tego czasu skończy z Pielgrzymem. Bardziej szokujące było przesłanie zawarte w wypowiedzi Diane. W uprzejmych słowach wyraźnie dawała Annie do zrozumienia, iż pora zabierać Grace i Pielgrzyma do domu. Annie uświadomiła sobie, jak – przez tak długi już okres – umyślnie unikała konfrontacji z tym zagadnieniem, pozwalając, aby każdy dzień mijał niepostrzeżenie, w nadziei, że czas może odwzajemnić przysługę i ją również ignorować.

Przed południem dojechali już za najniższą przełęcz. Niebo zachmurzyło się. Bez bydła szybciej posuwali się naprzód, chociaż na bardziej stromych odcinkach zjazd był trudniejszy niż podchodzenie i o wiele okrutniejszy dla sponiewieranych mięśni Annie. Zniknęła gdzieś wesołość z poprzedniego dnia, a pod wpływem koncentracji nawet bliźniaki ucichły. W czasie jazdy Annie długo rozważała to, co mówiła jej Diane, jeszcze dłużej zaś to, co Tom powiedział zeszłej nocy. Że są tylko dwojgiem ludzi oraz że teraz to teraz i tylko teraz.

Kiedy dotarli na wysokość grzbietu górskiego, tego na który Tom chciał wjechać razem z nią, Joe krzyknął i wskazał coś, a wszyscy się zatrzymali. Daleko na południu, na drugim końcu płaskowyżu, stały konie. Tom powiedział Annie, że to mustangi wypuszczone na wolność przez hipiskę, tę, którą Frank nazywał Granola Gay. Był to właściwie jedyny raz, gdy w ciągu całego dnia odezwał się.

Zrobił się wieczór i zaczynało padać, zanim dotarli do Double Divide. Przy rozsiodływaniu koni wszyscy byli zbyt zmęczeni, by rozmawiać.

Annie i Grace życzyły Bookerom przed stajnią dobrej nocy, po czym wsiadły do lariata. Tom powiedział, że zajrzy jeszcze do Pielgrzyma. Jego pożegnanie się z Annie nie wydawało się wcale bardziej specjalne niż z Grace.

W drodze do domku nad potokiem Grace poskarżyła się, że rękaw protezy uciska kikut, ustaliły więc, że pokażą to jutro Terri Carlson. Jeszcze zanim Grace poszła do kąpieli, Annie przesłuchała wiadomości.

Automatyczna sekretarka była pełna, faks wypluł całą nową rolkę papieru na podłogę, a w poczcie elektronicznej aż buczało. Głównie wiadomości wyrażające w różnym stopniu wstrząs, oburzenie i współczucie. Dwie były inne i tylko te dwie Annie zadała sobie trud przeczytać w całości, jedną z ulgą, drugą zaś z mieszaniną uczuć, którą jeszcze musiała określić.

Pierwsza, od Crawforda Gatesa, mówiła, że z największym żalem musi przyjąć jej rezygnację. Druga pochodziła od Roberta. Przylatywał do Montany, by spędzić z nimi nadchodzący weekend. Mówił, że kocha je obie bardzo mocno.

CZĘŚĆ IV

28

Tom Booker patrzył na znikającego za grzbietem górskim forda i rozmyślał, tak jak już tyle razy przedtem, o człowieku, po którego jechały Annie i Grace. Jak gdyby w wyniku nie wypowiedzianej umowy, Annie mówiła o mężu rzadko, a nawet wówczas bezosobowo, bardziej o jego pracy niż charakterze.

Pomimo wielu dobrych rzeczy, jakie Grace mu naopowiadała (czy może raczej – z ich powodu) oraz pomimo podejmowanych wysiłków w przeciwną stronę, Tom nie potrafił w pełni pozbyć się uprzedzenia, które – jak wiedział – nie leżało w jego naturze. Próbował je zracjonalizować, w nadziei znalezienia jakiegoś bardziej zrozumiałego powodu. W końcu facet jest prawnikiem. Ilu ich w życiu spotkał i lubił? Ale oczywiście nie o to chodziło. Wystarczającym powodem był prosty fakt, iż ten konkretny prawnik jest mężem Annie Graves. I za kilka krótkich godzin będzie tutaj, znowu otwarcie ją posiadając. Tom odwrócił się i wszedł do stajni.

Uździenica Pielgrzyma wisiała na tym samym kołku w siodlarni, na którym powiesił ją w dniu, w którym Annie przywiozła tutaj konia. Zdjął ją i zarzucił sobie na ramię. Angielskie siodło również leżało na tym samym stojaku. Tom starł dłonią z siodła cienką warstwę pyłu, która już się na nim zebrała. Wziął je razem z derką i zaniósł wzdłuż pustych boksów do tylnych drzwi.

Poranek na zewnątrz był gorący i nieruchomy. Niektóre jednoroczniaki na dalekim wybiegu szukały już cienia między topolami. Idąc w stronę korralu Pielgrzyma, Tom spojrzał na góry i widział już po ich jasności oraz pierwszym tchnieniu chmur, że później nadejdą grzmoty i deszcz.

Cały tydzień jej unikał, wystrzegając się właśnie tych momentów, do których zawsze dążył – kiedy mógł być z nią sam.

O przyjeździe Roberta dowiedział się od Grace, lecz że tak właśnie musi zrobić, zdecydował przedtem, jeszcze w drodze powrotnej z gór. Nie minęła ani jedna godzina, w której nie pamiętałby jej dotyku i smaku, zetknięcia jej skóry z jego skórą, tego jak stopiły się razem ich usta. Pamięć o tym była dla niego zbyt intensywna, zbyt fizyczna, aby mogło mu się to przyśnić, ale tak to zaczął traktować, bo cóż innego mógł zrobić? Jej mąż przyjeżdża, a niedługo – teraz to już kwestia dni – ona odjedzie. Ze względu na nich oboje, ze względu na nich wszystkich, najlepiej będzie, jeśli do tego czasu będzie zachowywał dystans i spotykał się z nią w obecności Grace. Tylko w ten sposób mogło przetrwać jego postanowienie.

Zostało ono poddane okrutnej próbie już pierwszego wieczoru. Kiedy odwiózł Grace do domu, Annie czekała na ganku. Pomachał jej i miał zamiar odjechać, lecz podeszła do samochodu, żeby porozmawiać, podczas gdy Grace weszła do środka.

– Diane mówiła, że w przyszłym tygodniu wszyscy jadą do Los Angeles.

– Tak. To wielka tajemnica.

– A ty wyjeżdżasz do Wyoming.

– Zgadza się. Obiecałem tam wizytę już jakiś czas temu. Przyjaciel ma parę źrebaków, które chce zacząć trenować.

Skinęła głową i przez chwilę jedynym dźwiękiem był niecierpliwy warkot silnika chevroleta. Uśmiechnęli się do siebie i Tom poczuł, iż ona również czuje się niepewnie na terytorium, na które wkroczyli. Bardzo się starał, by w jego oczach nie pokazało się nic, co mogłoby utrudnić jej sprawy. Najprawdopodobniej żałowała tego, co zaszło między nimi. Może pewnego dnia on też będzie żałował. Trzasnęły siatkowe drzwi i Annie się odwróciła.

– Mamo? Mogę zadzwonić do taty?

– Jasne.

Grace wróciła do środka. Kiedy Annie z powrotem się do niego obróciła, dostrzegł w jej oczach, że chce coś powiedzieć. Jeśli chodziło o żal, nie chciał tego słuchać, więc odezwał się, by ją powstrzymać.

– Słyszę, że przyjeżdża na weekend?

– Tak.

– Grace jest jak kot na rozgrzanym dachu, całe popołudnie o tym nawija.

Annie pokiwała głową.

– Tęskni za nim.

– Na pewno. Trzeba będzie zobaczyć, czy uda się okrzesać starego Pielgrzyma do tego czasu. Namówić Grace, by na nim pojeździła.

– Mówisz poważnie?

– Czemu by nie. Czeka nas ciężka praca w tym tygodniu, ale o ile nam wyjdzie, zrobię próbę i jeśli Pielgrzym będzie okay wobec mnie, Grace może zrobić to dla swojego taty.

– Wtedy będziemy mogli zabrać go do domu.

– Uhm.

– Tom...

– Oczywiście możecie zostać tak długo, jak wam odpowiada. To, że nas wszystkich nie będzie, wcale nie znaczy, że musicie wyjeżdżać.

Uśmiechnęła się dzielnie.

– Dziękuję.

– Przecież pakowanie wszystkich twoich komputerów, faksów i w ogóle zajmie z tydzień albo dwa.

Roześmiała się, on zaś musiał odwrócić wzrok, żeby nie zdradzić bólu w piersiach, na myśl o jej wyjeździe. Wrzucił bieg i uśmiechnąwszy się, życzył jej dobrej nocy.

Od tamtej pory Tomowi ciągle udawało się unikać przebywania z nią na osobności. Rzucił się w wir pracy nad Pielgrzymem z energią, jakiej nie potrafił w sobie zebrać od czasów pierwszych klinik.

Rankami pracował, jeżdżąc na Rimrocku. Obracał Pielgrzyma wkoło korralu tak długo, aż koń mógł przejść ze stępa w galop i z powrotem równie gładko, jak – czego Tom był pewien – kiedyś, a jego tylne kopyta bezbłędnie pasowały do odcisków przednich. Popołudniami Tom chodził i pracował z uździenicą. Zmuszał konia do krążenia i obracał go.

Czasami Pielgrzym próbował walczyć i wycofywać się, a wtedy Tom biegał z nim, utrzymując tę samą pozycję, dopóki koń nie zrozumiał, że nie ma sensu uciekać, gdyż człowiek zawsze tam będzie i może lepiej w końcu robić to, o co go proszą. Jego nogi nieruchomiały i obaj stali tak przez chwilę, przemoczeni potem swoim i drugiego, opierając się o siebie i dysząc, niczym para obitych bokserów czekających na gong.

Początkowo Pielgrzyma zdezorientowało to nowe tempo, gdyż nawet Tom nie był w stanie powiedzieć mu, iż mają teraz wyznaczony nieprzekraczalny termin. Co nie znaczy, iż Tom umiałby wytłumaczyć, skąd w nim ta determinacja, by wyprowadzić konia na prostą, skoro robiąc to, pozbawiał siebie na zawsze tego, czego pragnął najbardziej. Cokolwiek Pielgrzym jednak rozumiał, zdawał się czerpać z tego nową, dziwną, nieugiętą energię i wkrótce stał się równoprawną stroną tych wysiłków.

A dzisiaj, wreszcie, Tom zamierzał go dosiąść.

Pielgrzym obserwował go, jak zamyka bramę i podchodzi na środek korralu z uprzężą przewieszoną przez ramię, niosąc siodło.

– Zgadza się, stary, to właśnie to. Ale nie wierz mi na słowo.

Położywszy siodło na trawie, Tom odsunął się od niego. Pielgrzym przez chwilę spoglądał w bok, udając, że to nic wielkiego i że nie jest zainteresowany. Nie potrafił jednak się powstrzymać od ciągłego zerkania na siodło i w końcu ruszył w jego kierunku.

Tom patrzył, nie ruszając się z miejsca. Koń zatrzymał się jakiś jard od miejsca, gdzie leżało siodło i niemal komicznie wyciągnął nos, by powąchać powietrze nad nim.

– No i co? Ugryzie cię?

Pielgrzym rzucił mu piorunujące spojrzenie, po czym popatrzył z powrotem na siodło. Wciąż nosił sznurkowy kantar, który Tom dla niego zrobił. Kilka razy pogrzebał nogą w ziemi, a następnie podszedł bliżej i trącił siodło nosem. Swobodnym ruchem Tom zdjął uździenicę z ramienia i trzymając w obu rękach, zaczął ją układać. Usłyszawszy brzęk, Pielgrzym podniósł wzrok.

– Przestań robić taką zdziwioną minę. Widziałeś z odległości stu mil, że to nadchodzi.

Tom czekał. Trudno było uwierzyć, że to to samo zwierzę, które ujrzał kiedyś w tym diabelskim boksie w stanie Nowy Jork, oderwane od świata i wszystkiego, czym było. Jego sierść lśniła, oczy były czyste, zaś nos wyleczył się w taki sposób, iż nadawał mu niemal szlachetny wygląd, niczym jakiemuś Rzymianinowi pokrytemu bliznami po licznych bitwach. Nigdy żaden koń nie uległ takiej transformacji, pomyślał Tom. Ani życie tylu osób wokół jednego zwierzęcia.

Teraz, zgodnie z oczekiwaniami Toma, Pielgrzym podszedł do niego i obwąchał uzdę w taki sam rytualny sposób, jak siodło. A kiedy Tom odwiązał kantar i założył mu ją, wcale się nie cofnął. Był ciągle trochę spięty, a mięśnie niemalże mu drżały, lecz pozwolił, by Tom potarł mu szyję, a potem przesunął dłoń i pogłaskał miejsce, gdzie miało być siodło. Czując wędzidło w pysku, nie odsunął się, ani nawet nie odrzucił głowy. Jakkolwiek kruche, pewność i zaufanie – nad którymi Tom pracował – zakiełkowały.

Tom prowadził go za uzdę, tak jak robili to tyle razy z kantarem: okrążyli siodło i w końcu zatrzymali się przy nim. Swobodnie, a także pilnując, by Pielgrzym mógł widzieć każdy jego ruch, podniósł je i położył na końskim grzbiecie, uspokajając go bez przerwy ręką lub słowem, albo jednym i drugim. Lekko zapiął popręg i znów chwilę pochodził z koniem, by ten przyzwyczaił się do siodła podczas ruchu.

Uszy Pielgrzyma cały czas pracowały, lecz jego oczy nie błyskały białkami; od czasu do czasu wydobywał z siebie ciche dmuchnięcie, które Joe nazywał „wypuszczaniem motyli". Tom naciągnął popręg, a następnie oparł się całym ciałem o siodło, żeby koń zapoznał się z jego ciężarem. Cały czas go uspokajał. Kiedy zaś wreszcie zwierzę było gotowe, Tom przerzucił nogę i usiadł w siodle.

Pielgrzym szedł, i to prosto. I chociaż mięśnie ciągle drżały mu w rytm jakichś głębokich, nie dających się dotknąć pozostałości strachu, które być może na zawsze miały tam pozostać, szedł dzielnie i Tom wiedział, że o ile nie wyczuje u Grace śladów tego samego, to ona również może na nim jeździć. A gdy to zrobi, nie będzie już powodu, by ona i jej matka dłużej tu przebywały.

*

W swojej ulubionej księgarni na Broadwayu Robert kupił przewodnik turystyczny po Montanie i zanim zapalił się napis ZAPIĄĆ PASY i rozpoczęli podchodzenie do lądowania w Butte, prawdopodobnie wiedział więcej o tym mieście niż większość z trzydziestu trzech tysięcy trzystu trzydziestu sześciu ludzi, którzy tam mieszkali.

Jeszcze kilka minut i oto leżało przed nim, „najbogatsze wzgórze na ziemi", wysokość – 5755 stóp, największe w kraju pojedyncze źródło srebra w latach osiemdziesiątych dziewiętnastego wieku oraz miedzi przez następne trzydzieści lat. Dzisiejsze miasto – jak dowiedział się Robert – stanowiło zaledwie szkielet tego, czym było wtedy, lecz „nie straciło nic ze swego uroku", który jednak nie rzucał się natychmiast w oczy z dogodnego do obserwacji miejsca przy oknie. Wyglądało, jakby ktoś ustawił bagaż na stoku i zapomniał go zabrać.

Chciał lecieć do Great Falls albo Helena, ale w ostatniej minucie coś wyskoczyło mu w pracy i musiał zmienić plany. Pozostało mu tylko Butte. Chociaż na mapie widać było olbrzymią odległość do przejechania dla Annie, uparła się, że po niego przyjedzie.

Robert nie miał jasnego obrazu tego, jak wpłynęła na nią utrata posady. Nowojorskie gazety śliniły się nad tą sprawą cały tydzień. GATES GAROTUJE GRAVES, rozgłaszała jedna z nich, podczas gdy inne wykorzystywały na nowo stary dowcip, czego najlepszym efektem było GRAVES KOPIE TEŻ DLA SIEBIE. Dziwne było zobaczyć Annie w roli ofiary lub męczennicy, jak przedstawiały to co bardziej współczujące artykuły. Jeszcze dziwniejsza była jednak nonszalancja, z jaką potraktowała tę sprawę przez telefon po powrocie z zabawy w kowbojów.

– Guzik mnie to obchodzi – oznajmiła.

– Naprawdę?

– Naprawdę. Cieszę się, że mam to z głowy. Zajmę się czymś nowym.

Robert zastanawiał się przez chwilę, czy aby wykręcił odpowiedni numer. Może tylko robiła dzielną minę. Powiedziała, że jest zmęczona wszystkimi rozgrywkami siłowymi, przepychankami i polityką, i że chce wrócić do pisania, do tego, w czym jest dobra. Grace podobno uznała to za wspaniałą wiadomość, najlepszą rzecz, jaka mogła się im przytrafić. Robert zapytał wtedy o spęd bydła i Annie odparła po prostu, że było pięknie. Potem oddała słuchawkę Grace, świeżo wykąpanej, by wszystko mu opowiedziała. Obie miały przywitać go na lotnisku.

Mały tłumek stał i machał, gdy Robert szedł po asfalcie, nie dostrzegł jednak wśród tych ludzi Annie czy Grace. Później przyjrzał się dwóm kobietom w dziwacznych strojach i kowbojskich kapeluszach – które, jak zauważył, śmiały się z niego dość obraźliwie – i poznał, że to one.

– O Boże – zawołał podchodząc. – Toż to Pat Garrett i Billy Kid!

– Siema, nieznajomku – odezwała się przeciągle Grace. – Co sprowadza cię do miasta?

Zdjąwszy kapelusz, zarzuciła mu ręce na szyję.

– Moja dziecinka, jak z tobą? Jak z tobą?

– Ze mną dobrze. – Przylgnęła do niego tak mocno, że zadławił się z emocji.

– No, widzę. Niech no ci się przyjrzę.

Odsunął ją na wyciągnięcie ramion i nagle ujrzał w duchu to osłabione, pozbawione blasku ciało, na które patrzył siedząc w szpitalu. Było to niemal niewiarygodne. Jej oczy promieniały życiem, a słońce sprowadziło jej na twarz wszystkie piegi, tak że prawie błyszczała. Annie uśmiechnęła się, wyraźnie czytając w jego myślach.

– Zauważyłeś coś? – spytała Grace.

– To znaczy oprócz wszystkiego?

Zrobiła dla niego mały piruet i nagle pojął.

– Nie ma laski!

– Nie ma laski.

– Ty mała gwiazdko.

Pocałował ją i jednocześnie sięgnął po Annie, która też zdjęła już kapelusz. Opalenizna sprawiała, że jej oczy wyglądały jasno i bardzo zielono. Ona również była zmieniona, piękniejsza niż kiedykolwiek mógł sobie przypomnieć. Przysunęła się, objęła go i pocałowała. Robert tulił ją, dopóki nie poczuł, że zapanował nad sobą i nie wprawi ich wszystkich w zakłopotanie.

– Boże, wydaje się, że to tak długo – powiedział w końcu.

Annie skinęła głową.

– Wiem.

*

Droga powrotna na ranczo zajęła około trzech godzin. Chociaż Grace nie mogła się doczekać, kiedy oprowadzi ojca, pokaże mu Pielgrzyma i przedstawi Bookerom, cieszyła się każdą milą tej podróży. Siedząc z tyłu, włożyła Robertowi kapelusz na głowę. Był dla niego za mały i wyglądał śmiesznie, lecz Robert nie zdjął go, a wkrótce rozbawił je relacją ze swego lotu przesiadkowego do Salt Lake City.

Prawie wszystkie miejsca były zajęte przez odbywający tournée chór kościelny, który całą drogę śpiewał. Robert siedział ściśnięty pomiędzy dwoma obszernymi altami, z nosem zakopanym w przewodniku po Montanie, podczas gdy wszyscy dookoła niego grzmieli *Bliżej mojego Boga*, co – na wysokości trzydziestu tysięcy stóp – było oczywiście prawdziwe.

Pozwolił Grace pogrzebać w swojej torbie w poszukiwaniu prezentów, które kupił w Genewie. Dla niej przywiózł wielkie pudełko czekoladek i miniaturowy zegar z najdziwniejszą kukułką, jaką Grace kiedykolwiek widziała. Jej kukanie, jak musiał przyznać Robert, przypominało raczej skrzek papugi z hemoroidami. Była jednak absolutnie autentyczna, przysięgał; wiedział na pewno, że tajwańskie kukułki, zwłaszcza te hemoroidalne, dokładnie tak wyglądają i śpiewają. Prezentami dla Annie, które Grace także odpakowała, okazały się zwyczajowa buteleczka jej ulubionych perfum oraz jedwabna chusta, której – jak wszyscy troje wiedzieli – nigdy nie będzie nosić. Annie powiedziała, że to bardzo ładne i nachyliwszy się pocałowała go w policzek.

Patrząc na rodziców, zjednoczonych ramię przy ramieniu, Grace odczuwała prawdziwe zadowolenie. To było tak, jakby ostatnie kawałki popękanych puzzli jej życia weszły na swoje miejsce. Jedyna wolna przestrzeń, jaka pozostała, to jeżdżenie na Pielgrzymie, lecz ona – jeśli dzisiaj na ranczo wszystko poszło dobrze – wkrótce też zostanie wypełniona. Dopóki nie miały pewności, żadna z nich nie zamierzała wspomnieć o tym Robertowi.

Ta perspektywa zarówno ją ekscytowała, jak i niepokoiła. Nie tyle chciała na nim znowu jeździć, co wiedziała, że musi. Odkąd dosiadła Gonzo, nikt jakby nie wątpił, że to zrobi – pod warunkiem, oczywiście, iż Tom uzna to za bezpieczne. Tylko ona, w duchu, miała wątpliwości.

Nie były one związane ze strachem, przynajmniej nie w prostym znaczeniu. Martwiła się, że gdy nadejdzie ta chwila, może odczuwać strach, ale była właściwie pewna, że w takim przypadku przynajmniej uda jej się go kontrolować. Bardziej jednak niepokoiła się tym, że może zawieść Pielgrzyma. Że nie okaże się wystarczająco dobra.

Jej proteza zrobiła się teraz tak ciasna, iż sprawiała jej ciągły ból. Przez ostatnie kilka mil spędu był on prawie nie do zniesienia. Nie wspomniała o tym żywej duszy. Kiedy Annie zauważyła, jak często teraz zdejmuje tę nogę, gdy są same, Grace zbyła ją. Trudniej było udawać przed Terri Carlson. Zauważyła ona, jaki opuchnięty jest kikut i powiedziała Grace, że pilnie potrzebuje nowego dopasowania. Problem w tym, że nikt na Zachodzie nie wykonywał tego typu protez. Jedynym miejscem, gdzie mogło to zostać zrobione, był Nowy Jork.

Grace była zdecydowana wytrzymać. Został jeszcze tylko tydzień albo najwyżej dwa. Będzie jedynie musiała mieć nadzieję, że ból nie rozproszy jej zbytnio i nie osłabi, kiedy nadejdzie ten moment.

Zapadał zmierzch, kiedy opuścili drogę nr 15 i skierowali się na zachód. Przedgórze Gór Skalistych przed nimi upstrzone było wielkimi burzowymi chmurami, które prawie sięgały ku nim pod gęstniejącym niebem.

Przejeżdżali przez Choteau, więc Grace mogła pokazać Robertowi tę ruinę, gdzie początkowo mieszkały i dinozaura przed muzeum. Jakimś sposobem udało mu się nie wyglądać ani na takiego wielkiego, ani takiego podłego jak wtedy, gdy tutaj przybyły. Teraz Grace nie zdziwiłaby się, gdyby do niej mrugnął.

Zanim dotarli do zjazdu z drogi 89, na niebie utworzyło się sklepienie czerniejących chmur niczym w zrujnowanym kościele, przez które kapryśnie przedzierało się słońce. Zamilkli jadąc prostą żwirową drogą w stronę Double Divide, zamilkli, a Grace zaczęła odczuwać nerwowość. Tak bardzo chciała, by to miejsce zrobiło na ojcu wrażenie. Być może Annie czuła to samo, kiedy bowiem minęli grzbiet górski i ujrzeli Double Divide otwierające się przed nimi, zatrzymała samochód, by Robert mógł ogarnąć to wzrokiem.

Wzbity przez nich tuman kurzu objął ich, po czym powoli odpłynął do przodu, rozpraszając się złoto w całkowitym wybuchu słońca. Jakieś konie, pasące się przy topolach okalających najbliższy zakręt strumienia, podniosły łby, żeby popatrzeć.

– O rety – powiedział Robert. – Teraz wiem, czemu nie chce wam się wracać do domu.

29

Annie kupiła jedzenie na weekend w drodze na lotnisko, a powinna oczywiście zrobić to wracając. Pięć godzin w rozgrzanym samochodzie wcale nie zrobiło dobrze łososiowi. Supermarket w Butte okazał się najlepszy, jaki znalazła od przyjazdu do Montany. Mieli nawet suszone na słońcu pomidory i małe doniczki z bazylią, która jednak zmarniała zupełnie w czasie podróży do domu. Annie podlała je i postawiła na parapecie. Miały szanse na przeżycie, czego nie można było powiedzieć o łososiu. Wypłukała go zimną wodą nad zlewem, mając nadzieję, że zmyje zapach amoniaku.

Szum wody tłumił ciągłe ciche dudnienie grzmotów na zewnątrz. Annie zamoczyła boki ryby, obserwując, jak obluzowane łuski drżą, wirują i znikają razem z wodą. Następnie, otworzywszy jej wypatroszony brzuch, spłukała krew z zakrzepłego, błoniastego mięsa, aż błysnęło trupią różowością. Zapach stał się mniej gryzący, lecz dotyk sflaczałego rybiego ciała w dłoniach wywołał taką falę nudności, że Annie musiała zostawić rybę na desce i szybko wyjść na ganek.

Powietrze było gorące i ciężkie i nie przyniosło ulgi. Było prawie ciemno, na długo przed zapadnięciem nocy. Czarne chmury poprzecinane żółtymi żyłkami wisiały tak nisko, że zdawały się obejmować samą ziemię.

Robert i Grace wyszli prawie przed godziną. Annie wolała zaczekać z tym do rana, ale Grace się uparła. Chciała przedstawić ojca Bookerom i natychmiast pokazać mu Pielgrzyma. Pozwoliła mu na chwilę zajrzeć do domu, po czym zmusiła go, aby zawiózł ją na ranczo. Namawiała też Annie, by pojechała z nimi, lecz ona odparła, że przygotuje kolację na czas ich powrotu. Wolała nie oglądać spotkania Toma z Robertem. Nie wiedziałaby, gdzie odwrócić wzrok. Sama myśl o tym zwiększała teraz jej nudności.

Przedtem wykąpała się i przebrała w sukienkę, ale znowu czuła, że się lepi. Wyszedłszy na ganek, napełniła płuca bezużytecznym powietrzem. Potem przeszła powoli na front domu, skąd mogła wyglądać ich powrotu.

Zobaczyła Toma, Roberta i wszystkie dzieciaki pakujące się do chevroleta i patrzyła, jak samochód przejeżdża dołem w drodze na łąki. Mijali ją pod takim kątem, że mogła dostrzec tylko Toma za kierownicą. Nie podniósł wzroku. Rozmawiał z Robertem, który siedział obok niego. Annie zastanawiała się, jak go ocenia. Czuła się tak, jakby ją samą oceniano przez pośrednika.

Przez cały tydzień Tom jej unikał i chociaż sądziła, że wie dlaczego, odbierała jego trzymanie się na odległość jako rozszerzającą się pustkę w sobie. Kiedy Grace była w Choteau u Terri Carlson, Annie czekała, aż zadzwoni jak zawsze i zaprosi ją na przejażdżkę. Chociaż w głębi ducha wiedziała, że tego nie zrobi. Gdy pojechała z Grace obserwować jego pracę nad Pielgrzymem, był tak zaabsorbowany, iż ledwo ją zauważył. Późniejsza rozmowa była banalna, niemal zdawkowo uprzejma.

Chciała z nim porozmawiać, powiedzieć, że przykro jej za to, co się stało, chociaż wcale jej nie było przykro. W nocy, leżąc sama w łóżku, rozmyślała o tym czułym wzajemnym odkrywaniu siebie, ciągnąc je dalej w wyobraźni, aż ciało bolało ją z pragnienia. Chciała powiedzieć, że jej przykro, po prostu na wypadek, gdyby źle o niej myślał. Lecz jedyna okazja, jaką miała, to tego pierwszego wieczoru, gdy przywiózł Grace do domu, lecz kiedy zaczęła mówić, przerwał jej, tak jakby wiedział, co zamierza powiedzieć. Wyraz jego oczu, gdy odjeżdżał, sprawił, że omal nie pobiegła za nim wołając.

Annie stała z założonymi rękoma, obserwując błyskawicę migoczącą gdzieś ponad osłoniętą kirem masą gór. Pomiędzy drzewami przy brodzie dostrzegła teraz reflektory chevroleta, posuwające się drogą, a na ramieniu poczuła ciężką kroplę deszczu. Podniosła głowę i następna plasnęła jej na środek czoła i ściekła po twarzy. Powietrze zrobiło się nagle chłodniejsze i przepełnione świeżym zapachem wilgoci. Annie widziała deszcz nadciągający ku niej doliną niczym ściana. Odwróciwszy się, pospiesznie weszła z powrotem do środka, by usmażyć łososia.

*

Facet był miły. Czego innego Tom mógł się spodziewać? Był pełen życia, zabawny, interesujący i, co ważniejsze, zainteresowany. Robert pochylił się, patrząc zmrużonymi oczami przez nieprzydatny łuk robiony przez wycieraczki. Musieli krzyczeć, by słyszeć się nawzajem poprzez bębnienie deszczu o dach samochodu.

– Jeśli nie podoba ci się pogoda w Montanie, poczekaj pięć minut – odezwał się Robert.

Tom zaśmiał się.

– Grace ci to powiedziała?

– Przeczytałem w przewodniku.

– Tata to maksymalny nudziarz przewodnikowy! – wrzasnęła Grace z tyłu.

– O, dzięki, kochanie. Ja też ciebie kocham.

Tom uśmiechnął się.

– No, cóż. Faktycznie wygląda na deszcz.

Zawiózł ich w góry tak daleko, jak dało się wygodnie podjechać samochodem. Widzieli kilka saren, ze dwa jastrzębie, a później stado łosi, wysoko po drugiej stronie doliny. Cielaki, niektóre nie mające więcej niż tydzień, chroniły się przed grzmotami u boku matek. Robert przywiózł ze sobą lornetkę i patrzyli przez nią kilkanaście minut, podczas których wszystkie dzieciaki wrzaskliwie domagały się swojej kolejki. Wśród zwierząt był także duży samiec z szerokim, sześciokrotnie rozgałęzionym porożem. Tom próbował zatrąbić do niego na rogu, lecz nie uzyskał odpowiedzi.

– Ile mniej więcej waży taki byk? – zapytał Robert.

– O, z siedemset funtów, może trochę więcej. Do sierpnia same jego rogi będą ważyć pięćdziesiąt.

– Strzelacie do nich czasem?

– Mój brat, Frank, poluje od czasu do czasu. Ja wolę widzieć ich łby paradujące tu w górach niż wiszące na jakiejś ścianie.

Przez całą drogę do domu Robert zadawał mnóstwo pytań, a Grace bez przerwy mu dokuczała. Tom myślał o Annie i jej pytaniach zadawanych podczas tych kilku pierwszych wypraw, kiedy ją tu przyprowadzał. Zastanawiał się, czy to Robert przejął ten zwyczaj od niej, czy ona od niego, albo czy oboje byli tacy z natury i po prostu pasowali do siebie. To musi być to, stwierdził Tom, po prostu do siebie pasują. Starał się myśleć o czymś innym.

Woda lała się strumieniami wzdłuż drogi do domku. Tryskało z wylotów rynien z każdego narożnika dachu. Tom powiedział, że później razem z Joe przywiezie lariata z rancza. Podjechał najbliżej jak mógł do ganku, aby Robert i Grace nie przemokli przy wysiadaniu. Robert wysiadł pierwszy, a gdy zatrzasnął drzwi, Grace szeptem szybko spytała Toma, jak poszło z Pielgrzymem. Chociaż wcześniej byli obejrzeć konia, nie mieli czasu porozmawiać na osobności.

– Dobrze poszło. Dasz sobie radę.

Rozpromieniła się cała, a Joe wesoło klepnął ją w ramię. Nie zdążyła zapytać o nic więcej, gdyż Robert otworzył jej tylne drzwi.

Tomowi powinno przyjść do głowy, że deszcz w połączeniu z kurzem uczyni ganek śliskim. Nie przyszło jednak, dopóki nie zobaczył, jak spod stojącej na deskach Grace uciekły nogi. Upadając, krzyknęła krótko. Tom wyskoczył i obiegł samochód dookoła.

Pochylał się już nad nią zaniepokojony Robert.

– Boże, Grace, nic ci nie jest?

– Wszystko dobrze. – Usiłowała wstać i wydawała się bardziej zakłopotana niż potłuczona. – Naprawdę, tato, wszystko dobrze.

Annie wybiegła z domu, sama mało się nie przewracając.

– Co się stało?

– W porządku – odparł Robert. – Po prostu się poślizgnęła.

Joe także wyskoczył z samochodu, cały przejęty. Pomogli Grace stanąć na nogi. Przyjmując własny ciężar, skrzywiła się. Robert cały czas przytrzymywał ją ramieniem.

– Na pewno nic ci nie jest, kochanie?

– Tato, proszę, nie rób zamieszania. Czuję się świetnie.

Utykała, lecz próbowała to ukryć, gdy prowadzili ją do środka. Bliźniaki również zamierzały wejść, bojąc się, że zabraknie ich na miejscu dramatu. Tom zatrzymał ich i łagodnym głosem odesłał do samochodu. Po upokorzonej minie Grace widział, że czas odjeżdżać.

– No to do zobaczenia rano.

– Okay – rzucił Robert. – Dzięki za wycieczkę.

– Proszę bardzo.

Mrugnął do Grace, życząc, by dobrze się wyspała, ona zaś uśmiechnęła się dzielnie i obiecała, że to zrobi. Wyprowadziwszy Joe przez siatkowe drzwi, odwrócił się, by powiedzieć dobranoc. Jego oczy spotkały się ze wzrokiem Annie. Spojrzenie pomiędzy nimi trwało mniej niż chwilę, lecz zawierało wszystko to, co ich serca chciały wyrazić.

Tom dotknął ręką kapelusza i pożegnał się.

*

Wiedziała, że coś się złamało, gdy tylko uderzyła o deski ganku i w momencie przerażenia pomyślała nawet, że to jej własna kość udowa. Dopiero po wstaniu przekonała się, że nie. Przeżyła szok i, Boże, takie zakłopotanie, lecz nic jej się nie stało.

Było gorzej. Rękaw protezy pękł od góry do dołu.

Grace siedziała na krawędzi wanny z dżinsami opuszczonymi wokół lewej kostki, z protezą w rękach. Wnętrze pękniętego rękawa było ciepłe, wilgotne i pachniało potem. Może dałoby się to zlepić klejem, taśmą albo czymś innym. Ale wtedy musiałaby im wszystko powiedzieć i gdyby się nie udało, absolutnie nie pozwolą jej jutro wsiąść na Pielgrzyma.

Po odjeździe Bookerów musiała mocno się starać, by lekko potraktować upadek. Musiała uśmiechać się, żartować i przynajmniej jeszcze kilkanaście razy powtarzać rodzicom, że nic jej się nie stało. Wreszcie chyba jej uwierzyli. Kiedy uznała sytuację za opanowaną, zgłosiła się pierwsza do kąpieli i uciekła tu, na górę, by za zamkniętymi drzwiami dokładnie zbadać szkodę. Idąc przez salon czuła, jak to diabelstwo rusza się na jej kikucie, a wchodzenie po schodach okazało się nie lada sztuczką. Jeśli nawet tego nie mogła zrobić, jak u licha miała jeździć na Pielgrzymie? Cholera! Co za głupi upadek. Wszystko sknociła.

Usiadła i długo się zastanawiała. Słyszała Roberta z podnieceniem rozprawiającego na dole o łosiu. Usiłował naśladować wołanie Toma. Wcale nie brzmiało to podobnie. Dobiegł ją śmiech Annie. Tak wspaniale było tutaj go wreszcie mieć. Gdyby Grace powiedziała im teraz, co się stało, zepsułoby to cały wieczór.

Zdecydowała się, co robić. Wstała, wymanewrowała do umywalki i wyjęła z apteczki pudełko plastrów. Naprawi nimi ile się da, a rano spróbuje pojeździć na Gonzo. Jeśli będzie okay, nic nie powie nikomu, zanim nie zsiądzie z Pielgrzyma.

*

Annie zgasiła światło w łazience i cicho przeszła do pokoju Grace. Drzwi były uchylone i zaskrzypiały lekko, gdy otworzyła je szerzej. Nocna lampka – ta, którą kupiły w Great Falls w miejsce stłuczonej – ciągle się paliła. Tamta noc, jak się teraz wydawało Annie, należała do innego świata.

– Grace?

Nie było odpowiedzi. Annie podeszła do łóżka i zgasiła lampkę. Zauważyła przypadkiem, iż proteza dziewczynki nie stoi oparta w zwykłym miejscu o ścianę, lecz zamiast tego leży na podłodze, wciśnięta w cień między łóżkiem i stołem. Grace spała, oddychając tak cicho, że matka musiała się wysilać, żeby to usłyszeć. Jej włosy leżały na poduszce pokręcone niczym ujście ciemnej rzeki. Annie stała przez chwilę, obserwując ją.

Zachowała się tak dzielnie po upadku. Annie wiedziała, że musiało ją boleć. Później przy kolacji i cały wieczór była taka zabawna, pogodna i wesoła. Niesamowite dziecko. Przed jedzeniem, kiedy Robert kąpał się na górze, opowiedziała Annie, co Tom mówił o jeżdżeniu na Pielgrzymie. Aż wrzała z podekscytowania, jaką niespodziankę zrobi swemu tacie, jeśli wszystko wyjdzie. Joe miał zabrać go, by pokazać źrebaka Bronty, a potem przyprowadzić z powrotem akurat w odpowiednim momencie, żeby zobaczył Grace na grzbiecie Pielgrzyma. Annie miała pewne skrupuły z tym związane – jak się domyślała – Robert także będzie je miał. Lecz skoro Tom uznał przedsięwzięcie za bezpieczne, to tak na pewno będzie.

– Wygląda na naprawdę miłego gościa – stwierdził Robert, częstując się kolejnym kawałkiem łososia, który – o dziwo – smakował dobrze.

– Jest dla nas bardzo życzliwy – powiedziała Annie, tak

obojętnie, jak tylko mogła. Zapadła krótka cisza i jej słowa zdawały się wisieć w powietrzu, jakby do oceny. Na szczęście Grace zaczęła opowiadać o tym, co Tom robił w tym tygodniu z Pielgrzymem.

Annie pochyliła się teraz i delikatnie pocałowała córkę w policzek. Z jakiegoś dalekiego miejsca Grace wymamrotała odpowiedź.

Robert leżał już w łóżku. Był nagi. Gdy weszła i zaczęła się rozbierać, odłożył książkę i obserwował ją, czekając. Był to sygnał, którego używał od lat i w przeszłości zawsze lubiła rozbierać się przed nim, nawet ją to podniecało. Teraz jednak odczuwała jego milczące patrzenie jako niepokojące, niemal nie do zniesienia. Wiedziała oczywiście, że Robert spodziewa się, iż będą się dzisiaj kochać, po tak długiej rozłące. Cały wieczór się tego bała.

Zdjąwszy sukienkę, położyła ją na krześle i nagle poczuła się tak przeszywająco świadoma jego wzroku na sobie oraz intensywności milczenia, że podeszła do okna i rozsunęła żaluzje, by wyjrzeć na zewnątrz.

– Przestało padać.

– Jakieś pół godziny temu.

– O.

Popatrzyła w stronę rancza. Chociaż nigdy nie była w pokoju Toma, znała okno i dostrzegła w nim zapalone światło. Och, Boże, pomyślała, dlaczego to nie możesz być ty? Dlaczego to nie możemy być my? Ta myśl napełniła ją rodzajem tęsknej fali tak bliskiej desperacji, że szybko musiała zamknąć żaluzje i odwrócić się. W pośpiechu zdjęła stanik i majtki i sięgnęła po dużą koszulkę, w której zwykle spała.

– Nie zakładaj jej – odezwał się cicho Robert. Spojrzała na niego, on zaś uśmiechnął się. – Chodź tutaj.

Wyciągnął do niej ramiona, a Annie przełknęła ślinę i postarała się z całych sił odwzajemnić uśmiech, modląc się, by nie mógł odczytać tego, co – jak się obawiała – było w jej oczach. Odłożywszy koszulkę, podeszła do łóżka, czując się w swej nagości szokująco wystawiona na pokaz. Usiadła na łóżku obok Roberta i nie potrafiła powstrzymać drżenia, gdy objął ją jedną ręką za szyję, a drugą położył na jej lewej piersi.

– Zimno ci?

– Tylko trochę.

Delikatnie przyciągnął do siebie jej głowę i pocałował ją, tak jak całował zawsze. Ona zaś każdym atomem, próbowała odciąć umysł od wszelkich porównań i zatracić się w znajomym konturze jego ust, ich znajomym smaku i zapachu oraz znajomym ułożeniu jego dłoni na swojej piersi.

Zamknęła oczy, lecz nie potrafiła przytłumić wszechogarniającego uczucia zdrady. Zdradziła tego dobrego i kochającego człowieka nie tyle przez to, co zrobiła z Tomem, ale przez to, co pragnęła zrobić. W większym stopniu jednakże, chociaż mówiła sobie, jakie to głupie, czuła, że zdradza Toma przez to, co robi teraz.

Robert odchylił pościel i przesunął się, by wpuścić ją obok siebie. Zobaczyła znajomy wzór rdzawego owłosienia na jego brzuchu i przekrwione, różowe kołysanie się jego członka, który prześlizgnął się twardy po jej udzie, gdy położyła się i ponownie odnalazła jego usta.

– O, Boże, Annie, stęskniłem się za tobą.

– Ja też się za tobą stęskniłam.

– Naprawdę?

– Cii... Oczywiście.

Poczuła, jak jego dłoń przesuwa się wzdłuż jej boku, przez biodro do podbrzusza i wiedziała, że będzie głaskał ją między nogami i odkryje, że w ogóle nie jest podniecona. Gdy tylko palce Roberta sięgnęły obrzeża jej włosów, zsunęła się trochę w dół.

– Najpierw ja to zrobię – powiedziała. I nachyliła się między jego nogami, i wzięła go w usta. Minęło sporo czasu, nawet lat, odkąd robiła to po raz ostatni, więc teraz aż zadrżał, wciągając głęboko powietrze.

– Och, Annie. Nie wiem, czy to wytrzymam.

– Nieważne. Ja chcę.

Jakich rozpustnych kłamców czyni z nas miłość, pomyślała. Jakimi mrocznymi i pogmatwanymi ścieżkami każe nam stąpać. I w miarę, jak on dochodził, wiedziała z narastającą smutną pewnością, że cokolwiek się stanie, nigdy nie będą już tacy sami i że ten pełen winy akt stanowi potajemnie jej pożegnalny dar.

Później, po zgaszeniu światła, wszedł w nią. Tak ciemna

była noc, iż nie widzieli nawzajem swoich oczu i – w ten sposób chroniona – Annie wreszcie została pobudzona. Dała się ponieść płynnemu rytmowi ich kopulacji i w jej smutku znalazła krótkie zapomnienie.

30

Po śniadaniu Robert zawiózł Grace do stajni. Deszcz oczyścił i ochłodził powietrze, a niebo tworzyło doskonały, szeroki łuk błękitu. Zauważył już, że Grace jest tego ranka bardziej cicha, poważniejsza, więc po drodze zapytał ją, czy dobrze się czuje.

– Tato, proszę, przestań mnie już o to pytać. Czuję się świetnie.

– Przepraszam.

Poklepała go z uśmiechem po ramieniu i na tym poprzestali. Przed wyjazdem zadzwoniła do Joe i zanim tam dotarli, przyprowadził już Gonzo z wybiegu. Gdy wysiadali z lariata, powitał ich szerokim uśmiechem.

– Dzień dobry, młody człowieku – odezwał się Robert.

– Dobry, panie Maclean.

– Mów mi Robert, proszę.

– Dobrze, psze pana.

Wprowadzili Gonzo do stajni. Robert zauważył, iż Grace jakby bardziej kuleje niż wczoraj. Raz wydawało się nawet, że traci równowagę, bo musiała się chwycić bramki boksu. Robert obserwował, jak siodłają Gonzo, wypytując Joe o wszystko, ile lat ma konik, ile mierzy w kłębie, czy zwierzęta mieszanej krwi posiadają jakiś specjalny temperament. Joe udzielał pełnych i grzecznych odpowiedzi. Grace nie odzywała się ani słowem. W zakamarkach oczu córki Robert dostrzegł, że coś ją dręczy. Ze spojrzeń rzucanych przez Joe domyślił się, iż on też zwrócił na to uwagę, chociaż obaj woleli nie pytać.

Wyprowadzili Gonzo na arenę tylnym wyjściem ze stajni. Grace przygotowała się do wsiadania.

– Bez czapki? – zdziwił się Robert.

– Masz na myśli – bez twardej czapki?
– No, owszem.
– Tak, tato. Bez czapki.
Robert wzruszył ramionami i uśmiechnął się.
– Ty wiesz najlepiej.
Grace popatrzyła na niego spod przymrużonych powiek. Spojrzawszy najpierw na jedno, potem na drugie, Joe wyszczerzył zęby w uśmiechu. Potem Grace zebrała wodze i podpierając się na ramieniu chłopca, włożyła lewą stopę w strzemię. Gdy przejęła ciężar ciała na protezę, coś jakby puściło i Robert dostrzegł, że Grace się skrzywiła.
– Cholera – mruknęła.
– O co chodzi?
– O nic. W porządku.
Chrząkając z wysiłku, przerzuciła nogę nad tylnym łękiem siodła i usiadła. Jeszcze zanim to zrobiła, Robert zauważył, iż coś jest nie tak, a później jej twarz znowu się wykrzywiła, tym razem mocniej, i zdał sobie sprawę, że płacze.
– Grace, co się stało?
Potrząsnęła głową. Początkowo myślał, że coś ją boli, lecz kiedy w końcu się odezwała, stało się jasne, że płacze ze złości.
– To do niczego, cholera. – Te słowa zostały niemal wyplute. – Nic z tego nie będzie.

*

Dotarcie do Wendy Auerbach zajęło Robertowi resztę dnia. Klinika miała automatyczną sekretarkę podłączoną do numeru w sprawie nagłych wypadków, który, co ciekawe, był ciągle zajęty. Może wszystkie pozostałe protezy w Nowym Jorku popękały akurat ze współczucia albo na skutek jakiejś utajonej wady, której czas nagle nadszedł. Kiedy wreszcie się dodzwonił, pielęgniarka na dyżurze weekendowym oznajmiła, że przykro jej, ale nie leży w zwyczaju kliniki udostępniać prywatne numery. Jeśli jednak sprawa jest naprawdę tak pilna, jak przedstawia to Robert (w co, sądząc po jej tonie, powątpiewała), spróbuje skontaktować się z doktor Auerbach w jego imieniu. Godzinę później pielęgniarka oddzwoniła. Doktor Auerbach nie było w domu i miała wrócić dopiero późnym popołudniem.
Podczas oczekiwania Annie zadzwoniła do Terri Carlson,

której numer – w przeciwieństwie do numeru Wendy Auerbach – znajdował się w książce telefonicznej. Terri powiedziała, iż zna kogoś w Great Falls, kto może w krótkim terminie sklecić inny rodzaj protezy, lecz odradziła to. Po przyzwyczajeniu się nogi do protezy określonego typu, zmiana na inny może okazać się trudna i długo potrwać.

Chociaż łzy Grace zupełnie rozstroiły Roberta i współczuł córce w jej frustracji, odczuł także pewną ulgę, że zaoszczędzono mu tego, co – jak się teraz okazało – miało być niespodzianką zarezerwowaną specjalnie dla niego. Widok Grace wsiadającej na Gonzo wystarczająco nadszarpnął mu nerwy. Myśl o niej na grzbiecie Pielgrzyma, którego spokojniejszemu zachowaniu niezupełnie dowierzał – była wręcz przerażająca.

Nie kwestionował tego jednak. Wiedział, że słabość leży po jego stronie. Jedyne konie, z którymi kiedykolwiek czuł się swobodnie, to te małe w centrach handlowych, kołyszące się po wrzuceniu monety. Kiedy stało się jasne, że pomysł ma poparcie nie tylko Annie, ale – co ważniejsze – także Toma Bookera, Robert wziął się za ratowanie tej idei, tak jakby sam w pełni ją popierał.

Do szóstej obmyślili plan.

Wendy Auerbach w końcu zadzwoniła i wydobyła od Grace dokładny opis miejsca pęknięcia. Następnie oświadczyła Robertowi, że gdyby Grace mogła wrócić do Nowego Jorku i w poniedziałek po południu przyjść na zrobienie odlewu, dałoby się zrobić przymiarkę w środę i nowa proteza byłaby gotowa przed weekendem.

– W porząsiu?

– W porząsiu – odparł Robert i podziękował jej.

Na rodzinnej konferencji w salonie domku nad potokiem we trójkę postanowili, co zrobią. Annie i Grace wrócą z Robertem samolotem do Nowego Jorku, a w następny weekend przylecą tu ponownie, by Grace mogła pojeździć na Pielgrzymie. Robert nie przyjedzie z nimi, musi bowiem znowu lecieć do Genewy. Starał się wyglądać na naprawdę zmartwionego, że straci całą zabawę.

Annie zatelefonowała do Bookerów i rozmawiała z Diane, która była bardzo miła i przejęta, gdy dowiedziała się, co się stało. Oczywiście, że mogą zostawić tutaj Pielgrzyma, powiedziała. Smoky będzie miał na niego oko. Ona i Frank wracają z Los Angeles w sobotę, ale kiedy Tom przyjedzie z Wyoming, tego nie była pewna. Zaprosiła ich, by wieczorem przyłączyli się do nich wszystkich na rożen. Annie odparła, że bardzo chętnie to zrobią.

Później Robert zadzwonił do linii lotniczych. Tu wystąpił problem. Zostało tylko jedno miejsce wolne na powrotny lot z Salt Lake City do Nowego Jorku, na który on miał już rezerwację. Poprosił, by je przytrzymali.

– Polecę jakimś późniejszym samolotem – zaproponowała Annie.

– Po co? – spytał Robert. – Możesz równie dobrze zostać tutaj.

– Ona nie może wrócić tu sama.

– Czemu nie? – włączyła się Grace. – Przestań, mamo, przecież leciałam sama do Anglii, jak miałam dziesięć lat.

– Nie. To lot z przesiadką. Nie życzę sobie, by wałęsała się bez opieki po lotnisku.

– Annie – zaoponował Robert. – Przecież to Salt Lake City. Więcej tam chrześcijan na jard kwadratowy niż w Watykanie.

– Mamo, nie jestem dzieckiem.

– Owszem, jesteś dzieckiem.

– Linie lotnicze zaopiekują się nią – powiedział Robert. – A zresztą posłuchaj, przecież Elza może z nią polecieć.

Zapadła cisza – Robert i Grace patrzyli na Annie, czekając na jej decyzję. Było w niej coś nowego, jakaś nieokreślona zmiana, którą zauważył już w drodze z Butte poprzedniego dnia. Na lotnisku przypisał to po prostu jej wyglądowi, temu nowemu, zdrowemu blaskowi. W czasie jazdy słuchała przekomarzań między nim a Grace z pewnego rodzaju rozbawionym spokojem. Później jednak wydawało mu się, że pod tym spokojem dostrzegł w przelocie coś jeszcze. To, co zrobiła mu w łóżku, było wspaniałe, ale również dosyć szokujące. Zdawało się mieć źródło nie w pożądaniu, tylko w czymś głębszym, smutniejszym.

Robert powiedział sobie, że jakakolwiek zmiana nastąpiła, niewątpliwie wywodziła się z urazu oraz poczucia wyzwolenia po stracie pracy. Teraz jednak, obserwując, jak się zastanawia, przyznał w duchu, że jego żona stała się niezgłębiona.

Annie wyglądała przez okno na wspaniałe, późnowiosenne popołudnie. Odwróciwszy się do nich, przybrała komicznie smutną minę.

– Zostanę tutaj całkiem sama.

Roześmiali się. Grace objęła ją ramieniem.

– Och, biedna mała mamusia.

Robert uśmiechnął się do niej.

– Hej. Wyluzuj się. Ciesz się tym. Po roku z Crawfordem Gatesem zasługujesz na zabawę jak nikt inny.

Zatelefonował do linii lotniczych potwierdzić rezerwację Grace.

*

Ognisko do rożna zbudowali w osłoniętym zakręcie strumienia poniżej brodu, w miejscu, gdzie dwa z grubsza ociosane drewniane stoły z przymocowanymi ławkami stały przez okrągły rok z wypaczonymi blatami, porytymi i wyblakłymi na skutek oddziaływania żywiołów. Annie wpadła kiedyś na nie podczas porannego biegania, od którego dręczącej rutyny jakby – bez widocznych złych skutków – prawie już uciekła. Od spędu bydła tylko raz biegała, a nawet wówczas – ku własnemu zdumieniu – oznajmiła Grace, że uprawiała jogging. Jeśli do tego teraz doszło, mogła równie dobrze zrezygnować.

Mężczyźni poszli wcześniej, by rozpalić ogień. Dla Grace było za daleko iść z poobklejaną nogą i przywróconą do łask laską, pojechała więc z Joe chevroletem, wiożąc jedzenie i napoje. Annie i Diane poszły za nimi pieszo razem z bliźniakami. Szły spacerowym krokiem, rozkoszując się wieczornym słońcem. Podróż do Los Angeles właśnie przestała być tajemnicą i chłopcy paplali w podnieceniu.

Diane zachowywała się bardziej przyjacielsko niż kiedykolwiek. Wydawała się autentycznie ucieszona, że rozwiązali problem Grace i wcale nie okazywała niezadowolenia, że Annie zostaje. Czego ta się obawiała.

– Powiem ci prawdę, Annie, cieszę się, że będziesz na miejscu. Młody Smoky jest w porządku, ale to jeszcze dzieciak i nie jestem pewna, co się dzieje w tej jego głowie.

Bliźniaki pobiegły przodem. Rozmowa kobiet tylko raz została przerwana, gdy nad ich głowami przeleciała para łabędzi. Obserwowały słońce na ich białych szyjach wyciągniętych w stronę doliny i nasłuchiwały szumu skrzydeł słabnącego w ciszy wieczoru.

Gdy podeszły bliżej, Annie usłyszała trzask drewna, a nad topolami dostrzegła wijącą się strużkę białego dymu.

Mężczyźni ustawili ognisko na wchodzącym w strumień cyplu krótko przyciętej trawy. Z boku Frank popisywał się przed dziećmi umiejętnością puszczania kaczek, wystawiając się tylko na pośmiewisko. Robert, z piwem w ręku, miał pilnować steków. Traktował to zadanie bardzo poważnie, jak można było przewidzieć, używając jednej strony mózgu do gawędzenia z Tomem, drugiej zaś do nadzorowania mięsa. Ciągle je trącał, przekładając kawałek po kawałku widelcem z długą rękojeścią. Annie, stojąc obok Toma, pomyślała z czułością, że wygląda nie na miejscu w swojej koszuli w kratę i mokasynach.

Tom pierwszy zauważył kobiety. Pomachał i poszedł wyjąć im coś do picia z torby chłodniczej. Diane poprosiła o piwo, zaś Annie o kieliszek białego wina, które kupiła. Ciężko jej było spojrzeć Tomowi w oczy, gdy podawał jej alkohol. Ich palce zetknęły się przelotnie i to doznanie spowodowało, że serce jej podskoczyło.

– Dzięki – powiedziała.

– Więc w przyszłym tygodniu pilnujesz nam rancza.

– O, jak najbardziej.

– Przynajmniej będzie tu ktoś wystarczająco rozgarnięty, żeby skorzystać z telefonu, jeśli coś wyskoczy – stwierdziła Diane.

Tom uśmiechnął się i popatrzył ufnie na Annie. Nie miał na głowie kapelusza i kiedy się odezwał, odgarnął z czoła kosmyk blond włosów.

– Diane uważa, że ten biedaczysko Smoky nie umie zliczyć do dziesięciu.

Annie odwzajemniła uśmiech.

– To bardzo miło z waszej strony. Dawno już nadużyliśmy waszej gościnności.

Nie odpowiedział, tylko znów się uśmiechnął i tym razem Annie zdołała wytrzymać jego spojrzenie. Czuła, że gdyby sobie pozwoliła, mogłaby pogrążyć się w błękicie jego oczu. W tym momencie nadbiegł Craig, wołając, że Joe popchnął go do wody. Spodnie miał mokre do kolan. Diane zawołała Joe i poszła przeprowadzić dochodzenie. Pozostawiona sama z Tomem Annie odczuła narastającą panikę. Tak dużo chciała powiedzieć, nic jednak wystarczająco błahego jak na tę chwilę. Nie potrafiła stwierdzić, czy on podziela albo chociaż wyczuwa jej zakłopotanie.

– Naprawdę przykro mi z powodu Grace – odezwał się.

– No cóż. Znaleźliśmy rozwiązanie. To znaczy, jeśli nie masz nic przeciwko temu, może pojeździć na Pielgrzymie, gdy wrócisz z Wyoming.

– Jasne.

– Dziękuję. Robert w końcu tego nie zobaczy, ale, wiesz, dotrzeć tak daleko a potem nie...

– Żaden problem. – Urwał na chwilę. – Grace mówiła mi, że odchodzisz z pracy.

– Można to tak określić.

– Powiedziała, że niespecjalnie się tym przejęłaś.

– Nie. Jestem nawet zadowolona.

– To dobrze.

Annie uśmiechnęła się i upiła jeszcze trochę wina, mając nadzieję rozproszyć milczenie, jakie teraz między nimi zaległo. Zerknęła w stronę ogniska i Tom podążył za jej spojrzeniem. Pozostawiony sam sobie, Robert poświęcał mięsu swoją niepodzielną uwagę. Będzie upieczone doskonale, Annie wiedziała o tym.

– Ma rękę do steków, ten twój mąż.

– O, tak. Tak. Dobrze się bawi.

– Wspaniały facet.

– Tak, owszem.

– Próbowałem wykombinować, kto jest bardziej szczęściarzem. – Annie spojrzała na niego. Wciąż obserwował Roberta, a słońce świeciło mu prosto w twarz. Popatrzył na nią i uśmiechnął się. – Ty, że masz jego, czy on, że ma ciebie.

Później siedli do jedzenia, dzieci przy jednym stole, a dorośli przy drugim. Odgłos ich śmiechu wypełniał przestrzeń wokół topoli. Słońce zaszło i pomiędzy podświetlonymi resztkami jego blasku drzewami Annie oglądała, jak roztopiona, płynna powierzchnia strumienia przejmuje róż, czerwień i złoto gasnącego nieba. Kiedy zrobiło się dosyć ciemno, zapalili świeczki w wysokich szklanych tubach, by osłonić je od wiatru, który jednak wcale nie nadszedł, i obserwowali ryzykownie wirujące nad nimi ćmy.

Grace znowu była szczęśliwa, teraz, gdy jej nadzieje na dosiadanie Pielgrzyma odżyły. Gdy wszyscy skończyli jeść, poprosiła Joe o pokazanie Robertowi sztuczki z zapałkami i dzieci zebrały się wokół dorosłych, by popatrzeć.

Po pierwszym podskoczeniu zapałki wszyscy ryknęli śmiechem. Robert był zaintrygowany. Kazał Joe powtórzyć to, a potem jeszcze raz, wolniej. Siedział naprzeciwko Annie, pomiędzy Diane i Tomem. Obserwowała, jak światło świec tańczy na jego twarzy, podczas gdy on się koncentruje, badawczo przyglądając się każdemu ruchowi palców Joe, szukając – jak zawsze – racjonalnego rozwiązania. Annie miała nadzieję, że go nie znajdzie – prawie się o to modliła – albo, że jeśli nawet, to się nie wygada.

Sam spróbował parę razy, lecz bezskutecznie. Joe wcisnął mu całą gadkę o elektryczności statycznej i dobrze mu szło. Miał już zamiar poradzić Robertowi zanurzenie ręki w wodzie, by „zwiększyć napięcie", kiedy Annie ujrzała, jak mąż się uśmiecha i wiedziała, że odgadł. Nie zepsuj tego, powiedziała w duchu. Proszę, nie zepsuj tego.

– Mam – odezwał się. – Prztykasz to paznokciem. Zgadza się? Daj, jeszcze raz spróbuję.

Potarł zapałkę o włosy i powoli zbliżył ją do drugiej, leżącej mu na dłoni. Kiedy się zetknęły, ta druga podskoczyła z trzaskiem. Dzieci wzniosły radosne okrzyki. Robert uśmiechnął się od ucha do ucha, niczym chłopak, który złapał największą rybę. Joe usiłował ukryć rozczarowanie.

– Cholernie sprytni ci prawnicy – odezwał się Frank.

– A co ze sztuczką Toma!? – zawołała Grace. – Mamo. Masz jeszcze ten kawałek sznurka?

– Oczywiście – odparła Annie. Trzymała sznurek w kieszeni, odkąd Tom jej go dał.

Strzegła go jak skarbu. To był jedyny fragment Toma, jaki posiadała. Bez namysłu wyciągnęła go i podała Grace, natychmiast tego żałując. Ogarnęło ją nagłe, lękliwe przeczucie, tak silne, że prawie krzyknęła. Wiedziała, że jeśli mu pozwoli, Robert to także odmistyfikuje, a wówczas coś cennego ponad wszystko będzie stracone.

Grace wręczyła sznurek Joe, który polecił Robertowi podnieść palec. Wszyscy patrzyli. Wszyscy oprócz Toma. Siedział trochę z tyłu, obserwując Annie ponad świeczką. Wiedziała, że odczytuje jej myśli. Joe okręcił już sznurek wokół palca Roberta.

– Nie – powiedziała nagle Annie.

Wszyscy spojrzeli na nią, zaskoczeni niespokojnym tonem jej głosu. Poczuła żar wzbierający w policzkach. Uśmiechnęła się rozpaczliwie, szukając wśród tych twarzy pomocy w swoim zażenowaniu. Ciągle jednak to jeszcze ona miała głos.

– Ja... tylko chciałam sama to najpierw rozgryźć.

Joe zawahał się na moment, by zobaczyć, czy mówi poważnie. Następnie, zdjąwszy pętlę z palca Roberta, oddał jej sznurek. Annie wydawało się, że dostrzegła w oczach chłopca, iż on również – tak jak Tom – zrozumiał. Wreszcie przyszedł z odsieczą Frank.

– Bardzo dobrze, Annie – odezwał się. – Nie łaź i nie pokazuj żadnym prawnikom, dopóki nie dostaniesz kontraktu.

Nawet Robert się roześmiał, chociaż kiedy ich oczy się spotkały, zauważyła, że jest zdezorientowany, a może nawet zraniony. Po chwili, gdy rozmowa potoczyła się bezpiecznie dalej, jedynie Tom widział, jak Annie ukradkiem zwija sznurek i wsuwa z powrotem do kieszeni.

31

Późnym wieczorem w niedzielę Tom po raz ostatni zajrzał do koni, po czym wszedł do domu spakować się. Scott stał w piżamie na schodach, słuchając kolejnego ostrzeżenia Diane, która nie wierzyła jego zapewnieniom, że nie może zasnąć. Samolot mieli o siódmej rano i chłopców już dawno położono do łóżek.

– Jeśli zaraz nie przestaniesz, to nie jedziesz, okay?

– Zostawilibyście mnie tu samego?

– No jasne.

– Tego byście nie zrobili.

– Chcesz się przekonać?

Tom wszedł na górę i ujrzał galimatias ubrań oraz w połowie zapełnione walizki. Mrugnąwszy do Diane, bez słowa zaprowadził Scotta do pokoju bliźniaków. Craig już spał. Tom usiadł na łóżku Scotta i rozmawiali szeptem o Disneylandzie i o tym, w jakiej kolejności i na czym będą jeździć, aż powieki chłopca zrobiły się ciężkie i zasnął.

W drodze do swojego pokoju Tom minął sypialnię Diane i Franka. Szwagierka zauważyła go, podziękowała i życzyła dobrej nocy. Tom zapakował wszystko, czego potrzebował na tydzień, czyli niewiele, a potem próbował trochę poczytać, nie mógł się jednak skoncentrować.

Będąc na zewnątrz przy koniach, widział Annie wracającą fordem z lotniska, gdzie zawiozła męża i Grace. Teraz podszedł do okna i spojrzał w stronę domku nad potokiem. Żółte żaluzje jej okien były podświetlone; czekał parę chwil z nadzieją, że dostrzeże jej cień, ale nic nie zobaczył.

Umył się, rozebrał, położył i znowu próbował czytać, bez większego sukcesu. Zgasiwszy światło, leżał na plecach z rękoma pod głową, wyobrażając ją sobie samą tam, w domku, przez cały najbliższy tydzień. Będzie musiał wyjechać do Sheriden koło dziesiątej, lecz najpierw pójdzie się pożegnać. Obrócił się z westchnieniem i wreszcie zmusił do snu, który nie przyniósł spokoju.

*

Annie obudziła się przed piątą i leżała jakiś czas, patrząc na jarzące się żółto żaluzje. Dom pogrążony był w tak delikatnej ciszy, iż Annie obawiała się ją zniszczyć choćby najmniejszym poruszeniem ciała. Później musiała jeszcze przysnąć, obudziła się bowiem ponownie na odgłos odległego warkotu silnika i domyśliła się, że to Bookerowie wyjeżdżają na lotnisko. Zastanawiała się, czy wstał razem z nimi, by być przy ich wyjeździe. Na pewno. Wstała z łóżka i rozchyliła żaluzje. Samochód jednak już odjechał i przed ranczem nie było nikogo.

Zeszła na dół w swojej długiej koszulce i zaparzyła kawę. Potem stanęła w oknie salonu, obejmując filiżankę dłońmi. Wzdłuż strumienia oraz w zagłębieniach dalekiego stoku doliny zalegała mgła. Może był już przy koniach, doglądając ich jeszcze przed wyjazdem. Mogłaby pójść pobiegać i niby przypadkiem się na niego natknąć. Ale co będzie, jeśli on przyjedzie tutaj, żeby się pożegnać, tak jak obiecywał, i jej nie zastanie?

Wróciła na piętro wykąpać się. Bez Grace dom wydawał się taki pusty, a panująca w nim cisza deprymująca. Wyszukawszy w małym radiu córki jakąś znośną muzykę, leżała w gorącej wodzie bez wielkiej nadziei, że ją to uspokoi.

Godzinę później była już ubrana. Dużą część tego czasu spędziła zastanawiając się co włożyć, przymierzając jedną rzecz po drugiej. W końcu tak rozłościła się na siebie za to idiotyczne zachowanie, że ubrała się w te same stare dżinsy i koszulkę. Jakie to, u diabła, miało znaczenie, na litość boską? On przychodził się tylko pożegnać.

Wreszcie, gdy wyjrzała po raz dwudziesty, zobaczyła go, jak wyszedł z domu, a potem wrzucał torbę na tył chevroleta. Kiedy zatrzymał się na rozwidleniu, przez jeden pełen udręki moment myślała, że skręci w drugą stronę i odjedzie. Zamiast tego skierował jednak samochód do domku nad potokiem. Annie weszła do kuchni. Powinien ją zastać przy krzątaninie, zajętą życiem, jak gdyby jego wyjazd nie był tak naprawdę niczym specjalnym. W panice rozejrzała sie dookoła. Nie było nic do roboty. Wszystko już zrobiła – opróżniła zmywarkę, posprzątała śmieci, nawet (Boże dopomóż) wyszorowała zlew, aż błyszczał – po to, by zająć się czymś do czasu jego przyjścia. Postanowiła zaparzyć jeszcze kawy. Usłyszała chrzęst opon chevroleta przed domem i podniósłszy wzrok, zobaczyła, że obraca samochód tak, by stał gotowy do odjazdu. Dostrzegł ją i pomachał.

Zdjął kapelusz i wchodząc zapukał lekko we framugę siatkowych drzwi.

– Cześć.

– Cześć.

Stał, obracając w rękach rondo kapelusza.

– Grace i Robert wylecieli planowo?

– O tak. Dzięki. Słyszałam, jak Frank i Diane wyjeżdżali.

– Słyszałaś?

– Tak.

Przez dłuższą chwilę jedynym dźwiękiem było kapanie kawy w ekspresie. Nie byli w stanie ani rozmawiać, ani nawet spojrzeć sobie w oczy. Annie stała oparta o zlew, usiłując wyglądać na zrelaksowaną, podczas gdy w rzeczywistości wbijała paznokcie w dłonie.

– Napijesz się kawy?

– Och. Dzięki, ale lepiej już pojadę.

– Okay.

– Hm... – Z kieszeni koszuli wyciągnął kawałek papieru i podszedł bliżej, by jej go podać. – Pod tym numerem będę w Sheridan. W razie gdyby wyskoczył jakiś problem, albo coś, wiesz.

Wzięła kartkę.

– Okay, dziękuję. Kiedy wracasz?

– O, chyba w środę. Smoky zjawi się jutro, doglądać koni i w ogóle. Powiedziałem mu, że będziesz karmić psy. Bierz Rimrocka na przejażdżki, kiedy tylko będziesz miała ochotę.

– Dzięki. Może. – Popatrzyli na siebie. Uśmiechnęła się, on zaś pokiwał głową.

– Okay – rzucił.

Odwróciwszy się, otworzył siatkowe drzwi, a Annie wyszła za nim na ganek. Czuła się, jakby jakieś ręce powoli wyciskały życie z jej serca. Nałożył kapelusz.

– No to do widzenia, Annie.

– Do widzenia.

Stała na ganku, patrząc, jak wsiada z powrotem do chevroleta. Uruchomił silnik, dotknął kapelusza i ruszył w dół drogi.

*

Jechał bez zatrzymywania przez cztery i pół godziny, lecz mierzył to nie czasem, a jedynie tym, jak każda mila zdawała się pogłębiać ból w jego piersi. Kawałek na zachód od Billings, pogrążony w myślach o niej, omal nie wjechał w tył ciężarówki z bydłem. Postanowił skorzystać z następnego zjazdu i jechać dalej na południe wolniejszą trasą, przez Lovell.

Droga wiodła niedaleko Clark's Fork, przez tereny, które znał jako chłopiec, chociaż niewiele pozostało tutaj cech rozpoznawczych. Wszelkie ślady starego rancza zniknęły. Firma naftowa dawno już wzięła to, co chciała i wycofała się, rozsprzedawszy ziemię w parcelach zbyt małych, by człowiek mógł z nich wyżyć. Minął z daleka niewielki cmentarz, na którym leżeli jego dziadkowie i pradziadkowie. Innego dnia zatrzymałby się i kupił kwiaty, nie dzisiaj jednak. Tylko góry zdawały się oferować jakąś wątłą nadzieję pocieszenia. Za Bridger skręcił ku nim w lewo i pojechał drogami z czerwonej ziemi w Pryor.

Ból w piersiach stawał się coraz dotkliwszy. Opuścił szybę i poczuł na twarzy podmuch gorącego, przesiąkniętego wonią szałwi powietrza. Przeklął siebie za to zachowanie usychającego z miłości uczniaka. Znajdzie jakieś miejsce, gdzie będzie mógł stanąć i weźmie się z powrotem w garść.

Odkąd tam był po raz ostatni, nad kanionem Bighorn zbudowano wspaniałą platformę widokową, z dużym parkingiem oraz mapami i tablicami informującymi o geologii i tak dalej. Podobało mu się to. Japońscy turyści, którzy przyjechali dwoma samochodami, robili sobie zdjęcia i jakaś młoda para poprosiła Toma, by sfotografował ich razem. Podziękowali mu cztery razy, uśmiechając się, a potem wszyscy wskoczyli z powrotem do samochodów i zostawili go sam na sam z kanionem.

Oparłszy się o poręcz, spojrzał wzdłuż tysiąca stóp prążkowanego, żółto-różowego wapienia w dół, na wijącą się tam jaskrawozieloną wodę.

Dlaczego po prostu nie chwycił jej w ramiona? Czuł, że ona tego pragnie, więc czemu? Odkąd to był taki cholernie przyzwoity w tych sprawach? Aż do tej pory traktował ten obszar swojego życia w myśl prostego założenia, że jeśli mężczyzna i kobieta czują do siebie to samo, powinni zamienić to w czyn. W porządku, była mężatką. To jednak nie zawsze powstrzymywało go w przeszłości, chyba że mąż okazywał się przyjacielem albo potencjalnym mordercą. Więc o co chodziło? Szukał odpowiedzi, lecz nie znalazł żadnej, poza tym, że nie istniał precedens, na którym mógłby się oprzeć.

W dole, może z pięćset stóp poniżej, dostrzegł rozpostarte czarne grzbiety ptaków, których nie potrafił nazwać, szybujących na tle zieleni rzeki. I zupełnie nagle zidentyfikował to, co czuł. To była potrzeba. Potrzeba, jaką Rachel – tyle lat temu – odczuwała względem niego, a której on nie mógł odwzajemnić, ani też nie czuł wobec żadnej istoty czy rzeczy przedtem ani potem. Tutaj wreszcie wiedział. Stanowił pewną całość, teraz zaś przestał nią być. Tak jakby dotyk ust Annie tamtej nocy skradł jakąś jego żywotną część, której brak dopiero teraz sobie uświadomił.

*

Tak było najlepiej, pomyślała Annie. Odczuwała wdzięczność – a przynajmniej wierzyła, że później będzie odczuwać – iż on okazał się silniejszy od niej. Po wyjeździe Toma była wobec siebie stanowcza, wyznaczyła sobie rozmaite zadania na ten dzień i następne. Dobrze je wykorzysta. Zadzwoni do przyjaciół, na których przesłane faksem „kondolencje" jeszcze nie odpowiedziała; zatelefonuje do swojego prawnika w związku z nudnymi szczegółami dotyczącymi odejścia z pracy oraz powiąże wszystkie pozostałe luźne końce, które zostawiła w stanie zawieszenia w ostatnim tygodniu. Później nacieszy się swoim odosobnieniem: będzie spacerować, będzie jeździć konno, będzie czytać; może nawet coś napisze, chociaż nie miała jeszcze pojęcia co. I zanim Grace wróci, jej głowa, a możliwe że także serce, wrócą do równowagi.

Nie było to wcale takie łatwe. Po tym, jak wczesne wysokie chmury wyparowały, dzień zrobił się znów wspaniały, pogodny i ciepły. Chociaż jednak starała się być jego częścią, wypełniając każde wyznaczone sobie zadanie, nie potrafiła poruszyć apatycznej pustki wewnątrz siebie.

Około siódmej nalała sobie kieliszek wina i postawiwszy go obok wanny, wykąpała się i umyła włosy. Znalazła coś Mozarta w radiu Grace i chociaż trzeszczało, pomogło jej to wygnać część osamotnienia, które ją ogarnęło. Żeby jeszcze bardziej się rozweselić, włożyła ulubioną sukienkę, tę czarną w różowe kwiatki.

Gdy słońce zachodziło za góry, wsiadła do lariata i pojechała nakarmić psy. Wyskoczyły jej na powitanie znikąd i odeskortowały niczym najlepszego przyjaciela do stodoły, gdzie przechowywany był ich pokarm.

Akurat kiedy skończyła napełniać miski, usłyszała jakiś samochód i zdziwiła się, że psy nie zwróciły na to uwagi. Porozstawiała miski i podeszła do drzwi.

Zobaczyła go pierwsza.

Stał przy chevrolecie z otwartymi drzwiami i reflektorami

błyszczącymi w półmroku. Kiedy stanęła na progu stodoły, obrócił się i dostrzegł ją. Zdjął kapelusz, lecz nie zaczął obracać go nerwowo w dłoniach, tak jak rano. Twarz miał poważną. Stali zupełnie nieruchomo w odległości może pięciu jardów od siebie i przez dłuższą chwilę żadne z nich się nie odzywało.

– Pomyślałem... – Przełknął ślinę. – Tak sobie pomyślałem, że... wrócę.

Annie skinęła głową.

– Tak. – Jej głos był słabszy niż powietrze.

Chciała do niego podbiec, lecz stwierdziła, że nie może się poruszyć, a on domyślił się tego i odłożywszy kapelusz na maskę samochodu, podszedł do niej. Patrząc, jak się zbliża, przestraszyła się, iż to wszystko, co tryska w niej, porwie ją i zmiecie, zanim on do niej dotrze. Żeby tak się nie stało, wyciągnęła do niego ręce niczym tonąca dusza, on zaś wszedł w krąg jej ramion, otoczył ją swoimi i trzymał, i była uratowana.

Fala załamała się nad nią, wywołując w niej konwulsyjny szloch, który wstrząsnął każdą jej komórką. Przywarła do niego, on zaś poczuł jej drżenie i przycisnął ją jeszcze mocniej, nachylił twarz i zaczął ustami łagodzić, zbierać łzy spływające jej po policzkach. A kiedy drżenie ustało, prześlizgnęła twarz po wilgoci i odnalazła jego wargi.

Pocałował ją tak, jak całował w górach, lecz z zapamiętaniem, od którego żadne z nich już teraz by się nie odwróciło. Ujął jej twarz w dłonie, by móc całować głębiej, a ona przesunęła ręce w dół po jego plecach i uchwyciła go poniżej ramion, czując, jak twarde jest jego ciało i tak chude, że mogła prawie włożyć palce w rowki między żebrami. Po chwili on zrobił to samo i Annie zadrżała od tego dotyku.

Odsunęli się, aby złapać oddech i popatrzeć na siebie.

– Nie mogę uwierzyć, że tu jesteś – powiedziała.

– Ja nie mogę uwierzyć, że w ogóle wyjechałem.

Wziął ją za rękę i poprowadził obok chevroleta, którego drzwi wciąż były otwarte, a reflektory rozbłysły wreszcie w blednącym świetle. Niebo nad nimi było kopułą coraz głębszej pomarańczy, dopóki nie spotkała się ona z czernią gór w łoskocie karminowo-cynobrowej chmury. Annie czekała na ganku, podczas gdy Tom otwierał drzwi.

Nie zapalając żadnych świateł, prowadził ją przez mroki

salonu, gdzie ich kroki trzeszczały i odbijały się echem na drewnianej podłodze, a przyciemnione sepiowe twarze obserwowały ich przejście ze zdjęć na ścianach.

Pragnęła go tak mocno, że gdy wchodzili po szerokich schodach, odczuwała niemal mdłości. Dotarłszy na piętro, przeszli ręka w rękę obok pootwieranych drzwi pokojów, zarzuconych ubraniami i zabawkami niczym opuszczony w pośpiechu statek. Drzwi do jego pokoju również były otwarte – zatrzymał się, by ją przepuścić, po czym sam wszedł i zamknął je.

Zobaczyła jak duży i pusty jest ten pokój, zupełnie inaczej wyobrażała go sobie w te liczne noce, kiedy widziała światło w jego oknie. Przez to samo okno dostrzegła teraz domek nad potokiem, odbijający się czarnym kształtem na tle nieba. Pokój wypełniał gasnący blask, zamieniający wszystko, czego dotknął, w koral i szarość.

Przyciągnął ją do siebie, by znowu pocałować. Następnie, bez słowa, zaczął rozpinać długi rząd guzików na przodzie jej sukienki. Patrzyła, jak to robi, obserwowała jego palce, a później twarz, lekko ściągniętą ze skupienia. Podniósłszy wzrok, zauważył, że ona patrzy, ale nie uśmiechnął się – wytrzymał jej spojrzenie, rozpinając ostatni guzik. Sukienka rozchyliła się, a kiedy wsunął pod nią dłonie i dotknął skóry, Annie gwałtownie wciągnęła powietrze i znów zadrżała. Uchwycił ją tak, jak przedtem, za boki, i pochyliwszy się delikatnie, pocałował jej pierś nad stanikiem.

Annie zaś odchyliła głowę do tyłu, zamknęła oczy i pomyślała, że nie istnieje nic poza tym. Żadne miejsce ani czas, ani istota inne niż tutaj i teraz i on i my. I żaden ziemski sens, by obliczać konsekwencje albo trwałość, albo dobro i zło, gdyż wszystko inne było niczym wobec tego aktu. On musiał być i będzie, i był.

*

Tom zaprowadził ją do łóżka i stanęli przy nim, a ona zdjęła buty i zaczęła rozpinać mu koszulę. Teraz była jego kolej, żeby patrzeć, więc robił to, jakby z jakiegoś szczytu zdziwienia.

Nigdy jeszcze nie uprawiał miłości w tym pokoju. Nigdy również, od czasu Rachel, w miejscu, które mógłby nazwać swoim domem. Wchodził do łóżek różnych kobiet, nigdy jednak nie pozwalał im wejść do swojego. Uczynił seks czymś doraźnym, co pomagało mu zachować swobodę i uchronić się przed tym rodzajem potrzeby, jaki widział u Rachel i jaki teraz odczuwał względem Annie. Jej obecność w sanktuarium jego pokoju nabierała w ten sposób znaczenia zarówno zniechęcającego, jak i cudownego.

Światło od okna rozpromieniało jej przebłyskującą pod rozchyloną sukienką skórę. Rozpiąwszy mu pasek i spodnie, wyciągnęła jego koszulę na wierzch, by móc zgarnąć mu ją z ramion.

W chwili zaciemnienia, gdy ściągała mu podkoszulek, poczuł jej dłonie na swojej klatce piersiowej. Zniżywszy głowę, ponownie pocałował ją między piersiami, wdychając głęboko w płuca jej zapach, jak gdyby chciał się w nim zanurzyć. Delikatnie zdjął z niej sukienkę.

– Och, Annie.

Rozchyliła usta, lecz nic nie powiedziała. Wytrzymując jego spojrzenie, sięgnęła do pleców i rozpięła stanik. Był zwyczajny, biały z prostą koronką na górnej krawędzi. Uniosła ramiączka i pozwoliła mu opaść. Miała piękne ciało. Skóra była blada, poza karkiem i ramionami, gdzie słońce zamieniło ją w pokryte plamkami złoto, zaś piersi pełniejsze niż Tom się spodziewał, chociaż wciąż jędrne, z dużymi, wysoko osadzonymi sutkami. Przyłożył do nich ręce, a później twarz i poczuł, jak sutki wzbierają i sztywnieją pod wpływem muśnięcia jego ust. Dłonie Annie znalazły się przy rozporku jego dżinsów.

– Proszę – wyszeptała.

Ściągnąwszy z łóżka wyblakłą narzutę, odchylił pościel, Annie zaś położyła się i obserwowała, jak zdejmuje buty i skarpetki, a następnie spodnie i szorty. I nie odczuwał wstydu ani nie dostrzegał go u niej, gdyż dlaczego mieliby się wstydzić czegoś, za co nie ponosili odpowiedzialności, lecz co wynikało z jakiejś głębszej siły, która poruszała nie tylko ich ciałami, ale i duszami i nie znała zupełnie wstydu ani innego podobnego pojęcia?

Klęknął na łóżku obok niej, ona zaś wzięła sztywny członek w dłonie. Schyliwszy głowę, musnęła ustami jego krawędź tak rozkosznie, że Tom wzdrygnął się i musiał zamknąć oczy, by znaleźć jakąś niższą, znośniejszą tonację.

Kiedy odważył się spojrzeć ponownie, jej oczy były ciemne i pokryte szkliwem tego samego pożądania, które – jak wiedział – pokrywało jego własne oczy. Puściła go i położyła się, unosząc biodra, by mógł zdjąć jej majtki. Były bawełniane, w praktycznym kolorze bladej szarości. Przesunął dłonią po miękkim wybrzuszeniu w ich wnętrzu, a następnie delikatnie je ściągnął.

Trójkąt odsłoniętych włosów był głęboki i gęsty, koloru najciemniejszego bursztynu. Ich zakręcone koniuszki wyłapywały ostatki nikłego światła. Zaraz powyżej biegła wyblakła blizna po cesarskim cięciu. Jej widok wzruszył go, choć nie wiedział dlaczego, i zniżywszy głowę, przejechał wzdłuż niej ustami. Ocieranie się włosów Annie o jego twarz oraz ciepły, słodki zapach, jaki tam znalazł, poruszyły go jeszcze silniej, toteż odchylił się na piętach, by móc złapać oddech i obejrzeć ją w całej okazałości.

Badawczo przyglądali się sobie teraz w swej nagości, pozwalając oczom wędrować i sycić się niesamowitym, wstrzymywanym, wzajemnym głodem. Powietrze wypełniała przyspieszona synchronia ich oddechów, a pokój zdawał się puchnąć i zmniejszać rytmicznie niczym otaczające ich płuco.

– Pragnę ciebie w sobie – wyszeptała.

– Nie mam nic do...

– Nieważne. Jest bezpiecznie. Po prostu wejdź we mnie.

Wykrzywiając lekko twarz z żądzy, ponownie sięgnęła po niego, a zamknąwszy na tym palce, poczuła, iż jest w posiadaniu prawdziwego korzenia jego istoty. Tom znów przybliżył się na kolanach, pozwalając jej pokierować sobą ku niej.

Gdy ujrzał, jak Annie otwiera się przed nim i poczuł miękkie zderzenie ich ciał, nagle oczyma duszy zobaczył te ptaki – szerokoskrzydłe, czarne i bezimienne – szybujące nisko w powietrzu na tle zieleni rzeki. Poczuł, że wraca z jakiejś dalekiej ziemi, z wygnania, oraz że tutaj i tylko tutaj może być na powrót całością.

*

Wydawało się Annie, kiedy w nią wszedł, iż wyzwolił w jej lędźwiach jakąś gorącą i żywą falę, która zagarnęła powoli całą długość jej ciała, by chlupotać i żłobić bruzdy wokół mózgu. Czuła w sobie jego napęcznienie, czuła ślizgającą się fuzję ich dwóch połówek. Poczuła pieszczoty jego twardych dłoni na swoich piersiach i otworzyła oczy, by zobaczyć, jak pochyla się, by je całować. Czuła wędrowanie jego języka; czuła jak chwyta w zęby jej sutkę.

Jego skóra była blada, chociaż nie tak blada, jak jej, a na pokrytej bruzdami żeber klatce piersiowej krzyż owłosienia miał ciemniejsze zabarwienie niż wybielone słońcem włosy na głowie. Istniała w nim jakaś prężna kanciastość, zrodzona z pracy, której w pewien sposób Annie się spodziewała. Poruszał się w niej z tą samą skoncentrowaną pewnością siebie, jaką widziała u niego we wszystkim, tyle że teraz – skupiona wyłącznie na Annie w tej nowej dziedzinie – była ona zarówno jawniejsza, jak i bardziej intensywna. Annie dziwiła się, jak to ciało, którego nigdy przedtem nie widziała, te jego części, których nigdy nie dotykała, mogą wydawać się tak znajome i tak bardzo jej odpowiadać.

Jego usta badały otwarte wgłębienie jej pachy. Czuła, jak jego język poleruje włosy, które od przyjazdu tutaj zapuściła na nowo, długie i miękkie. Odwróciwszy głowę, ujrzała na komodzie fotografie w ramkach. I przez przelotny moment ich widok groził przyłączeniem jej do innego świata, do miejsca, które właśnie odmieniała i które – jak wiedziała – ujrzy skalane winą, jeżeli pozwoli sobie choćby na spojrzenie. Nie teraz, nie teraz, powiedziała sobie i chwyciwszy jego głowę w dłonie na oślep poszukała zapomnienia w jego ustach.

Kiedy ich wargi rozdzieliły się, Tom wyprostował się, popatrzył na nią i po raz pierwszy się uśmiechnął, poruszając się w niej w powolnym tarciu ich złączonych jaźni.

– Pamiętasz ten pierwszy dzień, gdy pojechaliśmy konno? – zapytała.

– Każdy moment.

– Tamtą parę złotych orłów? Pamiętasz?

– Tak.

– Tym właśnie jesteśmy. Teraz. Tym właśnie jesteśmy.

Skinął głową. Utkwili w sobie nawzajem wzrok, nie uśmiechając się już, w rosnącej, pochłaniającej nagłości, aż w końcu dostrzegła ten błysk na twarzy Toma i poczuła jego drżenie, a później jego strugę i wylew w sobie. Wygięła się w łuk i w tej samej chwili odczuła w lędźwiach wstrząsającą, przewlekłą implozję, która pomknęła aż do jej rdzenia, a potem rozlała falami do najdalszych zakątków jej istoty, grzebiąc go tam, aż wypełnił każdą przestrzeń w jej wnętrzu i stali się jednym i nierozróżnialnym.

32

Obudził się z nadejściem świtu i od razu poczuł obok siebie jej śpiące ciało. Leżała wtulona w jego ramię. Czuł na skórze jej oddech i miękkie podnoszenie się i opadanie piersi. Prawą nogę przełożyła nad nim, a jej prawa dłoń leżała nad jego sercem. Na udzie czuł delikatne kłucie jej podbrzusza. Była to wyjaśniająca godzina prawdy, kiedy zazwyczaj mężczyźni odchodzą, a kobiety chcą, aby zostali. Sam wielokrotnie tego doznawał – tego impulsu, by wymknąć się o świcie niczym złodziej. Nie tyle poczucie winy zdawało się do tego nakłaniać, ile obawa, że pociecha i towarzystwo, jakich kobiety często wydawały się pragnąć po cieleśnie spędzonej nocy, były czymś wymagającym zbytniego zaangażowania. Może działała tutaj jakaś pierwotna siła – siałeś swoje ziarno i wynosiłeś się do diabła.

Jeżeli tak, tego ranka Tom nie czuł ani śladu czegoś podobnego.

Leżał całkiem nieruchomo, żeby jej nie obudzić. I przyszło mu do głowy, iż może boi się to zrobić. Podczas tej nocy wcale, ani razu przez te długie godziny ich niestrudzonego głodu nie okazała śladu żalu. Wiedział jednak, że wraz ze świtem nadejdzie jeśli nie żal, to jakaś nowa, chłodniejsza perspektywa. Leżał więc w jaśniejącym świetle i strzegł jak skarbu jej wiotkiego, pozbawionego poczucia winy ciepła pod swoim ramieniem.

Zasnął ponownie i obudził się drugi raz na odgłos samochodu. Annie odwróciła się, więc leżał teraz przodem, dopasowany do konturów jej pleców, z twarzą wciśniętą w jej pachnący kark. Gdy się odsunął, mruknęła coś przez sen, on zaś wyślizgnął się z łóżka i cicho pozbierał swoje ubranie.

To był Smoky. Zatrzymawszy się obok ich samochodów, przyglądał się bacznie kapeluszowi Toma, który przeleżał całą noc na masce chevroleta. Zaniepokojenie na jego twarzy zamieniło się w szeroki uśmiech ulgi, gdy usłyszał stuknięcie siatkowych drzwi i ujrzał idącego w jego stronę Toma.

– Cześć, Smoky.

– Myślałem, że wziąłeś się i wybyłeś do Sheridan.

– No. Nastąpiła zmiana planu. Przepraszam stary, miałem do ciebie zadzwonić. – Ze stacji benzynowej w Lovell zatelefonował do człowieka od źrebaków, by przeprosić, że nie dojedzie, zupełnie jednak zapomniał o Smokym.

Smoky podał mu jego kapelusz. Był wilgotny od rosy.

– Przez chwilę myślałem, że porwali cię kosmici albo coś. – Zerknął na samochód Annie. Tom domyślił się, że usiłuje poskładać wszystko do kupy.

– Więc Annie i Grace nie wróciły na wschód?

– Grace tak, ale jej matka nie załapała się na samolot. Zostaje tu aż do weekendu, kiedy wróci Grace.

– Aha. – Smoky powoli pokiwał głową, lecz Tom widział, że nie jest do końca pewien, co się dzieje.

Tom rzucił okiem na otwarte drzwi chevroleta i przypomniał sobie, że światła też musiały się palić całą noc.

– Wczoraj wieczorem miałem kłopoty z akumulatorem – rzekł. – Może byś mi pomógł kopnąć go trochę?

Nie wyjaśniało to zbyt wiele, lecz odniosło skutek, perspektywa jakiegoś zadania starła bowiem z twarzy Smoky'ego całą ociągającą się wątpliwość.

– Jasne – rzucił. – Mam w wozie jakieś przewody.

*

Po otwarciu oczu tylko chwilę zajęło Annie przypomnienie sobie, gdzie się znajduje. Odwróciła się, spodziewając się go zobaczyć i poczuła nagły przypływ paniki, gdy zorientowała się, że jest sama. Potem usłyszała na dworze głosy i trzask samochodowych drzwi i spanikowała jeszcze bardziej. Usiadła i wydobyła nogi z poplątanej pościeli. Wstawszy z łóżka, podeszła do okna, usiłując po drodze tamować wilgoć po Tomie, wypływającą spomiędzy nóg. Poczuła tam lekki ból, który był jednocześnie rozkoszny.

Przez wąską szparę w zasłonach zobaczyła odjeżdżającą spod stodoły półciężarówkę Smoky'ego oraz machającego za nim Toma, który po chwili odwrócił się i ruszył z powrotem do domu. Wiedziała, że nie dostrzegłby jej, gdyby podniósł wzrok i obserwując go, zastanawiała się, jak ta noc mogła zmienić ich oboje. Co mógł teraz o niej myśleć, ujrzawszy ją taką rozwiązłą i bezwstydną? Co ona teraz myślała o nim?

Mrużąc oczy, spojrzał w niebo, gdzie chmury już się wypalały. Psy przyskoczyły mu do nóg, a on potargał je za łby i odezwał się do nich i Annie wiedziała, że – przynajmniej, jeśli chodzi o nią – nic się nie zmieniło.

Wzięła prysznic w jego małej łazience, czekając aż ogarnie ją poczucie winy lub wyrzuty sumienia, nic takiego jednak się nie pojawiło, prócz obawy przed tym, co on może odczuwać. Widok paru prostych przyborów toaletowych Toma przy umywalce dziwnie ją wzruszył. Skorzystała z jego szczoteczki do zębów. Włożyła duży niebieski płaszcz kąpielowy, który wisiał przy drzwiach i wytarłszy się w zapach Toma, wróciła do pokoju.

Kiedy weszła, rozchylił już zasłony i wyglądał przez okno. Usłyszał ją i odwrócił się, a ona przypomniała sobie, jak zrobił to samo tamtego dnia w Choteau, gdy przyjechał przekazać jej swój werdykt odnośnie Pielgrzyma. Na stoliku obok parowały dwie filiżanki. W jego uśmiechu dostrzegła lęk i niepewność.

– Zaparzyłem kawę.

– Dzięki.

Podeszła i wziąwszy filiżankę, objęła ją dłońmi. Sami razem w dużym, pustym pokoju poczuli się nagle sztywno, niczym dwoje nieznajomych przybyłych za wcześnie na przyjęcie. Wskazał głową na płaszcz kąpielowy.

– Pasuje ci. – Uśmiechnęła się i napiła się kawy. Była czarna, mocna i bardzo gorąca. – Tam dalej jest lepsza łazienka, jeżeli...

– Twoja jest w sam raz.

– To był Smoky. Zapomniałem do niego zadzwonić.

Zapadła cisza. Gdzieś nad strumieniem zarżał koń. Tom wyglądał na tak zmartwionego, iż nagle przestraszyła się, że zaraz powie przepraszam, to wszystko było błędem i czy mogą po prostu zapomnieć, że to w ogóle miało miejsce.

– Annie?
– Tak?
Przełknął ślinę.
– Chciałem tylko powiedzieć, że cokolwiek czujesz, cokolwiek myślisz albo chcesz zrobić, to jest okay.
– A co ty czujesz?
– Że cię kocham – odparł po prostu. Potem uśmiechnął się i lekko wzruszył ramionami, co prawie złamało jej serce. – To wszystko.
Odstawiła filiżankę na stół, podeszła do niego i przylgnęli do siebie tak, jakby świat zawziął się już, by ich rozdzielić. Obsypała jego pochyloną twarz pocałunkami.
Zostały im cztery dni do powrotu Grace i Bookerów, cztery dni i cztery noce. Jeden przedłużony moment obok ciągu „teraz". I to wszystko, czym będzie żyć i oddychać i o czym myśleć, postanowiła Annie, nic poza i nic przed. I cokolwiek przyjdzie im przejść, jakiekolwiek brutalne rozrachunki zostaną na nich wymuszone, ta chwila pozostanie, niezatarcie wpisana na zawsze w ich głowy i serca.
Kochali się znowu, podczas gdy słońce wysunęło się zza rogu domu i oświetliło ich ze znajomością rzeczy. Później zaś, wtulona w jego ramiona, powiedziała mu, czego pragnie. By oboje pojechali jeszcze raz na wyżej położone pastwiska, tam gdzie po raz pierwszy się całowali i gdzie teraz będą sami razem, a tylko góry i niebo mogą ich osądzić.

*

Przeprawili się brodem na drugą stronę strumienia trochę przed południem. Przedtem, podczas gdy Tom siodłał wierzchowce i ładował na konia jucznego wszystko, czego mogli potrzebować, Annie wróciła samochodem do domku nad potokiem przebrać się i pozbierać rzeczy. Oboje mieli wziąć jedzenie. Chociaż tego nie powiedziała, a on nie pytał, wiedział, iż Annie zadzwoni także do męża w Nowym Jorku, by usprawiedliwić jakoś swoją nadchodzącą nieobecność. Sam zrobił to samo ze Smokym, który tracił już trochę orientację w tych wszystkich zmianach planu.
– Jedziesz w góry sprawdzić bydło, co?
– Tak.

– Sam czy...?

– Tak, Annie też jedzie.

– Aha. – Nastąpiła pauza i Tom zobaczył, jak dwa i dwa łączą się w umyśle Smoky'ego.

– Byłbym wdzięczny, Smoky, gdybyś zatrzymał to dla siebie.

– O, jasne Tom. Spoko.

Dodał, że zajrzy, zgodnie z wcześniejszymi ustaleniami, doglądnąć koni. Tom wiedział, że może mu ufać w obu kwestiach.

Przed wyjazdem Tom poszedł do korrali i umieścił Pielgrzyma na polu z kilkoma młodszymi końmi, z którymi zaczął już trenować. Zazwyczaj Pielgrzym od razu odbiegłby daleko, dzisiaj jednak stanął przy wrotach i obserwował Toma wracającego do osiodłanych koni.

Tom zamierzał jechać na tej samej klaczy, którą wziął na spęd bydła – czerwonawym dereszu. Gdy zbliżał się do domku nad potokiem, prowadząc za sobą Rimrocka i małego konia jucznego, odwrócił się i zauważył, że Pielgrzym wciąż stoi sam przy wrotach i patrzy na niego. Niemal tak, jakby zwierzę wiedziało, iż coś w ich życiu się zmieniło.

Tom zaczekał z końmi na ścieżce poniżej domku, obserwując, jak Annie długimi krokami schodzi ku niemu po zboczu.

Trawa na łące za brodem wyrosła bujna i wysoka. Wkrótce zjawią się chętni na sianokosy. Ocierała się o końskie nogi, gdy Tom i Annie jechali obok siebie, a jedynym dźwiękiem było rytmiczne skrzypienie siodeł.

Przez długi czas żadne z nich jakby nie odczuwało potrzeby rozmowy. Tym razem nie zadawała pytań dotyczących mijanej krainy. I wydawało się Tomowi, iż to nie dlatego, że wreszcie znała nazwy różnych rzeczy, lecz raczej dlatego że ich nazwy nie miały już znaczenia. Liczyło się tylko to, że one są.

Zatrzymawszy się w skwarze wczesnego popołudnia, napoili konie w tej samej sadzawce, co poprzednio. Zjedli prosty posiłek zabrany przez Annie, złożony z suchego chleba, sera i pomarańczy. Zręcznie obrała swoją, bez przerywania skórki, i roześmiała się, gdy bezskutecznie usiłował zrobić to samo.

Przejechali płaskowyż, gdzie kwiaty zaczęły już przekwitać i tym razem wspięli się wspólnie na grań grzbietu górskiego. Nie wystraszyli żadnej sarny, lecz zamiast tego – może z pół mili dalej w stronę gór – ujrzeli stadko mustangów. Tom dał znak Annie, by się zatrzymała. Stali pod wiatr i mustangi jeszcze ich nie wyczuły. Było to stadko rodzinne, złożone z siedmiu klaczy, z których pięć miało młode, a także paru źrebaków, które musiały jeszcze trzymać się razem z resztą. Przewodzącego ogiera Tom nigdy przedtem nie widział.

– Jakie piękne zwierzę – odezwała się Annie.

– Tak.

Był wspaniały. Z szeroką klatką piersiową, silny w zadzie, mógł ważyć z tysiąc funtów. Sierść miał doskonale białą. Nie dostrzegł jeszcze Toma i Annie, ponieważ był zbyt zajęty odpędzaniem bardziej natarczywego intruza. Młody ogier, gniady, przystawiał się do klaczy.

– O tej porze roku robi się dosyć gorąco – powiedział cicho Tom. – To czas parzenia się i ten młodzieniaszek myśli, że pora spróbować. Na pewno od kilku dni łazi za tym stadem, prawdopodobnie z kilkoma innymi młodymi rozpłodowcami. – Tom wyciągnął się w siodle, by rozejrzeć się dookoła. – No, są. – Wskazał je Annie. Było ich dziewięć czy dziesięć, jeszcze jakieś pół mili bardziej na południe. – Nazywają to kawalerską bandą. Spędzają czas na włóczęgach, no wiesz, pijatykach, wzajemnych przechwałkach, ryciu swoich imion na drzewach, aż dorosną na tyle, by kraść cudze klacze.

– Ach, rozumiem.

Słysząc jej ton, zdał sobie sprawę z tego, co powiedział. Rzuciła mu spojrzenie, lecz nie odwzajemnił go. Wiedział dokładnie, co robiły kąciki jej ust i ta świadomość ucieszyła go.

– Właśnie tak. – Wzrok miał utkwiony w mustangach.

Dwa ogiery stały teraz nos w nos, podczas gdy klacz, źrebaki i dalecy przyjaciele śmiałka przyglądali się. Nagle oba eksplodowały, szarpiąc łbami i kwicząc. Słabszy w takiej sytuacji powinien ustąpić, gniady jednak nie zrobił tego. Stanął dęba i zarżał, biały ogier również stanął dęba, tylko wyżej, i trzasnął w niego kopytami. Nawet stąd widać było biel ich obnażonych zębów i słychać grzmotnięcia, gdy kopyta trafiały w cel. Później, dosłownie po paru chwilach, skończyło się i gniady umknął pokonany. Biały ogier patrzył za nim. Następnie, rzuciwszy okiem na Toma i Annie, odciągnął swoją rodzinę dalej.

Tom ponownie poczuł na sobie jej wzrok. Wzruszył ramionami i uśmiechnął się do niej szeroko.

– Niektóre wygrywasz, niektóre tracisz.

– Czy ten drugi wróci?

– O tak. Będzie musiał spędzić trochę więcej czasu na siłowni, ale wróci.

*

Zbudowali ognisko nad strumieniem, zaraz obok miejsca, gdzie się całowali. Tak jak przedtem, zakopali ziemniaki w żarze i gdy się piekły, przygotowali sobie posłanie, układając obok siebie zwijane maty z siodłami jako wezgłowiem, a następnie sczepiając oba śpiwory. Z drugiego brzegu obserwowała ich z opuszczonymi głowami ciekawska gromadka jałówek.

Kiedy ziemniaki były gotowe, zjedli je z parówkami usmażonymi na starej żeliwnej patelni oraz kilkoma jajkami, co do których Annie obawiała się, że nie przetrzymają dalszej podróży. Resztkami chleba wytarli z talerzy ciemne żółtka. Później umyli je w bezksiężycowym strumieniu i rozłożyli na trawie do wyschnięcia. W końcu się rozebrali i w migoczącym na ich skórach blasku ogniska kochali się.

W ich związku była pewna powaga, która wydawała się Annie w jakiś sposób licować z tym miejscem. Tak jakby przyjechali uszlachetnić obietnice tutaj poświadczone.

Później Tom siedział oparty o siodło, a ona leżała w jego ramionach z głową i plecami opartymi o jego klatkę piersiową. Ochłodziło się, a gdzieś wysoko w górach nad nimi rozlegały się zawodzenia i krzyki – jak jej powiedział – kojotów. Naciągnął sobie koc na ramiona i owinął ich oboje, otaczając ją ciasnym kokonem przed nocą i wszelką napaścią. Nic, pomyślała Annie, nic z tamtego innego świata nie może nas tutaj dosięgnąć.

Przez wiele godzin, wpatrzeni w ogień, rozmawiali o swoim dotychczasowym życiu. Opowiedziała mu o swoim ojcu i o wszystkich egzotycznych miejscach, w jakich mieszkali, zanim umarł. Powiedziała mu o tym, jak poznała Roberta i jak wydał jej się uosobieniem wrażliwości. I poza tym wszystkim był wspaniałym, wspaniałym człowiekiem. Ich małżeństwo było i ciągle jest udane. Spoglądając na nie teraz, zdawała sobie jednak sprawę, że tak naprawdę chciała od niego tego, co straciła w ojcu: równowagi, stanowczości, stałości, bezpieczeństwa i bezwzględnej, ślepej miłości. To wszystko Robert dawał jej spontanicznie i bezwarunkowo. Tym, co ona dawała mu w zamian, była lojalność.

– Nie chcę przez to powiedzieć, że go nie kocham – stwierdziła. – Owszem. Naprawdę. Tyle że to miłość, którą odczuwa się raczej jak... nie wiem. Jak wdzięczność albo coś podobnego.

– Za to, że on kocha ciebie.

– Tak. I Grace. To brzmi okropnie, prawda?

– Nie.

Zapytała go, czy z Rachel też tak było, on zaś odparł, że nie, że było inaczej. Więc Annie wysłuchała w milczeniu jego opowieści. Przypomniawszy sobie zdjęcie, które widziała w pokoju Toma, wywołała przed oczami tę piękną twarz z ciemnymi oczami i lśniące, rozczochrane włosy. Uśmiech trudno było pogodzić ze smutkiem, o jakim mówił teraz Tom.

To nie kobieta, lecz dziecko w jej ramionach najbardziej poruszyło Annie. Przeszyło ją to ostrzem tego, czego wówczas nie chciała uznać za zazdrość. Tego samego uczucia doznała zobaczywszy inicjały Toma i Rachel na studni. O dziwo, druga fotografia, dorosłego Hala, przyniosła całkowite ukojenie. Chociaż cerę miał ciemną jak matka, oczy odziedziczył po Tomie. Nawet zamrożone w czasie spowodowały, że musiała odrzucić wszelkie animozje.

– Widujesz ją czasami? – zapytała Annie, gdy skończył.

– Od paru lat nie. Co jakiś czas rozmawiamy przez telefon, głównie o Halu.

– Widziałam zdjęcie u ciebie w pokoju. Jest bardzo przystojny.

Prawie usłyszała, jak Tom uśmiecha się ponad jej głową.

– No, owszem.

Zapadła cisza. Pokryta białą skorupą popiołu gałąź trzasnęła w ognisku, wzbijając w niebo snop pomarańczowych iskier.

– Chciałaś mieć więcej dzieci? – zapytał.

– O tak. Próbowaliśmy. Ale nigdy nie mogłam donosić. W końcu po prostu się poddaliśmy. Przede wszystkim chciałam tego ze względu na Grace. Brata albo siostrę dla Grace.

Znowu zamilkli i Annie wiedziała, albo sądziła, że wie, o czym myśli Tom. Była to jednak myśl zbyt bolesna, nawet na tej zewnętrznej krawędzi świata, by którekolwiek z nich mogło ją wypowiedzieć.

Kojoty przez całą noc nie przerywały chóralnego wycia. Dobierały się w pary na całe życie – jak powiedział jej Tom – i były sobie tak oddane, że gdyby jedno złapało się w sidła, drugie przynosiłoby mu jedzenie.

*

Przez dwa dni jechali po stromizmach i wąwozach przedgórza. Czasem zostawiali konie i szli pieszo. Widzieli łosia i niedźwiedzia, a raz Tomowi wydawało się, że z wysokiej turni dostrzegł wilka. Zwierzę odwróciło się i zniknęło, zanim zdążył nabrać pewności, więc nie wspominał nic Annie, by jej nie niepokoić.

Przejeżdżali przez ukryte doliny wypełnione trawą i lilią lodowcową i brnęli po kolana przez łąki, które łubin zamienił w jeziora błyszczącego błękitu.

Pierwszego wieczoru padało, toteż Tom rozstawił nad nimi namiot na płaskim, zielonym polu, usianym wszędzie wyblakłymi tyczkami przewróconych osik. Przemokli do suchej nitki i siedzieli skuleni razem u wejścia do namiociku, tuląc się i śmiejąc, z kocami narzuconymi na ramiona. Z poczerniałych blaszanych kubków popijali gorącą kawę, podczas gdy na zewnątrz konie pasły się spokojnie, a deszcz spływał im po grzbietach. Annie obserwowała je z mokrą twarzą i szyją oświetloną od dołu oliwną lampką, a Tom pomyślał, iż nigdy jeszcze nie widział – ani nigdy nie zobaczy – żadnej żyjącej istoty równie pięknej.

Tej nocy, gdy spała w jego ramionach, leżał nasłuchując bębnienia deszczu o dach namiotu i starał się nie robić tego, czego jej zdaniem nie musieli – nie sięgać myślami poza tę chwilę, a tylko żyć nią. Nie potrafił jednak.

Następny dzień był pogodny i gorący. Znaleźli sadzawkę, do której spływał wąski, kręty wodospad. Annie powiedziała, że chce popływać, on zaś roześmiał się i stwierdził, że jest za stary, a woda za zimna. Nie przyjęła jednak odmowy, więc pod dwuznacznym spojrzeniem koni rozebrali się i wskoczyli do wody. Była tak lodowata, że aż zapiszczeli i musieli zaraz gramolić się na brzeg, gdzie stanęli przytuleni do siebie, zsiniali i z gołymi tyłkami, trajkocząc niczym para pijanych dzieciaków.

Nocą niebo błyszczało na zielono, niebiesko i czerwono od zorzy polarnej. Annie nigdy przedtem nie widziała zorzy, Tom zaś nigdy takiej wyraźnej i jasnej. Falowała i rozpościerała się wielkim, świetlanym łukiem, zostawiając po sobie prążki koloru. Kiedy się kochali, widział jej odbicie w oczach Annie.

Była to ostatnia noc ich rozmyślnie zaślepionej idylli, chociaż żadne z nich nie odważyło się o tym mówić inaczej, jak tylko przez głośną mowę złączonych ciał. W wyniku milczącego, jedynie fizycznego porozumienia, nie robili odpoczynków. Nie było mowy o marnotrawieniu czasu na sen. Żywili się sobą niczym istoty, którym przepowiedziano jakąś straszną, nie kończącą się zimę. Skończyli dopiero wtedy, gdy stłuczenia kości i surowe tarcie ich połączonych skór sprawiły, że krzyknęli z bólu. Ten dźwięk popłynął przez świecący bezruch nocy, przez ocienione sosny i dalej w górę, aż dotarł do nasłuchujących górskich szczytów.

Jakiś czas potem, gdy Annie spała, Tom usłyszał – niczym jakieś odległe echo – wysoki, pierwotny zew, po którym umilkły wszystkie stworzenia nocy. I wiedział, że miał rację i że faktycznie widział wilka.

33

Obrała cebulę, a następnie przecięła ją na pół i drobno posiekała, oddychając przez usta, żeby się nie popłakać od zapachu. Przy każdym ruchu czuła na sobie jego spojrzenie, które – co ciekawe – dodawało jej sił, tak jakby obdarzało ją umiejętnościami, których się nie spodziewała. Odczuwała to samo, kiedy się kochali. Może (uśmiechnęła się na tę myśl), może właśnie tak czuły się w jego obecności konie.

Stał na drugim końcu pokoju, oparty o przepierzenie. Nawet nie tknął nalanego przez nią kieliszka wina. Dochodząca z salonu muzyka, którą znalazła w radiu Grace, ustąpiła miejsca uczonej dyskusji o jakimś kompozytorze, o którym nigdy nie słyszała. Wszyscy ci ludzie w publicznym radiu mieli te same aksamitne głosy.

– Na co patrzysz? – odezwała się łagodnie.

Wzruszył ramionami.

– Na ciebie. Przeszkadza ci to?

– Podoba mi się. Przez to czuję, że wiem, co robię.

– Świetnie gotujesz.

– Nie umiem tak ugotować, by ocalić swoje życie.

– Nie szkodzi, umiesz tak, żeby ocalić moje.

Kiedy po południu wracali na ranczo, martwiła się, że rzeczywistość z hukiem spadnie im na głowę. O dziwo jednak tak się nie stało. Annie czuła się odziana w jakiś nienaruszalny spokój. Podczas gdy Tom doglądał koni, sprawdziła nagrane wiadomości, lecz żadna z nich jej nie zaniepokoiła. Najważniejszą zostawił Robert, podając numer lotu Grace i czas jej przybycia jutro do Great Falls. Wszystko poszło w porząsiu z Wendy Auerbach – w rzeczy samej Grace tak bardzo podobała się jej nowa noga, że myślała o zgłoszeniu się do maratonu.

Spokój Annie pozostał nawet po tym, gdy zatelefonowała i rozmawiała z nimi obojgiem. Wiadomość, jaką zostawiła im we wtorek – że zamierza spędzić parę dni w górskiej chatce Bookerów – najwyraźniej nie wzbudziła najmniejszych podejrzeń. W ciągu całego trwania ich małżeństwa często wyjeżdżała gdzieś sama i przypuszczalnie teraz Robert widział w tym część procesu wracania do równowagi po utracie pracy. Zapytał po prostu, jak było, ona zaś po prostu odparła, że miło. To było niedopowiedzenie, nawet nie kłamstwo.

– Martwi mnie cały ten powrót na łono natury, wielkie odkrywanie przyrody, które uskuteczniasz – zażartował.

– A to czemu?

– No bo niedługo będziesz chciała się tam przeprowadzić, a ja będę musiał przerzucić się na sprawy sądowe dotyczące zwierząt domowych albo czegoś podobnego.

Po odłożeniu słuchawki Annie zastanawiała się, dlaczego dźwięk jego głosu czy głosu Grace nie pogrążył jej w morzu winy, które – była tego pewna – czekało na nią. Po prostu nie. To było tak, jakby podatna strona jej natury trwała w zawieszeniu, z okiem na zegarze, pamiętająca o tym, że winna jest jeszcze Annie kilka szybko mijających godzin z Tomem.

Gotowała mu to danie makaronowe, które chciała zrobić tamtego wieczoru, kiedy wszyscy przyszli na kolację. Bazylia, kupiona w Butte w małych doniczkach, zakwitła. Gdy Annie drobno kroiła liście, Tom stanął za nią i delikatnie położywszy dłonie na jej biodrach, pocałował ją w szyję. Na dotyk jego ust wstrzymała oddech.

– Ładnie pachnie – odezwał się.

– Co, ja czy bazylia?

– Jedno i drugie.

– Wiesz, w dawnych czasach używano bazylii do balsamowania zmarłych.

– Masz na myśli mumie?

– Tak. To zapobiega zgangrenowaniu ciała.

– Myślałem, że chodzi o wypędzenie pożądania.

– O to też, więc nie jedz za dużo.

Wsypała bazylię do garnka, gdzie gotowały się już cebula i pomidory, po czym powoli okręciła się w jego ramionach, by stanąć do niego twarzą. Pocałował ją delikatnie w czoło, które oparło się o jego wargi. Spojrzawszy w dół, wsunęła kciuki w przednie kieszenie jego dżinsów. I w tej chwili ciszy, która ogarnęła ich oboje Annie zrozumiała, że nie potrafi opuścić tego mężczyzny.

– Och, Tom. Tak bardzo cię kocham.

– Ja też cię kocham.

Zapaliła świeczki kupione wtedy na imprezę i zgasili jarzeniówki, by móc zjeść przy małym kuchennym stole. Makaron był doskonały. Po zjedzeniu zapytał ją, czy rozszyfrowała sztuczkę ze sznurkiem. Odparła, że zdaniem Joe to nie jest żadna sztuczka, ale w każdym razie nie, nie odgadła.

– Ciągle go masz?

– A jak sądzisz?

Wyciągnęła sznurek z kieszeni i podała mu, a on powiedział, żeby podniosła palec i uważnie patrzyła, ponieważ tylko raz jej pokaże. Zrobiła to i bacznie śledziła każdy zawiły ruch jego dłoni, aż pętla nie zrobiła koła i ponownie nie utkwiła w ich dotykających się palcach. Później, gdy powoli ciągnął za pętlę, na moment przed jej rozwiązaniem, Annie nagle zrozumiała, jak to się odbywa.

– Daj mi spróbować – powiedziała.

Potrafiła dokładnie wyobrazić sobie posunięcia jego rąk i przełożyć je na własne, lustrzane odbicie i oczywiście, kiedy pociągnęła, sznurek się wyswobodził.

Tom wyprostował się na krześle i posłał jej uśmiech, który był jednocześnie czuły i smutny.

– Otóż to – rzekł. – Teraz wiesz.

– Mogę zatrzymać sznurek?

– Już go nie potrzebujesz – stwierdził, po czym wziął go i schował do kieszeni.

*

Zebrali się wszyscy i Grace trochę tego żałowała. Tak wiele jednak obiecywano sobie po tej chwili, że właściwie można się było tylko tego spodziewać. Dziewczynka rozejrzała się po oczekujących twarzach wzdłuż ogrodzenia dużej areny: jej mama, Frank i Diane, Joe, bliźniaki w identycznych czapeczkach Universal Studios, nawet Smoky się zjawił. A co będzie, jeżeli wszystko pójdzie źle? Nie może, powiedziała sobie stanowczo. Ona na to nie pozwoli.

Pielgrzym stał osiodłany na środku areny, Tom zaś poprawiał strzemiona. Koń wyglądał pięknie, chociaż Grace wciąż nie potrafiła przyzwyczaić się do oglądania go z tutejszym siodłem. Odkąd zaczęła jeździć na Gonzo, wolała je od swojego starego angielskiego. Czuła się w nim pewniej, więc dlatego właśnie zamierzali go dzisiaj użyć.

Wcześniej, razem z Tomem, zdołała usunąć ostatnie kudły z grzywy i ogona Pielgrzyma, wyszczotkowali go też, aż lśnił. Nie licząc blizn, wygląda niczym koń pokazowy, pomyślała. Zawsze umiał wyczuć sytuację. Minął już prawie rok, przypomniała sobie, odkąd po raz pierwszy zobaczyła jego zdjęcie, to przysłane z Kentucky.

Wszyscy patrzyli, jak Tom kilkakrotnie objeżdża na nim arenę. Stanąwszy obok matki, Grace starała się głębokim oddychaniem uspokoić rozemocjonowany żołądek.

– A jeśli tylko Tomowi da na sobie jeździć? – szepnęła.

Annie uścisnęła ją.

– Kochanie, Tom by ci nie pozwolił, gdyby to nie było bezpieczne, przecież wiesz.

Była to prawda. Nie czyniła ona jednak Grace ani trochę mniej zdenerwowaną.

Tom zostawił Pielgrzyma samego i zmierzał teraz w ich kierunku. Dziewczynka wystąpiła naprzód. Nowa noga nie sprawiała trudności.

– Wszystko ustalone? – zapytał. Przełknęła ślinę i skinęła głową. Nie miała pewności, czy może zaufać swojemu głosowi. Dostrzegł zaniepokojenie w jej twarzy i podszedłszy, powiedział tak, by nikt inny nie słyszał: – Wiesz, Grace, że nie musimy tego teraz robić. Prawdę mówiąc, nie spodziewałem się takiego cyrku.

– W porządku. Mnie to nie przeszkadza.

– Na pewno?

– Na pewno.

Objął ją ramieniem i poszli do miejsca, gdzie czekał Pielgrzym. Zauważyła, że na ich widok zastrzygł uszami.

*

Serce Annie łomotało tak głośno, iż była pewna, że stojąca obok Diane musi to słyszeć. Trudno stwierdzić, ile uderzeń było dla Grace, ile zaś dla niej samej. To bowiem, co działo się za tym pasem czerwonego piachu, było zbyt doniosłe. Zarówno początek jak i koniec, chociaż czego i dla kogo, Annie dokładnie nie wiedziała. Tak jakby wszystko wirowało w jakiejś ogromnej, szczytowej wirówce emocji i dopiero po jej zatrzymaniu okaże się, co zrobiła ona im wszystkim i czym się mieli później stać.

– Dzielna dziewczyna z tej twojej córki – odezwała się Diane.

– Wiem.

Tom polecił Grace stanąć w pewnej odległości od Pielgrzyma, aby nie robić wokół niego zamieszania. Ostatnie kilka kroków zrobił sam i zatrzymawszy się przy koniu, delikatnie wyciągnął rękę. Chwycił go za uzdę i przystawił głowę do łba Pielgrzyma, jednocześnie głaszcząc jego szyję otwartą dłonią drugiej ręki. Pielgrzym ani na chwilę nie odrywał wzroku od Grace.

Nawet z oddali Annie widziała, że coś jest nie tak.

Kiedy Tom spróbował pociągnąć go do przodu, stawiał opór, unosząc łeb i spoglądając w dół na Grace, tak że widać było białka oczu. Tom zawrócił go i poprowadził dookoła, tak jak przedtem na kantarze, nakłaniając go do schylania i poddawania się naciskowi oraz zataczania łuku zadem. To go uspokajało. Lecz kiedy tylko Tom podprowadzał go z powrotem do Grace, znów robił się drażliwy.

Grace stała tyłem, więc Annie nie widziała jej twarzy. Nie musiała jednak. Nawet ze swojego miejsca czuła smutek i ból, jakie nagle ogarnęły dziewczynkę.

– Nie wiem, czy to dobry pomysł – zauważyła Diane.

– Pielgrzym będzie w porządku. – Annie odezwała się zbyt szybko. Zabrzmiało to szorstko.

– No chyba – włączył się Smoky. Nawet on nie wydawał się jednak całkiem pewny.

Tom odprowadził konia i zrobił jeszcze kilka okrążeń, a gdy to również nie pomogło, wsiadł na niego i objechał parę razy wokół areny. Grace obracała się powoli, wodząc za nimi wzrokiem. Spojrzała przelotnie na Annie i wymieniły uśmiechy, jednak żaden z tych uśmiechów nie wydawał się przekonywający.

Tom nie odzywał się ani nie zajmował nikim poza Pielgrzymem. Marszczył brwi i Annie nie potrafiła powiedzieć, czy to tylko ze skupienia, czy również z niepokoju, chociaż wiedziała, iż nigdy nie okazuje strachu będąc z końmi.

Zsiadł i ponownie poprowadził Pielgrzyma w stronę Grace. I koń znowu się znarowił. Tym razem Grace okręciła się na pięcie i prawie upadła. Gdy szła z powrotem przez piach, usta jej drżały i Annie wiedziała, że walczy ze łzami.

– Smoky? – zawołał Tom.

Smoky przeskoczył przez płot i podszedł do niego.

Frank odezwał się.

– Będzie okay, Grace. Postój tam tylko z minutę. Tom uspokoi go, zobaczysz.

Grace skinęła głową i spróbowała się uśmiechnąć, lecz nie była w stanie spojrzeć na niego ani na nikogo innego, a już najmniej na matkę. Annie chciała ją przytulić, ale powstrzymała się. Wiedziała, że Grace nie zniesie tego i poleją się łzy, a potem będzie zakłopotana i zła na nią i na siebie. Zamiast tego więc, gdy dziewczynka zbliżyła się, Annie powiedziała cicho:

– Frank ma rację. Będzie okay.

– Zobaczył, że się boję – rzuciła półszeptem Grace.

Na arenie Tom i Smoky stali blisko siebie, pogrążeni w jakiejś pilnej, przytłumionej dyskusji, którą tylko Pielgrzym mógł słyszeć. Po chwili Smoky odwrócił się i pobiegł truchtem do bramy na końcu areny. Przelazłszy przez nią, zniknął w stodole.

Tom zostawił Pielgrzyma na środku i podszedł do oczekujących.

– W porządku, Grace – odezwał się. – Zrobimy teraz pewną rzecz, której trochę miałem nadzieję uniknąć. Ale ciągle siedzi w nim coś, do czego nie umiem dotrzeć w żaden inny sposób. Więc ja i Smoky spróbujemy go położyć. Okay?

Grace skinęła głową. Annie widziała, że dziewczynka nie ma większego od niej pojęcia, co to oznacza.

– Z czym to się wiąże? – zapytała Annie. Spojrzał na nią, a ona ujrzała nagle żywy obraz ich złączonych ciał.

– No cóż, wygląda to mniej więcej tak jak brzmi. Tylko muszę wam powiedzieć, że nie zawsze przyjemnie to oglądać. Czasem koń walczy naprawdę ostro. Dlatego nie lubię tego robić, o ile nie muszę. Ten chłoptaś już nam pokazał, że lubi walkę. Więc jeśli wolicie nie patrzeć, lepiej wejdźcie do domu, a my was zawołamy, jak skończymy.

Grace potrząsnęła głową.

– Nie. Chcę patrzeć.

*

Smoky wrócił na arenę z rzeczami, po które wysłał go Tom. Byli zmuszeni zrobić coś takiego kilka miesięcy wcześniej, podczas kliniki w Nowym Meksyku, więc Smoky mniej więcej znał procedurę. Z dala od patrzących Tom przeprowadził go jednak ponownie przez wszystkie etapy, żeby nie popełnić żadnych błędów i by nikt nie został ranny.

Smoky słuchał z powagą, od czasu do czasu kiwając głową. Kiedy Tom upewnił się, że chłopak ma to wszystko poukładane w głowie, obaj podeszli do Pielgrzyma. Koń przeszedł przedtem na drugi koniec areny i ze sposobu, w jaki ruszał uszami, widać było, iż wyczuł, że coś się szykuje i że to może nie być zabawne. Pozwolił Tomowi podejść i pogłaskać się po szyi, lecz nie spuszczał z oczu Smoky'ego, który stanął w odległości kilku jardów z tymi wszystkimi sznurami i innymi rzeczami.

Tom odczepił uzdę i na jej miejsce założył podany przez Smoky'ego sznurowy kantar. Następnie Smoky podał mu po kolei końcówki długich powrozów, które miał owinięte wokół ramienia. Tom przymocował jeden pod kantarem, a drugi do łęku siodła.

Pracował spokojnie, nie dając Pielgrzymowi powodu do obaw. Miał wyrzuty sumienia przez ten podstęp, bo wiedział, co ich czeka i że zaufanie, które zbudował u konia, będzie teraz musiało zostać zniszczone, do czasu aż je odnowią. Może tym razem źle to odczytał, pomyślał. Może to, co wydarzyło się pomiędzy nim a Annie, wpłynęło na niego w jakiś sposób, który Pielgrzym wyczuwał. Najprawdopodobniej wszystko, co czuł Pielgrzym, to strach Grace. Człowiek jednak nigdy nie mógł mieć żadnej pewności – nawet on – co jeszcze dzieje się w umyśle konia. Być może gdzieś z najgłębszej swojej głębi Tom mówił mu, że nie chce, by to wyszło, bo jeżeli wyjdzie, to wtedy koniec, Annie wyjedzie.

Poprosił Smoky'ego o pęta. Były zrobione z pasa starego worka oraz sznura. Przesunął dłoń po przedniej lewej nodze Pielgrzyma aż do kopyta i uniósł je. Koń poruszył się tylko trochę. Tom cały czas uspokajał go, przemawiając do niego i głaszcząc go. Następnie, gdy zwierzę znieruchomiało, przełożył pas materiału przez kopyto i upewnił się, że dobrze leży. Drugi koniec stanowił sznur, na którym uniósł ciężar podniesionego kopyta i przymocował go do łęku siodła. Pielgrzym był teraz zwierzęciem trójnożnym. Zanosiło się na eksplozję.

Doszło do niej – tak jak się spodziewał – gdy tylko Tom odsunął się i wziął od Smoky'ego linę przywiązaną do kantara. Pielgrzym spróbował zrobić krok i zorientował się, że jest unieruchomiony. Przechylił się i podskoczył na prawej przedniej nodze i to uczucie tak go przestraszyło, że szarpnął się i podskoczył znowu, napędzając sobie jeszcze większego stracha.

Skoro nie mógł chodzić, to może mógł biegać, więc teraz spróbował i natychmiast jego oczy wypełniła panika. Tom i Smoky zebrali się w sobie i naprężyli liny, zmuszając konia do podskakiwania wokół nich, w kole o promieniu jakichś piętnastu stóp. I rzucał się tak dookoła, jak zwariowany koń ze złamaną nogą.

Tom rzucił okiem na twarze ludzi obserwujących to wszystko od ogrodzenia. Zobaczył, że Grace pobladła, Annie zaś trzyma ją teraz i przeklął się w duchu za to, że dał im wybór zamiast nalegać, by weszły do domu i zaoszczędziły sobie tego przykrego widoku.

*

Annie trzymała dłonie na ramionach Grace i kłykcie jej pobielały. Wszystkie mięśnie w ciałach ich obu były spięte i drżały na każdy udręczony podskok Pielgrzyma.

– Dlaczego on to robi? – zawołała Grace.

– Nie wiem.

– Wszystko będzie w porządku, Grace – odezwał się Frank. – Widziałem już raz, jak to robił.

Annie spojrzała na niego i spróbowała się uśmiechnąć. Jego twarz zadawała kłam otusze zawartej w słowach. Joe i bliźniaki wyglądali na prawie tak zmartwionych, jak Grace.

Diane zaproponowała cicho:

– Może lepiej zabierz ją do domu.

– Nie – zaprotestowała Grace. – Chcę patrzeć.

Pielgrzym zdążył już okryć się potem. Nie ustawał jednak w boju. Gdy biegł, jego spętana noga dźgała powietrze niczym jakaś dzika, zdeformowana płetwa. Każdym krokiem wzbijał chmurę piachu, który wisiał nad nimi trzema jak drobna czerwona mgiełka.

Annie wydawało się takie złe, takie niezgodne z charakterem Toma, że to robił. Widywała go stanowczego wobec koni, lecz nigdy powodującego ból czy cierpienie. Wszystko, co robił przedtem z Pielgrzymem, miało na celu zbudowanie pewności i zaufania. A teraz krzywdził go. Po prostu nie potrafiła tego zrozumieć.

Wreszcie koń się zatrzymał. A gdy tylko to zrobił, Tom skinął głową Smoky'emu i pozwolili obu linom opaść luźno. Wtedy znów ruszył, a oni naprężyli liny i utrzymywali nacisk, aż zwierzę stanęło. Ponownie mu popuścili. Pielgrzym stał w miejscu, a jego mokre boki podnosiły się i opadały. Dyszał niczym jakiś zdesperowany, astmatyczny palacz – dźwięk był tak chrapliwy i okropny, że Annie miała ochotę zatkać uszy.

Tom mówił coś do Smoky'ego. Chłopak pokiwał głową, po czym wręczywszy mu swoją linę, poszedł po zwinięte lasso, które zostawił na piachu. Zakręcił w powietrzu szeroką pętlę i przy drugim podejściu zdołał zarzucić ją na łęk siodła Pielgrzyma. Zacisnął mocno, a następnie przebiegł na drugą stronę areny, gdzie łatwym do rozwiązania węzłem przymocował koniec do dolnej sztachety. Po powrocie wziął od Toma dwie pozostałe liny.

Teraz Tom podszedł do ogrodzenia i zaczął naciągać lasso. Pielgrzym poczuł to i zebrał się w sobie. Nacisk skierowany był w dół i łęk siodła przechylił się.

– Co on robi? – Głos Grace był stłumiony i przestraszony.

– Próbuje namówić go do klęknięcia – wyjaśnił Frank.

Pielgrzym walczył długo i ciężko, a kiedy wreszcie faktycznie ukląkł, zrobił to jedynie na chwilę. Później jakby zdobył się na ostatni wysiłek i podniósł się z powrotem. Jeszcze trzykrotnie opadał i wstawał, niczym jakiś oporny nawrócony. Jednak nacisk Toma na siodło okazał się zbyt mocny i zbyt bezlitosny, więc w końcu koń zwalił się na kolana i tak został.

Annie poczuła ulgę w ramionach Grace. Lecz nie było jeszcze po wszystkim. Tom nie zwolnił nacisku. Krzyknął do Smoky'ego, by rzucił pozostałe liny i przyszedł mu pomóc. I razem ciągnęli lasso.

– Czemu nie dadzą mu spokoju? – powiedziała Grace. – Nie dosyć go jeszcze skrzywdzili?!

– Musi leżeć – odparł Frank.

Pielgrzym parsknął niczym zraniony byk. Z pyska ciekła mu piana. Boki miał brudne, spocone i oblepione piaskiem. Znów walczył długo. Ale znowu okazało się to ponad jego siły. I wreszcie, powoli, przewrócił się na bok, położył głowę na piasku i znieruchomiał.

Annie wydawało się to całkowitym, poniżającym poddaniem.

Ciałem Grace zaczął wstrząsać szloch. Annie poczuła łzy, zbierające się w jej własnych oczach i nie miała sił ich powstrzymać. Grace odwróciła się i wtuliła twarz w jej pierś.

– Grace! – To był Tom.

Podniósłszy wzrok, Annie zobaczyła, że stoi ze Smokym przy ciele leżącego Pielgrzyma. Wyglądali jak dwaj myśliwi nad ścierwem upolowanej zwierzyny.

– Grace? – zawołał ponownie. – Możesz tutaj podejść?

– Nie! Nie podejdę!

Zostawił Smoky'ego i ruszył w ich stronę. Twarz miał ponurą, prawie nie do rozpoznania, jakby posiadła go jakaś mroczna czy mściwa moc. Annie trzymała ramiona wokół Grace, by ją osłonić. Tom zatrzymał się przed nimi.

– Grace. Chciałbym, żebyś ze mną poszła.

– A ja nie chcę.

– Musisz.

– Nie, zrobisz mu tylko jeszcze większą krzywdę.

– Nie skrzywdziłem go. Nic mu nie jest.

– No jasne!

Annie chciała interweniować, ochronić ją. Tak nie znosząca sprzeciwu była jednak postawa Toma, że pozwoliła mu zabrać sobie córkę z rąk. Złapał dziewczynkę za ramiona i zmusił do spojrzenia na siebie.

– Musisz to zrobić, Grace. Zaufaj mi.

– Co zrobić?

– Chodź ze mną, to ci pokażę.

Niechętnie pozwoliła mu poprowadzić się przez arenę. Kierowana tym samym impulsem ochraniania, Annie nie proszona przeszła przez ogrodzenie i ruszyła za nimi. Zatrzymała się w odległości kilku jardów, lecz wystarczająco blisko na wypadek, gdyby okazała się potrzebna. Smoky spróbował się uśmiechnąć, zaraz jednak zobaczył, że to nieodpowiednie. Tom spojrzał na nią.

– Będzie w porządku, Annie – rzekł. Ledwo skinęła głową.

– Okay, Grace – zwrócił się do dziewczynki. – Chcę, żebyś go pogłaskała. Zacznij od zadu, a potem nogi i całą resztę.

– Po co to? Przecież leży jak trup.

– Rób, co mówię.

Grace z wahaniem zbliżyła się do zadu konia. Pielgrzym nie podniósł łba z piachu, lecz Annie dostrzegła, jak jednym okiem próbuje wodzić za dziewczynką.

– Okay. Teraz go pogłaszcz. No dalej. Zacznij od tej nogi. No. Potrząśnij nią. O to chodzi.

– Cały jest sflaczały i jak martwy! – zawołała Grace. – Co mu zrobiłeś?

– Wszystko będzie z nim dobrze. Teraz połóż mu rękę na zadzie i pocieraj. Zrób to, Grace. Dobra.

Pielgrzym nie poruszył się. Grace stopniowo przesuwała rękami po jego ciele, rozmazując pył na miarowo się unoszących, spoconych bokach i pracując nad kończynami według wskazówek Toma. Na koniec pogłaskała jego szyję i wilgotny, jedwabisty łeb.

– Okay. Teraz chcę, byś na nim stanęła.

– Co!? – Grace popatrzyła na niego jak na szaleńca.

– Chcę, żebyś na nim stanęła.

– Nie ma mowy.

– Grace...

Annie zrobiła krok do przodu.

– Tom...

– Bądź cicho, Annie. – Nawet na nią nie spojrzał. – Rób, co mówię, Grace – prawie już krzyczał. – Stań na nim! Natychmiast!

Nie sposób było nie posłuchać. Grace zaczęła płakać. Wziął ją za rękę i zaciągnął do końskiego brzucha.

– Teraz. Wejdź. No dalej, wejdź na niego.

Więc zrobiła to. I ze łzami spływającymi po twarzy stała wątła, niczym okaleczona dusza, na potłuczonym boku stworzenia, które kochała najbardziej na świecie, i szlochała nad własną brutalnością.

Zerknąwszy w tył, Tom zobaczył, że Annie także płacze, nie zaprzątał sobie tym jednak głowy i odwrócił się z powrotem do Grace. Powiedział jej, że już może zejść.

– Dlaczego to robisz? – odezwała się błagalnym głosem Annie. – To takie okrutne i poniżające.

– Nie, mylisz się. – Pomagał Grace zejść z konia i nie patrzył na Annie.

– Co? – rzuciła pogardliwie Annie.

– Mylisz się. To nie jest okrutne. Miał wybór.

– O czym ty mówisz?

Wreszcie na nią spojrzał. Grace wciąż płakała obok niego, lecz nie zwracał na nią uwagi. Nawet płacz nie pomagał biednej dziewczynce uwierzyć, podobnie jak nie udawało się to Annie, iż Tom mógł być taki: tak twardy i bezlitosny.

– Miał wybór – albo dalej walczyć z życiem albo je zaakceptować.

– Nie miał żadnego wyboru.

– Owszem, miał. To było diabelnie trudne, ale mógł ciągnąć

to dalej. Dalej coraz bardziej się unieszczęśliwiać. Ale zamiast tego wybrał pójście na krawędź i wyjrzenie poza nią. I zobaczył, co tam jest, i postanowił to zaakceptować.

Odwrócił się do Grace i położył jej dłonie na ramionach.

– To, co właśnie mu się stało, to leżenie, było najgorszą rzeczą, jaką mógł sobie wyobrazić. I wiesz co? Stwierdził, że to okay. Nawet twoje stanie na nim było okay. Zobaczył, że nie chcesz mu zrobić krzywdy. Najczarniejsza godzina przychodzi przed świtem. To była dla Pielgrzyma najczarniejsza godzina i przeżył to. Rozumiesz?

Grace ocierała łzy, próbując to sobie poukładać.

– Nie wiem – powiedziała. – Chyba tak.

Tom popatrzył na Annie, a ona dostrzegła teraz w jego oczach coś łagodnego i błagalnego; wreszcie coś, co znała i czego mogła się uchwycić.

– Annie? A ty rozumiesz? To naprawdę bardzo, bardzo ważne, żebyście to zrozumiały. Czasem coś, co wygląda jak poddanie, wcale nim nie jest. Chodzi o to, co dzieje się w naszych sercach. O dokładne widzenie, jakie jest życie i akceptowanie go, i bycie wobec niego lojalnym, niezależnie od bólu, bo ból z powodu nie bycia lojalnym jest o wiele, wiele większy. Annie, wiem, że to rozumiesz.

Skinęła głową i otarłszy oczy, spróbowała się uśmiechnąć. Wiedziała, że jest w tym jakieś inne przesłanie, przeznaczone tylko dla niej. Nie chodziło o Pielgrzyma, lecz o nich i o to, co działo się między nimi. Chociaż potaknęła, nie zrozumiała go i mogła jedynie mieć nadzieję, że nadejdzie taki czas, kiedy potrafi zrozumieć.

*

Grace obserwowała, jak rozwiązują Pielgrzymowi pęta oraz liny przymocowane do kantara i siodła. Leżał przez chwilę, nie poruszając głową, spoglądając na nich jednym okiem. Później, trochę niepewnie, słaniając się, stanął na nogach. Wzdrygnął się, zarżał cicho, parsknął, po czym zrobił kilka kroków, by sprawdzić, czy jest cały i w jednym kawałku.

Na polecenie Toma zaprowadziła go do zbiornika z boku areny i stała obok niego, gdy długo gasił pragnienie. Skończywszy podniósł łeb i ziewnął, a wszyscy się roześmieli.

– Wyleciały muchy z nosa! – zawołał Joe.

Następnie Tom nałożył mu z powrotem uzdę i kazał Grace wsadzić nogę w strzemię. Pielgrzym stał nieruchomo jak głaz. Tom przyjął ciężar dziewczynki na ramię, a ona zamachnęła nogą i usiadła w siodle.

Nie czuła żadnego strachu. Oprowadziła go dookoła areny, najpierw w jedną stronę, potem w drugą. Później przeszła do lekkiego galopu – poszło doskonale, z opanowaniem, gładko jak jedwab.

Minęła dobra chwila, zanim zorientowała się, że wszyscy wiwatują, zupełnie tak, jak w dniu, kiedy wsiadła na Gonzo. Ale to był Pielgrzym. Jej Pielgrzym. Przeszedł przez to. I czuła go pod sobą, tak jak kiedyś, zawsze oddanego, ufnego i lojalnego.

34

Przyjęcie było pomysłem Franka. Oznajmił, że dowiedział się o tym z końskiego pyska – Pielgrzym powiedział mu, że chce imprezy, więc będzie impreza. Zadzwonił do Hanka i Hank stwierdził, że jest za. Co więcej, okazało się, że ma pełen dom kuzynów z Heleny, którzy też są za. Zanim obdzwonili wszystkich, którzy im przyszli na myśl, impreza urosła od małej przez średnią do dużej i Diane dostawała rozstroju nerwowego, zastanawiając się, jak ma ich wszystkich wykarmić.

– Do diabła, Diane – rzucił Frank. – Nie możemy pozwolić Annie i Grace jechać dwa tysiące mil do domu z tym ich starym koniem bez odpowiedniego pożegnania.

Diane wzruszyła ramionami, a Tom zauważył, że myśli „a czemu niby nie, u licha?"

– I tańce – dodał Frank. – Musimy mieć tańce.

– Tańce? Och, przestań.

Frank zapytał Toma, co o tym sądzi, zaś Tom odparł, że według niego tańce byłyby super. Więc Frank ponownie zadzwonił do Hanka, który zobowiązał się przynieść swój sprzęt grający, a do tego kolorowe światła, gdyby chcieli. Zjawił się w ciągu godziny i mężczyźni z dzieciakami przystroili plac przed stodołą, podczas gdy Diane, na której zawstydzaniem wymuszono lepszy humor, zawiozła Annie do Great Falls po jedzenie. Do siódmej wszystko było gotowe i wszyscy poszli się umyć i przebrać.

Wychodząc spod prysznica, Tom dostrzegł w przelocie niebieski szlafrok przy drzwiach i poczuł tępy ból. Pomyślał, że szlafrok może jeszcze nią pachnieć, ale kiedy przycisnął go do twarzy, nie poczuł nic.

Od powrotu Grace nie miał okazji być sam na sam z Annie i odczuwał tę ich rozłąkę jak jakąś okrutną fizyczną amputację. Widok jej łez z powodu Pielgrzyma sprawił, iż chciał podbiec i wziąć ją w ramiona. To że nie mógł jej dotknąć, było prawie nie do zniesienia.

Ubrał się powoli i zwlekał z opuszczeniem pokoju, nadsłuchując podjeżdżających samochodów, śmiechu i zaczynającej rozbrzmiewać muzyki. Zobaczył przez okno, że zebrał się już spory tłumek. Był piękny, pogodny wieczór. Lampki odnajdywały blask w bladnącym świetle dnia. Znad rożna, gdzie powinien pomagać Frankowi, unosiły się kłęby dymu. Przeszukał twarze i odnalazł ją. Rozmawiała z Hankiem. Miała na sobie sukienkę, której jeszcze nie widział – granatową, bez rękawów. W pewnym momencie odrzuciła głowę do tyłu i roześmiała się z czegoś, co powiedział Hank. Pomyślał, że jest taka piękna. Nigdy w życiu nie było mu mniej do śmiechu.

*

Zobaczyła go, gdy tylko wyszedł na ganek. Żona Hanka wnosiła do środka tackę z kieliszkami, a on przytrzymywał jej siatkowe drzwi i zaśmiał się z czegoś, co powiedziała mijając go. Potem rozejrzał się, natychmiast odnalazł jej oczy i uśmiechnął się. Uświadomiła sobie, że Hank właśnie zadał jej pytanie.

– Przepraszam, Hank, co mówiłeś?

– Że podobno ruszacie do domu?

– Tak, niestety. Jutro się pakujemy.

– Nie jesteśmy w stanie skłonić was, miastowych dziewczyn do zostania, co?

Annie roześmiała się, trochę zbyt głośno, tak jak przez cały wieczór. Jeszcze raz w duchu nakazała sobie spokój.

Dostrzegła poprzez tłum, że Toma porwał Smoky, który chciał przedstawić go jakimś przyjaciołom.

– Kurczę, to żarcie nieźle pachnie – stwierdził Hank. – Co ty na to, Annie? Poczęstujemy się czymś? Chodź tylko ze mną.

Pozwoliła się prowadzić, jak gdyby nie miała własnej woli. Hank zdobył dla niej talerz, nałożył nań furę poczerniałych kawałków mięsa, które następnie zalał masą chili. Annie zrobiło się niedobrze, lecz w dalszym ciągu się uśmiechała.

Postanowiła już, co zrobi.

Spotka się z Tomem na osobności – w razie czego nawet poprosi go do tańca – i powie mu, że zamierza opuścić Roberta. W następnym tygodniu wróci do Nowego Jorku i ogłosi nowiny. Najpierw Robertowi, a potem Grace.

*

O Boże, pomyślał Tom, chyba będzie tak jak ostatnio. Tańce trwały od ponad pół godziny i za każdym razem, gdy usiłował zbliżyć się do niej, albo ktoś czaił się na nią, albo na niego. Właśnie gdy sądził, że droga wolna, poczuł klepnięcie w ramię. To była Diane.

– Czy szwagierki nie tańczą?

– Diane, myślałem, że nigdy nie zechcesz.

– Ja wiedziałam, że ty byś mnie nie poprosił.

Objął ją i serce go zabolało, bo następny kawałek okazał się wolny. Miała na sobie nową, czerwoną sukienkę kupioną w Los Angeles i usiłowała pomalować pod kolor usta, ale nie bardzo wyszło. Ostro pachniała perfumami trącącymi alkoholem, który Tom wykrył także w jej oczach.

– Wyglądasz szałowo – rzekł.

– Dziękuję, bardzo pan miły.

Minęło sporo czasu, odkąd ostatni raz widział Diane pijaną. Nie wiedział dlaczego, lecz zasmuciło go to. Przyciskała do niego biodra i mocno wyginała plecy w łuk, i był pewien, że gdyby ją puścił, przewróciłaby się. Ogarniała go swego rodzaju chytrym, drażniącym spojrzeniem, którego nie rozumiał ani niezbyt mu się ono podobało.

– Smoky mówi, że w końcu nie pojechałeś do Wyoming.

– Tak mówi?

– Uhm.

– No, zgadza się, nie pojechałem. Jeden z gości tam zachorował, więc jadę w przyszłym tygodniu.

– Uhm.

– Co znaczy to „uhm", Diane?

Wiedział oczywiście. I zbeształ się teraz w duchu za danie jej szansy powiedzenia tego. Powinien był po prostu zakończyć tę rozmowę.

– Mam tylko nadzieję, że byłeś grzecznym chłopcem, to wszystko.

– Diane, przestań, za dużo wypiłaś.

To był błąd. Oczy jej błysnęły.

– Czyżby? Nie myśl, że wszyscy nie zauważyliśmy.

– Co niby mieliście zauważyć? – Kolejny błąd.

– Wiesz, o czym mówię. Można prawie powąchać parę unoszącą się z was dwojga.

Pokręcił tylko głową, tak jakby zwariowała, i odwrócił wzrok. Ona jednak dostrzegła, iż trafiła w sedno, wyszczerzyła bowiem zęby w zwycięskim uśmiechu i pogroziła mu palcem.

– Całe szczęście, że ona jedzie do domu, szwagierku.

Nie zamienili już ani słowa przez resztę tańca, a gdy się skończył, znowu posłała mu to chytre spojrzenie i odeszła, kołysząc biodrami jak dziwka. Wracał do siebie przy barze, kiedy Annie zaszła go od tyłu.

– Szkoda, że nie pada – szepnęła.

– Chodź, zatańcz ze mną – rzekł. Chwycił ją, zanim ktokolwiek inny zdążył, i przeprowadził pomiędzy ludźmi.

Muzyka była szybka, więc tańczyli rozdzieleni, odrywając od siebie wzrok tylko wtedy, gdy intensywność spojrzenia zbyt ich przytłaczała lub mogłaby ich zdradzić. Mieć ją tak blisko, a jednak tak niedostępną, było jakąś wymyślną formą tortur. Po drugim kawałku Frank próbował odbić Annie, lecz Tom zażartował na temat przywileju bycia starszym bratem i nie ustąpił.

Następna piosenka była wolną balladą, w której kobieta śpiewała o swoim kochanku skazanym na śmierć. Wreszcie mogli położyć na sobie dłonie. Dotyk jej skóry i lekki nacisk ciała przez ubranie niemal przyprawił go o zawrót głowy i musiał na chwilę zamknąć oczy. Wiedział, że Diane skądś ich obserwuje, nie dbał jednak o to.

Zakurzony parkiet był zatłoczony po brzegi. Annie rozejrzała się po twarzach dookoła i powiedziała cicho:

– Muszę z tobą porozmawiać. Jak to możemy zrobić?

Prawie miał ochotę spytać: „O czym tu rozmawiać? Wyjeżdżasz. To wszystko, co zostało do powiedzenia". Lecz zamiast tego rzekł:

– Przy basenie do ćwiczeń. Za dwadzieścia minut. Tam się spotkamy.

Zdążyła tylko skinąć głową, w następnej chwili bowiem Frank znów się pojawił i odciągnął ją od niego.

*

Grace kręciło się w głowie i to nie tylko od dwóch szklanek ponczu, które wypiła. Zatańczyła prawie ze wszystkimi – z Tomem, Frankiem, Hankiem, Smokym, nawet z drogim, kochanym Joe – i jej mniemanie o sobie bardzo się poprawiło. Mogła wirować, mogła skakać, mogła nawet tańczyć rock'n'rolla. Ani razu nie straciła równowagi. Potrafiła zrobić wszystko. Żałowała, że nie ma tutaj Terri Carlson, by to zobaczyła. Po raz pierwszy w swoim nowym życiu, być może nawet w całym życiu, czuła się piękna.

Zachciało jej się siku. Z boku stodoły była ubikacja, a kiedy tam dotarła, zastała czekającą kolejkę. Uznała, że nikt nie będzie miał nic przeciwko temu, by skorzystała z jednej z łazienek w domu – prawie należała już do rodziny, a zresztą to przecież była w pewnym sensie jej impreza – ruszyła więc w stronę ganku.

Minęła siatkowe drzwi, instynktownie przytrzymując je ręką, by nie stuknęły. Przechodząc przez korytarz w kształcie litery L prowadzący do kuchni, usłyszała głosy. Frank kłócił się z Diane.

– Po prostu za dużo wypiłaś – oznajmił.

– Odpieprz się.

– To nie nasza sprawa, Diane.

– Nie odrywa od niego oczu, odkąd tu przyjechała. Rozejrzyj się tylko – ona jest jak goniąca się suka.

– To śmieszne.

– Boże, ale wy faceci jesteście tępi.

Rozległo się pełne złości stukanie talerzami. Grace stanęła

jak wryta. Akurat gdy postanowiła, że lepiej wrócić do stodoły i poczekać w kolejce, usłyszała kroki Franka, który szedł w stronę otwartych drzwi na korytarz. Wiedziała, że nie zdąży wyjść, zanim ją zauważy. A gdyby przyłapał ją na wymykaniu się chyłkiem, zyskałby jedynie pewność, że podsłuchiwała. Wszystko, co mogła zrobić, to iść dalej i wpaść na niego tak, jakby dopiero co weszła.

Zanim Frank ukazał się przed nią na progu, zatrzymał się jeszcze i odwrócił do Diane.

– Ktoś by pomyślał, że jesteś zazdrosna albo co.

– Och, daj mi spokój!

– To ty daj jemu spokój. To dorosły mężczyzna, na miłość boską.

– A ona jest mężatką z dzieciakiem, na miłość boską!

Kręcąc głową Frank wyszedł na korytarz i Grace ruszyła na niego.

– Cześć – rzuciła pogodnie.

Wyglądał na dużo bardziej niż tylko zaskoczonego, natychmiast jednak odzyskał spokój i rozpromienił się.

– Hej, toż to królowa balu! Jak się masz, kochanie? – Położył jej dłonie na ramionach.

– O, świetnie się bawię. Dzięki za zorganizowanie tego i w ogóle.

– To prawdziwa przyjemność, Grace, wierz mi. – Pocałował ją delikatnie w czoło.

– Mogę skorzystać tu z ubikacji? Bo tam jest cała kolejka...

– Oczywiście! Wal śmiało.

Kiedy przeszła do kuchni, nie było w niej nikogo. Usłyszała kroki na schodach. Siedząc na ubikacji, zastanawiała się, o kogo to się kłócili i doznała niepokojącego uczucia, że może wie.

*

Annie dotarła tam przed nim i przeszła powoli na drugą stronę basenu. Pachniało chlorem, a stukot jej butów o betonowe podłoże rozchodził się echem w jaskiniowej ciemności. Oparła się o pobielaną ścianę i poczuła na plecach jej kojący chłód. Na martwej powierzchni wody obserwowała odbicie snopu światła padającego od stodoły. W tym innym, zewnętrznym świecie, skończyła się jedna piosenka country i zaczynała się następna, niewiele różniąca się od poprzedniej.

Wydawało się nieprawdopodobne, że zaledwie zeszłej nocy stali w kuchni domku nad potokiem i nie było nikogo, kto mógłby im przeszkodzić albo ich rozdzielić. Żałowała, iż wówczas nie powiedziała tego, co zamierzała oznajmić mu teraz. Nie ufała sobie, że potrafi znaleźć odpowiednie słowa. Dziś rano, gdy obudziła się w jego ramionach, nie była ani trochę mniej pewna, nawet w tym samym łóżku, które zaledwie tydzień temu dzieliła z mężem. Wstyd jej było tylko tego, że nie odczuwa żadnego wstydu. A jednak mimo wszystko coś powstrzymywało ją od powiedzenia Tomowi – i teraz zastanawiała się, czy spowodował to strach przed jego reakcją.

Nie chodziło o to, że choćby przez chwilę wątpiła w jego miłość. Jakże by mogła? Po prostu było w nim coś, jakaś smutna zapowiedź, niemal fatalistyczna. Widziała to dzisiaj, w jego rozpaczliwym staraniu, by zrozumiała jego postępowanie wobec Pielgrzyma.

Na końcu przejścia do stodoły na moment rozlało się światło. Tom przystanął i przeczesał wzrokiem ciemność szukając jej. Zrobiła kilka kroków w jego stronę, a wtedy dostrzegł ją i podszedł. Annie przebiegła kilka ostatnich oddzielajacych ich jardów, jak gdyby z obawy, że coś może go nagle porwać. W jego objęciach poczuła to przyprawiające o dreszcze uwolnienie tego, co przez cały wieczór usiłowała w sobie powstrzymać. Ich oddechy były jak jeden, ich usta, ich krew jakby pompowana w przeplatające się żyły przez to samo serce.

Kiedy wreszcie odzyskała mowę, stanęła w jego bezpiecznych objęciach i oznajmiła mu, że zamierza opuścić Roberta. Mówiła z całym spokojem, na jaki potrafiła się zdobyć, przyciskając policzek do jego piersi, obawiając się tego, co mogłaby zobaczyć w jego oczach, gdyby spojrzała. Powiedziała, iż wie, jaki okropny ból spowoduje to w nich wszystkich. Jednak w przeciwieństwie do bólu po utracie Toma, ten ból umiała sobie przynajmniej wyobrazić.

Słuchał w milczeniu, trzymając ją mocno i głaszcząc po twarzy i włosach. Lecz gdy skończyła, a on w dalszym ciągu się nie odzywał, Annie poczuła, jak zaczynają ją ogarniać pierwsze objawy zimnego przerażenia. Uniósłszy głowę, ośmieliła się w końcu na niego popatrzeć i zobaczyła, że jest jeszcze zbyt mocno przejęty, by się mógł odezwać. Spoglądał na drugą stronę basenu. Muzyka w stodole dudniła dalej. Po chwili przeniósł wzrok na nią i lekko pokręcił głową.

– Och, Annie.

– Co? Powiedz mi.

– Nie możesz tego zrobić.

– Mogę. Wrócę i powiem mu.

– A Grace? Myślisz, że możesz powiedzieć Grace?

Wpatrywała się w niego, szukając jego oczu. Dlaczego to robił? Miała nadzieję przynajmniej na akceptację, on zaś ofiarował jedynie zwątpienie, od razu stawiając ją przed tym jednym zagadnieniem, któremu nie ośmieliła się stawić czoła. I teraz Annie zdała sobie sprawę, że w swojej rozwadze uciekła się do starego mechanizmu samoobronnego i zracjonalizowała to: oczywiście, że dzieci cierpią nad tym, co nieuniknione; lecz jeśli zrobi się to w cywilizowany, delikatny sposób, nie musi pozostać trwały uraz; żadnego z rodziców przecież nie utraci, to jedynie kwestia jakiejś przestarzałej geografii. Annie wiedziała, iż teoretycznie tak jest – co więcej, rozwody wielu przyjaciół udowodniły, że to możliwe. Zastosowane jednak tu i teraz, do nich i Grace, stanowiło oczywiście nonsens.

Tom odezwał się:

– Po tym, co wycierpiała...

– Myślisz, że nie wiem!?

– Oczywiście, że wiesz. Chciałem tylko powiedzieć, że właśnie dlatego, dlatego że wiesz, nigdy nie pozwolisz sobie tego zrobić, nawet jeśli teraz uważasz, że potrafisz.

Poczuła napływające łzy i wiedziała, iż nie może ich powstrzymać.

– Nie mam wyboru! – Wypowiedziała to prawie z krzykiem, który odbił się echem od nagich ścian niczym lament.

– To właśnie mówiłaś o Pielgrzymie, ale myliłaś się.

– Jedyny inny wybór to utrata ciebie! – Skinął głową. – To nie jest wybór, nie rozumiesz? Mógłbyś wybrać utratę mnie?

– Nie – odparł po prostu. – Ale ja nie muszę.

– Pamiętasz, co mówiłeś o Pielgrzymie? Powiedziałeś, że doszedł do krawędzi, zobaczył, co jest za nią, a potem wybrał zaakceptowanie tego.

– Ale jeśli to, co tam widzisz, jest bólem i cierpieniem, to tylko głupiec by wybrał zaakceptowanie tego.

– Przecież dla nas to nie byłby ból i cierpienie.

Potrząsnął głową. Annie poczuła teraz gwałtowny przypływ gniewu. Na niego, za wypowiedzenie tego, co w swym sercu uznawała za słuszne, oraz na siebie za szloch wstrząsający jej ciałem.

– Nie chcesz mnie – powiedziała i natychmiast znienawidziła siebie za rozczulanie się nad sobą, później zaś jeszcze bardziej za triumf, jaki poczuła, gdy jego oczy napełniły się łzami.

– Och, Annie. Nigdy się nie dowiesz, jak bardzo cię pragnę.

Zapłakała w jego ramionach, straciwszy wszelkie poczucie czasu i miejsca. Oświadczyła mu, że nie potrafi bez niego żyć. Nie dostrzegła złego znaku, gdy odparł, iż to prawda jeśli chodzi o niego, ale nie o nią. Powiedział, że z czasem będzie ona oceniać te dni nie z żalem, lecz jako dar natury, który wywarł dobroczynny wpływ na życie ich wszystkich.

Kiedy nie mogła już płakać, obmyła twarz w zimnej wodzie basenu, a on znalazł ręcznik i pomógł jej zetrzeć rozmazany makijaż. Niewiele się już odzywając poczekali, aż zbledną im rumieńce na policzkach. Wtedy, gdy wszystko wydawało się bezpieczne, rozeszli się.

35

Annie czuła się jak jakieś oblepione błotem stworzenie oglądające świat z dna stawu. Po raz pierwszy od wielu miesięcy wzięła tabletkę nasenną. Były to te, których rzekomo używali piloci samolotów, co miało wzbudzić zaufanie do tabletek, nie zaś wątpliwości wobec pilotów. Faktycznie w przeszłości, kiedy zażywała je regularnie, szkodliwe następstwa wydawały się minimalne. Tego ranka tabletki zalegały na jej mózgu niczym gruby, przytępiający koc, którego nie miała siły strącić, chociaż przeświecał na tyle, by pamiętała, dlaczego je wzięła i by mogła być wdzięczna za to przytępienie.

Grace podeszła do niej wkrótce po tym, jak ona i Tom wyszli ze stodoły i oświadczyła bez ogródek, że chce wracać. Wyglądała na bladą i zakłopotaną, lecz gdy Annie zapytała, co się stało, odparła, że nic, że po prostu jest zmęczona. Wyglądało na to, iż nie chce spojrzeć matce w oczy. Po pożegnaniu się ze wszystkimi, w drodze do domku nad potokiem, Annie próbowała pogadać o przyjęciu, ale usłyszała w odpowiedzi ledwie jedno zdanie. Zapytała ponownie, czy wszystko w porządku, a Grace odpowiedziała, że czuje się zmęczona i trochę jej niedobrze.

– Od ponczu?

– Nie wiem.

– Ile szklanek wypiłaś?

– Nie wiem! To nic wielkiego, daj spokój.

Poszła prosto na górę do łóżka, a kiedy Annie weszła pocałować ją na dobranoc, mruknęła tylko, nie odwracając się od ściany. Tak jak to robiła kiedyś, zaraz po przyjeździe. Annie od razu wzięła tabletki nasenne.

Sięgnęła teraz po zegarek – musiała wysilić przytępiony mózg, by móc skupić się na nim. Dochodziła ósma. Przypomniała sobie, że gdy wyjeżdżały w nocy, Frank zapytał, czy rano pojadą do kościoła, a ponieważ wydawało się to stosowne – jakby karząco ostateczne – odpowiedziała twierdząco. Z trudem uniosła swoje oporne ciało z łóżka i powlokła się do łazienki. Drzwi Grace były lekko uchylone. Annie postanowiła się wykąpać, a potem pójść ją obudzić ze szklanką soku.

Leżała w parującej wodzie, usiłując jak najdłużej zatrzymać w sobie resztki tabletek. Zaczynała już odczuwać zimną geometrię bólu. To są kształty, które teraz w tobie mieszkają, powiedziała sobie, i musisz się przyzwyczaić do tych punktów przecięcia, linii i kątów.

Ubrawszy się poszła do kuchni po sok dla Grace. Zrobiło się wpół do dziewiątej. Ponieważ senność ją opuściła, poszukała rozrywki w układaniu listy rzeczy, które trzeba zrobić tego ostatniego dnia w Double Divide. Musiały się spakować, posprzątać dom, sprawdzić poziom oleju i ciśnienie opon, kupić na drogę trochę jedzenia i picia, rozliczyć się z Bookerami...

Po wejściu na schody zauważyła, że drzwi pokoju Grace nie drgnęły od tamtej pory. Wchodząc zapukała. Zasłony były jeszcze zaciągnięte, więc podeszła i trochę je rozsunęła. Poranek był piękny.

Następnie odwróciła się do łóżka i zobaczyła, że jest puste.

*

To Joe pierwszy odkrył, że Pielgrzyma także brakuje. Do tego czasu przeszukali już każdy zapajęczony zakątek wszystkich zabudowań na ranczu i nie znaleźli ani śladu dziewczynki. Rozdzieliwszy się, przeszukali oba brzegi strumienia; bliźniaki w kółko wykrzykiwały jej imię, nie uzyskując żadnej odpowiedzi poza śpiewem ptaków. Wtedy od strony korrali nadbiegł z wrzaskiem Joe – koń zniknął. Wszyscy pobiegli do stajni, gdzie okazało się, że siodła i uzdy również nie ma.

– Nic jej nie będzie – odezwała się Diane. – Po prostu wybrała się gdzieś na przejażdżkę.

Tom dostrzegł strach w oczach Annie. Oboje wiedzieli już, że to coś więcej.

– Robiła kiedyś coś takiego? – spytał.

– Nigdy.

– Jak się zachowywała, kiedy szła do łóżka?

– Spokojnie. Mówiła, że trochę jej niedobrze. Coś jej chyba zaszkodziło.

Annie wyglądała na tak przestraszoną i osłabłą, że Tom miał ochotę objąć ją i pocieszyć, co byłoby całkiem naturalne, jednak pod spojrzeniem Diane nie ośmielił się – zrobił to zamiast niego Frank.

– Diane ma rację – rzekł Frank. – Nic jej nie będzie.

Annie wciąż patrzyła na Toma.

– Czy Pielgrzym jest dosyć bezpieczny? Przecież jeździła na nim tylko ten jeden raz.

– Wszystko będzie z nim w porządku – odparł Tom. Nie kłamał tak całkiem – istotną kwestię stanowiło jednak to, czy z Grace będzie wszystko w porządku, a to zależało od stanu, w jakim się znajdowała. – Pojadę z Frankiem i zobaczymy, czy uda nam się ją znaleźć.

Joe oświadczył, że też chce jechać, ale Tom powiedział mu nie i odesłał razem z bliźniakami, by przygotowali Rimrocka oraz konia ich ojca, podczas gdy on sam i Frank poszli zdjąć niedzielne ubrania.

Tom pierwszy wyszedł z domu. Annie zostawiła Diane w kuchni i dogoniła go na ganku. Mieli tylko tyle czasu na rozmowę, ile trzeba było, by dotrzeć do stajni.

– Grace chyba wie – odezwała się cicho, patrząc prosto przed siebie. Bardzo starała się opanować. Tom z powagą skinął głową.

– Tak czuję.

– Przykro mi.

– Niech ci nigdy nie będzie przykro, Annie. Nigdy.

To wszystko, co powiedzieli, zaraz bowiem dobiegł do nich Frank i we trójkę podeszli w milczeniu do płotka przy stajni, gdzie czekał Joe z końmi.

– To jego ślady! – zawołał chłopak, wskazując na wyraźny szlak w piachu. Podkowy Pielgrzyma różniły się od podków wszystkich innych koni na ranczu. Nie było wątpliwości, że to on tędy szedł.

Tom obejrzał się tylko raz, gdy razem z Frankiem jechali szybko w stronę brodu, lecz Annie już tam nie było. Diane musiała zabrać ją do środka. Jedynie dzieciaki wciąż stały i patrzyły. Pomachał im.

*

Grace wpadła na ten pomysł dopiero po znalezieniu zapałek w kieszeni. Miała je tam od czasu oczekiwania na samolot na lotnisku kiedy ćwiczyła z ojcem tę sztuczkę.

Nie wiedziała, jak długo jechała. Słońce stało wysoko, musiało więc minąć kilka godzin. Gnała ma grzbiecie konia jak szalona, świadomie, całym sercem przyjmując to szaleństwo i starając się wywołać jego nawrót u Pielgrzyma. Zwierzę wyczuło to i biegło, biegło cały ranek, z pianą na pysku, niczym kucyk czarownicy. Czuła, że gdyby poprosiła, to by nawet pofrunął.

Początkowo nie miała żadnego planu, jedynie ślepą, destrukcyjną wściekłość, której cel i kierunek nie zostały jeszcze ustalone, mogła się więc ona obrócić równie dobrze przeciwko innym, jak i przeciw samej Grace. Siodłając i uciszając konia o świcie w korralu, wiedziała jedynie, że znalazła jakiś sposób, aby ich ukarać. Sprawi, że pożałują tego, co zrobili. Dopiero gdy dotarła galopem do łąki i poczuła zimne powietrze w oczach, zaczęła płakać. Później nie panowała już nad łzami;

polały się strumieniem, a ona pochyliła się na szyję Pielgrzyma i szlochała głośno.

Teraz, gdy koń stał i pił z sadzawki na płaskowyżu, czuła, że jej gniew nie słabnie, lecz krzepnie. Wytarła dłonią spoconą szyję zwierzęcia i ponownie ujrzała w myślach te dwie pełne winy postaci wykradające się pojedynczo chyłkiem z ciemności stodoły, niczym psy z masarni, gdy myślą, że nikt ich nie widział ani nie podejrzewa. A później swoją matkę, z makijażem rozmazanym z lubieżności i wciąż od tej lubieżności rozpaloną, siedzącą spokojnie za kierownicą i z miną niewiniątka pytającą, czemu Grace jest niedobrze.

I jak Tom mógł to zrobić? Jej Tom. Po całym tym opiekowaniu się i dobroci okazał się właśnie taki. To wszystko była gra, sprytna wymówka, za którą oni oboje mogli się skryć. Minął ledwie tydzień, tydzień na litość boską, odkąd stał i śmiał się razem z tatą. To było chore. Dorośli są chorzy. I wszyscy o tym wiedzieli, wszyscy. Diane tak przecież mówiła. Jak goniąca się suka, powiedziała. To było chore, wszystko było takie chore.

Grace spojrzała przez płaskowyż na grzbiet, gdzie pierwsza przełęcz pięła się w góry jak blizna. Tam, w chatce, gdzie wszyscy tak się dobrze razem bawili podczas spędu bydła, właśnie tam to zrobili. Plugawiąc, oszpecając to miejsce. A potem te kłamstwa matki. Te wymyślania, że jedzie tam sama, żeby „pozbierać myśli". Jezu!

No, ona im pokaże. Ma zapałki i pokaże im. Chatka pójdzie z dymem jak papier. A potem znajdą jej zwęglone czarne kości w popiołach i wtedy zrobi im się przykro. O tak, wtedy zrobi im się przykro.

*

Trudno było określić, jaką ma nad nimi przewagę. Tom znał pewnego chłopaka z rezerwatu, który potrafił spojrzeć na trop i powiedzieć, kiedy został zrobiony, prawie, cholera, co do minuty. Z powodu swojego zamiłowania do myślistwa Frank wiedział więcej o takich rzeczach niż większość ludzi, o wiele więcej od Toma, lecz jeszcze nie dosyć, by móc określić, jak daleko z przodu jest Grace. Co udało im się jednak stwierdzić, to to, że gnała na złamanie karku i że jeśli nie zwolni tempa, koń wkrótce padnie.

Jeszcze zanim znaleźli ślady kopyt w zbryłowaciałym błocie na krawędzi basenu, wydawało się prawie pewne, iż skierowała się na letnie pastwiska. Z przejażdżek z Joe dolne partie rancza znała całkiem dobrze, lecz tam na górze była tylko raz, w czasie spędu. Jeżeli chodziło jej o jakąś kryjówkę, mogła zmierzać jedynie do chatki. To znaczy, o ile po dotarciu do przełęczy przypomni sobie drogę. Po dwóch kolejnych tygodniach lata okolica na pewno wygląda inaczej. Nawet bez trąby powietrznej, którą – sądząc z tempa Grace – szalała w jej głowie, łatwo mogła się zgubić.

Frank zsiadł z konia, by dokładniej przyjrzeć się śladom na skraju wody. Zdjął kapelusz i rękawem otarł pot z czoła. Tom również zsiadł i trzymał konie, żeby nie zadeptały tropów odciśniętych w błocie.

– I co uważasz?

– Nie wiem. Trochę już zakrzepło, ale przy takim słońcu niewiele nam to mówi. Z pół godziny, może więcej.

Pozwolili koniom się napić i stali, ocierając pot i rozglądając się po płaskowyżu.

– Myślałem, że może stąd już ją przyuważymy – rzekł Frank.

– Ja też.

Przez chwilę żaden z nich nie się odzywał, słuchali tylko chłeptania koni.

– Tom? – Odwróciwszy się, Tom popatrzył na niego i zauważył, że brat poruszył się i uśmiechnął niepewnie. – To nie moja sprawa, ale wczoraj wieczorem Diane... no, wiesz, wypiła kieliszek czy dwa i, no w każdym razie byliśmy w kuchni i ona nawijała o tym, że ty i Annie to, no... Jak mówiłem, to nie moja sprawa.

– W porządku, mów dalej.

– No. Powiedziała parę rzeczy, a... no i weszła Grace i nie jestem pewien, ale może i słyszała.

Tom skinął głową. Frank zapytał go, czy tak właśnie jest, on zaś odparł, że chyba tak. Spojrzeli na siebie i jakieś odbicie bólu trawiącego serce Toma musiało ukazać się w jego oczach.

– Sprawy zaszły dosyć daleko, co? – rzucił Frank.

– Tak daleko, jak tylko można.

Po tym zamilkli i odciągnąwszy konie od wody, po prostu ruszyli przez płaskowyż.

A więc Grace wiedziała, choć nie obchodziło Toma, jak się dowiedziała. Właśnie tego się obawiał, jeszcze zanim Annie wyraziła rano tę obawę głośno. Kiedy wychodziły wczoraj z imprezy, zapytał dziewczynkę, czy dobrze się bawiła, ona zaś ledwo na niego spojrzała, skinęła tylko głową i zmusiła się do symbolicznego uśmiechu. Jakiego bólu musiała doznawać, by odejść w taki sposób, pomyślał Tom. Bólu wywołanego przez niego. Przyjął ten fakt i otoczył w sobie własnym bólem.

Na grani grzbietu górskiego znów spodziewali się ją zobaczyć, ale i tym razem nadaremnie. Jej ślady – tam, gdzie były widoczne – wskazywały jedynie na lekkie zwolnienie tempa. Tylko raz się zatrzymała, jakieś pięćdziesiąt jardów od wylotu przełęczy. Wyglądało to tak, jakby gwałtownie ściągnęła Pielgrzymowi wodze, a następnie zrobiła małe kółko, zastanawiając się albo patrząc na coś. Później znowu popędziła galopem. Frank stanął w miejscu, gdzie teren zaczął gwałtownie wznosić się między sosnami. Wskazał na ziemię.

– Co o tym sądzisz? – spytał Toma.

Przybyło śladów kopyt, chociaż wyraźnie dało się odróżnić wśród nich odciski Pielgrzyma po jego podkowach. Trudno było określić, które są świeższe.

– To musi być część mustangów starej Granoli – stwierdził Frank.

– Chyba tak.

– Nigdy przedtem nie widziałem ich tak wysoko. A ty?

– Też nie.

Usłyszeli to, gdy tylko dotarli do zakrętu, gdzieś w połowie drogi przez przełęcz. Zatrzymali się, nasłuchując. Rozległ się głęboki łoskot, który Tom początkowo wziął za obsuwanie się głazów między drzewami. Potem dotarł do nich przeraźliwy kwik i wiedzieli już, że to konie.

Szybko lecz ostrożnie podjechali na szczyt przełęczy, spodziewając się w każdej chwili stanąć oko w oko ze spłoszonym stadem mustangów. Jednak poza wiodącymi w górę śladami nie było nigdzie znaku zwierząt. Nie sposób było określić, ile ich jest. Może kilkanaście, pomyślał Tom.

W swym najwyższym punkcie przełęcz rozwidlała się na dwa szlaki niczym para ciasnych spodni. Aby dotrzeć na wyższe pastwiska, trzeba było jechać w prawo. Stanęli ponownie i uważnie obejrzeli ziemię. Była tak zdeptana we wszystkich kierunkach odciskami kopyt, że nie dało się ani wybrać spośród nich śladów Pielgrzyma, ani określić, w którą stronę on czy jakikolwiek inny koń pobiegł.

Bracia rozdzielili się – Tom skierował się w prawo, a Frank w lewo. Po około dwudziestu jardach Tom znalazł odciski Pielgrzyma, lecz prowadzące w dół. Kawałek dalej ziemia była mocno zadeptana i akurat gdy zamierzał dokładnie jej się przyjrzeć, usłyszał wołanie Franka.

Kiedy zatrzymał się przy nim, Frank kazał mu nasłuchiwać. Przez kilka chwil nie działo się nic. Potem Tom również to usłyszał – znowu oszalały kwik koni.

– Dokąd prowadzi ten szlak?

– Nie wiem. Nigdy tam nie byłem.

Tom spiął Rimrocka piętami i ruszył galopem.

Droga biegła w górę, potem w dół i znowu w górę. Była kręta i wąska, a drzewa stłoczone tak gęsto po obu stronach, że zdawały się same pędzić w przeciwnym kierunku. Tu i ówdzie jakieś leżało w poprzek. Pod niektórymi musieli gwałtownie się schylać, nad innymi przeskakiwać. Rimrock ani razu się nie potknął; dokładnie odmierzał kroki i nie otarł się nawet o gałąź.

Po mniej więcej pół mili teren znowu opadł gwałtownie, by otworzyć się pod stromym, usianym głazami zboczem, w które droga wbijała się długim półkolem. Poniżej z kolei opadał pionowo w dół, wieleset stóp w mroczne piekło drzew i skał.

Szlak wiódł do czegoś, co wyglądało na ogromne dawne kamieniołomy, wryte w wapień niczym kocioł jakiegoś olbrzyma, który pękł i rozlał swoją zawartość po zboczu. Teraz, z tego miejsca, ponad dudnieniem kopyt Rimrocka Tom ponownie usłyszał kwik koni. Potem dobiegł go inny krzyk i z nagłym ściśnięciem żołądka uświadomił sobie, że to Grace. Zdołał zajrzeć w ziejący wlot kotła dopiero wtedy, gdy w niego wjechał.

Dziewczynka kuliła się przy tylnej ścianie, złapana w potrzask kwiczących klaczy. Było ich siedem czy osiem, do tego kilka mniejszych i większych źrebaków – wszystkie biegały w kółko, za każdym razem strasząc się nawzajem coraz bardziej. Czyniona przez nie wrzawa wracała do nich odbita od skał, podwajając ich przerażenie. A im więcej się poruszały, tym więcej pyłu wbijały w powietrze i ślepota wywoływała u nich jeszcze większą panikę. W środku tego kłębowiska – stając dęba, kwicząc i waląc się kopytami – walczyli Pielgrzym i biały ogier, którego Tom widział tamtego dnia razem z Annie.

– Jezus Maria. – Frank właśnie dogonił brata. Jego koń znarowił się na ten widok, więc musiał mocno ściągnąć wodze i krążyć wokół Toma. Rimrock był zaniepokojony, lecz stał bez ruchu. Grace nie zauważyła ich jeszcze. Tom zsiadł i podał Frankowi wodze Rimrocka.

– Zostań tu na wypadek, gdybym cię potrzebował, ale będziesz musiał szybko zwolnić przejście, kiedy przybiegną – rzekł. Frank skinął głową.

Tom poszedł w lewo, mając za plecami ścianę skalną. Ani na chwilę nie odrywał wzroku od koni. Wirowały przed nim niczym jakaś zwariowana karuzela. Pył gryzł go w gardle. Kłębił się tak gęsto, że Pielgrzym stanowił jedynie ciemną rozmazaną plamę na tle białego kształtu podskakującego białego kształu ogiera.

Grace znajdowała się teraz nie dalej niż o dwadzieścia jardów. Wreszcie go zobaczyła. Twarz miała bardzo bladą.

– Jesteś ranna? – wrzasnął.

*

Grace potrząsnęła głową. Próbowała odkrzyknąć, że nic jej nie jest, lecz jej głos okazał się zbyt słaby, by się przebić przez zgiełk i pył. Upadając przedtem, uderzyła się w ramię i skręciła nogę w kostce, ale to wszystko. Paraliżował ją jedynie strach – i to strach bardziej o Pielgrzyma niż o siebie samą. Widziała obnażone różowe dziąsła nad zębami ogiera, gdy szarpał szyję Pielgrzyma, już czerwoną od krwi. Najgorsze było ich kwiczenie, dźwięk jaki do tej pory słyszała tylko raz, w pewien śnieżny, słoneczny poranek w innym miejscu.

Zobaczyła teraz, że Tom zdejmuje kapelusz, unosi go wysoko i machając nim, wkracza pomiędzy krążące klacze. Płoszyły się i odskakiwały przed nim, zderzając się z tyłu z innymi. Kiedy wszystkie się odwróciły, zaczął odganiać je od Pielgrzyma i ogiera. Jedna próbowała wyłamać się na prawo, lecz Tom skoczył i odpędził ją. Poprzez chmurę pyłu Grace dostrzegła jeszcze jednego mężczyznę, chyba Franka, odciągającego na bok dwa konie, by zrobić przejście. Klacze z młodymi przy ogonach przemknęły obok i uciekły.

Teraz Tom zawrócił i znów przeszedł wzdłuż ściany, dając miejsce walczącym koniom, jak przypuszczała Grace, po to, by nie zbliżyły się do niej. Zatrzymał się mniej więcej tam gdzie przedtem i ponownie zawołał.

– Nie ruszaj się z miejsca, Grace! Wszystko będzie okay!

Następnie, bez żadnych oznak strachu, zbliżył się do ogierów. Grace widziała, jak porusza ustami, lecz nie słyszała, co mówi. Być może mówił do siebie albo nawet wcale.

Nie stanął, dopóki nie znalazł się przy koniach i chyba dopiero zarejestrowały jego obecność. Zobaczyła, że sięga po wodze Pielgrzyma i chwyta je. Stanowczo, ale bez żadnego gwałtownego szarpania, ściągnął konia w dół i odwrócił go od ogiera, po czym uderzył mocno w zad i odesłał.

Ogier, któremu w ten sposób popsuto szyki, zwrócił teraz swój gniew przeciwko Tomowi.

Obraz tego, co się potem wydarzyło, pozostanie z Grace do dnia jej śmierci. I nigdy nie będzie miała całkowitej pewności, co się stało. Koń zaczął krążyć w ciasnym kręgu, szarpiąc łbem i wyrzucając kopytami kłęby pyłu i kamienie. Po ucieczce pozostałych zwierząt jego prychająca wściekłość dominowała w powietrzu i zdawała się rosnąć z każdym odbiciem echa od skał. Przez chwilę jakby nie wiedział, co sądzić o człowieku, który stał przed nim nieporuszony.

Pewne było jedynie, iż Tom mógł odejść. Dwa lub trzy kroki wyprowadziłyby go poza zasięg konia i poza niebezpieczeństwo. Zwierzę – jak sądziła Grace – po prostu zostawiłoby go w spokoju i pobiegło za innymi. Zamiast tego Tom zbliżył się do ogiera.

W chwili gdy się poruszył – co musiał przewidzieć – koń stanął przed nim dęba i zarżał. I nawet jeszcze teraz Tom mógł się odsunąć. Grace widziała raz, jak Pielgrzym stanął przed nim dęba i zwróciła uwagę, jak zręcznie Tom potrafił uskoczyć, by się uratować. Wiedział, gdzie spadnie końskie kopyto, którym mięśniem zwierzę poruszy i dlaczego, jeszcze zanim ono samo to wiedziało. A jednak tego dnia nie uskoczył, nie zrobił uniku ani nawet się nie uchylił i podszedł jeszcze bliżej.

Opadający pył był wciąż zbyt gęsty, aby Grace miała pewność, lecz wydało jej się teraz, że Tom otwiera trochę ramiona i – w geście tak minimalnym, iż być może tylko to sobie wyobrażała – pokazuje koniowi wnętrza dłoni. Tak jakby coś ofiarowywał. Może to było tylko to, co zawsze – dar braterstwa i pokoju. Lecz chociaż nigdy od tej chwili nie podzieliłaby się z nikim tą myślą, Grace odniosła nagłe dojmujące wrażenie, iż jest inaczej i że Tom, zupełnie bez objawów strachu czy rozpaczy, w jakiś sposób tym razem ofiarowuje samego siebie.

Wtedy, ze straszliwym hukiem – który sam wystarczyłby już, aby zatwierdzić przemijanie jego życia – kopyta spadły na głowę Toma i zwaliły go niczym rozsypującą się ikonę na ziemię.

Ogier jeszcze raz stanął dęba, ale już nie tak wysoko i tylko po to, by znaleźć dla swoich nóg oparcie pewniejsze niż ciało mężczyzny. Przez moment wydawał się zaniepokojony tak natychmiastową kapitulacją i niepewnie grzebał w pyle przy głowie Toma. Później machnął grzywą, zarżał po raz ostatni i skręciwszy w stronę przejścia, zniknął.

CZĘŚĆ V

36

Następnego roku wiosna późno przyszła do Chatham. Jednej nocy, pod koniec kwietnia, napadało śniegu na całą stopę. Był mokry, rozlazły i zniknął w ciągu dnia, lecz Annie obawiała się, że mógł zmrozić pączki tworzące się już na sześciu małych wiśniach Roberta. Kiedy jednak w maju wreszcie się ociepliło, pączki jakby się utwierdziły i rozkwitły w pełni i bez skazy.

Teraz najlepsza część widowiska już się skończyła, róż płatków wyblakł i delikatnie zbrązowiał na krawędziach. Z każdym podmuchem lekkiego wiatru kolejna chmara się odrywała, zaśmiecając trawę na dużej połaci. Te, które spadły pierwsze, kryły się przeważnie w wysokiej trawie wyrosłej wokół korzeni. Część jednak znajdowała krótkie ostateczne wytchnienie na białej gazie kołyski, która – odkąd pogoda złagodniała – stała codziennie w pstrokatym cieniu.

Była to stara kołyska z plecionej wikliny. Została przekazana przez jedną z ciotek Roberta po urodzeniu się Grace, a przed nią osłaniała formowanie się czaszek wielu mniej lub bardziej wybitnych prawników. Siatka, na którą padł teraz cień Annie, była nowa. Annie zauważyła, że niemowlę lubi patrzeć na płatki na gazie, zostawiła więc nietknięte te, które już tam były. Zajrzała do środka i zobaczyła, że dziecko śpi.

Za wcześnie jeszcze było, by stwierdzić, do kogo jest podobny. Cera była jasna, a włosy lekko brązowe, choć w słońcu wydawały się mieć rudawy odcień, który z pewnością pochodził od Annie. Od dnia narodzin – teraz miał już prawie trzy miesiące – jego oczy ani na chwilę nie przestały być niebieskie.

Lekarz Annie powiedział jej, że powinna się procesować. Miała spiralę dopiero od czterech lat – o rok krócej niż zalecany czas stosowania. Po badaniu okazało się, że miedź całkowicie się zużyła. Producenci na pewno uregulują sprawę, stwierdził, z obawy przed złą reklamą. Annie po prostu się roześmiała, a to uczucie było tak obce, że doznała szoku. Nie, odparła, nie chce się procesować, ani też – pomimo kiepskich precedensów oraz całej listy elokwentnie wyliczonych przez lekarza zagrożeń – nie chce przerwać ciąży.

Gdyby nie ten ustabilizowany układ w jej łonie, Annie wątpiła, czy którekolwiek z nich – ona, Robert albo Grace – przeżyłoby. Mogło to, a może wręcz powinno, pogorszyć sytuację, stać się skupiskiem ich licznych smutków. Zamiast tego, po początkowym szoku, jej ciąża stopniowo i powoli przyniosła uśmierzenie i rodzaj rozjaśniającego spokoju.

Annie poczuła ucisk w piersiach i przez chwilę pomyślała o obudzeniu niemowlaka na karmienie. Był tak bardzo inny od Grace. Ona szybko zaczęła niecierpliwić się przy piersi, tak jakby nie mogła zaspokoić swoich potrzeb i w tym wieku była już na butelkach. Ten mały przysysał się i pił, jak gdyby robił to wszystko już przedtem. Kiedy najadł się do syta, po prostu zasypiał.

Spojrzała na zegarek. Dochodziła czwarta. Za godzinę Robert i Grace będą wyruszać z miasta. Annie przez chwilę rozważała, czy opłaci się wrócić do domu i popracowć jeszcze trochę, rozmyśliła się jednak. Miała dobry dzień i artykuł, nad którym pracowała – chociaż w stylu i treści zupełnie inny od tego, co kiedykolwiek dotychczas napisała – rozwijał się pomyślnie. Postanowiła zamiast tego przejść się obok stawu na pole i rzucić okiem na konie. Kiedy wróci, niemowlę najprawdopodobniej nie będzie już spało.

Pochowali Toma Bookera obok jego ojca. Annie dowiedziała się o tym od Franka. Napisał do niej list. Został on wysłany do Chatham i przyszedł w pewien środowy poranek w ostatnich dniach lipca, kiedy siedziała sama w domu i właśnie odkryła, że jest w ciąży.

Zamierzali urządzić skromny pogrzeb, właściwie tylko dla rodziny. Tego dnia zjawiło się jednak prawie trzysta osób, niektóre aż z Charleston i Santa Fe. W kościele zmieścili się tylko nieliczni, pootwierano więc szeroko drzwi i okna i wszyscy inni stali w słońcu na zewnątrz.

Frank pomyślał, że Annie będzie chciała to wiedzieć.

Głównym powodem napisania listu, ciągnął dalej Frank, było to, iż na dzień przed śmiercią Tom najwyraźniej powiedział Joe, że chce dać Grace jakiś prezent. Obaj doszli do wniosku, iż powinien to być źrebak Bronty. Frank chciał poznać opinię Annie na ten temat. Jeśli uzna to za dobry pomysł, przywiozą go w ich przyczepie razem z Pielgrzymem.

Zbudowanie stajni było pomysłem Roberta. Annie widziała ją teraz idąc w stronę pola, na końcu długiej leszczynowej alei, ciągnącej się od stawu. Budynek stał nowy i mocny na tle świeżo obsypanych liśćmi brzóz i topoli. Annie dziwiła się za każdym razem, gdy to oglądała. Drewno ledwo wyschło, podobnie jak żerdzie nowej bramy i przyległego płotu. Różne odcienie zieleni drzew i trawy na polu były tak żywe, świeże i intensywne, iż zdawały się niemal brzęczeć.

Gdy się zbliżyła, oba konie podniosły łby, po czym spokojnie wróciły do skubania trawy. „Źrebak" Bronty zrobił się teraz niesfornym jednoroczniakiem, którego przy publiczności Pielgrzym traktował ze swego rodzaju wyniosłą pogardą. Było to głównie udawanie. Wiele razy Annie przyłapywała ich na wspólnej zabawie. Złożywszy ramiona na bramie, oparła podbródek, by patrzeć.

Grace w każdy weekend trenowała młodego konia. Obserwując ją, Annie wyraźnie dostrzegała, jak wiele dziewczynka nauczyła się od Toma. Widać to było w jej ruchach, nawet w sposobie odzywania się do zwierzęcia. Nigdy nie naciskała za bardzo, po prostu pozwalała mu odnaleźć siebie. Robił postępy. Dało już się w nim zauważyć tę samą miękkość, jaką posiadały wszystkie konie w Double Divide. Grace nazwała go Guliwer, zapytawszy wpierw Annie, czy nie sądzi, że mama i tata Judith będą mieli coś przeciwko temu. Annie odparła, iż z pewnością nie.

Z trudem przychodziło jej myśleć obecnie o Grace bez uczucia czci i zdumienia. Dziewczynka, już prawie piętnastoletnia, stanowiła wciąż na nowo odkrywany cud.

Tydzień, który nastąpił po śmierci Toma, okrywała mgła i prawdopodobnie było najlepiej dla nich obu, że tak pozostało. Odleciały do Nowego Jorku, gdy tylko Grace była zdolna do podróży. Przez wiele dni dziewczynka była niemal jak kataleptyk.

Zmianę przyniósł, jak się wydawało, widok koni tamtego sierpniowego poranka. Odblokował w niej wrota śluzy i przez dwa tygodnie płakała, przeżywając męki. To mogło porwać i zmieść z powierzchni ich wszystkich. Lecz w spokoju, który potem nastąpił, Grace jakby dokonała bilansu i – tak jak Pielgrzym – postanowiła przetrwać.

W tym momencie Grace stała się dorosła. Czasem jednak, gdy nie wiedziała, iż jest obserwowana, można było złapać w jej oczach mignięcie czegoś, co było więcej niż zwykłą dorosłością. Dwukrotnie była w piekle i dwukrotnie wróciła. Widziała to, co widziała i zebrała z tego pokłosie jakiejś smutnej, wyciszającej mądrości, równie starej jak sam czas.

Na jesieni Grace wróciła do szkoły i powitanie, jakie zgotowali jej tam koledzy, warte było tysiąc sesji z nową terapeutką, którą mimo wszystko nawet obecnie wciąż widywała co tydzień. Kiedy w końcu, z wielkimi obawami, Annie powiedziała jej o dziecku, Grace nie posiadała się z radości. Nigdy, ani razu, po dziś dzień nie zapytała, kto jest ojcem.

Robert także nie. Żaden test nie ustalił tego faktu, ani też on nie domagał się takowego. Annie przypuszczała, iż woli możliwość, że dziecko jest jego od pewności, że nie jest.

Wszystko mu powiedziała. I tak jak poczucie winy różnej przyczyny i zawiłości było na zawsze wyryte w sercach jej i Grace, tak również został ból, który spowodowała w jego sercu.

Ze względu na Grace odroczyli wszelkie decyzje na temat tego, jaką przyszłość – jeżeli w ogóle – może mieć ich małżeństwo. Annie mieszkała w Chatham, Robert w Nowym Jorku. Grace kursowała pomiędzy nimi, niczym kojący wahadłowiec, rekonstruując nitka po nitce porwaną tkaninę ich życia. Kiedy zaczęła się szkoła, przyjeżdżała do Chatham co weekend, zwykle pociągiem. Czasem jednak przywoził ją Robert.

Początkowo wysadzał ją tylko, całował na do widzenia i po zamienieniu kilku formalnych słów z Annie, wracał od razu do miasta. Pewnego deszczowego wieczoru, w piątek pod koniec października Grace wymogła na nim, by został. We trójkę zjedli razem kolację. Wobec Grace był zabawny i kochający jak zawsze. W stosunku do Annie zachowywał rezerwę, nie wykraczając poza uprzejmość. Spał w gościnnym pokoju i wyjechał wcześnie następnego dnia.

Miało to się stać ich niepisaną piątkową rutyną. I jakkolwiek z zasady nigdy jeszcze nie został dłużej niż na tę jedną noc, jego wyjazdy następnego dnia stawały się stopniowo coraz późniejsze.

W sobotę przed Świętem Dziękczynienia pojechali we troje na śniadanie do Bakery. Był to pierwszy raz od wypadku, kiedy zjawili się tam jako rodzina. Ne zewnątrz wpadli na Harry'ego Logana. Zaczął przypochlebiać się Grace i wywołał rumieniec na jej twarzy, mówiąc jak wyrosła i jak wspaniale wygląda. Była to prawda. Zapytał, czy może kiedyś zajechać i przywitać się z Pielgrzymem, oni zaś odparli, że oczywiście.

O ile Annie wiedziała, nikt w Chatham nie miał pojęcia, co się wydarzyło w Montanie poza tym, że ich koniowi polepszyło się. Spojrzawszy na wystający brzuch Annie, Harry pokręcił głową i uśmiechnął się.

– Ech, wy – rzekł. – Sam wasz widok – całej waszej czwórki – tak dobrze mi robi. Naprawdę bardzo, bardzo się cieszę.

Wiele zdumienia wywołało to, jak po tylu poronieniach Annie zdołała tym razem bez problemów przejść całą ciążę. Położnik stwierdził, że przy ciążach w starszym wieku często zdarzają się dziwne rzeczy. Annie bardzo mu podziękowała.

Dziecko urodziło się na początku marca przez zaplanowane cesarskie cięcie. Zapytali ją, czy chce dostać znieczulenie zewnątrzoponowe i patrzeć, lecz ona odparła, że absolutnie, żąda wszystkich prochów, jakie tylko mają. Obudziwszy się – tak jak już kiedyś przedtem – ujrzała noworodka na poduszce obok siebie. Robert i Grace również tam byli i we troje płakali i śmiali się razem.

Dali mu na imię Matthew, po ojcu Annie.

Wiatr przywiał teraz do Annie płacz dziecka. Kiedy odwróciła się od bramy i zaczęła wracać w stronę wiśni, konie nie podniosły łbów.

Nakarmi go, potem weźmie do środka i przewinie. Następnie posadzi go w rogu kuchni, by mógł patrzeć na nią tymi swoimi jasnoniebieskimi oczkami, jak przygotowuje kolację. Może tym razem uda jej się przekonać Roberta, by został na cały weekend. Gdy przechodziła obok stawu, dzikie kaczki wzbiły się w powietrze, trzepiąc skrzydłami o wodę.

*

Jeszcze o jednej rzeczy Frank wspomniał jej w liście przysłanym zeszłego lata. Porządkując pokój Toma, natknął się na kopertę leżącą na stole. Widniało na niej imię Annie, więc załączył tę kopertę do listu.

Annie długo przyglądała się jej przed otwarciem. Pomyślała, jakie to dziwne, że aż dotąd nigdy nie widziała odręcznego pisma Toma. W środku, złożona w kartce czystego białego papieru, znajdowała się pętelka sznurka, który odebrał jej tej ostatniej nocy, jaką spędzili razem w domku nad potokiem. Na kartce napisał jedynie: „Na wypadek, gdybyś zapomniała”.